ISBN 978-0-265-63566-7
PIBN 10990119

1 MONTH OF
FREE
READING

at
www.ForgottenBooks.com

By purchasing this book you are eligible for one month membership to ForgottenBooks.com, giving you unlimited access to our entire collection of over 1,000,000 titles via our web site and mobile apps.

To claim your free month visit:
www.forgottenbooks.com/free990119

English
Français
Deutsche
Italiano
Español
Português

www.forgottenbooks.com

Mythology Photography **Fiction**
Fishing Christianity **Art** Cooking
Essays Buddhism Freemasonry
Medicine **Biology** Music **Ancient**
Egypt Evolution Carpentry Physics
Dance Geology **Mathematics** Fitness
Shakespeare **Folklore** Yoga Marketing
Confidence Immortality Biographies
Poetry **Psychology** Witchcraft
Electronics Chemistry History **Law**
Accounting **Philosophy** Anthropology
Alchemy Drama Quantum Mechanics
Atheism Sexual Health **Ancient History**
Entrepreneurship Languages Sport
Paleontology Needlework Islam
Metaphysics Investment Archaeology
Parenting Statistics Criminology
Motivational

13

Bibliographie

des

Bibliotheks- und Buchwesens

Bearbeitet

von

Adalbert Hortzschansky

Achter Jahrgang: 1911

XL. Beiheft zum Zentralblatt für Bibliothekswesen

Inhaltsangabe.

Vorwort.

Der achte Jahrgang der Bibliographie des Bibliotheks- und Buchwesens umfaſst den Schluſs des Jahres 1910 und den gröſsten Teil des Jahres 1911 mit Nachträgen zu den früheren Jahrgängen.

Für freundliche Unterstützung bei der Sammlung des Materials habe ich vor allem meinem Kollegen Herrn Oberbibliothekar Dr. L a u e, dem Vorsteher des Zeitschriftenzimmers der Königlichen Bibliothek zu Berlin zu danken. Zu besonderem Danke bin ich auch der Bibliothekssekretärin an derselben Anstalt Fräulein Lotte S c h m i d t verpflichtet, die das Register bearbeitet hat.

Berlin-Lichterfelde im Mai 1912.

Adalbert Hortzschansky.

II.

Bibliothekswesen im allgemeinen.

1. Allgemeines und Geschichte.

Bader, Karl. Staatsbürgerliche Erziehung und die öffentlichen Bibliotheken. Frankfurter Zeitung 1911· Nr 265 v. 24. September. [44

Bibliographie (Russisch) der Speziallitteratur: I. Sallogub und Simanovskij. Index der den Kritiken der Presse nach besten Lehrbücher etc. von E. Proskurjakov. II. Uebersicht über die russische Litteratur nach der Theorie der Bibliothekswissenschaft von P. M. Bogdanov. Bibliotekaŕ 1. 1910. S. 65—80. [45

Blount, Alma. The ways of European libraries. Western Journal of Education. 1910, Oct. S. 348—356. [46

Association des bibliothécaires français. Bibliothèques, livres et libraires. Conférences faites à l'École des Hautes-Études sociales sous le patronage de l'Association des bibliothécaires français av. le concours de l'Institut internat. de bibliographie et du Cercle de la librairie. Paris: Rivière 1912. VI, 274 S. 5 Fr. [47

Compton, Charles H. The Library in relation to the university. Libr. Journal 35. 1910. S. 494—503. [48

Haffkin, L. B. (Russisch.) Die Bibliotheken, ihre Organisation und Technik. Handbuch für Bibliothekskunde. 2. umgearb. u. bedeutend verm. Aufl. M. 51 Abb., 40 Tabell. u. alph. Index. St.-Petersburg: Selbstverlag 1911. VIII, 404 S. 3 Rub. [49

Haffkin, L. B. (Russ.). Handbuch für kleinere Bibliotheken. Mit Zeichnungen, Abbildungen und alphabetischem Index. Moskau: J. D. Sytin 1911. 130 S. 35 Kop. [50

Huck, William. Monastic library catalogues and inventories. The Antiquary N. S. 7. 1911. Nr 6. 8. [51

Manitius, M. Geschichtliches aus mittelalterlichen Bibliotheks-Katalogen. Nachtrag. Neues Archiv d. Ges. f. ält. deutsche Geschichtskunde 36. 1911. S. 755—774. [52

Ecole de Hautes-Etudes sociales. Section de Bibliothèques modernes. Conférences ... Martin, Henry. Conférence d'ouverture. Bulletin de l'association des bibliothécaires français 4. 1910. S. 120—130. [53

Mullinger, J. Bass. The Foundation of libraries. In: The Cambridge History of English literature Vol. 4. 1909. S. 415—434. [54

Scheltema, J. F. Muhammadan books and libraries. The Librarian 1. 1910/11. Nr 9. April 1911. (Wird fortges.) [55

T(edder), H. R., and J. D. Br(own). Libraries. Encyclopaedia Britannica. 11. Ed. Vol. 16. 1911. S. 545—577. [56

Zimmer, Hugo Otto. Zentralisation der Bibliotheken. Zbl. 28. 1911. S. 446—469. [57

2. Spezialbibliotheken.

Enschedé, J. W. Vakbibliotheken. De Boekzaal 5. 1911. S. 212
—215.　　　　　　　　　　　　　　　　　　　　　　　　　　　　[58

Hicks, Frederic C. The Relation of special libraries to public and
university libraries. Libr. Journal 35. 1910. S. 487—493.　　[59

Krause, Louise B. What are special libraries? Public Libraries 15.
1910. S. 413—415.　　　　　　　　　　　　　　　　　　　　　　　[60

Blinde. Mell, A. Ueber Bibliotheken für Blinde. Der Blindenfreund 31.
1911. Nr 1—5.　　　　　　　　　　　　　　　　　　　　　　　　[61

Gefängnisse. Janssen Schollmann, J. J. Die Bibliotheek in de Strafgevangenissen van ons Land. De Boekzaal 4. 1910. Afl. 9. 10. [62

— Janssen Schollmann, J. J. De Bibliotheek in de strafgevangenissen
van ons land. Rotterdam: Nijgh & van Ditmar 1911. 47 S.
0,40 Fl.　　　　　　　　　　　　　　　　　　　　　　　　　　　[63

Observatorien. Collard, Aug. Les Bibliothèques d'Observatoires en
Europe et en Amérique. (Suite.) Revue des biblioth. et archives
de Belgique 7. 1909/1910. S. 428—456 mit 1 Taf. (Wird fort-
gesetzt.)　　　　　　　　　　　　　　　　　　　　　　　　　　[64

Schiffsbibliotheken. Boljahn, O. Die Schiffsbibliotheken der Flotte des
Norddeutschen Lloyd in Bremen. Blätter f. Volksbibl. u. Lesehallen 12.
1911. S. 174—177.　　　　　　　　　　　　　　　　　　　　　[65

— Meuls, J. F. Die Schiffsbibliotheken der Kaiserlichen Marine.
Zbl. 28. 1911. S. 123—125.　　　　　　　　　　　　　　　　　[66

3. Volksbibliotheken und Lesehallen.

Bibliothek und Schule.

(Zeitschriften s. bei I, Volksbibliotheken einzelner Gebiete oder Orte
s. bei diesen.)

Barrow, David C. The library as a form of extension work. Libr.
Journal 36. 1911. S. 285—288.　　　　　　　　　　　　　　　[67

Börner, Wilh., und Erich Frankl. Die Volksbücherei. Ihre Gründung,
Einrichtung und Führung. Wien: Heller 1911. VII, 54 u. 7 S.
Geb. 2 M.　　　　　　　　　　　　　　　　　　　　　　　　　[68

Standard Books. An annotated and classified guide to the best books
in all departments of literature, with a copious index of subjects
and bibliographical notes of authors. In four volumes. Vol. 1. 2.
London, Edinburgh . . .: Th. Nelson o. J. 788, 620 S. 4⁰. p. e.
84 Sh.　　　　　　　　　　　　　　　　　　　　　　　　　　　[69

Collier, B. G. Curtis. Local records in public libraries. Libr. Assoc.
Record 13. 1911. S. 268—275.　　　　　　　　　　　　　　　[71

Coulter, Stanley. The rural community and the library. Public
Libraries 16. 1911. Nr 1. 2.　　　　　　　　　　　　　　　　[72

Société des Bibliophiles et Iconophiles de Belgique. Annuaire de 1910. Bruxelles: Secrétariat. 165 S. Jahresbeitrag 50 Fr. [142
Bulletin. Société des Bibliophiles belges séant à Mons. Bulletin 1. Fasc. 2. 3. Mons 1909. 1911: Dequesne-Masquillier. S. 33—48. 49—96 m. 4 Abb. u. 4 Taf. [143

Frankreich.

Bulletin de l'Association des Bibliothécaires Français. Ann. 5. 1911. Nr 1. Janvier-Février. Paris: H. Le Soudier 1911. Jg. (6 Nrn) für Mitglieder 5 Fr., Abonnement 6 Fr., Ausland 7 Fr. [144
Société des bibliophiles normands. 93e Assemblée générale 1er juin 1911. Rouen 1911: Gy. 8 S. [145

Grofsbritannien.

Proceedings of the 33th annual meeting of the Library Association. Held at Exeter, 5 to 9 September, 1910. Libr. Assoc. Record 12. 1910. S. 526—597. [146
The Bibliographical Society. News-Sheet. 1911. (Nr 1) January. London: Society (Blades) 1911. [147
The Bibliographical Society. Rules and list of members. (London: Society 1911.) [148

Italien.

Il Congresso delle Università e delle Biblioteche Popolari. Giornale della libreria 24. 1911. S. 22—24. [149

Niederlande.

Stenografisch Verslag van de derde jaarlijksche openbare Vergadering der Vereeniging voor openbare Leeszalen in Nederland gehouden te Hilversum, 22. April 1911. De Boekzaal 5. 1911. S. 167—178. [150

Rufsland.

Erster allrussischer Kongrefs (Russ. Sězd) für Bibliothekswesen. 1. bis 7. Juni 1911. Resolutionen, angenommen von der vereinigten Versammlung der Sektionen des Kongresses in der Sitzung vom 7. Juni 1911. Bibliotekař 2. 1911. Heft 2, Beilage. 36 S. [151
Allrussischer Kongrefs (Russ. Sezd) für Bibliothekswesen. 1. Verzeichnis der dem Kongrefs vorgelegten Berichte. 2. Chronik des Kongresses. Bibliotekař 2. 1911. S. 220—224. [152
Allrussischer Kongrefs (Russ. Sězd) für Bibliothekswesen. I. Von der Kommission für akademische Bibliotheken. II. Aufzählung der Fragen für die 1. Sektion des Kongresses. III. Von der Ausstellungs-Kommission. IV. Programm der Abteilungen der Ausstellung. V. Chronik des Kongresses. Bibliotekař 2. 1911. S. 51—58. [153

Paz, Julián. El segundo congresso-internacional de archiveros-biblio-
tecarios, reunido en Bruselas. Revista de archivos, bibliotecas y
museos 14. 1910. S. 320—336.   [127
S(tein), H. Le Congrès des archivistes et des bibliothécaires (Bruxelles,
août 1910.) Bibliographe moderne 14. 1910 (1911). S. 354
—364.   [128
Sustrae. Les Congrès de Bruxelles, août 1910. Bulletin de l'association
des bibliothécaires français 4. 1910. S. 101—112.   [129
Wharton, L. C. Der Kongreſs der Archivare und Bibliothekare (in
Brüssel). Uebers. von Paula Arnold. Zeitschr. d. Oesterr. Vereines
f. Bibliothekswesen 1. 1910. S. 163—174.   [130

Deutsches Reich.

Fick, Richard. Zwölfte Versammlung Deutscher Bibliothekare in Hamburg. Zeitschr. d. Oesterr. Vereines f. Bibliothekswesen 2. 1911.
S. 79—89.   •   [131
Schwenke, P. Die 12. Bibliothekarversammlung in Hamburg am 8. bis
9. Juni. Bericht über den äuſseren Verlauf. Zbl. 28. 1911. S. 345
—350.   [132
Versammlung Deutscher Bibliothekare. 12, in Hamburg am 8. und
9. Juni 1911. Zbl. 28. 1911. S. 381—469.   [133
Verzeichnis der Mitglieder des Vereins deutscher Bibliothekare 1911.
Jahrbuch der Deutschen Bibliotheken 9. 1911. S. 73—145.   [134
Vereinigung bibliothekarisch arbeitender Frauen. Jahresbericht 1909/10.
Satzungen. Mitglieder-Verz. Berlin 1911: A. W. Hayn. 27 S.   [135
Satzungen des Vereins der unteren Bibliotheksbeamten in Bayern.
Beschlossen in der Mitglieder-Versammlung vom 28. Dezember 1910
in München. (München 1911). 2 Bl.   [136
Jahrbuch der Gesellschaft der Bibliophilen. Jg. 10. 1909/10. Weimar:
Sekretariat d. Ges. (1910). XXIX, 52 S. Jahresbeitrag 8 M.   [137

Schweiz.

Escher, H. Die 10. Vereinigung schweizerischer Bibliothekare in Freiburg, 4. und 5. Sept. 1910. — Zwei neue schweizerische Bibliotheksgebäude. Zbl. 28. 1911. S. 16—22 m. 2 Plänen.   [138
Xme Réunion de l'Association des Bibliothécaires Suisses tenue à Fribourg le Dimanche 4 et le Lundi 5 Septembre 1910. Procès-verbal.
(Neuchâtel o. J.: Delachaux.) 6 S. 4⁰.   [139
Versammlung der Vereinigung schweizerischer Bibliothekare. 11, Sonntag und Montag, den 11. und 12. Juni 1911, in Zofingen. Protokoll.
O. O.: 1911. 22 S.   [140

Belgien.

Bulletin de l'association des archivistes et bibliothécaires belges.
Ann. 4. 1910. 5. 1911. Nr. 1. Roulers 1910, 1911: Deraedt-
Verhoye. 54, 9 S.   [141

Société des Bibliophiles et Iconophiles de Belgique. Annuaire de 1910.
. Bruxelles: Secrétariat. 165 S. Jahresbeitrag 50 Fr.   [142
Bulletin. Société des Bibliophiles belges séant à Mons. Bulletin 1.
Fasc. 2. 3. Mons 1909. 1911: Dequesne-Masquillier. S. 33—48.
49—96 m. 4 Abb. u. 4 Taf.   [143

Frankreich.

Bulletin de l'Association des Bibliothécaires Français. Ann. 5. 1911.
Nr 1. Janvier-Février. Paris: H. Le Soudier 1911. Jg. (6 Nrn) für
Mitglieder 5 Fr., Abonnement 6 Fr., Ausland 7 Fr.   [144
Société des bibliophiles normands. 93e Assemblée générale 1er juin
· ' 1911. Rouen 1911: Gy. 8 S.   [145

Grofsbritannien.

Proceedings of the 33th annual meeting of the Library Association.
Held at Exeter, 5 to 9 September, 1910. Libr. Assoc. Record 12.
1910. S. 526—597.   [146
The Bibliographical Society. News-Sheet. 1911. (Nr 1) January.
London: Society (Blades) 1911.   [147
The Bibliographical Society. Rules and list of members. (London:
Society 1911.)   [148

Italien.

Il Congresso delle Università e delle Biblioteche Popolari. Giornale
della libreria 24. 1911. S. 22—24.   [149

Niederlande.

Stenografisch Verslag van de derde jaarlijksche openbare Vergadering
der Vereeniging voor openbare Leeszalen in Nederland gehouden te
Hilversum, 22. April 1911. De Boekzaal 5. 1911. S. 167—178. [150

Rufsland.

Erster allrussischer Kongrefs (Russ. Sězd) für Bibliothekswesen. 1. bis
7. Juni 1911. Resolutionen, angenommen von der vereinigten Versammlung der Sektionen des Kongresses in der Sitzung vom 7. Juni
1911. Bibliotekař 2. 1911. Heft 2, Beilage. 36 S.   [151
Allrussischer Kongrefs (Russ. Sezd) für Bibliothekswesen. 1. Verzeichnis der dem Kongrefs vorgelegten Berichte. 2. Chronik des Kongresses. Bibliotekař 2. 1911. S. 220—224.   [152
Allrussischer Kongrefs (Russ. Sězd) für Bibliothekswesen. I. Von der
Kommission für akademische Bibliotheken. II. Aufzählung der Fragen
für die 1. Sektion des Kongresses. III. Von der Ausstellungs-Kommission. IV. Programm der Abteilungen der Ausstellung. V. Chronik
des Kongresses. Bibliotekař 2. 1911. S. 51—58.   [153

Allrussischer Kongrefs (Russ.: Sězd) für Bibliothekswesen. 1·—7. Juni
  1911. 1. Sektion. Staatliche akademische und Spezial-Bibliotheken.
  No 1. S.-Peterburg 1911: A. S. Suvorin. 17 S.   [154
Bericht (russisch: Otčet) über die Tätigkeit der Gesellschaft für Biblio-
  thekswissenschaft im Jahre 1908. Rechenschaftsbericht für dasselbe
  Jahr. Bibliotekař 1. 1910. S. 104—125.   [155
    Dasselbe. 1908 u. 1909. St.-Petersburg 1910. 53 S.
Bogdanov, P. M. (Russisch). Uebersicht über die Tätigkeit der Sektion
  für Bibliothekswissenschaft in der Russischen Bibliologischen Gesell-
  schaft 1903—1907. Bibliotekař 1. 1910. S. 39—46. ·   [156
Statuten (Russisch Ustav) der Gesellschaft für Bibliothekswissenschaft.
  Bibliotekař 1. 1910. S. 95—103.   [157

Vereinigte Staaten.

American Library Association. 33d annual Meeting, Pasadena, California, May 18—24, 1911. Libr. Journal 36. 1911. . S. 353
  —368.   [158
Papers and proceedings of the 31. annual meeting of the American
  Library Association held at Bretton Woods, New Hampshire,
  June 26—July 3, 1909. (Darin: National association of state
  libraries, 12. meeting, S. 281—336. League of library commissions,
  6. meeting, S. 337—355. American association of law libraries
  4. meeting, S. 356—359. College and reference section, S. 360—384.
  Catalog section. S. 385—408. Children's librarians' section, S. 408
  —427. Section on professional training for librarianship, S. 427
  —436.) Chicago: Amer. Libr. Assoc. 1909 (1910). S. 119—461. =
  Bulletin of the Amer. Libr. Assoc. 3 (1909). Nr 5.   [159
Proceedings of the twelfth meeting (sixth annual) of the society, held
  at Mackinac Island June 30 ánd July 5, 1910. Bulletin of the
  Bibliographical Society of América Vol. 2. Nr 3—4, July—Oct. 1910.
  S. 25—38.   [160
Prescott, Harriet B. Library week in New York City. New York
  Library Association: 21st annual meeting, September 25—30, 1911.
  Libr. Journal 36. 1911. S. 505—509.   [161
Bibliographical Society of America. Proceedings and Papers (4 ff.:
  Papers). Vol. 3. 1908. 4. 1909. 5. 1910. New York (5: Chicago):
  Society (5: Univ. Press.) 1909. 10. (11). 136, 119, 114 S.   [162

5. Beruf und Ausbildung des Bibliothekars.

Baker, Ernest A. The work of the education committee of the library
  association. Libr. World 14. 1911/12. S. 70—72.   [163
Baker, E. A. The work of the Library Association Education Committee. Library Assistant 1911, October.   [164
Braun, Johannes. Der Bibliothekar und seine Mitarbeiter. Bücherwelt 9.
  1911/12. S. 29—32.   [165

Fabietti. La Scuola per gli addetti alle Biblioteche Popolari. Giornale
della libreria 24. 1911. S. 71—72. [166

Fegan, E. S. Professional training. Library Assistant 1911, April. [167

Fegan, Ethel S. Some thoughts on professional training. Libr. Assoc.
Record 13. 1911. S. 237—242. [168

Foote, Elizabeth L. Training for librarianship in Great Britain. Libr.
Journal 35. 1910. S. 547—551. [169

Gautier, Jean. Notions sur les retraites du personnel des bibliothèques
de l'état et des universités. Bulletin de l'association des bibliothécaires français 4. 1910. S. 81—91. [170

Heidenhain, A. Die Ausbildung für den Dienst populärer Bibliotheken.
Volksbildungsarchiv 2. 1910/11. S. 133—138. [171

Lange, K. Der Bibliothekar. Eine Darstellung seines Werdegangs mit
Einschluſs der Bibliothekarin unter Berücksichtigung des Dienstes
an Volksbibliotheken. Stuttgart: W. Violet 1911. 115 S. 1,20 M.
(Violets Berufswahlführer.) [172

New York State Library School. Librarianship an uncrowded calling.
Albany, N. Y.: State Education Dept. 1911. 23 S. [173

Report on Hours of Library Assistants in Lancashire. Iss. by the
Manchester and District Library Assistants' Fellowship. Manchester:
Univ. Library 1910. 11 S. 6 d. [174

Savage, Ernest A. The salaries of libraries and their assistants. Libr.
World N. S. 14. 1911/12. S. 33—36. [175

Vine, Guthrie. The personality of the librarian. Libr. Assoc. Record 12.
1910. S. 615—624. [176

Živný, L. J. (Czechisch.) Schulen zum Studium des Bibliothekswesens
in den Vereinigten Staaten. Pedagogické Rozhledy 24. 1910. S. 6
—10. 113—117. [177

6. Bibliotheksverwaltung.

1. Allgemeines. Vermehrung.

Baker, E. A. Book selection: fundamental principles and some appli-
cations. Libr. Assoc. Record 13. 1911. S. 17—29. [178

Black, W. M. The value of a library commission. Public Libraries 16.
1911. S. 53—56. [179

Boccardi, Renzo. Vita interna di biblioteca. Il servizio statistico.
Coltura popolare 1. 1911. S. 262—265. [180

Bogdanov, P. (Russ.): Bemerkungen über Bibliothekstechnik. I. Aufstellung und Numerierung der Bücher (Schluſs). Bibliotekař 2.
1911. S. 27—47. [181

Bott, J. Des ressources que peut se créer une bibliothèque. Bulletin
de l'association des bibliothécaires français 5. 1911. S. 11—12. [182

Brown, Charles H. Limitations of the branch librarians' initiative.
Libr. Journal 36. 1911. S. 333—336. [183

Cannons, H. G. T. Bibliography of library economy. A classified Index to the Professional Periodical Literature relating to Library Economy, Printing, Methods of Publishing, Copyright, Bibliography, etc. (Enthält nur in englischer Sprache verfaſste Schriften.) London: Stanley Russel 1910. 448 S. 7 Sh. 6 d. [184

Checketts, H. W., The non-municipal side of the library profession its scope and prospects. (College-, Vereins- und Behördenbibliotheken.) (Schluſs.) The Librarian 1. 1910/11. Nr 6. 7. [185

Dana, John Cotton. The use of print in the world of affairs. Libr. Journal 35. 1910. S. 535—538. [186

Drury, F. K. W. Labor savers in library service. Libr. Journal 35. 1910. S. 538—544. [187

Evers, G. A. Bibliotheek-photographie. Tijdschrift voor boek- & bibliotheekwezen 8. 1910. S. 227—232. [188

Famulus III. (Automatische Photographie System Jantsch, Tagesleistung 2500 Aufnahmen.) Korrespondenzblatt d. Akadem. Schutzvereins 5. 1911. Nr 2. 3. [189

Frederking. Zapon oder Cellit? Korrespondenzblatt des Gesamtvereins der deutschen Geschichts- und Altertumsvereine 58. 1910. Nr 11/12. Sp. 578—591. 599—601. [190

Gould, Charles H. Co-ordination, or method in co-operation. Bulletin of the American Library Association 3. 1909 (1910). S. 122—128. [191

Haines, Helen E. Two aids in library work. Libr. Journal 36. 1911. S. 111—116. [192

Hartley, John. Book destruction. Libr. World 14. 1911/12. S. 7—10. [193

Jackson, C. P. Maps: their value, provision, and storage. Library Assistant 1911, October. [194

Jones, Robert T. Some aids to readers. Libr. World 13. 1910/11. S. 225—233. [195

Kent, Henry W. Librarianship. Libr. Journal 35. 1910. S. 483—487. [196

Kenyon, F. G. Should librarians read? Public Libraries 16. 1911. S. 43—49. [197

Litinskij, L. (Russ.): Aus den Fragen der Bibliotheksstatistik. Bibliotekaŕ 2. 1911. S. 47—51. [198

McGill, William. A form of work-sheet. Libr. World 13. 1910/11. S. 204—208. [199

Marc, Paul. Bibliothekswesen. (Die Angewandte Photographie uud Bibliothekswesen.) = Angewandte Photographie in Wissenschaft und Technik. Teil 4. Berlin 1911. S. 57—76, Taf. 25—29. [200

Normalplan (Russ. normal'nyj plan) für bibliothekstechnische Einrichtungen an kleineren Bibliotheken. Bibliotekaŕ 2. 1911. S. 149—219. [201

Nuttall, F. E. Literary history: a librarians equipment. Libr. Assoc. Record 12. 1910. S. 625—629. [202

Plummer, Mary Wright. Hints to small libraries. 4th edition. Chicago:
Amer. Libr. Assoc. 1911. 67 S. 0,75 $. [203

Posse, O. Zapon, Neuzapon, Cellit. Korrespondenzblatt des Gesamtvereins der deutschen Geschichts- und Altertumsvereine 59. 1911.
Sp. 427—432. [204

Eine Rundfrage (über die Reform des Bibliothekswesens). III—V.
Zeitschr. d. Oesterreich. Vereines f. Bibliothekswesen 1. 1910. S. 125
—130. 2. 1911. S. 5—7. 73—77. [205

Scroggie, George E. Library publicity. Libr. Journal 36. 1911.
S. 289—292. [206

Weckbecker, Wilhelm Fhr. von. Museen und Bibliotheken unter ver-
waltungstechnischem Gesichtspunkte. Ein Zyklus von Vorträgen,
gehalten in der Wiener Vereinigung für staatswissenschaftliche Fort-
bildung. (Als Manuskript gedr.) (Wien): 1910 (Holzhausen). VI,
99 S. [207

Wilson, Louis N. Some new fields of library activity. Public Libraries 16.
1911. S. 183—191. [208

Wire, G. E. Worcester County Law Library. Leather preservation
and book repairing. Worcester, Mass.: 1911. 12 S. [209

Zimmer, Hugo Otto. Wie verwaltet man Bibliotheken? Bücherwelt 8.
1910/11. S. 151—155. [210

2. Katalogisierung.

Bliss, Henry E. Simplified book-notation. Libr. Journal 35. 1910.
S. 544—546. [211

Bodnarsky, Bogdan. La Diffusion de la classification bibliographique
décimale en Russie. Rapport ... Bulletin de l'Institut internat.
de Bibliographie 16. 1911. S. 202—208. [212

Coulson, Thomas. An outline of the theory of classification. Libr.
World 14. 1911/12. Nr 62. 63. [213

Dewey, Melvil. Decimal classification and relativ index for libraries,
clippings, notes ... 7. edition. Lake Placid Club, N. Y.: Forest
Press 1911. 777 S. 4º. 6 $. [214

Enquête pour la préparation d'un projet de règles catalographiques
internationales. Bulletin de l'Institut internat. de bibliographie 1910.
S. 1—8. [215

Jackson, Walter J. On the signs and symbols in cataloguing. Libr.
World 13. 1910/11. S. 161—165. [216

Kaiser, Rudolf. Vergleichung der englisch-amerikanischen Katalog-
regeln mit der preußischen Instruktion und die Frage einer internationalen Einigung. Zbl. 28. 1911. S. 412—430. [217

Martel, C. Classification: a brief conspectus of present day library
practice. Libr. Journal 36. 1911. S. 410—416. [218

Purnell, H. Rutherford. The Development of notation in classification.
Croydon: 1910. 16 S. 3 d. = The Library assistants' association
series No 3. [219

Traduction française des Règles catalographiques anglo-américaines.
Bulletin de l'Institut internat. de bibliographie 1910. S. 9—68. [220
Reinick, William R. Checking serial publications. Libr. Journal 36.
1911. S. 416—420. [221
Saxe, Mary S. Books and classification. Public Libraries 16. 1911.
S. 323—327. [222
Sayers, W. C. Berwick. Model questions in classification. Libr.
World 14. 1911/12. S. 43—45. [223
Wierdsma, M. Naamtafels naar Cutter's „Author-marks" voor neder-
landsche Bibliotheken. Met toelichting en gebruiksaanwijzing door
H. E. Greve. De Boekzaal 4. 1910. S. 443—452. [224
Willcocks, M. P. The analytic library catalogue. Libr. Assoc. Record 13.
1911. S. 91—97. [225
Wilson, H. W. The co-operatively printed catalog. Bibliographical
Society of America. Proceedings a. Papers 3. 1908 (1909). S. 29
—42. [226
Wright, R. Brown versus Dewey. Library Assistant 1910. Oktober. [227

3. Benutzung.

Helfsig, Rudolf. § 606 des Bürgerlichen Gesetzbuches und die Biblio-
theken. Zbl. 28. 1911. S. 401—412. [228
Hofmann, Walter. Die Organisation des Ausleihdienstes in der modernen
Bildungsbibliothek. III. Die Organisation. Berlin: C. Heymann 1911.
104 S. Aus: Volksbildungsarchiv 2. 1911/12. H. 1/2. [229
Ranck, Samuel H. The use of the library lecture room. Libr.
Journal 36. 1911. S. 9—14. [230
Schulz, Gottfried. Versicherung der Wertsendungen der Bibliotheken
bei einer Transportversicherungs-Gesellschaft. Zbl. 28. 1911. S. 387
—390. [231
Sobernheim, G., und E. Seligmann. Ueber Bücherdesinfektion. Berlin:
Deutsch. Verlag f. Volkswohlfahrt 1910. 24 S. Aus: Desinfektion.
3. 1910. H. 11. [232
Ward, Gilbert O. Teaching outline, to accompany the practical use
of books and libraries. Boston: Boston Book Co. 1911. 38 S.
50 cents. [233

4. Gebäude und Einrichtung.

Darch, John. Library lighting. The Librarian 1. 1910/11. Nr 7. 8
m. 6 Abb. [234
Lighting of public libraries. Journal of Gas Lighting 1911. Jan. 24.
S. 232—233. [235
Maas, Georg. Das Buchgestell der Panzer-Aktiengesellschaft. Be-
merkungen zu dem Aufsatz von Dr. Paul Jürges-Wiesbaden . . .
Mit Erwiderung von P. Jürges. Blätter f. Volksbibl. u. Lesehallen 12.
1911. S. 44—47. 47—49. [236

Szabo, Ervin. (Magyarisch). Ueber einige Grundsätze des modernen Bibliotheksbaues, mit Rücksicht auf die Pläne der Hauptstadt. Budapest 1911: Benkö. 18 S., 9 Abb. 4⁰.   [237

7. Biographisches über Bibliothekare.

Bradshaw. Benson, Arthur Christopher. Henry Bradshaw. In: Benson. Leaves of the tree. New York 1911. S. 289—313.   [238

Cyprian. Schneider, Max. Juliana Magdalena Cyprian geb. Jaeger 1697—1721, eine vergessene Gothaische Dichterin. (Frau des Oberbibliothekars Cyprian.) Mitteilungen d. Vereinigung f. Gothaische Geschichte u. Altertumsforschung 1909/10 (1910). S. 31—46. [239

Delisle. Beaurepaire, De. Léopold Delisle membre de l'Institut, correspondant de l'Académie de Rouen. Précis analytique des travaux de l'Académie ... de Rouen 1909/10 (1911). S. 43—59.   [240

— Busken Huet, G. Léopold Delisle. Tijdschrift voor boek- & bibliotheekwezen 8. 1910. S. 191—202 m. 1 Portr.   [241

— Lettres de Léopold Delisle. Fasc. 1. Correspondance adressée à M. le Chanoine Tougard. 1901—1909. Saint-Lô 1911: Impr. Jacqueline. 56 S.   [242

— Lemaître, Henri. Léopold Delisle. Zeitschr. d. Oesterr. Vereines f. Bibliotheksw. 1. 1910. S. 113—121, 1 Portr.   [243

— Le Verdier, P. M. Léopold Delisle. Discours prononcé à l'assemblée générale des Bibliophiles normands, le 1ᵉʳ juin 1911. Rouen 1911: Gy. 16 S.   [244

— Marcel, Henry. Discours prononcé aux obsèques de M. Léopold Delisle. Revue des bibliothèques 20. 1910. S. 364—367.   [245

— Marcel, Henri. Discours prononcé aux obsèques de M. Léopold Délisle. (Mit Einleitung.) Bulletin de l'association des bibliothécaires français 4. 1910. S. 69—72 m. 2 Portr.   [246

— Poole, Reginald L. The British Academy. Léopold Delisle 1826 —1910. London: Frowde (1911). 19 S. 2 Sh. Aus: Proceedings of the British Academy 5. 1911.   [247

— Thompson, E. Maunde. Léopold Delisle. English Historical Review 26. 1911. S. 76—83.   [248

Ebert. Bürger, Richard. Friedrich Adolf Ebert. Ein biographischer Versuch. Leipzig: R. Haupt 1910. XII, 136 S., 1 Portr. 6 M. = Sammlung bibliothekswiss. Arbeiten. Begründ. von Karl Dziatzko. Fortgef. u. hrsg. v. Konr. Haebler 2. Ser. H. 14.   [249

Fedorov. Ginken, A. (Russ.): Ein idealer Bibliothekar — Nikolaj Fedorovič Fedorov. Bibliotekař 2. 1911. S. 12—26.   [250

Hach. Curtius, Karl. Zur Erinnerung an Professor Dr. Theodor Hach. Zeitschrift d. Vereins f. Lübeckische Geschichte und Altertumskunde 12, 2. 1911. S. 337—348 m. 1 Portr.   [251

Harnack. Weinel, Heinrich. Adolf Harnack. Zu seinem sechzigsten
Geburtstage (7. Mai 1911). Westermanns Monatshefte 1911. Mai.
S. 385—391 m. 1 Portr.   [252
Hartel. Frankfurter, S. W. A. R. v. Hartel. Biograph.
Jahrbuch und
Deutscher Nekrolog 13. 1908 (1910). S. 304—326.   [253
Hittmair. Himmelbaur, J. Anton Hittmair, Bibliothekar der K. K. Uni-
versitätsbibliothek in Innsbruck † 3. Juni 1911. Zeitschr. d. Oesterr.
Vereines f. Bibliothekswesen 2. 1911. S. 134—136.   [254
Hoffmann. Reuter, Christian. Professor Max Hoffmann. Zeitschrift d.
Vereins f. Lübeck. Geschichte 12. 1911. S. 349 ff.   [255
Jacobs. Ehwald, Rudolf. Friedrich Jacobs. Aus den coburg-gothaischen
Landen. Heimatblätter. 7. 1910. S. 1—11, 1 Porträt.   [256
Köppen. Gejnc (Heinz), E. (Russisch.) F. P. Köppen. Nekrolog. Biblio-
tekar 1. 1910. S. 36—38.   [257
Kreisberg. Kudrjašev, M. (Russisch.) Dem Gedächtnis A. R. Krejs-
berg's. (Kreisberg.) Bibliotekar 1. 1910. 32—35.   [258
Leland. Clarke, Archibald L. John Leland and King Henry VIII.
Library 3. Ser. 2. 1911. S. 132—149.   [259
Soulice. Mortet, Ch. Léon Soulice. (†, bibliothécaire-archiviste hono-
raire de la Ville de Pau.) Bulletin de l'association des bibliothécaires
français 5. 1911. S. 29—31.   [260
Tadra. Kustos Ferdinand Tadra † am 19. März 1910. (Von J. S.)
Zeitschr. d. Oesterreich. Vereines f. Bibliothekswesen 1. 1910. S. 196
—199.   [261
Wustmann. Friedegg, Ernst. Wustmann. Nord und Süd 35. 1910/11.
S. 244—246.   [262
— Groth. Gustav Wustmann. Grenzboten 1911. Nr 1. S. 35—37. [263

8. Schriften über mehrere Bibliotheken.

Deutsches Reich.

Braun, Johannes. Sozialdemokratische Bibliotheksarbeit. Bücherwelt 8.
1910/11. S. 85—89.   [264
Fritz, G. Die deutsche Bücherhallenbewegung. Tägliche Rundschau
1911. Unterhaltungsbeilage Nr 129—132 vom 3. 6. 7. 8. Juni. [265
Jahrbuch der Deutschen Bibliotheken. Hrsg. vom Verein Deutscher
Bibliothekare. Jg. 9. Leipzig: O. Harrassowitz 1911. VII, 188 S.
4 M.   [266
Ludwig, C. Das Büchereiwesen der Städte und Gemeindeverwaltungen.
Berlin: C. Heymann 1911. 64 S. 1,60 M.   [267
Martell, Paul. Süddeutsche Universitätsbibliotheken. 4. (Tübingen,
Freiburg, Strafsburg.) Archiv für Buchgewerbe 48. 1911. S. 146
—152.   [268
Mehlich, Ernst. Katholische Bibliothekstätigkeit. Der Bibliothekar 3.
1911. S. 244—245.   [269

Poelchau, Karl. Volksbibliotheken. Die populären Bibliotheken des deutschen Sprachgebietes i. J. 1910 u. 1911. Literaturübersicht. Zeitschr. d. Oesterreich. Vereines f. Bibliothekswesen 1. 1910. S. 174 —183. 2. 1911. S. 107—113. [270

Schwenke, P. Eine „Reichsbibliothek“? Zbl. 28. 1911. S. 263 —266. [271

Wach. Eine „Reichsbibliothek“ in Leipzig. Korrespondenzblatt des Akademischen Schutzvereins 5. 1911. S. 65—66. [272

Preußen. Preußischer Erlaß über die Anstellung von Bibliothekssekretären u. Bibliothekssekretärinnen. Zbl. 1911. S. 266—267. [273

— Berliner Titeldrucke. Verzeichnis der von der Königlichen Bibliothek zu Berlin und den Preußischen Universitätsbibliotheken erworbenen neueren Druckschriften. 1911. Nr. 1/2. Berlin: Behrend 1911. Jg. (zweiseitig und einseitig bedruckt) je 24 M. [274

— Focke, Rudolf. Das staatlich organisierte Volksbibliothekswesen und die Zentralstelle für Volksunterhaltung in der Provinz Posen. Aus Anlaß der „Ostdeutschen Ausstellung für Industrie, Gewerbe und Landwirtschaft Posen 1911“. Posen: Kaiser-Wilhelm-Bibliothek 1911. 18 S., 1 Karte. 4⁰. [275

Bayern. Bayerische Verordnung betr. die Abgabe von amtlichen Drucksachen an die öffentlichen Bibliotheken. Zbl. 28. 1911. S. 125 —127. [276

Braunschweig. Henrici, Emil. Funde in Braunschweigs Bibliotheken und Archiven. 10—12. Braunschweigisches Magazin 1911. S. 22 —24. [277

Oesterreich-Ungarn.

Allgemein zugängliche Bibliotheken, Lesehallen und Museen, ständig eingerichtete Theater und Bühnen im Königreiche Böhmen im J. 1905. Deutsche Ausgabe. Prag: J. G. Calve in Komm. 1910. CCXV, 204 S., 2 Bll. Karten. 4⁰. 7 M. Mitteilungen des Statistischen Landesamtes des Königreiches Böhmen Bd 14. H. 1. [278

Nos Bibliothèques de province en 1908. Magyar Könyvszemle N. S. 19. 1911. S. 227—242. [279

Brepohl, F. W. Die Wanderbibliotheken der Siebenbürgisch-sächsischen Hochschüler. Blätter f. Volksbibl. u. Lesehallen 12. 1911. S. 136 —138. [280

Muzeumi és Könyvtári Ertesitö. (Madjar.) Berichte über Museen und Bibliotheken. Amtliches Organ des Ungar. Oberinspektorats und des Landessenates der Museen und Bibliotheken. Red.: J. Mihálik. Jg. 4. 1910. 5. 1911. Budapest 1910. 1911. Jg. (4 Hefte) je 10 K. [281

Oesterreichische Rundschau. Die Bibliotheken im Verwaltungsjahr 1909 —10. Zeitschr. d. Oesterreich. Vereines f. Bibliothekswesen 2. 1911. S. 8—14. [282

Schlosz, Ludwig. Das Jugend- und Volksbibliothekswesen in Ungarn. Blätter f. Volksbibl. u. Lesehallen 12. 1911. S. 78—82. [283

2*

Smit, D. Openbare. bibliotheken in Hongarije. De Boekzaal 5. 1911.
S. 266—269.   [284
Volf, J. Aus Böhmen. Prager Brief. Zeitschr. d. Oesterreich. Vereines
f. Bibliothekswesen 1. 1910. S. 131—137.   [285
Winkler, Wilhelm. Aus den Ergebnissen der Museen- und Volks-
bibliothekenstatistik in Böhmen. Ein nationaler Mahnruf. Deutsche
Arbeit 10. 1910/11. S. 265—272.   [286

Schweiz.

Barth, Hans. Die Schweizerischen Bibliotheken im Jahre 1910. Zeitschrift des Oesterr. Vereines für Bibliothekswesen 2. 1911. S. 165
—171.   [287

Frankreich.

Les Bibliothèques spéciales. Ministère de la Marine. (Traitement.
Recrutement. Attributions.) Bulletin de l'association des bibliothécaires français 5. 1911. S. 13.   [288
Commission supérieure des bibliothèques. (Réunion annuelle, 24 décembre 1910.) Bulletin de l'association des bibliothécaires français 5.
1911. S. 5—10.   [289
Décret fixant le cadre et les traitements du personnel technique des
bibliothèques des universités des départements. Revue des bibliothèques. 20. 1910. S. 368—369.   [290
Delisle, Léopold. Instructions pour la rédaction d'un catalogue des
manuscrits et pour la rédaction d'un inventaire des incunables conservés dans les bibliothèques publiques de France. (Réimpression.)
Paris: H. Champion (1910). VIII, 98 S. 2 Fr.   [291
Fürstenwerth. Zur Frage der Einheitsbibliothek in Frankreich. Blätter
f. Volksbibl. u. Lesehallen 12. 1911. S. 101—103.   [292
Morel, Eugène. Municipal librairies for France. Libr. World 14.
1911/12. S. 109—111. Aus: Le Matin übers.   [293

Grofsbritannien.

Collier, B. G. Curtis. The libraries of government departments in Eng-
land. Libr. World 14. 1911/12. S. 85—89.   [294
Kalff, G. Verslag van een onderzoek in Engelsche bibliotheken in het
jaar 1910. s' Gravenhage: M. Nijhoff 1911. 22, 74 S. 0,80 Fl. [295
Piper, A. Cecil. The advisability of establishing county libraries. Libr.
World 14. 1911/12. S. 65—67.   [296
Savage, Ernest A. Old English libraries. The making, collection, and
use of books during the middle ages. With 52 illustr. London:
Methuen (1911). XV, 298 S., 35 Taf. 7 Sh. 6 d.   [297

Italien.

Biblioteche alle quali deve essere mandata la terza copia degli
stampati e delle pubblicazioni. Legge 23 febbraio 1911, n. 183.

Milano: Soc. editr. libraria 1911. == Collezione legislativa Portafoglio Nr 1348. [298
Biblioteca nazionale centrale Vittorio Emanuele di Roma. Bollettino delle opere moderne straniere acquistate dalle biblioteche pubbliehe governative del regno d'Italia. Anno 1911. 4. Ser. 1. Gennaio. Roma: E. Loescher 1911. Jg. (12 Nrn) 6,45 L. [299
Cavalieri, Clara. Un anno di lavoro del Comitato Centrale delle Bibliotechine gratuite per le Scuole Elementari. L'Archiginnasio 5. 1910. S. 227—232. [300
R. Decreto n. 184 che stabilisce le biblioteche alle quali deve essere inviata la terza copia degli stampati e delle pubblicazioni di cui all' art. 2 della legge 7 luglio 1910, n. 432 ... Bollettino ufficiale del ministero dell' istruzione pubblica 38. 1911. Vol. 1. S. 955 —957. [301
Gulyás, P. (Madjar.) Entwicklung und heutiger Stand des italienischen Volksbibliothekswesens. Muzeumi és Könyvtári Ertesitö 4. 1910. S. 203—212. 5. 1911. S. 15—22. [302
Leyh, G. Ausleihe an den italienischen Staatsbibliotheken. Zbl. 28. 1911. S. 1—15. [303
Leyh, G. Weiteres von den italienischen Staatsbibliotheken, besonders über ihre Aufstellung. Zbl. 28. 1911. S. 289—317. [304
Proposta per la istituzione e il funzionamento di biblioteche magistrali nei capoluoghi delle provincie del mezzogiorno d'Italia di cui alla legge 15 luglio 1906. Coltura popolare 1. 1911. S. 451 —461. [305
Sorbelli, Albano. Inventari dei manoscritti delle biblioteche d'Italia, opera fondata d. Gius. Mazzatini. Vol. 16. 17. (17 = Bologna, Bibl. Universitaria, Forts.) Forli: Bordandini 1910. 1911. 238 u. 246 S. Je 9 L. [306
Statistica dell' incremento delle biblioteche governative e dei lavori ai cataloghi nell' anno 1909. Bollettino ufficiale del ministero dell'istruzione pubblica Anno 37. 1910. Vol. 2. S. 3542—3545. [307

Niederlande und Belgien.

De Beteekenis der Openbare Leeszaal- en Bibliotheek voor de technische ontwikkeling van ons volk. De Boekzaal 5. 1911. S. 111—126. [308
Catalogue central des bibliothèques de Belgique. Périodiques de médecine (anatomie, physiologie, hygiène, thérapeutique, pathologie etc.) Bruxelles, Paris, Zürich: Institut international de Bibliographie 1911. XII S., 108 einseit. bedr. Bl. 3 Fr. = Institut internat. de Bibliographie, Contribution No 63. [309
Ebbinge-Wubben, C. H. Niederländisches Bibliothekswesen. Zeitschr. d. Oesterr. Vereines f. Bibliothekswesen 2. 1911. S. 95—106. [310
Organisation des bibliothèques publiques en Belgique. Projet de loi instituant une bibliothèque postale intercommunale. (Bruxelles: Musée du livre 1911.) 14 S. = Musée du livre, publication Nr 19. [311

Oudschans Dentz, Fred. Het bibliotheekwezen in de kolonie Suriname.
De Boekzaal 5. 1911. S. 49—51 m. 1 Abb.   [312
Statistiek der openbare leeszalen en bibliotheken. Statistique des
bibliothèques publiques populaires. 1908. 's Gravenhage: Belinfante
1910. XXV, 146 S. = Bijdragen tot de statistiek van Nederland
N. F. 131.   [313

Nordische Staaten.

Sveriges offentliga Bibliotek. Stockholm. Upsala. Lund. Göteborg.
Accessions-Katalog 23. 1908. Utg. af Kungl. Biblioteket genom
C. Grönblad. Stockholm 1911: P. A. Norstedt. VI, 593 S. 1,50 Kr. [314
Sveriges offentliga Bibliotek. Stockholm. Upsala. Lund. Göteborg.
Accessions-Katalog 24 u. 25. 1909—1910. Hälften 1. Utg. af
Kungl. Biblioteket genom E. W. Dahlgren, C. Grönblad, Emil Haver-
man. Stockholm 1911: P. A. Norstedt. 617 S.   [315
Bjørnbo, Axel Anthon. Katalog over erhvervelser af nyere uden-
landsk litteratur ved statens offentlige biblioteker 1910. Udgivet
af det Kongelige Bibliothek. København 1911: Graebe. 448 S.
1 Kr.   [316
Collijn, J. Bericht über polnische Büchersammlungen in schwedischen
Bibliotheken. Anzeiger der Akademie der Wiss. in Krakau. Philolog.
Klasse. Histor.-philosoph. Klasse. 1911. März. S. 39—63. [317
Fog, Emil. En biblioteksreform. Trykt som manuskript. Aarhus: 1911.
30 S. (Nicht im Buchh.)   [318
Palmgren, Valfrid. Förslag angående de åtgärder som från statens
sida böra vidtagas för främjande af det allmänna biblioteksväsendet
i Sverige. Afgivet den 28 September 1911. Stockholm 1911:
Haeggström. 244, 24 S., 1 Tabelle.   [319

Rufsland. Polen.

Denkschrift (Russ. Zapiska) über die Frage der zur Verbesserung der
Einrichtung des Bibliothekswesens in akademischen Bibliotheken
notwendigen Mafsnahmen und Gutachten der Konferenz der Kais.
Akademie der Wissenschaften über den Inhalt der Denkschrift der
Gesellschaft für Bibliothekswissenschaft. Bibliotekar 2. 1911. S. 138
—147.   [320
Plotniko, A. E. (Russisch.) Volks- und öffentliche Bibliotheken nach
den Ergebnissen einer Enquête der Gesellschaft für Bibliotheks-
wissenschaft. Bibliotekar 1. 1910. S. 7—31.   [321
Die Volksbibliotheken des Gouvernements Nižnij-Novgorod. Bericht
der Gouvernements-Landschaftsverwaltung an den 46. ordentlichen
Gouvernements-Landschaftskongrefs von Nižnij-Novgorod. Abteilung
Volksbildung. Nižnij-Novgorod 1910: G. Iskol'dskij. 42 S. [322
Zdziarski, S. (Poln.) Unsere Bibliotheken und Museen i. J. 1909.
Przeglad powszechny 109. 1911. S. 134—148.   [323

Spanien und Portugal.

Ernst, Konrad. Eine Studienreise durch die Bibliotheken Spaniens ·und Portugals im Auftrag der Inkunabelkommission. ZbL 28. 1911. S. 215—228. [324

P(az) y M(elia), A. La cuestión de las bibliotecas nacionales y la difusión de la cultura. Revista de archivos, bibliotecas y museos 14. 1910. Bd 2. Juli—Dezember. 15. 1911. Bd 1. Januar—April. [325

Paz y Mélia, A. La Cuestión de las bibliotecas nacionales y la difusión de la cultura. Madrid: Revista de archivos ... 1911. 159 S. 4 Pes. Aus: Revista de archivos, bibliotecas y museos 1910 u. 1911. [326

Vereinigte Staaten und Kanada.

Bostwick, Arthur E. Two tendencies of American library work. Libr. Journal 36. 1911. S. 275—278. [327

Daggett, Mabel Potter. The library part in making Americans. The Delineator 1911, Januar. S. 17—18. [328

Eddy, Harriet G. California county free libraries. Libr. Journal 36. ·1911· S. 336—342. [329

Hainisch, Michael. Amerikanische Reiseerfahrungen. Die Volksbibliotheken der kanadischen Provinż Ontario. Zeitschr. d. Oesterr. Vereines f. Bibliothekswesen 2. 1911. S. 113—116. [330

Hallier. Amerikanische öffentliche Bücherhallen. Blätter f. Volksbibl. u. Lesehallen 12. 1911. Nr 5/10. [331

Schultze, Ernst. Amerikanische Volksbibliotheken. Volksbücherei in Oberschlesien 4. 1910. S. 78—84. [332

Tyler, Alice S. Effect of the commission plan of city government on public libraries. Libr. Journal 36. 1911. S. 328—333. [333

Wickersheimer, Ernest. Notes sur quelques bibliothèques américaines. Paris: H. Champion 1911. 15 S. Aus: Revue des bibliothèques 1910. [334

Wyer, James J. What the community owes the library. Address of the president American Library Association, Pasadena Conference. Libr. Journal 36. 1911. S. 325—328. [335

III.

Einzelne Bibliotheken.

(Ehemalige und noch bestehende; nach dem Sitze der Bibliothek;
Privatbibliotheken .s. XII.)

———

Deutsches Reich.

Bamberg, Königl. Bibl. s. 1205.

Berlin. Groll, M. Die wichtigsten Kartensammlungen von Berlin. A.
Petermanns Geographische Mitteilungen 1911. I. S. 199—201. 256
—257.   [336

— Harnack, Adolf. Die Königliche Bibliothek zu Berlin. Preufsische
Jahrbücher 1911. April. S. 87—94.   [337

— Jacobs, Emil. Die von der Königlichen Bibliothek zu Berlin aus
der Sammlung Phillipps erworbenen Handschriften. Zbl. 28. 1911.
S. 23—39.   [338

— Jahresbericht der Königlichen Bibliothek zu Berlin (6) für das
Jahr 1910/11. Berlin: Königl. Bibliothek (1911). 69 S.   [339

— Matschosz, C. Die Königliche Bibliothek in Berlin und die Technik.
Technik und Wirtschaft 4. 1911. S. 289—293.   [340

— Schwenke, P. Von der Königlichen Bibliothek. Berliner Tageblatt
1911. Nr 547 vom 26. Oktober.   [341

— Schwenke, P. Zu den Zetteldrucken der Königlichen Bibliothek.
Zbl. 28. 1911. S. 485—486.   [342

— Smit, D. De Koninklijke Bibliotheek te Berlijn. De Boekzal 5.
1911. S. 215—217.   [343

— Stern, Ludwig. Die Varnhagen von Ensesche Sammlung in der
Königlichen Bibliothek zu Berlin geordnet und verzeichnet. Berlin:
Behrend 1911. XV, 923 S. 15 M.   [344

— Sury, Charles. Le Bureau de renseignements des bibliothèques
allemandes et la création d'un organisme semblable à Bruxelles.
Roulers 1911: Deraedt-Verhoye. 14 S.   [345

— Königliche Bibl. s. a. 274. 1234.

— Bücher-Verzeichnis des Königlichen Finanz-Ministeriums in Berlin.
Nachtrag. Abgeschlosseu mit Lagerbuch-Nummer 32 890 am 31. Oktober 1910. Berlin 1910: Norddeutsche Buchdr. S. 441—620.   [346

— Bibliothek des Herrenhauses. Vierteljährliches Zugangsverzeichnis.
1. 2. Oktober—Dezember 1910. Jan.—März 1911. (Berlin 1911:
J. Sittenfeld).   [347

— (Jüdische Gemeinde.) Die Gemeindebibliothek in 1909—1910. Gemeindeblatt der Jüdischen Gemeinde zu Berlin 1. 1911. Nr 6 v.
9. Juni.   [348

— Katalog der Bibliothek des Preufsischen Justizministeriums. Neu-
ausgabe nach dem Stande vom 1. Oktober 1910. Berlin: 1911. CIX S.,
2118 Sp.   [349

Berlin. Verzeichnis der Büchersammlung der Kaiser Wilhelms-Akademie für das militärärztliche Bildungswesen. (Dritte Ausgabe.) Nachtr. 1. Berlin: A. Hirschwald 1911. IX, 181 S. [350

— Reichs-Kolonialamt. Bibliothek. Verzeichnis der laufenden periodischen Schriften. Stand vom 15. Februar 1911. Berlin 1911. E. S. Mittler. 27 S. Aus: Deutsches Kolonialblatt Jg. 22. Nr 5. [351

— Kiesling, A. W. Die Stammbücher der Bibliothek des Königlichen Kunstgewerbe-Museums in Berlin. Vierteljahrsschrift f. Wappen-, Siegel- u. Familienkunde 39. 1911. S. 160—211. [352

— Bücherverzeichnis der Oeffentlichen Bibliothek und Lesehalle Berlin SO 16, Adalbertstr. 41. 3. Auflage. Abgeschlossen im März 1911. Berlin: Heimann 1911. X, 912 S. [353

— Bericht über die Verwaltung der Stadtbibliothek und der städtischen Volksbibliotheken und Lesehallen. (Berlin: 1911). 1 Bl. 4⁰. = Verwaltungsbericht des Magistrats zu Berlin für das Etatsjahr 1910. Nr 12. [354

— Bericht über die Verwaltung der Universitäts-Bibliothek zu Berlin im Rechnungsjahr 1910. Halle a. S. 1911: Waisenhaus. 16 S. Aus: Chronik der Universität Jg. 24. [355

— — Neuerwerbungen s. 274.

Bonn. Jahresbericht der Königlichen Universitäts-Bibliothek zu Bonn 1910. Bonn 1911: C. Georgi. 10 S. [356

— — Neuerwerbungen s. 274.

Braunschweig. Katalog der öffentlichen Bücherei und Lesehalle Braunschweig. 2. Aufl. Braunschweig: Friedr. Wagner 1911. V, 304 S. 1 M. [357

— Hauptarchiv s. 1105.

Bremen. Jahresbericht der Deputation für die Stadtbibliothek (und) Bericht (über die Verwaltung der Stadtbibliothek im Rechnungsjahre 1910.) (Bremen: 1911). 4 S. 4⁰. Aus: Verhandlungen zwischen dem Senate und der Bürgerschaft Bremen. [358

— Zugangs-Verzeichnis der Stadtbibliothek zu Bremen vom Rechnungsjahr 1910/11. Bremen 1911: A. Guthe. 98 S. [359

— Lesehalle in Bremen. Jahresbericht 1910. Bremen (1911: A. Guthe). 34 S. [360

Breslau. Jahresbericht der Königlichen und Universitäts-Bibliothek zu Breslau 1910. Breslau 1911: E. Winter. 21 S. Aus: Chronik der Universität. [361

— Milkau, Fritz. Die Königliche und Universitäts-Bibliothek zu Breslau. Eine Skizze. Breslau: F. Hirt 1911. 119 S. 4⁰. Aus: Festschrift z. Feier d. 100 jähr. Bestehens d. Univ. Br., verm. um Inhaltsverz. u. Reg. [362

— — Neuerwerbungen s. 274.

— Vorläufige Benutzungsordnung für die Hauptbücherei der Königl. Technischen Hochschule in Breslau. (Breslau 1911: Nischkowsky). 3 S. [363

Breslau. Bericht über die Verwaltung der Stadtbibliothek und des
Stadtarchivs zu Breslau im Rechnungsjahre 1910. Breslau: (1911).
13 S. Aus: Breslauer Statistik Bd. 31. H. 2.　　　　　　[364
— Stadtbibl. s. a. 1102.

Bromberg. Katalog der Bromberger Stadtbibliothek. H. 1. Kunst.
Bromberg 1911: Gruenauer. 68 S.　　　　　　　　　　[365
— Mitteilungen aus der Stadtbibliothek Bromberg. Hrsg.: Georg Minde-
Pouet. Jg. 4. 1910/11. Nr 1—6. Oktober 1910—März 1911. Brom-
berg: Mittler 1910/11. Jg. (12 Nrn) 1,75 M.　　　　　　[366
— Minde-Pouet, Georg. Die Bromberger Stadtbibliothek. Posen (1911):
W. Decker. 7 S. Aus: Deutsche Bildungsinstitute in der Provinz
Posen. 1911.　　　　　　　　　　　　　　　　　[367

Clausthal. Verzeichnis der der Bibliothek der Kgl. Bergakademie zu
Clausthal neu einverleibten Werke. 1910/11. Clausthal: 1911. 27 S.
(Autograph.)　　　　　　　　　　　　　　　　　[368
— Verzeichnis der der Bibliothek des Königlichen Oberbergamts zu
Clausthal neu einverleibten Werke. 1. April 1910 bis dahin 1911.
(Clausthal: 1911). 32 S. (Autogr.)　　　　　　　　　[369

Cleve. Adrian, Fr. Katalog der Stadtbibliothek Cleve. Bestand
v. 1. Jan. 1911. Cleve 1911: Boss. 90 S.　　　　　　　[370

Cöln. 1. Die Bibliothek. 2. Archiv für Volkswirtschaft und Handels-
technik. Bildungsmittel für Dozenten und Studierende (der Handels-
hochschule in Cöln.) Cöln: 1911. 23 S. Aus: Bericht über die Ent-
wicklung der Städt. Handelshochschule Cöln im 1. Jahrzehnt ihres
Bestehens.　　　　　　　　　　　　　　　　　　[371
— Morgenroth, W. Führer durch das Archiv für Volkswirtschaft und
Handelstechnik an der Handels-Hochschule zu Cöln. (Sammlung von
Zeitungsausschnitten, Festschriften usw.) Cöln 1911: Kölner Verlags-
Anstalt. 73 S.　　　　　　　　　　　　　　　　[372

Colmar i. E. Katalog der Bibliothek der Naturhistorischen Gesellschaft
von Colmar i. Els. 3. Ausgabe. (Nebent.:) Catalogue ... Colmar
1910: Decker. 324 S.　　　　　　　　　　　　　　[373

Dahlem. Schuster, C. Katalog der Bibliothek des Botanischen Vereins
der Provinz Brandenburg. I. A. des Vereins zusammengestellt. M.
e. Vorwort von Th. Loesener. Dahlem-Steglitz: Verein 1911. VII,
191 S.　　　　　　　　　　　　　　　　　　　[374

Danzig. Katalog der Handschriften der Danziger Stadtbibliothek Bd 4.
Günther, Otto. Die musikalischen Handschriften der Stadtbibliothek
und der in ihrer Verwaltung befindlichen Kirchenbibliotheken von
St. Katharinen und St. Johann in Danzig. Danzig: Saunier in Komm.
1911. VI, 188 S.　　　　　　　　　　　　　　　[375
— Bericht über die Verwaltung der Stadtbibliothek zu Danzig f.
d. Verwaltungsj. 1. April 1910/11. Danzig 1911: A. Schroth. 6 S.
4⁰.　　　　　　　　　　　　　　　　　　　　[376

Darmstadt. Großherzogliche Hofbibliothek zu Darmstadt vom 1. April
1909 bis 31. März 1911. Mitteilungen d. Großh. Hess. Zentralstelle
f. d. Landesstatistik 1911. Nr 912. S. 148.　　　　　　[377

Dessau. Weyhe, Emil. Katalog der Bücherkunde und allgemeinen Schriften, der allgemeinen Sprachwissenschaft, der orientalischen Sprachen und der klassischen Philologie der Herzoglichen Hofbibliothek zu Dessau. Dessau: 1911. V, 300 S. [378

Dortmund. Katalog der Wilhelm-Auguste Victoria-Bücherei der Stadt Dortmund. Dortmund 1910: F. W. Ruhfus. XXI, 920 S. [379

Dresden. Jahresbericht der Königlichen öffentlichen Bibliothek zu Dresden, hrsg. von der Direktion. (1. für 1910.) Nebst e. Beilage. Literatur der Landes- und Volkskunde des Königreichs Sachsen a. d. J. 1909 u. 1910. Dresden 1911: v. Baensch-Stiftung. 115 S. [380

— Ševčenko, S. F. (Russ.): Die Kyrillischen Handschriften der Dresdener Kgl. öffentl. Bibliothek. Kiev 1911: Korčak-Novickij. 13 S. [381

— Die Bibliothek der Gehe-Stiftung zu Dresden 1910. Jahresbericht, systematisches und alphabetisches Zuwachsverzeichnis mit Ausschlufs der Antiquaria und Fortsetzungen. Dresden: v. Zahn & Jaensch 1911. XXII, 101 S., 1 Tab. [382

— Kupferstichkabinett s. 1194.

— Bericht über das 1. Betriebsjahr 1910 der Städtischen Zentralbibliothek erstattet von R. Brünn. (Dresden 1911: Güntzsche Stiftung.) 14 S., 1 Tabelle. [383

— Pieper, H. Katalog der Bibliothek der Oekonomischen Gesellschaft im Königreiche Sachsen zu Dresden. Nach dem Bestande der Bibliothek i. J. 1910 zusammengestellt. Dippoldiswalde o. J.: Jehue. XVI, 389 S. [384

— Bücherei-Verzeichnis des Vereins für Erdkunde zu Dresden. Nachtr. 1. 1910. 32 S. [385

Düsseldorf. Bücherverzeichnis der Bibliothek der Königlichen Regierung in Düsseldorf. (Düsseldorf: Regierung 1909.) 260 S. [386

Duisburg-Meiderich. Goecke, Emil. Unser Zeitschriftenlesezirkel, seine Ausgestaltung und Bewertung. Blätter f. Volksbibl. und Lesehallen 12. 1911. S. 182—184. [387

Eichstätt s. 1212.

Eisenach. Teil-Katalog II der Karl Alexander-Bibliothek Eisenach. Abteilung: Wartburg-Bibliothek. Jena 1910: Neuenhahn. 207 S. [388

Eisenberg. Geyer. Die handschriftlichen Bestände in den Sammlungen unserer Gesellschaft. Mitteilungen des Geschichts- und Altertumsforschenden Vereins zu Eisenberg H. 26 und 27 (Bd 5, H. 1 u. 2.) 1910. S. 67—84. [389

— Geyer. Bücherbestand der Bibliothek des Geschichts- und Altertumsforschenden Vereins zu Eisenberg. Mitteilungen des Geschichtsu. Altertumsforsch. Vereins zu Eisenberg H. 26 u. 27 (Bd. 5 H. 1 u. 2.) 1910. S. 85—112. [390

Eisleben. Kriegshammer, Robert. Bücherverzeichnis der Lehrerbibliothek des Königl. Luthergymnasiums zu Eisleben. T. 1. Eisleben 1911: E. Schneider. 40 S. Beil. z. Progr. 1911. [391

Erfurt. Katalog der Stadtbücherei (Ehem. Kgl. Bibliothek) zu Erfurt. 6. Zugänge d. J. 1910. Erfurt 1911: Ruebsam. 47 S. [392

Essen. Auswahl der wichtigeren Neuerwerbungen der Bibliothek des
Bergbauvereins Essen. 1910. Vierteljahr 4. 1911. Vierteljahr 1.
(Essen 1911: Haarfeld). [393

Eutin. Eilers, G. Bücherverzeichnis der Grofsherzoglichen Oeffentlichen
Bibliothek in Eutin. Eutin: W. Struve 1911. 308 S. 1,80 M. [394

Frankfurt a. M. (Berghoeffer, Ch. W.) Bibliotheken. Aus: Frankfurt
am Main 1886—1910. Ein Führer durch seine Bauten. 1910.
S. 107—109. [395

— Bericht über die Verwaltung der Stadtbibliothek zu Frankfurt a. M.
erst. v. Friedrich Clemens Ebrard. Jg. 26. 1. April 1909 — 31. März
1910. (Erweit. Sonder-Abdr. aus dem Bericht d. Magistrats die Verwaltung . . . i. Verw.-J. 1909 betr.) Frankfurt a. M. 1910. Knauer.
9 S. 4⁰. [396

— Stadtbibliothek Frankfurt am Main. Katalog der Neueren Bestände. Bd. 4. Titel- und Sachregister. Frankfurt a. M. 1911:
Knauer. 655 S. [397

— Zugangsverzeichnis der Stadtbibliothek 79—81: für d. Viertel-
jahre vom 1. Juli 1910—31. März 1911. (Frankf. a. M.: 1911).
4⁰. [398

— Wahl. Die Aufwendungen des Aerztlichen Vereins für seine Bibliothek. Frankfurter Aerzte-Correspondenz 1. 1910. Nr 24 und 25. [399

— Glahn, August. Bücher-Verzeichnis der ger. und vollk. St. Joh.
□ Carl zum aufgehenden Licht im Orient Frankfurt am Main.
Aufgest. nach d. Stande v. 1. Jan. 1910. Frankfurt a. M. (1910):
Mahlau. XI, 302 S. [400

— Schönfelder, Emil. Verzeichnis der Schülerbücherei der Klinger-
Ober-Realschule 1. Frankfurt a. M. 1911: (Adelmann). 56 S. Beil.
z. Progr. 1911. [401

Frankfurt a. O. Städtische Bücher- und Lesehalle zu Frankfurt (Oder).
Verwaltungsbericht üb. d. Geschäftsjahr 5. 1. April 1910—31. März
1911 nebst e. Anhang „Die innere Organisation der Lesehalle".
Frankfurt (Oder) 1911: F. Köhler. 23 S. [402

Freiberg. (Archiv und Bibliothek des Vereins). Mitteilungen vom
Freiberger Altertumsverein. 45. 1909 (1910). S. 134—140. [403

Freiburg i. B., Univ.-Bibl. s. 268.

Freising. Zellner, Heinrich. Verzeichnis der Bücher und Karten des
Historischen Vereins Freising 1911. 58 S. 2⁰. (Autogr.) [404

Fürth. Bibliothek. Bericht des Fürther Volksbildungsvereins 5, üb. d.
Vereinsjahr 1910. 1911. S. 4—11. [405

— Bücher-Verzeichnis der Bibliothek des Volksbildungsvereins im
Berolzheimerianum zu Fürth i. B. Fürth 1906: Schröder. VII,
295 S. [406

Fulda, Landesbibl. s. 1061.

Giefsen. Grofsherzogliche Universitätsbibliothek zu Giefsen vom 1. April
1910 bis 31. März 1911. Mitteilungen der Grofsh. Hess. Zentralstelle
f. d. Landesstatistik 1911. Nr 912. S. 149. [407

Görlitz. Görlitz. Verwaltungsbericht der Volksbücherei und Lesehalle. Rechnungsjahr 1909. Volksbücherei in Oberschlesien 4. 1910. S. 75—78 m. 2 Abb. [408

— Erdmann, F., Katalog der Lehrerbibliothek. Görlitz 1910: Görlitzer Nachrichten u. Anzeiger. 95 S. Städt. Realgymnasium zu Görlitz. Beigabe zum Jahresbericht Ostern 1910. [409

Göttingen. Jahresbericht der Königlichen Universitäts-Bibliothek zu Göttingen. (I. J. 1910.) Aus: Chronik d. Georg-August-Univ. zu Göttingen f. d. Rechnj. 1910. 15 S. [410

— — Neuerwerbungen s. 274.

Goslar, K., Bormann, K. u. Theda Tappen. Katalog der Marktkirchen-Bibliothek zu Goslar. Hannover: Geibel 1911. XIII, 195 S. [411

— Rathaus s. 1115.

Greifswald. Jahresbericht der Königlichen Universitäts-Bibliothek zu Greifswald 1910. Greifswald 1911: Abel. 14 S. Aus: Chronik der Universität. [412

— — Neuerwerbungen s. 274.

Halle. Jahresbericht der Königlichen Universitäts-Bibliothek zu Halle. 1910. Halle a. S. 1911: Waisenhaus. 10 S. Aus: Chronik der Universität. [413

— — Neuerwerbungen s. 274.

— Wendel, Carl. Die Marienbibliothek als Stadtbücherei. Saale-Zeitung 1910. Nr 578 vom 10. Dezember. [414

Hamburg. Bericht über die Verwaltung der Stadtbibliothek zu Hamburg i. J. 1909. 1910. Hamburg 1910. 1911: Lütcke & Wulff. 18, 25 S. Aus: Jahrbuch der Hamburg. Wiss. Anstalten Bd. 27. 28. 1909. 1910. [415

— Münzel, Robert. Die Hamburger Stadtbibliothek. Zbl. 28. 1911. S. 437—446. [416

— Griechische Papyrusurkunden der Hamburger Stadtbibliothek. Bd. 1. Hrsg. u. erklärt von Paul M. Meyer. H. 1. Leipzig: B. G. Teubner 1911. 100 S., 7 Taf. 4⁰. 8 M. [417

— Katalog der Commerz-Bibliothek in Hamburg. Forts: 9. 1905 —1910. Hamburg: Handelskammer 1910. Sp. 2813—3016, S. CCLXVII—CCCV. 4⁰. [418

— Jahres-Bericht der Oeffentlichen Bücherhalle zu Hamburg 9—11. 1908—1910. Hamburg: Hamb. Gesellsch. z. Förderung d. Künste 1911. 39 S. [419

— Bücher-Verzeichnis der belehrenden Literatur der Ausgabestelle C der Oeffentlichen Bücherhalle zu Hamburg. Hamburg: Patriot. Ges. 1911. 295 S. 0,50 M. [420

— Kaiserliche Marine. Deutsche Seewarte. Katalog der Bibliothek der Deutschen Seewarte zu Hamburg. Nachtr. 9. 1909 und 1910. Hamburg 1911: Pierersche Hofbuchdr. in Altenburg. VI, 82 S. [421

— Wahlstedt, Karl. Katalog der Bibliothek der unter der Grofsen Loge von Hamburg vereinigten fünf hamburgischen Logen. Hrsg. von den vereinigten fünf Logen ... Hamburg 1910: Drexel u. Adler. V, 682 S., 1 Taf. [422

Hamburg. Lorenz, Karl. Verzeichnis der Schülerbücherei (der Ober-realschule vor dem Holstentore) mit einleitenden Bemerkungen. (Hamburg) 1911: (Schröder u. Jeve). 56 S. Beil. z. Jahresbericht 1911. [423

Hannover. Katalog der Stadt-Bibliothek zu Hannover. Nachtr. 7. I. A. der städtischen Verwaltung hrsg. von O. Jürgens. Hannover 1911: Th. Schäfer. IV, 90 S. [424

Heidelberg. Griechische literarische Papyri. Hrsg. u. erkl. von G. A. Gerhard. 1. Heidelberg: Winter 1911. IX, 120 S. 4⁰. = Ver-öffentlichungen aus der Heidelberger Papyrus-Sammlung, 4, 1. [425
— Univ.-Bibl. s. a. 1099.

Heilbronn. Cramer, Max. Karlsgymnasium Heilbronn a. N. Bücher-Verzeichnis der Lehrer-Bibliothek T. 1. 2. (Heilbronn: 1908 (d. i. 1910). 1911. 180, 178 S. Beilage z. Programm 1908. 1911. [426

Heiligenkreuz. Wolkau, Rudolf. Zur Geschichte der Bibliothek in Heiligenkreuz. Mit einem ungedruckten Briefe des Eneas Silvius Piccolomini. Zeitschr. d. Oesterr. Vereines f. Bibliotheksw. 1. 1910. S. 122—125. [427

Helmstedt. Zehmisch. Bücherverzeichnis der Lehrer-Bibliothek der Berechtigten Landwirtschaftlichen Schule Marienberg mit Real-abteilung zu Helmstedt. T. 1. Helmstedt 1911: Schmidt. 90 S. Beil. z. Jahresbericht 1911. [428

Hildesheim. Leseordnung der öffentlichen Bücherei und Lesehalle Hildesheim. (Hildesheim: 1911.) 2 Bl. [429
— Satzung der öffentlichen Bücherei und Lesehalle. (Hildesheim: 1911.) 1 Bl. [430

Jena. Theologie und Kirchengeschichte. Dubletten der Universitäts-bibliothek Jena. In der Hauptsache aus der ihr gestifteten Biblio-thek eines der berühmtesten † Kirchenlehrer ... Leipzig: M. Haupt-vogel (1911). 64 S. = M. Hauptvogel, Katalog 43. [431
— Jahresbericht der Oeffentlichen Lesehalle zu Jena für 1910. Er-stattet vom Vorstand des Lesehalle-Vereins. Jena 1911: (B. Vopelius.) 16 S. [432

Karlsruhe. Längin, Th. Wissenschaftliche Bibliotheken (in Karlsruhe). Aus: Karlsruhe i. J. 1911. Festgabe der Stadt zur 83. Vers. deutscher Naturforscher und Aerzte. 2 Bl. 2⁰. [433
— 83. Versammlung Deutscher Naturforscher und Aerzte, Karlsruhe i. B. 1911. Grofsherzogliche Hof- und Landes-Bibliothek. Aus-stellung von Tafelwerken, seltenen Drucken und Handzeichnungen. (Karlsruhe 1911: Gutsch). 2 Bl. 4⁰. [434
— Grofsh. Badische Hof- und Landesbibliothek. Jahresbericht 1910. (Karlsruhe: 1911). 2 Bl. 2⁰. Aus: Karlsruher Zeitung 1911. Nr 46 vom 15. Februar. [435
— Katalog der Grofsh. Badischen Hof- und Landesbibliothek in Karlsruhe. Abt. 4. Fachübersichten 1886 bis 1907. Literatur. VIII, 112 S. Enzyklopädie. Buchwesen. Sprache u. Schrift. 64 S.

Philosophie. Erziehung. VIII, 44 S. Religionswissenschaft. VIII, 80 S.
Karlsruhe: F. Gutsch 1910. 1911. Je 0,50 M. [436
Karlsruhe. Grofsh. Hof- u. Landesbibliothek in Karlsruhe. Zugangs-
verzeichnis N. R. 3. Alte R. 39. 1910. Karlsruhe F. Gutsch: 1911.
Ausgabe mit Sachregister IV, 108 S. 0,50 M. [437
— Bibliothek der Technischen Hochschule Fridericiana. Zugangs-
Verzeichnis 1910. Halbjahr 2. 1911. Halbjahr 1. Karlsruhe 1910,
1911: J. Lang. 35, 30 S. [438
Kiel. Bericht über die Verwaltung der Königl. Universitäts-Bibliothek
Kiel im Etatsjahre 1910. Kiel 1911: Schmidt & Klaunig. 8 S. [439
— — Neuerwerbungen s. 274.
— Katalog d. Hauptbücherei des Bildungswesens der Marine enthaltend
die in Zugang gekommenen Bücher vom 1. Mai 1910 bis 30. April
1911. Kiel 1911: Hansa-Dr. VII, 59 S. [440
Königsberg. Bericht über die Verwaltung der Kgl. und Universitäts-
Bibliothek zu Königsberg i. J. 1910/11. Königsberg 1911: Hartung.
11 S. [441
— — Neuerwerbungen s. 274.
— Königsberger Freie Studentenschaft. Abt. für Sozialwissenschaften.
Bücherverzeichnis (1, April 1910). (Königsberg): 1910. [442
— Stringe, R. Bücher-Verzeichnis der Bibliothek des Entomologischen
Kränzchens zu Königsberg i. Pr. E. V. enthaltend: Bestimmungen
für die Benutzung der Bibliothek. Verzeichnis der Bücher bis zum
1. Februar 1911. Königsberg i. Pr. 1911: E. Masuhr. 29 S. [443
— Katalog der Bibliothek des Vereins für jüdische Geschichte und Lite-
ratur zu Königsberg i. Pr. Königsberg 1910: D. Kahan. 70 S. [444
Köslin. Königl. Gymnasium zu Köslin. Nicol, R. Verzeichnis der
Bücher der Lehrerbibliothek. T. 1. Köslin 1911: Hendess. 48 S.
Beil. z. Progr. 1911. [445
Kreuzburg. Königl. Gymnasium zu Kreuzburg O.-S. Elden, Curt. Ver-
zeichnis der Bücher der Lehrerbibliothek des Gymnasiums. T. 1.
Abt. 1. 2. Kreuzburg O.-S. 1910. 1911: Thielmann. 149 S. Beil.
z. Progr. 1910 u. 1911. [446
Lauban. Landshoff, E. Katalog der Lehrer-Bibliothek des Königlichen
Gymnasiums zu Lauban. T. 1. Lauban 1911: Wittig. 32 S. Beil.
z. Progr. 1911. [447
Leipzig. Verzeichnis der in dem Zeitschriftensaal der Universitäts-
Bibliothek zu Leipzig zur freien Benutzung ausliegenden Zeit-
schriften. Leipzig 1910: (Buchdr. Gutenberg). 52 S. [448
— Bericht über die Bibliothek des Börsenvereins der Deutschen
Buchhändler zu Leipzig während d. J. 1910, erstattet an den Aus-
schufs für die Bibliothek von K. Burger. Börsenblatt 1911. S. 1645
—1649. [449
— Bibliothek des Börsenvereins der Deutschen Buchhändler zu Leipzig.
Zuwachs seit Abschlufs des Kataloges Bd 2. Nr 16. 17. Börsen-
blatt 1910. Nr 301. 302. 1911. S. 181—189. [450

Leipzig. Hennig, Gustav. Die Entwicklung des Arbeiterbibliotheken-
wesens in Leipzig in den letzten zehn Jahren. Leipziger Kalender 8.
1911. S. 99—107. [451

— Jahrbuch der Musikbibliothek Peters f. 1910. Jg. 17. Hrsg. v.
Rud. Schwartz. Leipzig: C. F. Peters 1911. 119 S. 4 M. [452

— Bericht über die Entwicklung der Pädagogischen Zentralbibliothek
(Comenius-Stiftung) zu Leipzig i. J. 1910. Leipzig (1911): Grefsner
u. Schramm. 1 Bl. 4⁰. [453

— Pädagogische Zentralbibliothek (Comenius-Stiftung) Leipzig.
Schenkendorfstrafse 34. Den Besuchern der 16. Hauptversammlung
des Sächs. Lehrervereins überreicht vom Vorstande der Comenius-
Stiftung. Michaelis 1911. (Leipzig 1911: Grefsner u. Schramm.)
2 Bl. 4⁰. [454

— Zugangsverzeichnis der Bibliothek des Reichsgerichts. Nr 2—6.
April 1908—Dez. 1910. Leipzig 1908/10: Breitkopf u. Härtel. [455

— Reichsbibliothek s. 271. 272.

Leverkusen. Bücherei. Lesehalle im Erholungshaus. Wohlfahrts-
einrichtungen der Farbenfabriken vorm. Friedr. Bayer & Co. Auflage vom November 1910. S. 141—148 m. 1 Abb. [456

— Bücherei der Farbenfabriken vorm. Fr. Bayer & Cie., Leverkusen.
Katalog-Nachtrag 3 und Katalog der Handbibliothek des Lesesaals in Wiesdorf. Elberfeld 1910: Martini u. Grüttefien. VI, 139 S.,
1 Taf. [457

— Die neue Kinderbücherei in der Lesehalle. Die Erholung (Leverkusen) 2. 1911. S. 51—52. [458

— Zugangs-Verzeichnis der Bücherei der Farbenfabriken vorm. Friedr.
Bayer & Co., Leverkusen b. Mühlheim a. Ruhr. (Jg. 2.) Nr. 1. Dez.
1910 u. Jan. 1911. Die Erholung 2. 1911. [459

Liegnitz. Bahlow, Ferdinand. Aus der Peter-Paul-Kirchenbibliothek.
Mitteilungen d. Geschichts- u. Altertums-Vereins zu Liegnitz H. 3
für 1909 u. 1910. S. 301—304. [460

— Bahlow, Ferdinand. Die Kirchenbibliothek von St. Peter und Paul
in Liegnitz. Mitteilungen d. Geschichts- u. Altertums-Vereins zu
Liegnitz. H. 2 für 1906 bis 1908. S. 140—175. [461

— Mau, Hans. Katalog der mit der Lehrerbibliothek des Königlichen
Gymnasiums Johanneum vereinigten Bibliotheca Rudolfina. T. 4. Libri
iuridici. Liegnitz 1911: Heinze. 33 S. Beil. z. Progr. 1911. [462

Luckau. Königliches Gymnasium zu Luckau. Carus, Otto. Katalog
der Lehrerbibliothek. T. 4. Luckau 1911: Entleutner. 126 S. Beil.
z. Progr. 1911. [463

Lübeck. Stadtbibliothek zu Lübeck. Verzeichnis der laufenden Zeitschriften in den Bibliotheken der Stadt Lübeck. Lübeck 1911:
Borchers. VI, 47 S. [464

Lüneburg, Stadtbibl. s. 1759.

Mageburg. Archiv, Büchereien und volkstümliche Vorlesungen. (Bericht über 1910.) (Magdeburg: 1911.) 8 S. 4⁰. Aus: Verwaltungs-
Bericht der Stadt Magdeburg für 1910/11. [465

Mainz. Städtische Sammlungen. 1. Stadtbibliothek (einschliefslich Stadtarchiv, Münzkabinett und Gutenbergmuseum.) Sonderabdr. aus der Verwaltungsrechenschaft der Grofsh. Bürgermeisterei Mainz f. d. Rechnunngsjahr 1909. (Mainz 1910.) 10 S. 4⁰. [466

— Collijn, Isak. Det Kurfurstliga Bibliuteket i Mainz. Dess öden under 30-åriga kriget. — Rester därav i Upsala Universitetsbibliotek. Svensk Exlibris-Tidskrift 1. .1911. S. 25—31 mit 1 Tafel und 5 Abb. [467

Marburg. Bericht über die Verwaltung der Königl. Universitätsbibliothek zu Marburg i. J. 1910. Marburg (1911): I. A. Koch. 4 S. (Aus: Chronik der Universität.) [468

— — Neuerwerbungen s. 274.

Marienwerder. Katalog der Lehrerbibliothek des Königlichen Gymnasiums zu Marienwerder. T. 1. Marienwerder 1911: Kanter. 19 S. Beil. z. Progr. 1911. [469

München. Katalogisierungs-Ordnung der K. Hof- und Staatsbibliothek München. München: 1911. 43 S., 15 autogr. S. [470

— Leidinger, Georg. Katalog der Wittelsbacher-Ausstellung im Fürstensaale der Kgl. Hof- und Staatsbibliothek. München 1911: A. Huber. 39 S. [471

— Leidinger, Georg. Mitteilungen der K. Hof- und Staatsbibliothek (Handschriftenabteilung). Münchner Jahrbuch der bildenden Kunst 1910. Halbband 2. S. 284—285. [472

—. Jordan, Leo. Die Münchener Voltaire-Handschriften. Archiv f. d. Studium d. neuer. Sprachen 127. 1911. S. 129—152. [473

— Petzet, Erich. Die deutschen Handschriften der Münchener Hof- und Staatsbibliothek. Germanisch-romanische Monatsschrift 3. 1911. S. 15—32. [474

— Hof- u. Staatsbibl. s. a. 1201.

— Uebersicht über die Bücher- u. Kartenzugänge bei der K. B. Armee-Bibliothek. (I. Büchersamml., II. Kartens.) 1911. Nr 1. (München: 1911). [475

— Verzeichnis der periodischen Literatur der Bibliothek des Aerztlichen Vereins München. Nach dem Stande vom 1. Juli 1911: (München 1911: Mühlthaler.) 18 S. [476

— Städtische Musikalische Volksbibliothek zu München. (München 1910: Gotteswinter.) 7 S. [477

Münster. Die Akademische Lesehalle. Die Königliche Universitätsbibliothek (1910/11.) Chronik der Westfäl. Wilhelms-Univ. zu Münster 25. 1910/11. S. 50—54. [478

— — Neuerwerbungen s. 274.

— Nottarp, Hermann. Drei Benutzungsordnungen der Münsterischen Dombibliothek. (Von 1362. 1586. 1752.) Historisches Jahrbuch (Görres-Gesellschaft.) 32. 1911. S. 74—77. [479

Nürnberg. Kraufs, Ludwig. Mitteilungen über die Lehrerbibliothek des Alten Gymnasiums und Beschreibung ihrer ältesten Drucke. T. 2. Nürnberg: Schrag 1911. 102 S. 2 M. (Beil. z. Programm.) [480

Ochsenfurt. Die Dungersheim-Ganzhornsche Bibliothek in Ochsenfurt.
Archiv für Buchbinderei 11. 1911/12. S. 91—95.   [481

Osterode Ostpr. Bonk, Hugo. Katalog der Schüler-Bibliothek des
Kaiser Wilhelm-Gymnasiums zu Osterode Ostpr. Osterode 1910:
F. Albrecht. 56 S. Beil. z. Programm 1909/10.   [482

Plagwitz. Bücherverzeichnis der Jugendbibliothek des Ortsvereins
Plagwitz-Lindenau-Schleussig. Leipzig 1911: Leipz. Buchdr. A. G.
20 S.   [483

Posen. Focke, Rudolf. Die Kaiser-Wilhelm-Bibliothek und das
Bibliothekswesen der Provinz Posen. Posen (1911): Decker. 10 S.,
1 Taf. Aus: Deutsche Bildungsinstitute in der Provinz Posen. [484

— Kaiser-Wilhelm-Bibliothek in Posen. Jahresbericht 8. Etatsjahr
1909. Anlage: Das staatlich organisierte Volksbibliothekswesen in
d. Prov. Posen u. d. Provinzial-Wanderbibliothek. Jahresbericht 7.
Lesejahr 1909/10 . . . Bojanowo 1910: Arbeits- u. Landarmenhaus.
51 S. 4⁰.   [485

— Köhalmi, Béla. A poseni Könyvtárügy. (Das Bibliothekswesen
von Posen.) Bulletin de la bibliothèque municipale de Budapest 4.
1910. S. 269—279.   [486

Quedlinburg. Verzeichnis der Schülerbibliothek des Königlichen
Gymnasiums zu Quedlinburg. Quedlinburg 1911: (Klöppel). 150 S.
Beil. z. Progr. 1911.   [487

Regensburg, Jakobskloster s. 1068.

Remscheid, Katalog der Lehrer-Bibliothek des Realgymnasiums mit
Realschule zu Remscheid. Neu aufgest. v. Otto Beckers. Remscheid
1911: Krumm. 119 S. Beil. z. Progr. 1911.   [488

Rostock. (Bericht über die) Universitäts-Bibliothek (für die Zeit vom
1. Oktober 1909/10). Jahresbericht der Universität Rostock 5.
1910. S. 21—23.   [489

Rothenburg o. T. Schnizlein, August. Nachtrag zum Verzeichnis der
Miscellanea reformatoria der Rothenburger Bibliothek. Rothenburg:
Progymnas. 1911. 18 S. 0,80 M. (Beil. z. Programm.) [490

Schwerin. Verzeichnis der von der Grofsherzoglichen Regierungs-
Bibliothek . . . erworbenen neuen Bücher. 23, vom 1. Dez. 1909
bis zum 30. Nov. 1910. Schwerin 1910: Bärensprung. 57 S. [491

Stettin. Jahresbericht der Stadtbibliothek Stettin für das Jahr 1909.
(Stettin: 1910). 3 S. 4⁰. Aus: Verwaltungsbericht der Stadt
Stettin f. d. J. 1909.   [492

— Weber, Franz. Die Inkunabeln der Stettiner Stadtbibliothek. Ein
Verzeichnis. (Stettin: 1910.) 19 S. Aus: Baltische Studien. [493

Stolp. Gymnasium und Oberrealschule zu Stolp. i. Pom. Pickert, W.
Verzeichnis der Lehrbücherei. Abt. 1. Unterrichtswesen. Geschichte.
Erdkunde. Stolp 1911: Delmanzosche Buchdr. 31 S. Beil. z.
Progr. 1911.   [494

Strafsburg. Kaiserliche Universitäts- und Landes-Bibliothek Strafsburg. Bibliotheks-Ordnung giltig vom 1. Oktober 1911. Strafsburg
1911: Strafsb. Druckerei. 10 S.   [495

Strafsburg. Jahresbericht der Kaiserl. Universitäts- und Landesbibliothek zu Strafsburg (1.) f. d. J. 1910. (Strafsburg) 1911: Hauss.
10 S. [496

— Katalog der Kaiserl. Universitäts- und Landesbibliothek Strafsburg.
Katalog der elsafs-lothring. Abteilung. Bd 1. Lief. 4, bearb. von
Ernst Marckwald u. Ludw. Wilhelm. Aus den Mitteln der Mühlschen
Familienstiftung. Strafsburg: Bibliothek 1911. S. 503—691.
2 M. [497

— Systematische Uebersicht über die Einteilung und Aufstellung der
Bücherbestände in der Kaiserlichen Universitäts- und Landesbibliothek zu Strafsburg i. E. Strafsburg 1911: Strafsb. Druckerei.
62 S. [498

— — s. a. 268.

— Jahresbericht der Stadtbibliothek für das Rechnungsjahr 1910.
Strafsburg i. E.: Du Mont Schauberg 1911. 4 S. 4°. [499

Stuttgart. Druckenmüller, A. Die Freiexemplare der Landesbibliothek.
Zeitschr. f. d. freiwillige Gerichtsbarkeit und die Gemeindeverwaltung
in Württemberg 53. 1911. Nr 6, Juni. [500

— Neuschler. Ablieferungen von Freiexemplaren der in Württemberg
gedruckten Druckschriften an die Königliche Landesbibliothek.
Zeitschr. f. d. freiwillige Gerichtsbarkeit und die Gemeindeverwaltung
in Württemberg 53. 1911. Nr 4, April. [501

— Königl. Württembergische Hofbibliothek. Zuwachs-Verzeichnis
3. November 1909—November 1910. (Stuttgart: 1910). 28 S. [502

— Katalog der Städtischen Bibliothek in Stuttgart. Zuwachsverzeichnis
4. Januar 1911, O. O. 11 S. [503

Suhl. Volksbücherei Suhl. Nachtrag zum Bücher-Verzeichnis der
städtischen Volksbücherei in Suhl 1911. Suhl 1911: Knoblauch.
32 S. [504

Trier. Beschreibendes Verzeichnis der Handschriften der Stadtbibliothek
zu Trier. Begründet von Max Keuffer. H. 6. Ascetische Schriften.
Abt. 2. Nachträge. Bearb. von G. Kentenich. Trier: Fr. Lintz in
Komm. 1910. X, 172 S. [505

— Schleinitz, Freih. Otto von. Die Trierer Stadtbibliothek. T. 2.
Drucke, Autographen, Kupferstiche und Zeichnungen. Zeitschr. f.
Bücherfreunde N. F. 2. 1910/11. S. 265—279 m. 13 Abb. [506

Tübingen, Univ.-Bibl. s. 268.

Weimar. Wernekke, H. Goethe und die orientalischen Handschriften
der Weimarer Bibliothek. Zuwachs der Grofsh. Bibliothek zu Weimar
1908 bis 1910. S. IX—XXVII. [507

— Zuwachs der Grofsh. Bibliothek zu Weimar in den Jahren 1908
bis 1910. Weimar: H. Böhlau Komm. 1911. XXVII, 256 S. [508

— Verzeichnis der Bücherei des Grofsherzogl. Realgymnasiums zu
Weimar. B. Schülerbücherei neugeordnet von Otto Seidler. Weimar
1911: Hof-Buchdr. 39 S. Beil. z. Jahresbericht 1911. [509

Weifsenburg i. B. Albrecht. Katechismusschätze in der Stadtbibliothek

zu Weifsenburg i. B. Beiträge zur bayerischen Kirchengeschichte 16.
1910. S. 72—79. 168—174.   [510
Wolfenbüttel s. 1125.
Würzburg. Leitschuh, Fr. Friedr. Würzburger Handschriften. Angel-
sächsische Miniaturen. Das Evangelienbuch des Hl. Kilian. Elfen-
beinschnitzwerke. In: Fr. Friedr. Leitschuh, Würzburg. Leipzig 1911.
S. 7—10. 16—19 mit 3 Abb.   [511
Zittau. Gärtner, Theodor. Erwerbungen der Stadtbibliothek i. J.
1910. Zittauer Geschichtsblätter 1910. Nr 28.   [512
— Winter, P. Eine wertvolle Handschrift der Zittauer Stadtbibliothek.
Zittauer Geschichtsblätter 1910. Nr 7. 8.   [513
Zwickau. Clemen, O. Zur Geschichte der Zwickauer Ratsschul-
bibliothek. Zbl. 28. 1911. S. 245—252.   [514
— Ratsschulbibl. s. a. 1248.

Oesterreich - Ungarn.

Admont, Stiftsbibl. s. 1077.
Bistritz. Ergänzungskatalog Nr III der Leih- und Lesebibliothek des
Bistrizer Gymnasiums über die in den Jahren 1904—1910 an-
geschafften Werke. Bèsztercze: Botschar 1910. 14 S.   [515
— Lani, Gustav. Bücherverzeichnis für die Volksschullehrerbibliothek
des Bistrizer Kirchenbezirkes A. B. Besztercze 1910: Csallner
30 S.   [516
Brünn. Katalog der Bibliothek der K. K. deutschen technischen
Hochschule in Brünn. Nachtrag. Brünn 1911: W. Burkart.
X, 430 S.   [517
— Schober, K. Die Bibliothek und die Manuskriptensammlung des
deutschen Vereins f. d. Geschichte Mährens und Schlesiens. Zeitschr.
d. deutsch. Vereins f. d. Gesch. Mährens u. Schles. 15. 1911. S. 37
—39.   [518
Budapest. La Bibliothèque Széchényi du Musée National Hongrois
en 1910. (Avec une planche et deux vignettes.) Magyar Könyvszemle N. S. 19. 1911. S. 97—116.   [519
— Kereszty, Etienne. Les manuscrits de François Liszt au Musée
national hongrois. Magyar Könyvszemle N. S. 19. 1911. S. 193
—204.   [520
— Zambra, Aloyse. Les manuscrits de Métastase à la Bibliothèque
du Musée National. Magyar Könyvszemle N. S. 18. 1910. S. 329
—337.   [521
— Katalog (magyarisch) der Bibliothek des Kgl. Ungar. Finanz-
ministeriums. Budapest: 1910. XI, 338 S.   [522
— Verzeichnis der für die Bibliothek der Königl. Ung. Reichs-Anstalt
für Meteorologie und Erdmagnetismus als Geschenk erhaltenen und
durch Ankauf erworbenen Bücher. (Zugl. Forts. des Namen- und
Sachreg. der Bibliothek. Auch mit magyarischen Titeln.) 8. 1909.
Budapest 1910: Heisler. 54 S.   [523

Budapest. Katalog der Bibliothek des Militärwissenschaftlichen ·und Kasino-Vereines in Budapest. Nachtr. 1. Budapest 1910: Kertész. 27 S. [524

— (Magyar.) Verzeichnis der Bibliothek der Kgl. ungar. Honved Ludovika-Akademie. Budapest 1910: Pallas. XVIII, 829 S. [525

— La Bibliothèque de l'Université royal hongroise de Budapest en 1908. · Magyar Könyvszemle N. S. 19. 1911. S. 67—72. [526

— Catalogus manuscriptorum Bibliothecae reg. scient. Universitatis ·Budapestinensis. T. 2. P. 3. Catalogus collectionis Kaprinayanae. Acc. suppl. ad partem 1 et 2 tomi secundi. Budapest 1907: Typ. Univ. VI, 848 S. [527

— Bulletin de la Bibliothèque municipale de Budapest. (Auch mit magyar. Titel). Red.: Ervin Szabó.) Ann. 5. 1911. Nr 1. Budapest: Bibliothèque 1911. [528

— Gulyas, Paul. Autour de la nouvelle bibliothèque municipale. Magyar Könyvszemle N. S. 18. 1911. S. 352—358. [529

— (Magyar.)· Residenzstadt Budapest. Detailliertes Konkurrenz-Programm für die öffentliche Gemeindebibliothek und das Kultur-institut. Zweite, z. T. veränd. Auflage. Budapest: Stadtbibliothek ·1911. 21 S., ·1 Plan. [530

— (Magyar.) Budapest, Stadtverwaltung. Genaues Programm der Konkurrenz für die städtische öffentliche Bibliothek zu Budapest. Budapest: Bibliothek 1911. 21 S., 1 Plan. [531

— Szabó, Erwin. Au sujet de la nouvelle bibliothèque municipale. Magyar Könyvszemle N. S. 18. 1910. S. 338—351. [532

Eperjes. Iványi, Béla. L'écriture et les livres à Eperjes au XVᵉ— XVIᵉ s. P. 1. Magyar Könyvszemle N. F. 19. 1911. S. 132—146. [533

Fiume. Catalogo della Biblioteca· sociale. (Società di M. S. degli artieri.) Fiume 1910: Mohovich. 32 S. [535

— Catalogo della Biblioteca sociale (Societá di M. S. cooperatrice degli addetti al commercio.) Fiume 1910: Mohovich. 31 S. [536

Gmunden. (Buck, Heinrich.) Katalog der Königlichen Ernst August-Fideicommis-Bibliothek in Gmunden. Abt. 1. Die Druckschriften. (A. T.:) Katalog der Druckschriften der Königlichen Ernst August-Fideicommis-Bibliothek in Gmunden. Bd 1. Gmunden 1911: A. Hopfer in Burg. XX, 820 S. · [537

Graz. Katalog der Bibliothek des statistischen Landesamtes für Steiermark. Bearb. im statist. Landesamte. Graz: Leuschner 1911. XV, 186 S. 3 M. = Statist. Mitteilungen üb. Steiermark. H. 24. [538

Gyöngyös. Váradi, József (magyar.) Neues vollständiges alphabetisches Verzeichnis der Bibliothek der Handelshalle in Gyöngyós. Gyöngyos: Steinitz 1910. 88 S. [539

Innsbruck. Der Universitätsneubau in Innsbruck. Interessantes über den Bibliotheksbau. Allgemeiner Tiroler Anzeiger 4. 1911. Nr 30. [540

— Zucchelli, E. Bibliotecari italiani a Innsbruck. Rivista·Tridentina 10. 1910. S. 209—220. [541

Klausenburg. La Bibliothèque du Musée national de Transsylvanie en 1909. Magyar Könyvszemle N. S. 19. 1911. S. 165—171 [542
Lemberg. (Poln.) Desiderata der Bibliothek der Ševčenko-Gesellschaft in Lemberg. Ukrainische Veröffentlichungen in Rufsland 1798 bis 1883. Chronik d. Ševč.-Ges. 1910. Nr 43. S. 16—29. [543
Linz. Schiffmann, K. Kurze Denkschrift in Sachen der K. K. Studienbibliothek in Linz. Linz 1910: Pressverein. 8 S. [544
— Schiffmann, K. Von der K. K. Studienbibliothek in Linz. Zeitschr. des Oesterr. Vereines für Bibliothekswesen 2. 1911. S. 148—150. [545
— Wolfengruber, H. Projekt für den Neubau der Linzer Studienbibliothek. Linzer Tagespost Unterhaltungsbeilage Nr 29 vom 16. Juli 1911. [546
Pilsen. Tuháček, A. (Czechisch.) Statistik der Bibliotheken im Pilsener Kreis. (Schlufs.) Česká Osvěta 6. 1910. S. 209—214. [547
Prag. Die Bibliothek (des kunstgewerblichen Museums der Handels- u. Gewerbekammer in Prag i. J. 1910.) Bericht d. Curatoriums f. d. Verwaltungsjahr 1910. Prag 1911. S. 6—7. 23—28. [548
— Kaván, Jiři. Katalog (tschechisch) der Bibliothek der Gesellschaft tschechischer Mathematiker. Prag: Ges. d. Mathematiker 1909. XVI, 210 S. [549
Prefsburg. Konkurrenzpläne (magyarisch) für das Prefsburger Museum und die Bibliothek. Magyar Epitömüvészet 8. 1910. Nr 11. S. 1—20. [550
Raab. Molnár, Ervin. (Magyarisch). Bücherverzeichnis der Bibliothek des St. Benedikt-Obergymnasiums zu Györ. Györ: 1910. 49 S. [551
Rovereto. Elenco dei donatori e dei doni fatta alla Biblioteca Civica di Rovereto dal 1 genn. al 31 dicembre 1910. Rovereto 1911: Tip. Roveretana. 10 S. [552
— Zucchelli, E. Manoscritti roveretani. Osservazioni e spigolature critiche. Rivista Tridentina 10. 1910. S. 145—168. [553
Sátoraljaujhely. Visegrádi, J. (Madjar.) Beschreibung der Hausbibliothek des Sátoral. Piaristenordens. Jahresbericht des Sátoral. Kathol. Obergymn. 1909/10. S. 3—40. [554
Segesvár. Katalog der Lehrerbibliothek der ev. Elementar- und Bürgerschule A. B. für Mädchen am Schlufse des Schuljahres 1909/10. Segesvár 1910: Krafft. 20 S. [555
Temesvar. Bellai, József. (Magyarisch). Katalog der Stadtbibliothek von Temesvar. III. Temesvar: Moravecz 1910. VI, 538 S. [556
Teschen. Zych, Wojciech. Handschriften (Poln. Rękopisy) der Volkslesehalle zu Teschen. Krakau 1910: Univ.-Druckerei. 19 S. [557
Vorau, Stiftsbibl. s. 1077.
Wien. Menčik, Ferd. Zur Geschichte der K. K. Hofbibliothek. Zeitschrift des Oesterr. Vereines für Bibliothekswesen 2. 1911. S. 137—143. (Schlufs folgt.) [558
— Napoleon und die Wiener Hofbibliothek. Fremdenblatt (Wien) 1911. Nr 3 vom 3. Januar. [559

Wien. Wandbilder hervorragender Bauwerke in Oesterreich. Innen-
ansichten. 4. K. K. Hofbibliothek in Wien. Wien: A. Pichler (1910).
2⁰. 2,40 M. [560
— Hofbibl. s. a. 1074. 1127.
— Frankfurter, S. Zum Problem der Wiener Universitätsbibliothek.
Eine Zentralzeitungsbibliothek in Wien. Neue Freié Presse 1911.
Beil. v. 8. Oktober. [561
— Verwaltungsbericht d. K. K. Universitätsbibliothek in Wien. Ver-
öffentlicht von der Bibliotheksordnung. Bericht 3: Verwaltungsjahr
1909/10. Wien 1911: Hof- u. Staatsdr. 38 S. [562
— Vollbracht, A. Bibliothekskatalog der k. k. Gartenbau-Gesellschaft
in Wien. Wien: 1911. [563
— Hlawatsch, C. Bibliothekskatalog des mineralogisch-naturhistorischen
: Hofmuseums in Wien. Annalen des Naturhistorischen Hofmuseums
Bd 24 u. 25. 1910/11. Beilage. [564
— Wolkau, Rudolf. Aus österreichischen Handschriften-Katalogen. 1.
Die Handschriften des Minoritenklosters in Wien, VIII. Alser-
strafse. Zeitschr. d. Oesterr. Vereines f. Bibliothekswesen 2. 1911.
S. 69—73. [565
— Tietze, Hans. Die illuminierten Handschriften der Rossiana in
Wien-Lainz. Leipzig: K. W. Hiersemann 1911. XV, 208 S., 12 Taf.,
187 Abb. i. T. 2⁰. 60 M. = Beschreib. Verzeichnis der illuminierten
Handschriften in Oesterreich Bd 5. [566
— Hainisch, M. Die Wiener Zentralbibliothek. Oesterreich. Rund-
schau 24. 1910. S. 98—103. [567

Schweiz.

Aarau. Katalog der Aargauischen Kantonsbibliothek. Alphabetischer
Katalog. Fortsetzung, enthaltend den Zuwachs von 1868—1910.
Band 8. T—Z, und Nachtr. A—Z, 1906—1910. Aarau: Keller
1911. VI, 531 S. 3 Fr. [568
Basel. Bericht üb. d. Verwaltung der öffentlichen Bibliothek der
Universität Basel i. J. 1910. (Basel: 1911.) 21 S. [569
— Katalog der Freien städtischen Bibliothek Basel. Basel: F. Rein-
hard 1911. IV, 420 S. 1 Fr. [570
— Katalog der Bibliothek der Sektion Basel des S. A. C. 4. Ausg.
Basel: Wittmer 1911. XII, 156 S., 1 Karte, 2,50 Fr., für Mitglieder
1 Fr. [571
Bern. Schweizerische Landesbibliothek. 11. Bericht über d. J. 1910
erstattet von der Schweizerischen Bibliothek-Kommission. Bern 1911:
Büchler. 44 S. [572
— Bibliographisches Bulletin der Schweizerischen Landes-Bibliothek.
Bulletin bibliographique de la Bibliothèque Nationale suisse. Jg. 11.
1911. Nr 1 Jan./Febr. Bern: Benteli 1911. Jg. (6 Nrn) zweiseit.
bedruckt 5 Fr., einseit. 6 Fr., Ausland 6,25 bez. 7,50 Fr. [573
— Stadtbibl. s. 1191.

Brugg. Katalog der Stadtbibliothek Brugg. Nachtr. 2 zum Haupt-
katalog. Januar 1906—Dezember 1910. Brugg 1911: Effingerhof.
39 S. [574

Freiburg, Schweiz. Bertoni, Giulio. Notice sur deux manuscrits d'une
traduction française de la Consolation de Boëce conservés à la
Bibliothèque cantonale de Fribourg (Suisse.) (Publ. à l'occasion de
l'inauguration de la Bibliothèque.) Fribourg, Suisse 1910: St. Paul.
64 S. [575

— La nouvelle Bibliothèque cantonale et universitaire de Fribourg.
En souvenir de la séance d'inauguration solennelle 11 juin 1910:
Fribourg 1911: Saint-Paul. 127 S. [576

Freiburg i. S., Barfüfserkloster s. 1202.

Genf. Ville de Genève. Bibliothèque publique et universitaire. Compte
rendu pour l'année 1910. Genève 1911: A. Kündig. 26 S. Aus:
Compte rendu de l'Administration municipale de la Ville de Genève
1910. [577

Luzern, Kapuzinerkloster s. 1202.

Neuchâtel. (Robert, Ch.) Rapport présenté aux autorités communales
par la commission de la Bibliothèque de la ville sur la question
des locaux nécessaires pour l'administration de la bibliothèque et de
son développement, Neuchâtel: Delachaux (1911). 27 S. [578

St. Gallen. Die Bibliothek des ehemaligen Benediktinerstiftes St. Gallen.
Kurze Geschichte derselben und ihre wichtigsten Handschriften.
Von einem alten St. Galler. Forts.: Näf, Johann B. Die wichtigsten
Handschriften. Studien u. Mitteilungen z. Geschichte d. Benediktiner-
ordens und seiner Zweige Bd 32 (N. F. 1). 1911. S. 205—228.
385—404. [579

— Katalog der Stadtbibliothek des Kantons St. Gallen. 5. vollständige
vom Grofsen Rate angeordnete Ausgabe. Rorschach 1910: Cavelti-
Hubatka. 283 S. 2 Fr. [580

Winterthur. Bericht über die Stadtbibliothek Winterthur i. J. 1910.
(Winterthur: 1911). 8 S. [581

— Neujahrsblatt der Stadtbibliothek Winterthur. 246. Stück, 1911.
(Emil Stauber, Schlofs Widen. T. 2.) Winterthur: Ziegler 1911.
S. 77—136, 2 Taf. 4⁰. 2 Fr. [582

— Zuwachsverzeichnis der Stadtbibliothek Winterthur. Jg. 4. 1910/11.
Winterthur 1911: Ziegler. 96 S. [583

— Bibliothek-Katalog des Kaufmännischen Vereins Winterthur. (Mit)
Nachtrag 1. 2. Winterthur: Ziegler. 1908—1910. VI, 61; 6,
8 S. [584

Zofingen. Katalog der gröfseren Stadtbibliothek in Zofingen Nachtr.
15. Sept. 1905. Zofingen 1905: Ringier. VI, 24 S. [585

— Bücherverzeichnis der kleineren Stadtbibliothek in Zofingen. Nachtr.
15. Juni 1908. Zofingen 1908: Ringier. 16 S. [586

Zürich. Zuwachsverzeichnis der Bibliotheken in Zürich. Jg. 14. 1910.
4. (Oktober—Dezember.) 15. 1911. 1. 2. (Januar—Juni.) Zürich
1911: Berichthaus. 126, 94, 123 S. [587

Zürich. Jahresbericht der Stadtbibliothek Zürich üb. d. J. 1910 m. Bericht des Bibliothekariats zu dem Antrag des Konvents an die Stadt-bibliothek-Gesellschaft betreffend Verzicht auf die Verwaltung der Stadtbibliothek. Zürich 1911: Schulthess 51 S. [588

— Neujahrsblatt hrsg. von der Stadtbibliothek Zürich auf d. J. 1911. Nr 267. Nabholz, Hans. Die Eingaben d. zürch. Volkes zur Ver-fassungsrevision d. J. 1836. Zürich: Beer 1911. 54 S., 2 Taf. 3 M. [589

— Katalog der Bibliothek der Museumsgesellschaft Zürich. (8. Aufl. 1902.) Ergänz. 9. Enth. die Erwerbungen vom 1. März 1910 bis zum 1. März 1911. Zürich: Zürcher u. Furrer 1911. II, II, 58 S. [590

— Bibliotheks-Katalog des Appenzeller-Vereins Zürich. 1909. (Zürich o. J.: Leemann). 67 S. 0,80 Fr. [591

Frankreich und Kolonien.

Arles. Rance-Bourrey. A. J. Les Manuscrits de Bonnemant et leur retour à la Bibliothèque d'Arles d'après des documents inédits. Bergerac 1910: Castanet. 15 S. [592

Autun. Gillot, A., et Boëll, Ch. Supplément au catalogue de la bibliothèque de Claude Guilliaud, Chanoine d'Autun (1493—1551.) (Autun, Kathedralbibliothek.) Autun 1910: Dejussieu. 79 S. Aus: Mémoires de la Société Éduenne N. S. 38. 1910. [593

Avignon. Catalogue de la Bibliothèque de l'Académie de Vaucluse. Mémoires de l'Académie de Vaucluse 2. Sér. 10. 1910. 11. 1911. Anhang, 24 S. (Wird fortges.) [594

Blois. Arnauldet, P. Inventaire de la librairie du Château de Blois en 1518. (Suite.) Bibliographe moderne 14. 1910 (1911). S. 280 —340. [595

Boulogne-sur-Mer. Bibliothèque publique communale de Boulogne-sur-Mer. Catalogue du Fonds Coquelin cadet. Boulogne-sur-Mer 1911: Baret. 207 S. [596

Caen. Catalogue des ouvrages normands de la Bibliothèque municipale de Caen. 2. La Normandie divisée en Départements. Par Gaston Lavalley. Caen: L. Jouan 1911. 626 S. 20 Fr. [597

— Sauvage, R. N. Catalogue des manuscrits de la collection Mancel à Caen. Paris 1910: Plon-Nourrit, Caen: L. Jouan 1910. 316 S. Aus: Catalogue général des manuscrits des bibliothèques publiques de France. T. 44. [598

Carcassonne. Amiel, Jean. La Bibliothèque publique de Carcassonne. 1. Introduction. 2. Historique. 3. Bienfaiteurs et Conservateurs. 4. Budget et statistiques. 5. Catalogues, autographes et manuscrits. 6. Conclusion. Appendice. Paris: Le Soudier 1911. VIII, 185 S. 3 Fr. [599

Carpentras. Pitollet, C. Libri-Carucci et la Bibliothèque de Car-pentras. D'après des documents inédits. Article 2. Annales de la Faculté des Lettres de Bordeaux. Bulletin italien 10. 1910. S. 316 —335. [600

Chantilly. Le Cabinet des livres. Manuscrits. T. 2. Histoire. Paris:
Plon-Nourrit 1911. 559 S. m. Taf. 4⁰.   [601
Le Mans. Gentil, Amb. Catalogue de la Bibliothèque de la Société
d'agriculture, sciences et arts de la Sarthe. Supplément. Le Mans
. 1911: Monnoyer. 80 S.   [602
Paris. Bibliothèque nationale. Rapport adressé au ministre de l'In-
. struction publique et des Beaux-Arts par M. Henry Marcel, sur les
services de la Bibliothèque nationale pendant l'année 1910. . Revue
des bibliothèques 21. 1911. S. 74—82.   [603
— Marcel, H. Rapport adressé au Ministre de l'Instruction publique
et des Beaux-Arts par l'Administrateur général de la Bibliothèque
nationale. Journal officiel de la République française 1911. Nr 61
v. 3. März. S. 1712—1714.   [604
— — Henriot, Emile. L'Encombrement de la Bibliothèque nationale.
Bibliographie de la France 1911. Chronique. Nr 41. 42.   [605
— — Département des imprimés. Bulletin mensuel des publications
étrangères recues par le Département des imprimés de la Bibliothèque
nationale. Ann. 35. 1911. No 1, Janvier. Paris: C. Klincksieck
1911. Jg. 8 Fr.   [606
— — — Bulletin mensuel du recentes publications françaises. 1911.
Janvier. Paris: H. Champion 1911. Jg. 10 Fr.   [607
— — — Catalogue des dissertations et écrits académiques provenant
. des échanges avec les universités étrangères et reçns par la Bibliothèque nationale en 1909. Paris: C. Klincksieck 1911. 736 Sp.
3,50 Fr.   [608
— — — Ministère de l'instruction publique et des beaux-arts.
Catalogue général des livres imprimés de la Bibliothèque nationale.
Auteurs. T. 41. Dollfus—Drioux. 42. Dript—Duchemin de Villiers.
43. Duchêne—Du Martray. 44. Dumas—Duplessis. 45. Duplom
—Dutirou. Paris: Impr. nat. 1910. 1911. 1272, 1262, 1258, 1212,
1276 Sp. Je 12,50 Fr.   [609
— — — Catalogue général des livres imprimés de la Bibliothèque
nationale. Actes royaux p. Albert Isnard. T. 1. Depuis l'origine
jusqu'à Henri IV. Paris: Impr. nat. 1910. CCXXXII, 852 Sp. [610
— — — Levallois, Henri. Catalogue de l'histoire de France. Table
générale alphabétique des ouvrages anonymes. T. 1—4. Table des
noms de personnes A—Z. T. 5. Table de noms de lieux A—C.
Paris: (o. J.) 4⁰.   [611
— — — Prevost, M. Inventaire sommaire des documents manuscrits
contenus dans la collection Châtre de Cangé au Département . des
imprimés de la Bibliothèque nationale. Revue des bibliothèques 20.
1910. 21. 1911. Anhang, S. 40—236. 237—258.   [612
— — Département des manuscrits. Peintures et initiales de la première (et) seconde bible de Charles le chauve. Reproduction des
90 miniatures du manuscrit latin 1 (et) 2 de la Bibliothèque
. nationale. Paris: Berthaud (1911). 13 S., 72 Bll. Taf.; 74 Bll. Taf.
. 20 Fr.   . . . [613

Paris. Bibliothèque nationale. Département des manuscrits. Delaporte, L. Catalogue sommaire de manuscrits coptes de la Bibliothèque nationale de Paris. (Suite.) Revue de l'Orient Chrétien 2. Sér. 6. 1911. S. 239—249. [614

— — — Hildenfinger, Paul. Inventaire des actes administratifs de la commune de Strasbourg (1789—An VII), conservés à la Bibliothèque nationale. Bibliographe moderne 14. 1910 (1911). S. 199 —261. [615

— — — Munk, S. Manuscrits hébreux de l'oratoire à la Bibliothèque nationale de Paris. Frankfurt a. M.: J. Kauffmann 1911. 87 S. 5 M. Aus: Zeitschr. f. hebräische Bibliographie. [616

— — — Omont, Henri. Nouvelles Acquisitions du département des manuscrits de la Bibliothèque nationale pendant les années 1909 —1910. Inventaire sommaire. Paris: E. Leroux 1911. 68 S. Aus: Bibliothèque de l'École de Chartes 1911. S. 5—56. [617

— — — Omont, H. Anciens inventaires et catalogues de la Bibliothèque nationale. T. 3. La Bibliothèque royale à Paris au XVIIe siècle. Paris: E. Leroux 1910. 514 S. 12 Fr. = Ministère de l'instruction publique. (Collections d'inventaires p. p. la section d'archéologie du comité des travaux historiques VIII, 3.) [618

— — — Tibal, André. Inventaire des manuscrits de Winckelmann déposés à la Bibliothèque nationale. Paris: Hachette 1911. 151 S. [619

— — Ecorcheville, J. Catalogue du fonds de musique ancienne de la Bibliothèque nationale. Vol. 1. A.—Air. Paris: Soc. internat. de musique 1910. 241 S. 4⁰ (8⁰). 50 Fr. (Publications annexes de la Société internat. de musique. Section de Paris.) [620

— — Kretschmer, K. Handschriftliche Karten der Pariser National-Bibliothek. Zeitschrift d. Gesellschaft f. Erdkunde zu Berlin 1911. Nr 6 u. 7. [621

— — Valée, Léon. Liste des publications périodiques qui se trouvent à la section des cartes et plans de la Bibliothèque nationale. Nouvelle édition. Paris: C. Klincksieck 1911. 19 S. [622

— — s. a. 1075. 1112. 1113. 1123. 1126. 1128. 1716.

— Arsenalbibliothek s. 1109. 1111.

— Bibl. Mazarine s. 1094.

— Bibliothèque de l'Université de Paris (Sorbonne.) Nouvelles Acquisitions. Ann. 1910. Paris: C. Kliencksieck 1911. [623

— Décret fixant le cadre et les traitements du personnel technique de la Bibliothèque de l'Université de Paris. Revue des bibliothèques 20. 1910. S. 367—368. [624

— Bibliothèque de l'Université de Paris (Sorbonne). Histoire-littéraire et histoire des littératures. Paris: Sorbonne 1911. 96 S. [625

— Maire, Albert. Aérostation et aviation. Catalogue de la Bibliothèque de l'Université de Paris, avec une préface par Émile Chatelain. Revue des bibliothèques 20. 1910. S. 233—287. [626

Paris. Morél-Fatio, A. Cinq recueils de pièces espagnoles de la
Bibliothèque de l'Université de Paris et de la Bibliothèque nationale.
Table de noms et des matières. Revue des bibliothèques 21. 1911.
S. 1—40.   [627
— Thevenin, Jacqueline. Une bibliothèque d'aveugles. La Bibliothèque
Braille. Bibliographe moderne 14. 1910 (1911). S. 134—151. [628
— Bibliothèque technique (du Cercle de la Librairie. Delalain, Paul.
Rapport annuelle présenté au nom de la commission de la Biblio-
thèque technique.) 1910. Bibliographie de la France 1911. Chronique
S. 57—59.   [629
—. Cercle de l'Union artistique. Catalogue de la Bibliothèque. Paris
1911: Plon-Nourrit. II, 310 S.   [630
— Schwab, Moïse. Les manuscrits du Consistoire israélite de Paris
provenant de la Gueniza du Caire. Revue des études juives 62.
1911. S. 107—119. 267—277.   [631
— Catalogue de la Bibliothèque de l'Enseignement public (Musée
pédagogique.) Périodiques. Melun 1909: Impr. administr. 71 S. [632
— Catalogue de la Bibliothèque du Jockey - Club. Supplément.
2e édition. Châteauroux 1911: Mellotée. 195 S.   [633
— Bibliothèque du Muséum national d'histoire naturelle. Liste des
périodiques arrêtée en mai 1910. Paris: Impr. nat. 1910. 58 S. [634
— Les Amis de la Bibliothèque de la Ville de Paris. Société Jules
Cousin. Annuaire 1911. Paris: Bibliothèque 1911. 39 S.   [635
— Ville de Paris. Bulletin de la Bibliothèque et des travaux historiques,
pub. sous la direction de Marcel Poëte. T. 5. Henriot, Gabriel.
Catalogue des manuscrits entrés à la Bibliothèque de 1906 à 1910.
Paris 1911: Impr. Nat. 212 S.   [636
— Du Plessis, Comte J. Pour travailler: La bibliothèque centrale
d'étude. Revue des facultés catholiques de l'Ouest 21. 1911.
S. 680—689.   [637
Quimper. Catalogue de la Bibliothèque de la ville de Quimper. P. 1.
Manuscrits, histoire, géographie, archéologie. P. 2. Belles-lettres,
littérature ancienne, littérature française . . . ouvrages en langue
bretonne. Quimper 1909. 1911: E. Ménez. 258, 231 S.   [638
Reims. Jadart, Henri. Les livres d'heures rémois de la Bibliothèque
de Reims. Reims 1911: Impr. coop. 10 S. Aus: Revue de Champagne 1911.   [639

Grofsbritannien und Kolonien.

Aberdeen. Fraser, G. M. Open access in public library work. Special
report to the Aberdeen Public Library Committee. Aberdeen: 1910.
28 S.   [640
— Fraser, G. M. The problem of juvenile reading in Aberdeen. The
Librarian 1. 1911. S. 319 ff., 343 ff.   [641
Aberystwyth. The National Library of Wales. Catalogue of manuscripts
and books from the collections presented by Sir John Williams, . . .

Exhibited to the public, July and Angust, 1909. Aberystwyth:
W. Jones 1909. 16 S. [642

Aberystwyth. The National Library of Wales. Charter of incorporation
and report on the progress of the Library from the granting of the
charter to the 31 st March 1909. Oswestry: Woodall 1909. 72 S.,
6 Faks., 1 Plan. [643

— The National Library of Wales. Libr. Assoc. Record 13. 1911.
S. 211—215. [644

— The National Library of Wales, Aberystwyth. Libr. Assoc. Record 13.
1911. S. 276—284. [645

— The National Library of Wales. Libr. World 14. 1911/12.
S. 79—82 m. 1 Plan. [646

Birmingham. City of Birmingham. The annual Report of the Free
Libraries Committee. 49. April 1, 1910 to March 31, 1911.
Birmingham 1911: P. Jones. VI, 48 S. [647

Bolton. New Branch Libraries at Bolton. Libr. World 13. 1910/11.
S. 242—248 m. 3 Abb. [648

Cambridge. Cambridge University Library. Report of the Library
Syndicate for the year end December 31, 1910. Cambridge: Univ.
Press 1911. 32 S. 4⁰. Aus: The University Reporter, 1910/11. [649

— Huck, Thomas Wm. The University Library, Cambridge. Libr.
World 13. 1910/11. S. 257—266. [650

— Sayle, Charles. Cambridge fragments. Library 3. Ser. 2. 1911.
S. 339—355 m. 2 Taf. [651

— Bilderbeck, J. B. Early printed books in the Library of St. Catharine's College Cambridge. Cambridge: University Press 1911. VI, 38 S.,
3 Taf. 2 Sh. [652

— James, Montague Rhodes. A descriptive catalogue of the manuscripts in the Library of Corpus Christi College, Cambridge. P. 4.
Nos 251 — 350 (Anf. v. Vol. 2.) Cambridge: Univ. Press 1911. 192 S.
7 Sh. 6 d. [653

Cardiff. Cardiff Libraries Review. Vol. 1. Nr 9 — 11. Vol. 2. Nr 1
— 3. June, 1910, to April, 1911. Cardiff: 1910. 1911. [654

— Public Libraries Bible exhibition 1911. Catalogue of the Bibles
exhibited in the Reference Library in celebration of the tercentenary
of the author. version. With a sketch of the history of the Bible
by W. E. Winks. (Cardiff) 1911: (Lewis). III, 62 S. [655

Deptford. Deptford's first permanent library. Libr. World 14. 1910/12.
S. 72—73 m. 1 Taf. [656

Dunblane. McGill, William. The Leighton Library at Dunblane and
its founder. Libr. World 14. 1911/12. S. 1—7. [657

Exeter. Tapley-Soper, H. Exeter Public Library. An historical essay.
Libr. Assoc. Record 13. 1911. S. 55—69. [658

— Tapley-Soper, H. The Charging system in use at Exeter Public Library,
England. Public Libraries 16. 1911. S. 328—330 m. 3 Abb. [659

Glasgow Corporation Public Libraries. Index catalogue of the Wood-
side District Library. 2ᵈ edition. Glasgow: 1910. 681 S. [660

Kairo. Université Egyptienne. Bulletin de la Bibliothèque. Réd. par
:... Vincenzo Fago. Ann. 2. 1911. Fasc. 1. 2. =· Janv., Févr.
(Section des langues européennes.) Le Caire 1911: A. Gherson.
Jg. 10 Fr., Ausland 15 Fr.	[661
— Publications de l'Université Egyptienne Le Caire. Règlement
provisoire de la Bibliothèque. Rome 1910: Luigi. 6, 5 S.	[662
London. British Museum. Progress made in the Arrangement and
Description of the Collections and Account of Objects added ...
in the year 1910. Fortescue, G. K. Department of Printed Books;
Warner, George F. Department of Manuscripts; Barnett, L. D.
Department of Oriental Printed Books and Manuscripts. Return.
British Museum 1911. S. 20—28. 29—37. 38—43.	[663
— — Barnett, L., D. Catalogue of the Kannada, Badaga and Kurg
books in the British Museum. London: Frowde 1911. 4⁰. 21 Sh. [664
— — Bell, H. J. Catalogue of Greek papyri with texts. Vol. 4.
The Aphrodito papyri. With an appendix of Coptic papyri, ed.
by W. E. Crum. London: Frowde 1911. 4⁰· 80 Sh.	[665
— — Bible exhibition 1911. Guide to the manuscripts and printed
books exhibited in celebration of the tercentenary of the authorized
· version. (Oxford) 1911: (Hart). 64 S., 8 Taf.	[666
— — Blumhardt, J. F. Supplementary catalogue of the Bengali
books in the Library of the British Museum acquired during the
years 1886—1910. London: Frowde 1911. 470 Sp. 4". 25 Sh. [667
— — Catalogue of early German and Flemish woodcuts preserved
in the Department of Prints and Drawings. Vol. 2. London: Frowde
1911. 4⁰. 21 Sh.	[668
— — Figarola-Caneda, Domingo. Cartografia Cubana del British
Museum. Catálogo cronólogico de cartas, planos y mapas de los
siglos XVI al XIX. Revista de la Biblioteca nacional (Habana)
Año 2. 1910. T. 3. S. 118—134.	[669
— — Figarola-Caneda, Domingo. Cartografia cubana del British
Museum. Catalogo cronologico des cartas, planos y mapas de los
siglos XVI al XIX. Segunda edicion corregida. Habana: Biblioteca
nacional 1911. (128 Nrn.)	[670
— — Herbert, J. A. Catalogue of romances in the department of
manuscripts in the British Museum. Vol. 3. London: Museum 1910. [671
— British Museum s. a. 1117· 1126.
— Chambers, R. W. Catalogue of the Dante Collection in the Library
of University College, London, with a note on the correspondence
of Henry Clark Barlow. Oxford 1910: H. Hart. 152 S.	[672
— University of London, University College. Annual Report of the
committee of the Mocatta Library and Museum, 1910. Lónden:
University College 1911. 7 S., 1 Abb.	[673
— Subject List of works on chemistry (including alchemy, electro-
chemistry and radioactivity) in the Library of the Patent Office.
London: Station. Off. 1911. IV, 214 S. (Patent Office Library:
Subject Lists. New Series ZC—ZQ.)	[674

London. Gardonyi, A. (Magyar.) Die Kommunalbibliotheken von London. Corvina 34. 1911. S. 2—4. 8—9. 14—16. 20—22: [675
— Sayers, W. C. Berwick. A Federation of London public libraries. Libr. Assoc. Record 13. 1911. S. 330—333. [676
— Public Libraries of London. IV. Hammersmith public libraries. The Librarian 1. 1910/11. S. 207—208 m. 1 Bl. Abb. [677
— Metropolitan Borough of Islington Public Libraries. Select catalogue and guide. A classified list of the best books on all subjects in the Central, North, and West Libraries. Islington: 1910. 826 S. [678
— (Islington). Jast, L. Stanley. A novel catalogue. Libr. World 13. 1910/11. S. 193—196. [679
— Stepney public libraries and museums, London. The Librarian 1. 1911. S. 320—323, 1 Taf. [680
Luton Public Library. Libr. World 13. 1910/11. S. 173—178 m. 4 Abb. [681
Manchester. Catalogue of the Greek Papyri in the John Rylands Library, Manchester. Vol. 1. Literary texts (Nos. 1—61). Ed. by Arthur S. Hunt. Manchester, Univ.-Press, London: B. Quaritch 1911. XI, 202 S., 10 Taf. 4⁰. 21 Sh. [682
— The John Rylands Library Manchester. Catalogue of an exhibition of manuscript and printed copies of the Scriptures, illustrating the history of the transmission of the Bible, shown in the Main Library from March to December, 1911. Tercentenary of the „Authorised Version" of the English Bible A. D. 1611—1911. Manchester: University Press, London: B. Quaritch and Sherrat and Hughues 1911. XIV, 12 S., 12 Taf. [683
— Zedler, Gottfried. Die John Rylandsche Bibliothek in Manchester. Der Bibliothekar 3. 1911. S. 225—227. [684
— John Rylands Libr. s. a. 1237. 1244. 1286.
Mandalay. Catalogue of Pâli and Burmese books and manuscripts belonging to the late King of Burma and found in the palace at Mandalay in 1886 ... Rangoon 1910: Gov. Print. Off. 113 S. [685
New Durban. The New Durban Municipal Library. Libr. World 14. 1911/12. S. 46—47 m. 1 Portr. u. 1 Plan. [686
Norton. McGovern, J. B. A noteworthy Parish and Library. The Antiquary N. S. 7. 1911. Nr 5—8. m. 5 Abb. [687
Oxford. Gibson, Strickland. Oxford libraries. Book-Auction Records (Karslake) 8. 1910/11. XIX S., 3 Taf. [688
— Greentree, Richard, and Eduard Williams Byron Nicholson. Catalogue of Malay manuscripts and manuscripts relating to the Malay language in the Bodleian Library. Oxford: Clarendon Press 1910. IV S., 20 Sp., 12 Taf. 4⁰. 16 sh. [689
— Annual Report of the curators of the Bodleian Library for 1910. = Oxford University Gazette. 1911. Nr 1333, Supplement. S. 775 —782. 3 d. [690
— Bodleian Library. Staff-Kalendar 1911. Oxford: H. Hart 1911. Kalendar (o. Pag.) u. Suppl. (217 S.) [691

Perth. Bouick, James B. Summary of the history of the Sandeman
Public Library, Perth, from its institution in 1898, to the year
1908. Libr. Assoc. Record 13. 1911. S. 322—329.   [692
Plymouth. Provincial libraries. 2. Plymouth. Librarian 1. 1910/11.
S. 166—167, 1 Taf.   [693
St. Albans. Provincial libraries. 4. St. Albans. The Librarian 1.
1910/11: S. 268—269 mit 1 Taf.   [694
St. Andrews. Library Bulletin of the University Library of St. Andrews.
Iss. quarterly. Nr 41. January 1911 (= Vol. 4. Nr 5). St. Andrews
1911: W. C. Henderson. Jg. (4 Nrn) 1 Sh.   [695
— Library Annals. Nineteenth Century, continued. Libr. Bulletin of
the University Library of, St. Andrews Nr 41. Jan. 1911.   [696
— Report by the Library Committee to the Senatus Academicus for
the year end. 30th September 1910 ... Report by the librarian...
for the year end. 30th September 1910 ... Libr. Bulletin of the
University Library of St. Andrews Nr 41. Jan. 1911. S. 282
—293.   [697
Sydney. Public Library of New South Wales. Report of Trustees for
the year 1908. Sydney: Gov. Print. 1909. 11 S. 2⁰. Legislative
Assembly. New South Wales. 1909. 50126.   [698
Worcester. Wilson, James M. The Library of printed books in Worcester cathedral. The Library 3. Ser. 2. 1911. S. 1—33.   [699

Italien.

Agnone. R. D(ecreto) n. 113 che erige in ente morale la Biblioteca
„Baldassare Lablanca" in Agnone ed approva il relativo statuto
... Bollettino ufficiale del ministero dell' istruzione pubblica 38.
1911. Vol. 1. S. 778—780.   [700
Alessandria. Vitale, Zaira. Come si trasforma una Biblioteca Comu-
nale in organismo di coltura moderna. La Coltura popolare 1.
1911. Nr 1—3.   [701
Avola. Regolamento per la Biblioteca comunale di Avola. Avola
1911: E. Piazza. 8 S.   [702
Bobbio. Beer, Rudolf. Bemerkungen über den ältesten Handschriften-
bestand des Klosters Bobbio. Wien 1911: Holzhausen. 29 S. Aus:
Anzeiger der philosophisch-historischen Klasse der kais. Akademie
der Wissenschaften 1911. Nr 11 v. 3. Mai.   [703
Bologna. L'Archiginnasio. Bulletino della Biblioteca comunale di
Bologna. Diretto da Albano Sorbelli. Anno 6. 1911. Nr 1/2.
Gennaio-Aprile. Bologna 1911: Azzoguidi. Jg. 5 L., Ausland 8 L. [704
— Relazione del Bibliotecario al signor Assessore per la pubblica
istruzione. (Biblioteca comunale di Bologna). Anno 1910. L'Archi-
ginnasio 6. 1911. S. 1—24.   [705
— Frati, Lodovico. La Biblioteca del Convento dei Domenicani in
Bologna. L'Archiginnasio 5. 1910. S. 217—223.   [706
— Univ.-Bibl. Handschriftenverzeichnis s. 306.

Cagliari. Elenco delle pubblicazioni periodiche esistenti nella Biblioteca universitaria e nei vari istituti scientifici (r. Università degli studi di Cagliari). Cagliari 1911: Dessì. 50 S. [707

— Piras, Silvio. Note fugaci sulla fondazione e sulla funzione della Biblioteca scolastica circolante Edmondo de Amicis in Cagliari nel suo primo anno di vita (1909—1910). Cagliari 1910: Valdès. 48 S. [708

Casale Monferrato. Sala, Cristoforo. La Biblioteca del Seminario vescovile di Casale Monferrato. Appunti di biblioteconomia. Casale 1911: G. Pane. 27 S. [709

Chiusi, Kathedrale s. 1080. 1081.

Domodossola. Bustico, Guido. Catalogo descrittivo dei manoscritti della Biblioteca Galletti di Domodossola. Domodossola 1910: Tip. Ossolana. 20 S. [710

— Bustico, Guido. Relazione sull' andamento della Biblioteca Galletti per l' anno 1910. Domodossola 1911: Tip. Ossolama. 10 S. [711

Florenz. Bibliografia italiana: Bollettino delle pubblicazioni italiane ricevute per diritto di stampa dalla Biblioteca nazionale centrale di Firenze. Anno 45. 1911. Nr 1. Gennaio. Milano: Associazione tipografico-libraria 1911. Jg. (12 Nrn) 10 L., Ausland 12 Fr., Edizione speciale in bianca 12 L., bez. 14 Fr. [712

— Giubileo di Cultura. MDCCXLVI. MDCCCLXl. MCMXI. Per la nuova Biblioteca Nazionale Centrale. Firenze: Nerbini (1911). 14 S., 28 Abb. 2⁰. [713

— Gronau, Georg. Dokumente zur Entstehungsgeschichte der neuen Sakristei und der Bibliothek von S. Lorenzo in Florenz. Jahrbuch der Königl. Preufsischen Kunstsammlungen 32. 1911. Beiheft S. 62 —81. [714

— Ferri, Pasquale Nerino. I disegni e le stampe della R. Biblioteca Marucelliana di Firenze. Bollettino d' Arte 5. 1911. S. 285—307 m. 24 Abb. [715

— López, Athanasius. Descriptio codicum Franciscanorum Bibliothecae Riccardianae. (Continuabitur.) Archivum Franciscanum historicum 4. 1911. H. 4. S. 748—754. [716

— López, Athanasius. Descriptio codicum franciscanorum Bibliothecae Riccardianae florentinae. Ad Claras Aquas 1911: Collegium S. Bonaventurae. 6 S. Aus: Archivum franciscanum historicum. [717

— Orvieto, Laura. Bibliotechine gratuite per le scuole elementari di Firenze. Relazione e bilancio per l'esercizio 1910—1911. Rivista d. biblioteche e d. archivi 22. 1911. S. 75—79. [718

— Biblioteca filosofica; suoi fini, sua azione, suo sviluppo. Firenze 1911: Stab. Aldino. 30 S. [719

Macerata. (Capotosti, Carlo, Alfonso Menchini.) Per la storia della Biblioteca comunale Mozzi-Borgetti di Macerata. Notizie e documenti. Macerata 1905: Unione catt. tipogr. 180 S. 4⁰. [720

Macerata. Biblioteca popolare circolante di Macerata. Catalogo generale delle opere esistenti al 31 ottobre 1910. Macerata 1910: Ilari. 102 S.   [721
Mailand. Amelli, Ambrogio M. Indice dei codici manoscritti della Biblioteca Ambrosiana. (Schluſs.) Rivista delle biblioteche 21. 1910. Nr 8/12.   [722
— Bibl. Trivulziana s. 1119.
— Griffini, Eug. Relazione intorno ad esami di libri presso la Biblioteca comunale in Milano. Milano: 1911. 7 S. 4°.   [723
— Fabietti, Ettore. Le biblioteche popolari milanesi nell' anno 1910. Coltura popolare 1. 1911. S. 309—318.   [724
Neapel. Poncelet, Albertus. Catalogus codicum hagigraphicorum latinorum bibliothecarum neapolitanarum. (1. Bibl. nationalis. 2. Bibl. Brancacciana. 3. Bibl. Oratoriana. 4. Magnum Archivum.) Analecta Bollandiana 30. 1911. S. 137—251.   [725
Novara. Liebaert, Paul. Inventaire inédit de la Bibliothèque capitulaire de Novare dressé en 1175. Revue d. bibliothèques 21. 1911. S. 105—113.   [726
Palermo. Verso la luce! Bollettino dell' associazione pro biblioteche popolari, Palermo. Anno 1. Nr 1 (aprile 1911). Palermo 1911: Gazetta commerciale. 20 S.   [727
Pistoia. Catalogo generale. Biblioteca popolare circolante pistoiese, luglio 1911. Pistoia 1911: Niccolai VIII, 174 S.   [728
Portici. Pirazzoli, Fr. Catalogo delle opere generali e periodiche possedute dalla r. scuola superiore di agricoltura di Portici. Portici 1910: Della Torre. 103 S.   [729
Rom. Mercati, Giovanni. Per la storia della Biblioteca Apostolica bibliothecario Cesare Baronio. Perugia 1910: V. Bartelli. VII, 88 S. Aus: „Nel III centenario dalla morte di C. Baronio" T. 2. S. 85 —178.   [730
— Vaticana s. a. 1013. 1044. 1118. 1124.
— Celani, Enrico. La Biblioteca Angelica (1605—1870). Note ed appunti. Bibliofilia 13. 1911/12. Disp. 1./3. m. 8 Abb.   [731
— Bibliotheca Instituti. Acta pontificii Instituti biblici 1. 1909/10. S. 26—29 m. 2 Taf.   [732
— Manoscritti riguardanti la storia nobilare. Bertini, Carlo A. Biblioteca del Collegio Araldico Romano. (Schluſs.) Rivista d. Coll. Araldico 9. 1911. S. 51—58.   [733
— Institut international d'agriculture. Bulletin bibliographique hebdomadaire. I. Ouvrages reçus par la Bibliothèque pendant la semaine. II. Articles d'interêt général pour l'institut relevés dans les périodiques. Ann. II. Nos 1 et 2. Rome: Institut 1911.   [734
— Biblioteca militare centrale (Iᵃ e IIᵃ sezione): Catalogo alfabetico. P. 1. (Opere, collezioni e reviste per ordine d'autore o di titolo.) Roma 1911: Unione coop. ed. 751 S. 4°.   [735
— Ministero di agricoltura ... Catalogo della Biblioteca. Suppl. 7. 1909. Roma 1910: Tip. nazionale. XVI, 192 S.   [736

Rom. Marsili, Evaristo. La Biblioteca annessa al Museo pedagogico. Relazione ... Roma 1911: Tip. Unione ed. 18 S. Aus: Annuario del corso di perfezionamento fra i licenziati d. scuole normali 1910/11. [737

— Biblioteca del Senato del Regno. Bollettino delle pubblicazioni di recente acquisto. (Compilatori: Fortunato Pintor. Luigi Ferrari.) 7. 1910. Nr 1/2. Roma 1910: Forzani. [738

Salò. Bustico, Guido. I Manoscritti della Biblioteca dell' Ateneo di Salò. Brescia 1911: Apollonio. 21 S. Aus: Commentari dell' Ateneo. [739

San Gemignano. Castaldi, Enr.. Biblioteca comunale di San Gemignano. Relazione. Firenze 1911: Tip. Galileiana. 14 S. [740

Savona.s. 1084.

Teramo. Savorini, Luigi. Biblioteca Melchiorre Delfico, Teramo. Bullettino delle pubblicazioni ricevute in dono o acquistate durante l' anno 1909. Teramo 1910: De Carolis. 96 S. Aus: Rivista Abruzzese. [741

— Savorini, Lu. I primi due anni del Gabinetto Delfico: sala per la lettura dei periodici annessa alla Biblioteca Melchiorre Delfico di Teramo. Teramo 1910: Fabbri. 38 S. [742

Turin. La Biblioteca civica di Torino. Cenni illustrativi. Torino 1911: Vassallo. 21 S., 1 Taf. [743

— Königl. Bibl. s. 1079.

Venedig. Frati, Carlo. Bollettino bibliografico Marciano. Pubblicazioni recenti relative a codici o stampe della Biblioteca Marciani di Venezia. (Forts.) Bibliofilia 12. 1910/11. Disp. 10/11. 13. 1911/12. Disp. 2/3 m. 14 Abb. [744

— Frati, Carlo, e A. Segarizzi. Catalogo di codici Marciani italiani a cura della direzione della R. Biblioteca nazionale di S. Marco in Venezia. Vol. 2. (Classi IV e V.) Modena: G. Ferraguti 1911. XXI, 423 S. 18 L. [745

— Clark, J. W. On the Library of S. Mark, Venice. Proceedings of the Cambridge Antiquarian Society Nr 60. 1911. S. 300—314 m. 5 Taf. [746

Vicenza. Libri d' arte nella Biblioteca Bertoliana di Vicenza a tutto 31 dicembre 1910. Vicenza 1911: G. Rumor. 420 S. [747

Niederlande und Belgien.

Amsterdam. Burger, C. P. Universiteitsbibliotheek. (Mit der Rede des H. Diepenhorst in der Sitzung des Gemeinderates vom 4. Nov. 1910, Abendsitzung.) Tijdschrift voor boek- en bibliotheekwezen 8. 1910. S. 279—282. [748

— (Catalogus van de Bibliotheek der) Vereeniging van leraren bij het middelbar onderwijs. Weekblad v. gymnas.- en middelbar onderwijs 6. 1910. S. 549—562. [749

4*

Antwerpen. Ricci, Seymour de. Inventaire sommaire des manuscrits du Musée Plantin, à Anvers. Revue des bibliothèques 20. 1910. S. 217—232. [750

Apeldoorn. Wegerif, A. H. Het bouwplan der Openbare Leeszaal en Bibliotheek te Apeldoorn. De Boekzaal 5. 1911. S. 194—197 m. 2 Abb. [751

Appingedam. Vos, A. T. De Openbare Leeszaal en Bibliotheek te Appingedam. De Boekzaal 5. 1911. S. 245—249 m. 3 Abb. [752

Arnheim. Verslag betr. den toestand der Openbare Bibliotheek te Arnhem in 1909. Verslag ... der gemeente Arnhem 1909. S. 678 —687. [753

Brüssel. Die deutsche Volksbücherei in Brüssel. Die Deutsche Schule im Auslande 1910. S. 396—399. [754

Groningen. Lijst der aanwinsten van de Universiteits-Bibliotheek te Groningen gedurende den cursus 1909/10. Jaarboek der Rijksuniv. te Groningen 1909/10. S. 112—131. [755

Haag. Verslag der Koniklijke Bibliotheek over 1910. 's Gravenhage: M. Nijhoff 1911. LXXXII; 414, III S. [756

— Catalogus der Koloniale Bibliotheek van het Kon. Instituut voor de Taal-, Land- en Volkenkunde van Ned. Indie en het Indisch Genootschap. Opgave van aanwinsten sedert het afsluiten van den Catalogus. 1—3. 's-Gravenhage: M. Nijhoff 1909. 10. 11. Je 1 Fl. [757

— Catalogus der Koloniale Bibliotheek van het Kon. Instituut voor de Taal-, Land- en Volkenkunde van Ned. Indië en het Indisch Genootschap. 2e opgave van aanwinsten sedert het afsluiten van den Catalogus. 's Gravenhage: M. Nijhoff 1910. VIII, 52 S. [758

— Maandberichten uit de openbare Leeszaal en Bibliotheek te 's Gravenhage. Jg. 1. 1911/12. Nr 1/2. 's Gravenhage: Administr. 1911. Jg. 0,30 Fl. [759

Hilversum. Ek, J. De Openbare Leeszaal en Bibliotheek te Hilversum. De Boekzaal 5. 1911. S. 19—24 m. 4 Abb. [760

Leiden. Bibliotheca Universitatis Leidensis. Codices manuscripti. II. Codices Scaligerani (praeter orientales). Leiden: Brill 1910. VIII, 40 S., 1 Portr. 2,50 M. [761

— Baker, H. J., en W. P. Jorissen. Leidsche Index van tijdschriften (gewijd aan de chemie en aanverwante vakken, aanwezig in de Universiteitsbibliotheek, eenige laboratoria en enkele andere instellingen.) Chemisch weekblad 7. 1910. S. 439—453. [762

Lobbes. Van Gils, P. J. M. Een belangrijk boek en eene merkwaardige vondst. (Katalog der Bücherei der Abtei Lobbes, 10. Jahrh.) Vereen. t. h. bevorderen v. d. beoefen. der wetenschap onder de Katholieken in Nederland. Annalen 1910. S. 68—74. [763

Luxemburg. Roth, F. W. E. Aus Handschriften der Stadtbibliothek zu Luxemburg. Neues Archiv der Gesellschaft für ältere deutsche Geschichtskunde 37. 1911. S. 296—306. [764

Rotterdam. Jaarlijksch Verslag door de Hoofdcommissie aan de leden van de Vereenigung tot daarstelling van eene algemeene openbare Bibliotheek te Rotterdam en van een daaraan verbonden Leeskabinet. 52. Medegedeeld in de algemeene vergadering van 25. Febr. 1911. Rotterdam 1911: M. Wyt. 23 S. [765

Uccle. Bibliothèque de l'Observatoire royal de Belgique à Uccle. Collard, A. Catalogue alphabétique des livres, brochures et cartes, préparé et mis en ordre. Fasc. 1. Bruxelles: Hayez 1910. 192 S. [766

Utrecht. (Hulshof, A.) Catalogus der handbibliotheek in de hand-schriften-leeszaal. Utrecht: 1910. [767

— Catalogus der bibliotheken Van der Kellen en Suermondt. (Schenking d'Aulnis de Bourrouill.) Utrecht: 1910. [768

— Lijst der van Januari 1909 to Januari 1910 door schenking. ruiling en aankoop voor het Genootschap verkregen Werken. Bijdragen en mededeelingen van het Histor. Genootschap (te Utrecht) 32. 1911 S. XLIX—LXXII. [769

Zütphen. De Libryre te Zutphen. Vreemdelingenverkeer 8. 1910. S. 36—38. [770

Nordische Staaten.

Aarhus. Døssing, Th. Praktisk Bibliotekstjeneste ved Statsbiblioteket i Aarhus. Aarhus (1911): Reformtrykk. 31 S. Aus: Boksamlings-bladet 1911. [771

— Statsbiblioteket i Aarhus. Katalog over laesesalens Udlaans-bibliotek. (Danske, norske og svenske bøger.) 3. Fremmede Lande. (Geografi og historie.) Aarhus 1911: Foren. Bogtr. 56 S. = Stats-bibliotekets trykte kataloger 9. [772

Bergen. Daae, Aagaat. Fortegnelse over tidsskrifter og selskapsskrifter i Museets Bibliotek. Bergens Museum Aarsberetning for 1910. B. 1911. S. 116—150. [773

Christiania. Det Kgl. Norske Frederiks Universitet. Universitets-Biblio-tekets Aarbog for 1903. 1904. 1905. (Darin: Aarsberetning for 1902/3. 1903/4. 1904/5. Norsk Bogfortegnelse for 1902. 1903. 1904. Øvrige Tilvaext 1902/3. 1903/4. 1904/5.) Christiana: Aschehoug i Komm. 1909. 1910. 1910. XI, 100, 95; XII, 100, 97; X, 121, 76 S. [774

— Drolsum, A. C. Det Kgl. Frederiks Universitet. Universitets-Bibliotheket 1811—1876. Festskrift in anledning af 100-aars-jubilaeet. D. 1. 2 (= Biografiske meddelser om Universitets-Bibliothekets chefer.). Kristiania 1911: S. M. Bryde. 118 S., 4 Taf., 2 Abb. i. T.; 79 S., 4 Portr. 4⁰. Fest-Aftryk af Universitets-Bibliothekets Aarbog for 1911. [775

Göteborg. Göteborgs offentliga Boksamlingar. Årsberättelser for 1908. 1909. Göteborg 1909. 1910: Handelstidnings Tryck. 15, 16 S. 4⁰. [776

Göteborg. Accessions-Katalog s. 314. 315.

Kopenhagen. Katalog over det Kongelige Bibliotheks Haandskrifter
vedrørende Norden, saerlig Danmark. Udg. af det Kgl. Bibliothek
ved E. Gigas. Bd 3. D. 1. København og Kristiania: Gyldendal,
Nordisk Forlag 1911. 198 S.　　　　　　　　　　　　　[777

— Burg, Fritz. Die Capsa Ambrosii der früheren Kopenhagener
Universitätsbibliothek. Der zwölften Versammlung Deutscher Bibliothekare am 8. und 9. Juni 1911 überreicht von der Hamburger Stadtbibliothek. Hamburg 1911: (Lütcke u. Wulff.) 89 S., 1 Tabelle.
4⁰.　　　　　　　　　　　　　　　　　　　　　　　　　　　　[778

Lund. Lunds Universitets Biblioteks Årsberättelse 1910. Lund 1911:
H. Ohlsson. 14 S.— Aus: Lunds Universitets Årsberättelse 1910
—1911.　　　　　　　　　　　　　　　　　　　　　　　　　　[779

— Accessions-Katalog s. 314. 315.

Stockholm. Kungl. Bibliotekets Årsberättelse 1910. Stockholm 1911:
P. A. Norstedt. 64 S.　　　　　　　　　　　　　　　　　　　[780

— Accessions-Katalog s. 314. 315.

— Katalog öfver Kungl. Musikaliska Akademiens Bibliothek 1. 2.
Stockholm: Marcus 1905. 1910. 46, 136 S. 4 M.　　　　　[781

Uppsala. Bygden, L. Universitetsbiblioteket under år 1910. Kungl.
Universitetes i Uppsala Redogörelse 1910/11. S. 80—95.　　[782

— Mitjana, Rafael. Catalogue critique et descriptif des imprimés de
musique des XVIᵉ et XVIIᵉ siècles conservés à la Bibliothèque de
l'Université royale d'Upsala. Avec une introduction bibliographique
par Isak Collijn. T. 1. Musique religieuse. I. Upsala 1911: Almqvist & Wiksell. VIII, VI S., 502 Sp., 1 Taf.　　　　　　　　[783

— Accessions-Katalog s. 314. 315.

Rufsland.

Archangelsk. (Russ.) Katalog der öffentlichen Bibliothek. Nachtrag 2.
Archangelsk 1910: V. Čerepanov. 24 S.　　　　　　　　　　[784

Astrachan. Katalog (Russ.) der Bücher und periodischen Ausgaben
der Bibliothek M. F. Girin. Astrachań 1911: Apresjanc i Okur.
79 S.　　　　　　　　　　　　　　　　　　　　　　　　　　[785

Baku. Katalog (Russ.) der Fundamentalbibliothek für die Angestellten
der Ratsversammlung der Naphtaindustriellen. Baku 1911: Gaz.
Baku. 532 S. 50 Kop.　　　　　　　　　　　　　　　　　　[786

Bobrujsk. Systematischer Katalog (Russ.) der Bücher der Bibliothek
des 157. Infanterie-Regiments. Bobrujsk 1911: Ginzburg. 136 S. [787

Charkow. Bulletin (Russ. bjulleten) der kais. Universitätsbibliothek.
März 1911. Charkov 1911: Sergějev und Galčenko. 19 S.　[788

— (Russ.) Russische Bibliotheksgebäude. I. Die öffentliche Bibliothek
zu Charkow. Bibliotekar 2. 1911. S. 1—4, 2 Taf., 3 Abb.　.[789

Charkow. Katalog (Russ.) der Bibliothek am pädagogischen Kommittee. Gesellschaft zur Verbreitung des Schrifttums im Volke. 2. Aufl. Charkov 1911: A. A. Žmudskij. IV, 194, 4 S. 50 Kop. [790

Cherson. Šenfinkel', V. (Russ.) Systematischer Katalog (der Bücher- und Zeitschriftenartikel) der öffentlichen Bibliothek zu Cherson. Nachtrag 3, vom 1. Aug. 1905 bis 1. März 1911. Cherson 1911: Chodušina. 524, 15 S. [791

— Šenfinkel', V. (Russ.) Die öffentliche Bibliothek zu Cherson. Systematischer Index der Abteilung Michail Eug. Bekker I. Ueber Fragen der städtischen Selbstverwaltung (Bücher und Zeitschriftenartikel.) Teil 1. Tätigkeit der städt. Selbstverwaltung. Teil II. Städtische Selbstverwaltung in Rufsland und im Ausland. Mit Vorwort v. Orsinski, L. G. Cherson 1911: Chodušin. VI, 57, 166 S. 75 Kop. [792

Dorpat. Dorpater Bücherei des Deutschen Vereins in Livland. Bücherverzeichnis. Fortsetzung 1. Jurjev 1910: K. Mattisen. 76 S. 25 Kop. [793

— Bibliothekskatalog der Livonia. Jurjev 1910: G. Laakman. 173 S. [794

— Katalog (Russ.) der russischen öffentlichen Bibliothek. Zweiter Nachtrag. Jurjev 1910: Seet. 65 S. [795

— Katalog (Russ.) der Bücher der Studentenbibliothek der historisch-philologischen Fakultät der Kais. Universität. Abteilung Literatur. Jurjev 1911: Bergman. 44 S. [796

— Bibliothek-Katalog der Livländischen Missionskonferenz. Jurjev 1911: Laakman. 16 S. [797

Eupatoria. Katalog (Russ.) der Bibliothek der öffentlichen Versammlung. Zusammengestellt 1. Januar 1911. Evpatorja 1911: Raichel'son. 126 S. [798

Jekaterinoslaw. Bericht (Russ.: otčet) der städtischen öffentlichen Bibliothek für das Jahr 1909/1910. Ekaterinoslav 1910. 1911: Gub. pravl. 33, 41 S. [799

— Katalog (Russ.) der Bibliotheks-Lesehalle der Juzowschen Gesellschaft der Handlungsangestellten für gegenseitige Hilfe. Jekaterinoslav 1910: Rubinštein. 50 S. [800

Jrkutsk. Grundkatalog (Russ.: osnovnoj katalog) über russische Belletristik der städtischen öffentlichen Bibliothek. Nachtr. 2. Jrkutsk 1910: Okunev. 28 S. [801

— Katalog (Russ.) der städtischen öffentl. Bibliothek. Abteilung russ. Belletristik (B). Jrkutsk 1911: Okunev. 74 S. [802

Kaluga. Katalog (Russ.) der Bücher der Bibliothek des 5. Infanterie Regiments „Kaiser Wilhelm I." 1911. Brest-Litowsk 1911: Glikman. 184 S. [803

Kasan. Bericht (Russ.: otčet) über den Stand der städtischen öffentlichen Bibliothek für das Jahr 1909. 1910. Kazan' 1910. 1911: Okružnoj štab. 32, 51 S. [804

Kasan. Nikól'skij, N. V. (Russ.) Katalog der Bücher der Fundamental-
bibliothek des Lehrerseminars zu Kazan'. Kazan' 1910: Tip. Central'naja. 307 S.   [805
Kiev. Krylovskij, A. S. (Russ.): Systematischer Katalog der Bücher
der Kiever geistlichen Akademie. Bd-III. Geschichte. Teil 9. Kiev
1910: P. Barskij. 374 S. 2,50 R.   [806
— Systematischer Katalog (Russ.) der Bücher der Bibliothek des
Metropoliten von Kiev . . . S. Eminenz Flavian. M. Zeichn. Kiev
1910: Usp. Lavry. VIII u. 677 S. 3 R.   [807
— Katalog (Russ.) der i. J. 1907 in der Bibliothek der kais. Uni-
versität „hl. Wladimir" eingelaufenen Bücher. Kiev 1910: S. V.
Kulženko. 181 S.   [808
— Katalog (Russ.) der in die studentische Abteilung der kais. Uni-
versitätsbibliothek des hl. Wladimir im Jahre 1909 eingelaufenen
Bücher. Kiev 1911: Kul'ženko. 74 S.   [809
— Systematischer Katalog (Russ.) der in die Bibliothek des Städtischen
Statistischen Bureaus bis 1. Januar 1911 eingelaufenen Publikationen.
Kiev 1911: Krugljanskij. 77 S.   [810
Kischinev. Buržinskij (Russ.): Katalog der Bücher und periodischen
Ausgaben der Bibliothek der 14. Artillerie-Brigade am .1. Januar
1911. Kišinev 1911: Lapsker. 85 S.   [811
Konstantinograd. Katalog (Russ.) der Bücher und Journale der
Bibliothek Kreis-Landschaftsverwaltung. Konstantinograd 1910:
V. L. Jckovič. 97 S.   [812
— Katalog der Bücher in der Bibliothek der öffentlichen Vereinigung.
Konstantinograd 1910: M. V. Gekker. 62, 12 S. 60 Kop.   [813
Krasnojarsk. Katalog (Russ.) der Bücher der Regimentsbibliothek des
95. Inf. Reg. Krasnojarsk. Jurjev 1911: Mattissen. 48 S.   [814
Kursk. Bericht (Russ.: otčet) der Verwaltung über die Tätigkeit der
Semenov'schen öffentlichen Bibliothek und der unentgeltlichen Lese-
halle der Volksbibliothek „Puschkin" für die Jahre 1908 und 1909.
Kursk 1910: Gub. Zemstvo. 36 S.   [815
Minsk. Bericht (Russ.: otčet) der städt. öffentlichen Bibliothek A. S.
Puschkin für das Jahr 1910. Minsk 1911: Fel'dman i Persky.
24 S.   [816
Moskau. Russische Bibliotheksgebäude. (Russ. Zdanija.) 2. Moskauer
Universitätsbibliothek. Mit 4 Tafeln und 2 Textzeichn. Bibliotekaŕ 2.
1911. S. 132—137.   [817
— Statuten (Russ.: ustav) der russischen Bibliographischen Gesellschaft
an der Kais. Universität. Moskva 1911: Snegireva. 16 S.   [818
— Celincev V. V. (Russ.): Die Bibliothek der chemischen Abteilung
der Gesellschaft der Liebhaber für Naturwissenschaften, Anthropo-
logie und Ethnographie an der kais. Universität zu Moskau, 1885
—1910. Moskva 1910: Tip. Universiteta. 32 S.   [819
— Katalog (Russ.) der Bibliothek der Polytechnischen Gesellschaft
an der Kais. technischen Schule. Moskau 1911: Russk. tov.
16 S.   [820

Moskau. Katalog (Russ.) der Bücher der Dmitrevschen Bibliothek.
Moskau 1910: S. P. Jakovlev. 115 S. 1 R. [821
— Bücherverzeichnis der Bibliothek des Deutschen Vereins. Moskau
1910: Lissner und Sobko. 55 S. [822
— Popov, N. (Russ.) Die Handschriften der Moskauer Synodal
(Patriarchen)-Bibliothek. H. 1. 2. Moskva (1910): Gerbek. 8,10M. [823
— Popov, K. M. (Russ.): Systematischer Katalog der Bücher der
Bibliothek der geistlichen Akademie zu Moskau. Band 5. Heft 8.
Beilage 1. Heilige Schrift und Patrologie (Eingang von 1901—1910).
Moskva 1910: Lavry 2, 449, LXXXVI S. 2,50 R. [824
— Bericht (Russ.: otčet) der Bibliothek der geistlichen Akademie
1909—1910. Sergiev Posad 1911: Sv. Tr. Serg. Lavr. 15 S. [825
— Rybakov, A. (Russ.): Die geistliche Bibliothek der altgläubigen Ge-
meinde des Rvg. Kirchhofes. Moskva 1911: Rjabušinski. 24 S. [826
— Skizze (Russ.: očerk) der Tätigkeit der städtischen unentgeltlichen
Bibliothekslesehalle, begr. v. P. A. Morozova zum Gedächtnis J. S.
Turgenevs, zu ihrem 25 jährigen Bestehen. Moskva 1910: Tip.
gorodskaja. 49 S. [827
— Bericht (Russ. otčet) über die Tätigkeit der städtischen unentgelt-
lichen Bibliotheken und Lesehallen für das Jahr 1909. Moskau
1911. Tip. gorodsk. 32 S. [828
— Plotnikow, A. (Russ): Jubiläum der Lesehalle Turgenew in Moskau.
Bibliothekar 2. 1911. S. 5—11, 1 Taf., 1 Abb. [829
— Gorovoj, N. J. und Stepanov, N. A. (Russ.): Katalog der Funda-
mentalbibliothek der Alexejewschen Kriegsschule II. Moskau 1911:
Tip. universiteta. 98, II S. [830
— Katalog (Russ.) der Bibliothek der Gesellschaft ehemaliger Zöglinge
der praktischen Akademie der Handelswissenschaften. Nachtr. 1.
Moskva 1910: A. Levenson. 61 S. [831
— Katalog (Russ.) der Bücher des Klubs der Handelsangestellten.
Moskva 1910: V. N. Šuškin. 40 S. [832
— Katalog (Russ.) der Bibliothek des Börsen-Komitees. Teil I:
Bücher in russischer Sprache. Nachtrag II für das Jahr 1910.
Moskva 1911: Rjabušinskij. 83 S. [833
— Katalog (Russ.) der Bibliothek des literarisch-künstlerischen Klubs.
Russische Abteilung. Moskva 1911: Mamontov. IV, 324 S. [834
Nischninovgorod. Buzin, A. und V. Kudrjavzev (Russ.): Katalog der
Bücher der öffentlichen Bibliothek Pavlovsk. Nižnij-Novgorod
1910: G. Iskol'dskij. 201 S. [835
— Verzeichnis der Bücher (Russ.: spisok knig) aus dem II. Nachtrag
zum Katalog der städtischen öffentlichen Bibliothek für das Jahr
1910. (Beilage zum Bericht f. d. Jahr 1910). N.-Nowgorod 1911:
Peč. dělo. 24 S. 25 Kop. [836
— Bericht (Russ.: otčet) über den Stand der städt. öffentlichen
Bibliothek und ihrer Makarevschen Abteilung 1910. (50. Berichts-
jahr.) N.-Novgorod 1911: Nižeg. Peč. Dělo. 3 S. [837

Nischnij - Nowgorod. Bericht (Russ.: otčet) über die Tätigkeit der
städt. öffentl. u. unentgeltlichen Volkslesehalle Puškin für das Jahr
1910. N.-Novgorod 1911: Gaz. Volgar. 9 S.   [838
— Katalog (Russ.) der Bibliothek des allgemeinen Klubs (früher
„Klub aller Stände"). Nachtrag 2: 1896—1910. N.-Novgorod
1911: Rojscij und Korněev. 101 S.   [839
Odessa. Rystenko, A. V. (Russ): Die Handschriften der Bibliothek
der kaiserlichen Gesellschaft für Geschichte und Altertümer zu
Odessa. Bd I. Kirchenslavische und russische Handschriften,
Dokumente und Briefe. Odessa 1910: E. Chrisogelos. 88 S.   [840
— Bericht (Russ.: otčet) der städtischen öffentl. Bibliothek „Kaiser
Nikolaus II." für das Jahr 1910., Odessa 1911: Chrisogelos.
41 S.   [841
— Katalog der städtischen öffentlichen Bibliothek „Kaiser Nikolaus II."
Bd V. Odessa 1910: E. Chrisogelos. VII, 424, LXXXIV S.   [842
— Katalog (Russ.) des Lesesaals der öffentlichen Stadtbibliothek
„Kaiser Nikolaus II." Odessa 1911: E. Chrisogelos. 52 S.   [843
— Bericht (Russ.: otčet) der öffentlichen Bibliothek für das Jahr
1909. 1910. Odessa 1910. 1911. 8, 4, 8 S.   [844
— Systematischer Katalog der Bibliothek der jüdischen Kommis (Ge-
sellschaft für gegenseitige Unterstützung) mit dem Namen des
Gründers S. L. Bernfel'd. Odessa 1910: N. Gal'perin. XVIII,
388 S.   [845
— Systematischer Katalog (Russ.) der Bibliothek der „Odesskija No-
vosti". Teil II. Abteilung II—VIII u. Nachtr. Odessa 1911: Od.
Nov. 6, 327, 810 S. 40 Kop.   [846
Pensa. Bericht (Russ: otčet) der öffentl. Bibliothek M. J. Lermontow
nebst Beilage des Berichtes der unentgeltlichen Volks-Bibliotheks-
lesehalle V. G. Bělinskij vom 1. Okt. 1909—1. Okt. 1910. Penza
1911: Br. Solomon. 60 S.   [847
— Katalog (Russ.) der Bibliothek des 121. Infanterie-Regiments.
Nachtrag. Charkov 1911: Kovalev. 16 S.   [848
Perm. Katalog (Russ.) der Bücher der Bibliothek des öffentlichen
Klubs. Perm' 1911: Gub. pravl. 115 S.   [849
— Katalog (Russ.) der Zentralbibliothek des Konsumvereins der An-
gestellten an der Permschen Eisenbahn. B. I. Perm' 1911: Čer-
dyncev. 210 S.   [850
Pultusk (Gouv. Warschau). Katalog (Russ.) der Bibliothek des Offizier-
Kasinos des 183. Infanterie-Regiments. Zusammengestellt im Jahre
1911. Kostroma 1911: Gelin. 139 S.   [851
Reval. Verzeichnis der Bibliothek des Ungern-Sternberg-Archivs.
Reval 1910: Rev. Gaz. 19 S.   [852
— Katalog der Bücherei des Deutschen Vereins in Estland. Reval
1911. 109 S.   [853
Riga. Statuten (Lett.: statuti) der Stomerzejschen Bibliotheksgesellschaft.
Riga 1911: Deen. 8 S.   [854

Riga. Bibliotheks-Katalog der Fraternitas Baltica. Als Manuskript gedruckt. Riga 1911: Müller. 66 S. [855

— Katalog (Russ.) der Bücher der II. öffentlichen städtischen Lesehallenbibliothek. I. Russische Abteilung. Riga 1911: Baltik. 93 S. [856

— Statuten (Russ.: ustav) der Trejdenschen Bibliotheksgesellschaft. Riga 1911: Krejšman u. Melkiss. 12 S. [857

— Katalog (lett.) der Bibliothek des lettischen Handwerkerklubs. Riga 1910: „Deena". 80 S. [858

— Statuten (Russ.: pravila) für die öffentliche Lesehallenbibliothek. Riga 1911: V. Gekker. 4 S. [859

— Katalog (lett.) der Bücher der ersten Bibliothek und Lesehalle. Riga 1911: V. Gekker. 120 S. [860

Rostow à. Don. Bericht (Russ.: otčet) der städtischen öffentlichen Bibliothek für das Jahr 1910. Rostov-na-Donu 1911: Turcevič. 22 S. [861

Saljany (Gouv. Baku). Katalog (Russ.) der Bibliothek des Offizier-Kasinos des 206. Infanterie-Regiments. Baku: 1911: Šakov. 2, 91 S. [862

St. Petersburg. Bericht (russ.: Otčet) der Kaiserlichen Oeffentlichen Bibliothek für das Jahr 1904. St. Petersburg: 1911. VII, 171 S. 4⁰. [863

— Bonnet, Joseph. Recherches sur les manuscrits français de la Bibliothèque impériale de St.-Pétersbourg. 1—2. Russkij Bibliofil 1. 1911. S. 47—62 m. 2 Faks. u. 1 Taf. [864

— Staerk, Antonio. Les Manuscrits latins du Ve au XIIIe siècles conservés à la Bibliothèque impériale de Saint-Pétersbourg. Description. Textes inédits. Reproductions autotypiques. T. 1. 2. Saint-Pétersbourg: Franz Krois 1910. 4⁰. 40 M. [865

— Reglement und Statuten (Russ.: ustav i pravila) der Kais. öffentlichen Bibliothek. S.-Peterburg 1911: Glav. upr. uděl. 66, 1 S. 20 Kop. [866

— Kais. Bibl. s. a. 1114.

— Sreznevskij, V. J. und Pokrovskij F. J. (Russ.): Beschreibung der Handschriftenabteilung der Bibliothek der Kaiserlichen Akademie der Wissenschaften. I. Handschriften Band I. 1. Bücher der heiligen Schrift. 2. Gottesdienstliche Bücher. St.-Peterburg 1910: Akad. nauk. XVI, 525 S. 3 R. [867

— Maslovskij S. D. (Russ.): Bibliothek der kaiserlichen Nikolaus-Akademie. Systematischer Index der Bücher 1832—1910. Bd III. Kriegskunst. S.-Peterburg 1910: Berežlivost' i Skačkov. VI, 570 S. [868

— Katalog (Russ.) der Bibliothek der Kaiserlichen Archäologischen Kommission. Nachtr. für die Jahre 1907—09. S.-Peterburg 1910: Gl. upr. udělov. 60 S. [869

— Bericht (Russ.: otčet) der Bibliothek der Angestellten im Finanzministerium f. d. Jahr 1910. St. Peterburg 1911: T. Frolov. 108 S. [870

St. Petersburg. Verzeichnis (Russ. spisok) der in der Bibliothek der Gesellschaft von Angestellten im Finanzministerium vom 1. Jan. bis 1. Aug. 1910 eingelaufenen Bücher. S.-Peterburg 1910: M. P. Frolovoj. 14 S. [871

— Katalog (Russ.) der Bibliothek des elektrotechnischen Instituts Kaiser Alexander III. S.-Peterburg 1911: M. Stasjulevič. V, 241 S. [872

— Bücherkatalog (Russ.) der Studentenbibliothek des Polytechnischen Instituts Kaiser Peter der Große. S.-Peterburg 1911: Pečatnyj trud. 122 S. 25 K. [873

— Bibliotheks-Ordnung (Russ.) und Bücherverzeichnis des St. Petersburger Polytechnischen Vereins. S.-Peterburg 1910: Kügelgen, Glič u. Ko. 112 S. [874

— Nachtrag zum Kataloge der Bibliothek des St. Pet. Deutschen Bildungs- und Hilfs-Vereins. St. Pet. 1911: Kügelchen. 36 S. [875

— Bücherkatalog (Russ.) der Bibliothek der russischen kaufmännischen Vereinigung. 1911. S.-Peterburg 1911: Četverikov. 82 S. [876

— Katalog (Russ.) der pädagogischen Bibliothek für elementare Volksbildung. S.-Peterburg 1910: J. Baljanskij. 208 S. 35 Kop. [877

Saratov. Lebedev, Aleksandr (Russ.) Die Handschriften der Brüderschaft des Roten Kreuzes zu Saratov. Saratov 1910: Sarat. Archiv. komis. pri gorod. bibl. Tip. Sojuza Peč. děla. 96 S [878

— Bericht (Russ.: otčet) über den Stand der städtischen öffentlichen Bibliothek im Jahre 1910. Saratov 1911: O-vo knigopeč. 25 S. [879

— Katalog (Russ.) der Bibliothek des Handelsklubs. Nachtrag III. Erworbene Publikationen vom Januar 1910 bis Januar 1911. Saratov: Feokritov. 40 S. [880

Schlüsselburg. Katalog (Russ.) der öffentlichen Bibliothek 1911. Nachtrag II. S.-Peterburg 1911: Lurje. 33 S. [881

Simferopol. Katalog (Russ.) der städtischen unentgeltlichen Bibliothek S. B. Tumanov. Simferopol 1910: G. M. Epel'. 86 S. [882

Smolensk. Bericht (Russ.: otčet) des Komitees der öffentlichen Bibliothek jenseits des Dnjeprs für die Zeit vom 1. Jan. 1909 bis 1. Jan. 1910 (und) Ergänz. Nachrichten 1. Jan. 1908 bis 1. Jan. 1909. Smolensk 1909. 1910: Podzemskij. 28, 10 S. [883

— Katalog (Russ.) der Bücher der städt. öffentl. Bibliothek. Smolensk 1911: Smol. Věstnik. 267 S. [884

Täbris. Adjarian, Hratchia. Katalog der armenischen Handschriften in Täbris. Wien: Mechitharisten-Buchdr. 1910. XX S., 12, 155 S. 4⁰. 4,75 M. == Haupt-Katalog der armen. Hdss. hrsg. v. d. Wiener Mechitharisten-Kongregation VI, 2. [885

Tiflis. (Russ.) Katalog der öffentlichen Stadtbibliothek „A. S. Puškin". Tiflis 1910: Štab Kavk. voennago okruga. 224 S. [886

— Katalog (Russ.) der Bibliothek der Angestellten an den transkaukasischen Eisenbahnen. Tiflis 1910: Gutenberg. 124 S. 35 Kop. [887

Tomsk. Bericht (Russ. otčet) der städischen öffentlichen Bibliothek
für das Jahr 1910. Tomsk 1911: N. J. Orlov. 25 S. [888

— Vas'kov, K. N. (Russ.) Katalog der Bibliothek der Sibirischen
·Eisenbahn. Heft 8. Tomsk 1911: Jakovlev. 144, 357, 3 S.
20 Kop. [889

— Katalog ·(Russ.) der Bücher der Bibliothek des Handelsklubs.
Tomsk 1911: Orlov. 94 S. [890

Tscheljabinsk. Bücherkatalog (Tatar.: asami kutub) der muselmanischen
Bibliotheks-Lesehalle. Bücher in tatarischer, türkischer u. arabischer
Sprache. Kazań 1910: Urnek. 62 S. [891

Twer. Katalog (Russ.) der Bücher der öffentlichen Bibliothek. Nachtrag I. 1896—1. Juni 1911. Tver 1911: Rodionov. IV, 234 S. [892

— Katalog (Russ.) der Bücher zur Versendung an die H. H. Korre-
spondenten der Statistischen Abteilung der Verwaltung. Tver 1911:
Gub. Zemstva. 8 S. [893

Warschau. Verzeichnis (Russ. spisók) der Zeitschriften der Professoren-
und Studenten-Lesehallen und der Bibliothek des Polytechnischen
Instituts Kaiser Nikolaus II. Beilage zu den Bulletins der Bibliothek
des Instituts. Varšava 1910: S. Orgel'brand. 25 S. [894

— Bericht (Poln.: sprawozdanie) der Gesellschaft der öffentl. Bibliothek
für das Jahr 1910. Varšava 1911: Rubiševskij i Vrotnovskij.
2, XX S. [895

Wilna. Katalog (Russ.) der Bücher des Adelsklubs. Vil'na 1910:
M. Š. Grodzenskij. 50 S. [896

— Katalog (Poln.: katalog) der polnischen Bücher des Adeligen
Klubs. Vil'na 1911: Zavadskij. 23 S. [897

— Bericht (Russ.: otčet) der öffentlichen Bibliothek und des Museums
für das Jahr 1910. Vil'na 1911: Russk. Počin. 69 S. [898

— Katalog (Russ.) der Bücher, Journale und periodischen Ausgaben
der Bibliothek des Eisenbahnklubs. März 1911. Vil'na 1911: Piore.
148 S. [899

Windau. Reglement (Russ.: ustav) der Domesnesskischen Bibliotheksgesellschaft. Vindava 1911: Antman. 15 S. [900

Wladiwostok. Systematischer Katalog (Russ.) der russischen Bücher
der Marine-Bibliothek. 1. Abt. IX. Russische und übersetzte Belletristik. 2. Russische Zeitschriften. Wladiwostok 1910: Pravl. Ussur.
kaz. vojska. 216, XI S. [901

— Chiffrierter Katalog (chin.) der chinesischen Bücher der Bibliothek
des orientalischen Instituts. Vladivostok 1910: Vostočnyj Institut.
2, 47 S. [902

Wologda. Katalog (Russ.) der Bücher und periodischen Ausgaben
der „Bibliothek und des Kabinets zum Lesen". N. V. Dorochov.
Vologda 1911: Běljakov. 118, XVII S. [903

Woronesch. Bericht (Russ.: Otčet) der öffentlichen Bibliothek für das
Jahr 1910. Veronež 1911: Kolesnikov. 37 S. [904

Spanien und Portugal.

Barcelona. Colegio de Abogados de Barcelona. Catálogo de los principales articulos publicados en las revistas de la Biblioteca. Anno 1909. Barcelona o. J.: Henrich. XXVII, 471 S. 4º. (2º). [905

— Pedrell, Felip. Catàlech de la Bibliôteca musical de la Diputació de Barcelonà. Ab notes hist., biogr. y crit., transcripcions en notació moderna . . . Vol. 2. Barcelona: Diputació 1909. 382 S. 4º. Bd 1 u. 2. 65 M.   [906

— Bonaventura, Arnaldo. Una grande pubblicazione di bibliografia musicàle. (Catalogo della Biblioteca musicale della Deputazione di Barcelona.) Bibliofilia 13. 1911/12. S. 117—123 m. 5 Abb. [907

Escorial. Antolin, Guillermo. Catálogo de los codices latinos de la Biblioteca de El Escorial. Vol. 1: Madrid: Impr. Helénica 1910. 628 S. 4º. 25 Pes.   [908

Madrid. Barcia, Angel M. de. Catálogo de la Coleccion de dibujos originales de la Biblioteca Nacional. (Schluſs.) Pliegos 58—62. S. 897—962. Revista de archivos, bibliotecas 14. 1910. Nov./Dec. 15. 1911. März-April, Anhang.   [909

— Catálogo de la Real Biblioteca. T. 3. Por Juan Gualberto López-Valdemoro de Quesada Conde de las Navas. Autores-Historia T. 1. 2. Madrid: Rivadeneyra 1910. CCLXXX S. m. 9 Taf., XXXIV, 427 S. 4º. Je 20 Pes.   [910

— Codera, Francisco. Libros árabes adquiridos para la Academia. Boletin de la Real Academia de la Historia 58. 1911. S. 181 —187.   [911

— Pezzi, Rafael. Catálogo de la Biblioteca del Centro del Ejército y de la Armada. Madrid: Patronato de huérfanos de Admin. Militar 1911. 156 S. 2 Pes.   [912

— Barroso, Mariano. Catálogo de la Biblioteca de la Escuela Superior de Arquitectura. T. 1. Madrid: Imprenta Alemanna 1911. 848 S. 6 Pes.   [913

— Catálogo de la Biblioteca de Ingenieros del Ejército, publicado al cumplirse el segundo centenario de la creación del Cuerpo. Madrid: 1911: Memorial de Ingenieros. XXI, 1215 S. 4º.   [914

Palma. Estelrich, J. L. Palma de Mallorca. La real y episcopal Biblioteca. Revista de archivos, bibliotecas y museos 15. 1911. Bd 1. S. 150—164.   [915

Porto. Real Bibliotheca publica municipal do Porto. Collecção de manuscriptos ineditos agora dados á estampa. 1. O Livro da Corte imperial. 2. O Livro da virtuosa bemfeitoria do Infante Dom Pedro. Porto: Silva 1910. 274, 308 S. 16 M.   [916

Türkei und Balkanstaaten.

Athen. Lampros, Spyr. P. *Καταλογος των κωδικων των ἐν Ἀθηναις βιβλιοθηκων πλην της Ἐθνικης*. 2. *Κωδικες της Ἱστορικης και ἐθνολογικης ἑταιρειας.*. *Ἀρ.* 70—154. Neos Hellenomnemon 7. 1910. H. 2—4 (1911). [917

Konstantinopel. Karácson, Eméric. Les bibliothèques de Constantinople. Magyar Könyvszemle N. S. 19. 1911. S. 1—9. [918

Philippopel. B. Diakovitch. Annuaire de la Bibliothèque nationale à Plovdiv (Bulgarie). Godišnik na Plovdivskata narodna Biblioteka. 1910. (Philippopel: 1911.) 102 S. m. Tabell. [919

Vereinigte Staaten.

Albany. New York State Library. Bibliography 49. A selection from the best books of 1909. With notes. Albany: University of the State of New York 1910. Education Department Bulletin Nr 477. 54 S. [920

— New York State Library fire. Libr. Journal 36. 1911. S. 246 —251. [921

Berkeley. Leup, Harold L. Moving the University of California Library. Libr. Journal 36. 1911. S. 458—460. [922

Boston. Bulletin of the Public Library of the City of Boston iss. quarterly. Third Series, Vol. 4. No 1. March 31, 1911. Boston: Trustees 1911. [923

— Catalogue of the Allen A. Brown collection of music in the public Library of the City of Boston. Vol. 2. P. 1. 2. (Hi—Lieblich. Liebliches—Musicians.) Boston: Trustees 1911. 288 S. 2 $. [924

— Finding List of books common to the branches of the Public Library of the City of Boston, September, 1910. Boston: 1910. 242 S. [925

— Annual Report of the Trustees of the Public Library of the City of Boston. 59. 1910—1911. Boston: Trustees 1911. 91 S., 1 Taf., 1 Karte. [926

Brooklyn Public Library. Handbook containing information for users of the Library. Brooklyn: 1910. 24 S. [927

— Report of Pratt Institute Free Library for the year end. June 30, 1910. Brooklyn, New York: Institute 1910. 26 S. [928

— Pratt Institute. School of library scienee 1910—1911. Circular of information. Brooklyn, New York: (1910). 17 S., 2 Taf. [929

Cambridge, Mass. Potter, Alfred Claghorn, a. Edgar Huidekoper Wells. Descriptive and historical notes on the Library of Harvard University. 2 d edition. Cambridge, Mass.: Library 1911. 67 S. = Library of Harvard Univ. Bibliograph. Contributions Nr 60. [930

Chicago Public Library. Book Bulletin. Vol. 1. No 1, January 1911. [931

Chicago. Wickersheimer, Ernest. Notes sur quelques bibliothèques américaines. (Chicago und Crown Point.) Revue des bibliothèques 20. 1910. S. 337—349. [932

— The Chicago Public Library system. A library for the people. The John Crerar Library. The Newberry Library. The Chicago Historical Society. Other libraries. In: Educational opportunities in Chicago. 1911. S. 10—28 m. 6 Abb. [933

— Josephson, Aksel G. S. The John Crerar Library. A list of books on the history of science, January, 1911. Chicago: Board of directors 1911. 297 S. 4°. (8°). [934

— The John Crerar Library. Annual Report 16, for the year 1910. Chicago: Board of Directors 1911. 66 S. [935

— Report of the trustees of the Newberry Library 1910. Chicago: 1911. 40 S. [936

Cincinnati. Annual Report of the board of trustees of the Public Library of Cincinnati for the year ending June 30, 1910. Cincinnati: 1911. 80 S. [937

Evanston. Northwestern University Bulletin. Report of Librarian 1910. Evanston a. Chicago: University 1910. 8 S. [938

Grand Rapids. Bulletin of the Grand Rapids Public Library. Issued monthly from the Ryerson Public Library Building. Vol. 7. 1911. Nr 1. Grand Rapids, Mich.: Library 1911. [939

— Annual Report of the Grand Rapids Public Library. 40. being the 8 th ann. report of the board of library commissioners ... for the year April 1, 1910—March 31, 1911. Grand Rapids 1911. 139 S. [940

Havanna. Velasco, Carlos de. La Biblioteca nacional de Cuba. Bulletin de la Biblioteca municipal de Guayaquil 1. 1910. S. 108—110. [941

Indianopolis. Brown, Demarchus C. The State Library. Libr. Journal 36. 1911. S. 447—451. [942

Ithaca. Islandica. An annual relating to Iceland and the Fiske Ice-laudie Collection in Cornell University Library. Ed. by G. W. Harris. Vol. 4. Hermannsson, Halldor. The ancient laws of Norway and Iceland. Ithaca, N. Y.: Library. 1911. 83 S. 1 $. [943

— Cornell University Library. Librarian's Report 1909—10. (Ithaca: 1910). 56 S. [944

Milwaukee. Annual Report of the Milwaukee Public Library by the board of trustees. 32, Oct. 1, 1910. Milwaukee: Trustees 1910. 15 S. [945

Newark. The Free Public Library of Newark, New Jersey 1910. 22th Annual Report of the Board of Trustees to the ... Board of Aldermen ... 1910. Newark: Library 1911. 29 S. [946

— Modern American Library Economy as illustrated by the Newark N. J. Free Public Library. By John Cotton Dana. P. 3. Dana, J. C., a. Sarah B. Ball. The Business Branch. Woodstock, Vermont: Elm Tree Press 1910. 73 S. — P. 5. The School Department Sect. 3. J. C. Dana. The Picture Collection 1910. 27 S. [947

New Bedford, Mass. New building of New Bedford Free Public
Library. Libr. Journal 36. 1911. S. 65—66 m. 2 Taf.   [948
New Haven. Libraries. Bulletin of the Yale University. 7. Ser.
Nr 3, December 1910. General Catalogue 1910—11. S. 593
—598.   [949
— Report of the librarian of Yale University July 1, 1909—June
30, 1910. New Haven: Tuttle, Morehouse & Taylor Co. 1910.
54 S. = Bulletin of Yale University 7. Ser. No 2.   [950
New York. Billings, John S. Public library systems of greater New
York. Libr. Journal 36. 1911. S. 489—492.   [951
— Billings, John S. The New York Public Library. (Carrère and
Hastings Architects.) Libr. Journal 36. 1911. S. 233—242 m.
7 Plänen.   [952
— The new Building of the New York Public Library. Libr. Journal 36.
1911. S. 221—232 m. 3 Bll. Taf. (in der Paginierung.)   [953
— Bulletin of the New York Public Library, Astor, Lenox and
Tilden foundations. (Dir.: John S. Billings.) Vol. 15. 1911. Nr 1.
January. New York: (Library) 1911. Jg. (12 Nrn) 1 $.   [954
— Dedication of the New York Public Library. Libr. Journal 36.
1911. S. 293—297.   [955
— Garnett, Richard. New York and its three Libraries. North
American Review 1911. Juni. S. 850—860.   [956
— Gulyás, Paul. La Bibliothèque publique de New York et son
nouveau palais. Magyar Könyvszemle N. S. 19. 1911. S. 205
—214.   [957
— Johnston, W. Dawson. The library resources of New York City
and their increase. Libr. Journal 36. 1911. S. 243—245.   [958
— List of works in the New York Public Library relating to criminology. 1—7. Bulletin of the N. Y. P. L. 15. 1911. S. 259—317.
350—371. 379—446. 463—501. 515—557. 567—621. 635
—714.   [959
— List of works in the New York Public Library relating to Muham-
madanism. Bulletin of the N. Y. P. L. 15. 1911. S. 211—246.   [960
— List of works relating to Arabia and the Arabs. P. 1. 2. Bulletin
of the N. Y. P. L. 15. 1911. Nr 1. 3.   [961
— Proceedings at the opening of the new building of the New York
Public Library, Astor, Lenox and Tilden foundations, Tuesday,
May 23, 1911. Bulletin of the N. Y. P. L. 15 1911. S. 327
—348.   [962
— The New York Public Library, Astor, Lenox and Tilden Foundations.
Report of the director for the year end. December 31, 1910. 3. Jan.
1911. (New York: Library) 1911. 97 S., 3 Taf.   [963
— Public Library. Report of the director for the year end. December 31,
1910. 3. Jan. 1911. Bulletin of the N. Y. P. L. 15. 1911. S. 55
—151.   [964
— The libraries of Columbia University. Columbia University Quarterly
1911. März. S. 163—229, 12 Taf.   [965

New York. Columbia University Library. Readers' Manual. (New York: 1911). 21 S., 2 Taf. [966

Oberlin. Annual Report of the librarian of Oberlin College for the year end. August 31, 1910. Oberlin, Ohio: 1910. 19 S. Aus: Oberlin College ann. Reports 1909.—10. [967

Pittsburgh. Monthly Bulletin of the Carnegie Library of Pittsburgh. Vol. 16. No 1. January 1911. Pittsburgh: Library 1911. [968

— Books by Catholic Authors in the Carnegie Library of Pittsburgh. A classified and annotated list. Pittsburgh: Library 1911. 243 S. [969

— Annual Reports to the board of trustees of the Carnegie Library of Pittsburgh, 15th, for the year end. January 31, 1911. Pittsburgh: Carnegie Libr. 1911. 86 S., 4 Taf. [970

Richmond. Virginia State Library. Bulletin Jan.-April, July 1910. (Vol. 3 nos 1—3.) Richmond, Va.: 1910. 352 S. [971

St. Louis. Annual Report of the St. Louis Mercantile Library Association. Report 65. 1910. St. Louis 1911: Nixon-Jones. 47 S. [972

— Bostwick, Arthur E. The social work of the St. Louis Public Library. Libr. Assoc. Record 13. 1911. S. 206—210. [973

— Catalogue of Books by Catholic Writers in the St. Louis Public Library, includ. works in English and in foreign languages ... St. Louis, Mo.: 1911. 71 S. [974

— Saint Louis Public Library. Information for persons desirous of entering the staff. Saint Louis: Library 1910. 15 S., 2 Abb. [975

— St. Louis Public Library annual Report 1910—11. St. Louis: 1911. 100 S., 15 Taf. [976

Washington. Library of Congress. Calendar of the papers of Martin van Buren. Prepared from the original manuscripts in the Library of Congress by Elizabeth Howard West ... Washington: Gov. Print. Off. 1910. 757 S. 1 Portr. [977

— — Copyright Office. Catalogue of Copyright Entries ... P. 1. Books, Dramat. Compositions, Maps and Charts. P. 2. Periodicals. P. 3. Musical Compositions. P. 4. Engravings. P. 1. Group. 1. 1911. Jan.—Oktober. P. 1. Group. 2. N. S. 8. Nr 1—3. 1911. P. 2. N. S. 6. Nr 3. 1911. P. 3. N. S. 6. Nr 4. 5. 1911. P. 4. N. S. 6. Nr 1. 2. 1911. [978

— — Classification. Class A. General works. Polygraphy. Washington: Gov. Print. Off. 1911. 63 S. Print. as mss. [979

— — Classification. Class G. Geography, anthropology, sports and games. Print. as mss. Washington: Gov. Print. Off. 1910. 128 S. 20 cents. [980

— — Classification. Class H. Social sciences. Printed as manuscript. Washington: Gov. Print. Off. 1910. 551 S. 65 Cent. [981

— — Classification. Class L. Education. Washington: Gov. Print. Off. 1911. 160 S. Print. as mss. [982

Washington. Library of Congress. Classification. Class S. Agriculture-Plant and animal industry. Print. as manuscript. Washington: Gov. Print. Off. 1911. 87 S. 15 c. [983

— — Classification. Class T. Technology. Class U. Military Science. Print. as mss. Washington: Gov. Print. Off. 1910. 303, 93 S. 35, 15 cent.' [984

— — American and English Genealogies in the Library of Congress. Preliminary Catalogue. Compiled under the direction of the chief of the Catalogue division. Washington: Gov. Print. Off. 1910. 805 S. 4⁰. [985

— — List of references on reciprocity. Comp. under the dir. of the chief bibliographer, 1. edition A. P. C. Griffin, 2. edition, with additions H. H. B. Meyer. Washington: Gov. Print. Off. 1910. 137.S. 15 Cents. [986

— — Select List of references on boycotts and injunctions in labor disputes. Comp. under the dir. of H. H. B. Meyer ... Washington: Gov. Print. Off. 1911. 69 S. [987

— — Select list of references on wool with special reference to the tariff. Comp. under the dir. of H. H. B. Meyer. Washington: Gov. Print. Off. 1911. 163 S. 20 c. [988

— — Publications of the Library issued since 1897. January 1911. Washington: Gov. Print. Off. 1911. 45 S. [989

— — Additional references relating to popular election of senators. Comp. under the dir. of H. H. B. Meyer. Washington: Gov. Print. Off. 1911. S. 43—54. [990

— — Additional References relat. to reciprocity with Canada. Comp. under the dir. of H. H. B. Meyer. Washington: Gov. Print. Off. 1911. 44 S. [991

— — Additional references relating to mercantile subsidies. Comp. under the dir. of H. H. B. Meyer. Washington: Gov. Print. Off. 1911. S. 143—164. [992

— — Additional references relat. to taxation of incomes comp. under the dir. of H. H. B. Meyer. Washington: Gov. Print. Off. 1911. S. 91 —144. [993

— — Report of the librarian of Congress and report of the superintendent of the library building and grounds, for the fiscal year end. June 30, 1910. Washington: Gov. Print. Office 1910. 305 S., 8 Taf. [994

— U. S. Department of Agriculture. Library. Montbly Bulletin of the Library. Vol. 2. 1911. Nr 1, January. Washington: Gov. Print. Off. 1911. [995

— Garrison, Fielding H. The historical collection of medical classics in the Library of the Surgeon General's Office. Journal of the American Medical Assoc. 56. 1911. S. 1785—1792. [996

— Index Catalogue of the Library of the Surgeon-Generals Office U. S. Army. Authors and subjects. Ser. 2. Vol. 15. S-Skin Grafting. Washington: Gov. Print. Off. 1910. 777 S. 4⁰. [997

Washington. The Public Library of the District of Columbia. Annual
Report of the board of trustees and of the librarian 1909—1910.
Washington: Gov. Print. Off. 1910. 70 S.   [998
Worcester. Annual Report of the directors of the Free Public Library
of the City of Worcester. 51, for the year end. Nov. 30, 1910.
Worcester, Mass. 1911: Belisle. S. 427—464, 1 Taf.   [999

Andere Staaten.

Buenos Aires. República Argentina. Catálogo metódico de la Biblioteca
nacional seguido de una tabla alfabética de autores. T. 3. Literatura.
Buenos Aires: Biblioteca 1911. 930 S. 4⁰.   [1000
México. González Obregoń, Luis. The National Library of México
1833—1910. Historical essay. Transl. by Alberto M. Carreño.
Mexico: 1910. 108 S.   [1001
Osaka. The annual Report of the Osaka Library. 7. (April, 1910
—March, 1911). Osaka: Osaka-Furitsu-Toshokwan 1911. 10 S. [1002
Rio de Janeiro. Die National-Bibliothek von Rio de Janeiro. A
Biblioteca nacional de Rio de Janeiro. Brasilianische Rundschau 1.
1910. S. 218—226 m. 7 Abb.   [1003
Santiago. Boletin de la Biblioteca nacional de Santiago (Chile), corre-
spondiente a 1909. Santiago 1909: Impr. Universitaria. 138 S. [1004

IV.

Schriftwesen und Handschriftenkunde.

1. Schriftwesen.

Archivio paleografico italiano diretto da Ernesto Monaci. Fasc. 34—36.
(Vol. 6. Taf. 70—79. Vol. 4. Taf. 25—38. Vol. 9. Taf. 13—25.)
Roma: Dom. Anderson 1910. 1911. 2⁰. 15; 17; 27,50 L. .[1005
Bonaventura, Arnaldo. Les esumazioni della musica antica. Biblio-
filia 12. 1910/11. S. 445—459 m. 6 Abb.   [1006
Brandi, Karl. Unsere Schrift. Drei Abhandlungen zur Einführung in
die Geschichte der Schrift und des Buchdrucks. (1. Schrift und
Kultur. 2. Geschichte der Buchstabenformen. 3. Schriftzwecke und
Stilgesetze.) Göttingen: Vandenhoeck u. Ruprecht 1911. VI, 80 S.
m. 89 Abb. 2,60 M., geb. 3,20 M.   [1007
Bulletino dell' Archivio paleografico italiano diretto da: V. Federici.
Vol. 9. Fasc. 1. 2. (= Nr 3. 4.) Perugia: Unione tip. coóp. 1910.
1911. 101 S., je 3,50 L.   [1008

Capitan. Un manuscrit mexicain de 1534 nahuatl-espagnol. Académie
des inscriptions et belles-lettres. Comptes rendus des séances 1911.
. S. 154—159. [1009
Chroust, Anton. Monumenta palaeographica. Denkmäler der Schreib-
kunst des Mittelalters. Abt. 1. Schrifttafeln in lateinischer und
deutscher Sprache. In Verbindung mit Fachgenossen herausgegeben
mit Unterstützung d. Reichsamtes d. Innern in Berlin u. d. Kais.
Akademie der Wiss. in Wien. Ser. 2. Lief. 6—8. München
F..Bruckmann 1911. Je 10 Taf., mit Text. Gr. 2⁰. Je 20 M. [1010
Clemen, O. Handschriftenproben aus der Reformationszeit. Lief. 1.
Zwickau: Ullmann 1911. 64 Faks., 8 Bl. Text. 2⁰. 15 M.
(Zwickauer Facsimiledrucke 6.) [1011
Courbet, Ernest. Deux poètes professeurs. d'écriture au XVIᵉ siécle.
J. Lemoyne — P. Habert. Bulletin du bibliophile 1911. Nr 3. 4.
7/8. [1012.
Franchi de' Cavalieri, Pius, u. Johannes Lietzmann. Specimina codicum
Graecorum Vaticanorum. Bonn: Marcus u. Weber 1910. XVI S.,
. 50 Taf. 4⁰ (8⁰). Geb. 6 M., Vorzugsausg. 12 M. [1013
Gardthausen, V. Griechische Palaeographie. 2. Aufl. Bd 1. Das
Buchwesen im Altertum und im byzantinischen Mittelalter. Leipzig:
. Veit 1911. XII, 243 S., 38 Fig. 8 M. [1014
Glaunig, Otto. Zur Einführung in die deutsche Palöographie. Ger-
, manisch-romanische Monatsschrift 3. 1911. S. 75—90. [1015
Hill, F. G. On the early use of arabic numerals in Europe. Archaeo-
logia. 62. 1910. S. 137—190 mit 1 Taf. und 4+51 Abb. [1016
Hill, G. F. On the early use of Arabic Numerals in Europe. Com-
municated to the Society of Antiquaries. Oxford: Soc. of Antiqu. of
London 1910. S. 137—190. 4⁰. Aus: Archaeologia Vol. 62. [1017
Jványi, B. L'écriture et les livres à Eperjes aux XVᵉ—XVIᵉ s. P. 2.
Magyar Könyvszemle. N. S. 19. 1911. S. 215—226 m. 3 Abb. u.
1 Taf., s. a. 533. [1018
Krohn, F. Ad, in und andere Palaeographica. Münster i.-W. 1911:
Bredt. 20 S. Beil. z. Progr. d. Schillergymnas. 1911. [1019
Kryžanowski, Stanislaus. Monumenta Poloniae palaeographica II. Tabu-
larum argumenta 28—68. Cracoviae: Academia litterar. 1910. 16 S.
8⁰. u. 2⁰. [1020
Larisch, Rud. von. Beispiele künstlerischer Schrift. Hrsg. mit Original-
Beiträgen von C. R. Ashbee, Georges Aurid. Gust. Bamberger u. a.
Ser. 4. Beispiele künstlerischer Schrift aus vergangenen Jahrhunderten.
Wien: A. Schroll 1910. 26 Bl. 4⁰. 7 M. [1021
Loew, E. A. Studia palaeographica. A contribution to the history
of early Latin minuscle and to dating of Visigothic mss. München:
Jos. Roth 1910. 91 S., 7 Taf. Faks. 4 M. = Sitzungsberichte d.
k. b. Akademie d. Wiss., Philos.-philol. u. histor. Klasse 1910.
Abh. 12. [1022
Loewenberg, Valentin. Das Schriftwesen des Mittelalters. Der Biblio-
thekar 3. 1911. S. 329—334. [1023

Mitteis, Ludwig, u. Ulr. Wilcken. Grundzüge und Chrestomathie der Papyruskunde. Bd 1. Historischer Teil, von Ulr. Wilcken. Hälfte 1. Grundzüge. 2. Chrestomathie. Bd 2. Juristischer Teil, von Ludw. Mitteis. Hälfte 1. Grundzüge. 2. Chrestomathie. Leipzig: Teubner 1912. LXXII, 437; VIII, 579; XVIII, 298; VI, 430 S. 40 M., in 4 Bde geb. 48 M. [1024

Owen, G. The evolution of Chinese writing. London: Morice 1911. 32 S. m. Ill. 1 Sh. [1025

Pisani, Giulio. Catalogo dei codici corali d'Oristano. Lucca 1911: Bartoni. 69 S. [1026

Reil, Moritz. Zur Akzentuation griechischer Handschriften. Byzantinische Zeitschrift 19. 1910. S. 476—529. [1027

Roos, S. H. de. De herleving der schrijfkunst. (Naar aanleiding van eenige nieuwe uitgaven.) De Boekzaal 5. 1911. S. 226—235 m. 8 Abb. [1028

Neue Sammlung (Russ.: Sbornik) paläographischer Faksimiles aus russischen Handschriften des 11.—18. Jahrhunderts hrsg. vom Kais. Archäol. Institut unter Red. von A. J. Sobolevski St. Petersburg 1906: Pavlova. VI S., 70 Taf. 2⁰ (4⁰). [1029

Scholderer, Victor. The author of the „Modus legendi abbreviaturas". (Werner von Schussenried.) Library 3. Ser. 2. 1911. S. 181 —182. [1030

Schubart, Wilhelm. Papyri graecae Berolinenses. Bonn: Marcus u. Weber 1911. XXXIV S., 50 Taf. Gbd. 6 M., in Perg. 12 M. = Tabulae in usum scholarum ed. sub cura Joa. Lietzmann 2. [1031

Sebestyén, Jules. Rovás és rovásírás. (Kerbschnitt und Kerbschnittschrift.) Budapest: Société éthnograph. 1909. XV, 325 S., 145 Abb. 15. K. [1032

Spagnolo, Antonio. Abbreviature nel Minuscolo Veronese. (Mit) Note (von) W. M. Lindsay. Zbl. 27. 1910. S. 531—552. 28. 1911. S. 259—263. [1033

Studien zur Paläographie und Papyruskunde hrsg. von C. Wessely. 11. Wessely, Carl. Griechische und koptische Texte theologischen Inhalts. Leipzig: E. Avenarius 1911. III, 191 S. 12 M. [1034

Stübe, R. Beiträge zur Entwicklungsgeschichte der Schrift. 1. Afrikanische Negerschriften. 2. Primitive Schriftmalerei und der Ursprung der Schrift im vorgeschichtlichen Europa. Archiv für Buchgewerbe 48. 1911. H. 7. 8. m. 15 Abb. [1035

Thompson, E. M. Paleografia greca e latina. Traduzione dall' inglese, con aggiunte e note di G. Fumagalli. 3ᵃ edizione riveduta e ampliata. Milano: Hoepli 1911. XII, 208 S., 8 Taf. 3 L. [1036

Titov, F(edora) I(vanoviča). (Russisch). Skizzen zur Geschichte der russichen Schrift und Buchdrucks. H. 1. (Kiev 1911: Kůľženko). 46 S., 27 Bll. Taf. 4⁰. 10 M. Aus: Iskusstvo i pečatnoe dělo za 1909 g. [1037

Videman, Fridrich (d. i. Friedrich Wiedemann). (Russ.) Anfänge der
historischen griechischen Schrift. Versuch einer Untersuchung im
Gebiete des ältesten griechischen Alphabets. Leipzig 1909: Bär u.
Hermann. X, 202 S. [1038

Stenographie.

Blachstein, Artur. Ueber Anagramm und Rune, insbesondere in der
Salica und bei Shakespeare. Deutsches Jahrbuch für Stenographie,
Schriftkunde und Anagrammatik 1. 1911. S. 48—96 m. 3 Abb. [1039
Deutsches Jahrbuch für Stenographie, Schriftkunde und Anagrammatik.
Unter Mitwirkung von R. Weinmeister und K. Mahler hrsg. von
A. Blachstein. Bd 1. 1911. Leipzig: S. Hirzel 1911. 120 S., 2 Abb.
i. T., 1 Taf. 4 M. [1040
Johnen; Chr. Geschichte der Stenographie im Zusammenhang mit der
allgemeinen Entwicklung der Schrift und der Schriftkürzung. Bd 1.
Die Schriftkürzung und Kurzschrift im Altertum, Mittelalter und
Reformationszeitalter. M. e. Einleit. üb. d. Wesen d. Stenographie u.
d. stenograph. Wissenschaft. Berlin: F. Schrey 1911. VI, 320 S. m.
Abb. 5 M., geb. 6 M. [1041
Legendre, Paul. Lectures tironiennes. Etude des Miscellanea Tironiana
de W. Schmitz (Vat. lat. Reg. 846). Revue des bibliothèques 21.
1911. S. 41—57. [1042
Menz, Arthur. Geschichte der Stenographie. Leipzig: G. J. Göschen
1910. = Sammlung Göschen Nr 501. [1043
Tangl; M. Die Tironischen Noten der Vatikanischen Handschrift der
Libri Carolini. Neues Archiv d. Ges. f. ält. deutsche Geschichtskunde 36.
1911. S. 752—754. [1044

2. Handschriftenkunde.

Deutsche Kommission. Bericht der HH. Burdach, Heusler, Roethe und
Schmidt (über die Inventarisation der literarischen deutschen Hand-
schriften). Sitzungsberichte der Kgl. Preufs. Akademie der Wiss. 1911.
Bd 1. Nr 4. S. 104—111. [1045
Besson, Marius. Antiquités du Valais (V^e—Xe siècles.) Chap. 3. Les
manuscrits. Fribourg 1910: Fragnière. S. 49—62, Taf. 22—28. [1046
Beuchat, Henri. Les manuscrits indigènes de l'ancien Mexique. Paris:
E. Leroux 1911. 13 S. Aus: Revue archéologique. [1047
Ehrle, Francesco. Per il restauro dei manoscritti. Rivista d. biblioteche e d. archivi 22. 1911. S. 71—74. [1048
Ford, Worthington Chauncey. On calendaring manuscripts. Bibliographical Society of America. Papers 4. 1909 (1910). S. 25
—56. [1049
Van den Gheyn, J. Notes sur quelques scribes et enlumineurs de la
cour de Bourgogne d'après le compte de Gautier Poulain, 1450
—1456. Académie r. d'archéol. de Bruxelles. Bulletin 1909. S. 80
—94. [1050

Gigas, E. En spansk Manuskriptkommission i det 18. aarhundrede
og dens Leder. København: Høst 1911. 40 S. 1 Kr. = Biblio-
tekareforeningens smaaskrifter 2.   [1051

Unscheinbare Kulturarbeit. Mittelalterliches Kulturbild. Von Fr. P.
(Handschriftenherstellung u. a.) Leuchtturm 4. 1911. S. 549—553
m. 4 Abb.   [1052

Lehmann, Paul. Johannes Sichardus und die von ihm benutzten
Bibliotheken und Handschriften. München: C. H. Beck 1912. X,
237 S. 10 M. = Quellen u. Untersuchungen z. latein. Philologie d.
Mittelalters Bd 4, H. 1.   [1053

Loewenberg, Valentin. Aus der Geschichte des antiken Buchwesens.
Der Bibliothekar 3. S. 285—288.   [1054

Manuskripte, abendländische Miniaturen, orientalische Miniaturen. Versteigerung Montag den 4. Dezember 1911 ... Leipzig: C. G. Boerner
1911. 45 S., 12 Taf.   [1055

Roberts, R. A. Concerning the Historical Manuscripts Commission.
Transactions of the R. Historical Society 3. Ser. 4. S. 63—81. [1055a

Rosenheim, Max. The Album Amicorum. Archaeologia 62. 1910.
S. 251—308 mit 13 Taf. u. 7 Abb. i. T.   [1056

T(hompson), E. M. Manuscript. Encyclopaedia Britannica 11. Ed.
Vol. 17. 1911. S. 618—624.   [1057

Vincent, Aug. La littérature française à la Cour des Ducs de Bourgogne. Revue des biblioth. et archives de Belgique 7. 1909 (1911).
S. 457—467.   [1058

Einzelne Handschriften und Handschriftensammlungen.

Aberystwyth, Nationalbibl. s. 642.
Antwerpen, Musée Plantin s. 750.
Arles, Stadtbibl. s. 592.
Athen s. 917.
Berlin, Königl. Bibliothek s. 338. 344.
— Kunstgewerbe-Museum s. 352.
Bobbio s. 703.
Bologna, Univ.-Bibl. s. 306.
Brünn, Bibl. d. deutsch. Vereins f. d. Geschichte Mährens u. Schlesiens
s. 518.
Budapest, Nationalbibl. s. 520. 521.
— Univ.-Bibl. s. 527.
Caen, Stadtbibl. s. 598.
Cambridge, Corpus Christi College s. 653.
Chantilly, Cabinet de Livres s. 601.
Czartoryski. Kutrzeba, Stanislaus. Catalogus codicum manu scriptorum
Musei Principum Czartoryski Cracoviensis. Vol. 2. Fasc. 2. 1093
—1376. Cracoviae 1910: Czas. S. 97—102. 3 M.   [1059
Danzig, Stadtbibl. s. 375.

Denbigh. Historical Manuscripts Commission. Report on the manuscripts of the Earl of Denbigh pres. at Newnham Paddox, Warwickshire. P. 5. (Vorr.: S. C. Lomas). London: Station. Off. 1911. XXXI, 365 S. 1 Sh. 7 d. [1060

Domodossola s. 710.

Dresden, Königl. Bibliothek s. 381.

Eisenberg s. 389.

Escorial s. 908.

Florenz, Bibl. Riccardiana 716. 717.

Freiburg, Kantonbibl. s. 575.

Fulda. Der Ragyndrudis-Kodex in Fulda. Archiv für Buchbinderei 11. 1911/12. S. 5—11 m. 10 Abb. [1061

Hamburg, Stadtbibl. s. 417.

Heidelberg, Univ.-Bibl. s. 425.

Kopenhagen, Königl. Bibliothek s. 777.

Leiden, Univ.-Bibl. s. 761.

London, British Museum s. 664. 665. 671.

Luxemburg, Stadtbibl. s. 764.

Mailand, Ambrosiana s. 722.

Manchester, John Rylands Library s. 682.

Mandalay s. 685.

Middleton. Historical Manuscripts Commission. Report on the manuscripts of Lord Middleton, pres. at Wollaton Hall, Nottinghamshire (Vorr. W. H. Stevenson). London: Station. Off. 1911. XV, 746 S. 3 Sh. [1062

Moskau, Synodalbibl. s. 823.

München, Hof- u. Staatsbibl. s. 472. 473. 474.

Neapel s. 725.

Nostitz. Šimák, J. V. Die Handschriften der Graf Nostitzschen Majoratsbibliothek in Prag. Prag: Böhm. Akademie 1910. IX, 170. S. 2,90 M. [1063

Odessa, Gesellschaft f. Geschichte s. 840.

Olschki, Leo S. Quelques manuscrits fort précieux. (Forts.) Bibliofilia 12. 1910/11. S. 341—349. 13. 1911/12. Disp. 1. 4. m. 7. Abb. u. 13 Taf. [1064

Ormonde. Historical Manuscripts Commission. Calendar of the manuscripts of the Marquess of Ormonde K. P., preserved at Kilkenny Castle. N. S. Vol. 6. (Vorr.: F. Elvington Ball.) London: Station. Office 1911. XXII, 607 S. 2 Sh. 6 d. [1065

Oxford, Bodleiana s. 689.

Paris. Catalogus codicum astrologorum graecorum T. 8. P. 2. Codicum parisinorum p. 2 descripsit Carolus Aemilius Ruelle. Accedunt Hermetica edita ab Josepho Heeg. Bruxelles: H. Lamertin 1911. VIII, 195 S., 2 Taf. 10 Fr. [1066

— Nationalbibl. s. 612—619. 621.

— Israelit. Konsistorium s. 631.

— Stadtbibl. s. 636.

Polwarth. Historical Manuscripts Commission. Report on the manuscripts of Lord Polwarth preserved at Mertoun Hause, Berwickshire. (Vorr.: Henry Paton.) - London: Station. Office 1911. XVII, 714 S. 2 Sh. 11 d.   [1067

Porto s. 916.

Regensburg. Henderson, Geo. A Manuscript from Ratisbon. (Regensburg, S. Jacobi Scotorum.) Transactions of the Gaelic Society of Inverness 26. 1904—1907 (1910). S. 87—111.   [1068

Rom, Collegio Araldico s. 733.

Rovereto, Stadtbibl. s. 553.

Salisbury. Historical Manuscripts Commission. Calendar of the manuscripts of the most hon. the Marquis of Salisbury ... pres. at Hatfield House, Hertfordshire. P. 12. Hereford: Station. Off. 1910. XXX, 802 S. 3 Sh. 3 d.   [1069

Saló, Ateneum s. 739.

St. Gallen, Stiftsbibl. s. 579.

St. Petersburg, Kaiserl. Bibliothek s. 864. 865.

— Akademie d. Wiss. s. 867.

Saratov s. 878.

Serre. Gauthier, Jules. Le Livre d'Heures de Bénigne Serre (1524), livre de raison de la famille Bretagne (1641—1727). Mémoires de la commission des antiquaires du département de la Côte-d'Or 1906 —1910. S. 165—178 m. 1 Taf.   [1070

Täbris s. 885.

Tarnowski. Vrtel, Stefan. (Poln.) Nachträgliches Verzeichnis der Handschriften der Bibliothek Dzikow. (Zu: Adam Chmiel, Die Hdss. der Gräfl. Tarnowskischen Bibliothek.) Przewodnik bibliograficzny 34. 1911. Nr 2—8.   [1071

Teschen, Volkslesehalle s. 557.

Trier, Stadtbibl. s. 505.

Udine. Patetta, Fed. Come il manoscritto udinese della cosi detta „Lex romana raetica curiensis" e un prezioso codice „sessoriano" siano emigrati dal d'Italia. Nota. Torino 1911: Bona. 17 S. Aus: Atti d. r. Accademia d. scienze. 46. 1910/11. Disp. 8. S. 497—511. [1072

Venedig. Rossi, Vit. I. codici francesi di due biblioteche veneziane del settecento. Cividale del Friuli 1910: Stagni. 16 S. Aus: Miscellanea di studî critici in onore di V. Crescini.   [1073

— Marciana s. 744. 745.

Weimar, Grofsh. Bibl. s. 507.

Wien. Holzinger, K. von. Die Aristophaneshandschriften der Wiener Hofbibliothek. 1. Die Busbeckeschen Aristophaneshandschriften. Wien: Hölder 1911. 122 S. 3,20 K. = Sitzungsberichte d. Kais. Akademie d. Wiss. Philos.-histor. Klasse Bd 166. Abh. 4.   [1074

— Minoritenkloster s. 565.

— Rossiana s. 566.

Würzburg, Univ.-Bibl. s. 511.

Zittau, Stadtbibl. s. 513.

Miniaturen.

Berliner, Rudolf. Zur Datierung der Miniaturen des Cod. Par. Gr. 139. (Als Ms. gedr.) Weida i. Th. 1911: Thomas u. Hubert. 50 S. 1,60 M. [1075

Blum, André. Des Rapports des miniaturistes français du XV⁰ siècle avec les premiers artistes graveurs. Revue de l'art chretien. T. 61. 1911. S. 357—369 m. 8 Abb. [1076

Buberl, Paul. Die illuminierten Handschriften in Steiermark. T. 1. Die Stiftsbibliotheken zu Admont und Vorau. Leipzig: K. W. Hiersemann 1911. 246 S., 25 Taf., 237 Abb. i. T. 2⁰. 90 M = Beschreib. Verzeichnis der illuminierten Handschriften in Oesterreich Bd 4. [1077

Champion, Pierre. Un „Liber Amicorum" du XV⁰ siècle. Notice d'un manuscrit d'Alain Chartier ayant appartenu à Marie de Clèves, femme de Charles d'Orléans. (Bibl. Nat., ms. français, 20026.) Revue des bibliothèques 20. 1910. S. 320—336 m. 7 Taf. [1078

Ciaccio, Lisetta Motta. Un codice miniato di scuola napoletana nella Biblioteca del Re in Torino. L'Arte 14. 1911. S. 377—380 mit 2 Abb. [1079

Cocco, Giovanni di. I corali miniati di Monteoliveto Maggiore conservati nella Cattedrale di Chiusi. Bollettino d'arte 4. 1910. S. 458 —480. [1080

Cocco, Giovanni di. I Corali miniati di Montoliveto Maggiore conservati nella Cattedrale di Chiusi. Bibliofilia 12. 1910/11. S. 365 — 389 m. 10 Abb. [1081

Durrieu, Paul Cte de. Les „Très Belles Heures de Nôtre-Dame" du duc Jehan de Berry. Restitution de l'état primitif d'un splendide manuscrit du XV⁰ siècle aujourd'hui dépecé, mutilé et en tiers brûlé. Paris: E. Leroux 1910. 57 S., 6 Taf. Aus: Revue archéologique. [1082

Erbach di Fuerstenau, Alberto Conte. La Miniatura bolognese nel trecento. (Studi di Nicolò di Giacomo.) L'Arte di Adolfo Venturi 14. 1911. S. 107—117, 9 Abb. [1083

Fiammazo, Ant. Il codice dantesco della Biblioteca di Savona, illustrato. Savona: D. Bertolotto 1910. 118 S., 4 Faks. 2,50 L. [1084

Filippini, Francesco. Andrea da Bologna miniatore e pittore del secolo XIV. Bollettino d'Arte 5. 1911. S. 50—62 m. 9 Abb. [1085

Gauchery. Le Livre d'heures de Jehan Lallemant le jeune, Seigneur de Marmagne. (Haag, Kon. Bibl., Cod. 666.) Mémoires de la société des antiquaires du Centre 33. 1910 (1911). S. 312—362, 14 Taf. 1 Abb. i. T. [1086

Herbert, J. A. Illuminated manuscripts. London: Methuen (1911.) XIII, 355 S., 51 Taf. 25 Sh. [1087

Hevesy, Azdré de. Les Miniaturistes de Mathias Corvin. Revue de l'art chrétien T. 61. 1911. Livr. 1. 2 m. 3 Taf. [1088

Kellermann, Seb. Die Miniaturen im Gebetbuche Albrechts V. von Bayern. (1574.) Ein Beitrag zur Geschichte der Insekten- und

Pflanzenkunde. Straſsburg: Heitz 1911. XI, 90 S., 29 Taf. 10 M.
= Studien z. deutschen Kunstgeschichte H. 140. [1089

Lemberger, Ernst. Meisterminiaturen aus fünf Jahrhunderten. Anhang:
Künstler-Lexikon der Miniaturmalerei mit den biographischen Daten
von mehr als 6000 Miniaturisten. Stuttgart: Deutsche Verlagsanstalt
1911. 36, 111 S., 75 Taf. 4⁰ (8⁰). Geb. 30 M. [1090

Luttor, Franz J. Die Schätze der Armenbibel. Ein Beitrag zur Armen-
bibelfrage. Die Kultur. 12. 1911. S. 56—73. [1091

Mély, F. de. Les miniaturistes et leurs signatures. Réponse à MM.
H. Omont et P. Durrieu. Paris: E. Leroux 1911. 10 S. Aus: Revue
archéologique. [1092

Mély, F. de. Signatures de primitifs. Jean de Rome, peintre de
Marguerite d'Autriche, et les Heures de la princesse de Croy (1505).
Gazette des beaux-arts 1911. September. S. 243—253 m.
13 Abb. [1093

Mély, F. de. Signatures de primitifs. Le Josèphe de la Bibliothèque
Mazarine (Ms. 1581) et ses enlumineurs, Jean Pichore, Jean Serpin,
Nicolas Huse. Gazette de beaux arts 1911. April. S. 301—308
m. 7 Abb. [1094

Mély, F. de. Signatures de primitifs. La tradition du IXᵉ au XIVᵉ siècle.
Paris: E. Leroux 1911. 32 S. Aus: Revue archéologique. [1095

Picozzi, G. B. Cristoforo Preda il celebre miniatore della Corte ducale
sforzesca era milanese e sordomuto. Bibliofilia 12. 1910/11.
S. 313—318 m. 2 Taf., aus: L'Unione (Milano). [1096

Schmid, Ulrich. Reiseblätter aus dem Süden. 1. Ein unbekanntes
Miniaturen-Breviarium der Visconti in Florenz. Walhalla 7. 1911/12.
S. 126—131 mit 3 Abb. [1097

Stein, Henri. Le prétendu miniaturiste „Ugo de Vosor". Bibliographe
moderne 14. 1910 (1911). S. 193—198. [1098

Stettiner, Richard. Das Webebild in der Manesse-Handschrift und
seine angebliche Vorlage. Stuttgart: W. Spemann 1911. 18 S., 8 Taf.,
2 Bll. Erkl. u. 2 Pausen. 1,50 M. [1099

Storck, Willy F. Bemerkungen zur französisch-englischen Miniaturmalerei um die Wende des XIV. Jahrhunderts. Monatshefte für
Kunstwissenschaft 4. 1911. S. 123—126 m. 1 Taf. [1100

Thoma, Eduard. Die Tegernseer Buchmalerei. München 1910: Kastner
u. Callwey. 46 S. (Inaug.-Diss. von München.) [1101

Tietze, Hans. Die illuminierten Handschriften der Rossiana in Wien
s. 566.

Winkler, Friedrich. Loyset Liedet, der Meister des goldenen Vliefses
und der Breslauer Froissart. Repertorium für Kunstwissenschaft 34.
1911. S. 224—232. [1102

Zappa, Giulio. Michelino da Besozzo miniatore. L'Arte di Adolfo
Venturi 13. 1910. S. 443—449 mit 4 Abb. [1103

Zimmermann, Heinrich E. Die Fuldaer Buchmalerei in karolingischer
und ottonischer Zeit. Kunstgeschichtliches Jahrbuch d. k. k. Zentral-

Kommission für Erforschung u. Erhalt. d. Kunst- u. historischen
Denkmale 4. 1910. S. 1—104, 12 + 1 Taf., 42 Abb. i. T. [1104
Zimmermann, E. Heinrich. Drei Missale aus dem Braunschweiger Dome.
Eine kunstgeschichtliche Untersuchung. (Landeshauptarchiv Wolfen-
büttel, Codd. VII. B. 167, 174, 172). Braunschweigisches Magazin
1911. S. 42—45 m. 2 Taf. m. 5 Abb. [1105

Faksimiles.

Société française de réproductions de manuscrits à peintures. Son but,
  ses projets, sa première publication, ses comités, ses statuts. Paris:
  1910. 17 S. 4⁰. [1106

The Benedictional of Saint Aethelwold, Bishop of Winchester, 963—984.
  Reprod. in fasc. from the ms. in the library of the Duke of Devon-
  shire at Chatsworth and ed: with text and introd. by George Frederic
  Warner a. Henry Austin Wilson. Oxford: (Univ. Press) 1910.
  Getr. Pag. 2⁰ (4⁰). (Priv. print. for the Duke of Devonshire.) [1107
Anthologia Palatina. Codex Palatinus et Codex Parisinus phototypice
  editi. Praefatus est Carolus Preisendanz. Pars prior. P. altera.
  Lugduni Bat.: A. W. Sijthoff 1911. CL S., 6 Bl., 332 S. Taf.; Taf.
  S. 333—709. 2⁰. 510 M. = Codices graeci et latini photographice
  depicti T. 15. [1108
Bible de Charles le Chauve. Paris, Nationalbibl. s. 613.
Boccaccio. Henry Martin. Le Boccace de Jean sans Peur: Des Cas
  des nobles hommes et femmes. Reproduction des 150 miniatures du
  ms. 5193 de la Bibliothèque de l'Arsénal. Bruxelles, Paris: van
  Oest 1911. 86 S., 39 Taf. 4⁰. 30 Fr. [1109
Burgkmair, Hans. Turnierbuch von 1529. Sechzehn Blätter in Hand-
  kolorit m. erläut. Text hrsg. von Heinrich Pallmann. Leipzig:
  Hiersemann 1910. 22 Sp., 16 Taf. m. Text. 2⁰. 200 M. [1110
Le Chansonnier de l'Arsenal (Trouvères du XIIᵉ—XIIIᵉ siècle). Re-
  production phototypique du manuscrit 5198 de la Bibliothèque de
  l'Arsénal. Transcription du texte musical en notation moderne par
  Pierre Aubry, introd. et notices par A. Jeanroy. Livr. 1—6. Paris:
  Geuthner, Leipzig: Harrassowitz (1909—11.) 4⁰. Je 8 M. = Pub-
  lications de la société internat. de musique. Section de de Paris. [1111
Chants royaux et tableaux de la confrérie du Puy Notre-Dame d'Amiens
  reproduits en 1517, pour Louise de Savoie, duchesse d'Angoulême.
  (Bibliothèque nationale, ms. français 145), p. p. Georges Durand:
  Paris: A. Picard 1911. XI S., 47 Taf. 4⁰. (Mémoires de la Société
  des antiquaires de Picardie.) [1112
Codex Perez Mayá-Tzental. (Manuscrit dit Mexicain Nr 2 de la
  Bibliothèque impériale. Paris 1864.) (Mit) Commentary with a
  concluding note upon the linguistic problem of the Maya glyphs
  by William E. Gates. Point Loma, Californ., (Leipzig: Hiersemann):
  1909. 1910. 25, 24 Taf., 64 S. 408 M. [1113

Codex Sinaiticus Petropolitanus. The New Testament, the Epistle of
   Barnabas and Shepherd of Hermas, preserved in the Imp. Library
   of St. Petersburg, now reprod. in facs. from photographs by Helen
   and Kirsopp Lake. With a descript. a. introd. to the history of the
   codex by Kirsopp Lake. Oxford: Clarendon Pr. 1911. XXIV S.,
   4, 148 Bll. 2⁰. 6 £ 6 Sh.   [1114
Das Evangeliar im Rathaus zu Goslar. Hrsg. i. A. des Deutschen
   Vereins für Kunstwissenschaft von Adolph Goldschmidt. M. 14
   Lichtdr.-Taf. (Reproduktion von Miniaturen.) Berlin: Bard in Komm.
   1910. 19 S. 14 Taf. 4⁰. (Deutscher Verein f. Kunstwissenschaft.) [1115
The New Palaeographical Society. Facsimiles of ancient manuscripts,
   etc. P. 9. London: H. Hart 1911. Taf. 201—225. gr.-2⁰.
   24 M.   [1116
Facsimiles of Egyptian hieratic papyri in the British Museum with
   descriptions, transl. etc. by E. A. Wallis Budge. Printed by order
   of the Trustees. London: Longmans 1910. XXII, 27, 43 S., 48 Taf.
   gr.-2⁰. 30 Sh.   [1117
Miniature delle omelie di Giacomo Monaco (Cod. vatic. gr. 1162) e
   dell' Evangeliario greco urbinate (Cod. vatic. urbin. gr. 2) con breve
   prefazione e sommaria descrizione di Cosimo Stornajolo. Roma:
   Danesi 1910. 22 S., 93 Taf. 40 L. = Códices e Vaticanis selecti
   phototypice expressi. Series minor. Vol. 1.   [1118
Heures de Milan. Troisème partie des Très-Belles Heures de Notre-
   Dame enluminées par les peintres de Jean de France, Duc de Berry
   et par ceux du Duc Guillaume de Bavière, Cᵗᵉ du Hainaut et de
   Hollande. 28 feuillets historiés reprod. d'après les orig. de la
   Biblioteca Trivulziana à Milan. Avec une introd. hist. par Georges
   H. de Loo. Bruxelles, Paris: van Oest 1911. VII, 85 S., 31 Taf.
   2⁰ (4⁰). 100 Fr.   [1119
Il Codice di Leonardo da Vinci della Biblioteca di Lord Leicester in
   Holkham Hall pubbl. sotto gli auspici del r. Istituto Lombardo di
   scienze e lettere (premio Tomasoni) da Gerolamo Calvi. Milano:
   Cogliati 1909. XXXIII, 242 S., 73 Taf. 2⁰. 100 L.   [1120
Deux Livres d'Heures (Nos 10767 et 11051 de la Bibliothèque royale
   de Belgique) attribués à l'enlumineur Jacques Coene. Par J. Van
   den Gheyn. Bruxelles: Vromant 1911. 16 S., 51 Taf. 15 Fr. [1121
Papyrus de Ménandre. Par Gustave Lefebvre. Le Caire: Institut franç.
   d'archéol. orient. 1911. XXVI, 46 S., 58 Taf. 4⁰. = Catalogue
   gén. des antiquités égypt. du musée du Caire. (39).   [1122
Notitia Dignitatum imperii romani. Reproduction réduite des 105
   miniatures du manuscrit latin 9661 de la Bibliothèque nationale.
   Paris: Berthaud (1911.) 12 S., 105 Bll. Taf. 12 Fr.   [1123
Pagine scelte di due codici appartenuti alla badia di S. Maria di Coupar-
   Angus in Scozia, con una breve descrizione di H. M. Bannister ...
   Contributo alla storia della scrittura insulare. Roma: Danesi 1910.
   13 S., 5 Taf. 4⁰. 5 L. = Codices e Vaticanis selecti phototypice
   expressi. Series minor. Vol. 2.   [1124

Propertius. Codex Guelferbytanus Gudianus 224 olim Neapolitanus phototypice editus. Praefatus est Theodor Birt. Leiden: Sijthoff 1911. LV S., 142 S. Faks 2⁰. 130 M. = Codices graeci et latini photogr. depicti T. 16. [1125

Le Papyrus Prisse et ses variantes. Papyrus de la Bibliothèque nationale (nos 183 à 194), papyrus 10371 et 10435 du British Museum, tablette Carnavon au Musée du Caire. Publ. en facs. (16 pl.) avec introd. par G. Jéquier. Paris: Geuthner 1911. 13 S. quer-4⁰. 36 Fr. [1126

K. K. Hofbibliothek in Wien. Seelengärtlein. Hortulus animae. Cod. bibl. pal. Vindob. 2706. Erläuterungen von Friedrich Dörnhöffer. Frankfurt. a. M.: Baèr 1911. 4⁰. [1127

Das demotische Totenbuch der Pariser Nationalbibliothek (Papyrus des Pamonthes). Unter Mitw. von W. Spiegelberg hrsg. von Franz Lexa. Leipzig: J. C. Hinrichs 1910. XIV S., 57 S. autogr., 6 Taf. 20 M. [1128

Der sächsischen Kurfürsten Turnierbücher. In ihren hervorragendsten Darstellungen auf 40 Taf. hrsg. v. Erich Haenel. Frankfurt a. M.: Keller 1910. 52 Sp. quer-4⁰. 30 M. [1129

Autographen.

L'Amateur d'autographes et de documents historiques. Revue rétrospective et contemporaine fondée en 1862. Nouv. sér. publ. sons la dir. de Noel Charavay. Ann. 44. 1911. Nr 1. Janvier. Paris: N. Charavay 1911. Jg. (12 Nrn) 10 Fr. [1130

Johann Sebastian Bach's Handschrift in zeitlich geordneten Nachbildungen. Hrsg. von der Bach-Gesellschaft zu Leipzig. Leipzig: Breitkopf und Härtel (1911.) XIV S., 142 Bl. 2⁰. Geb. 40 M. [1131

Boeck, L. Autographen der Wiener Städtischen Sammlungen. Rapports du Congrès intern. des archivistes et bibliothécaires, Bruxelles 1910. S. 48—50. [1132

Fischer von Roeslerstamm, Ed. Autographensammlung. (T. 1.) Leipzig: List u. Francke 1911. VIII, 224 S., 1 Taf. 5 M. [1133

Zur Geschichte der Autographen- und Handschriften. Börsenblatt 1911. S. 3587—3589. [1134

Gulyás. Das Autographensammeln. Oesterr.-ungar. Buchhändler-Correspondenz 52. 1911. S. 336—638. Aus: Pester Lloyd. [1135

Platen, Charles de. Autographes: recueil de ma collection. Roma: E. Calzone 1910. 452 S., 54 Taf. 12 L. [1136

Revue des autographes, des curiosités dé l'histoire & de la biographie paraiss. chaque mois. Fondée en 1866 par Gabriel Charavay, cont. par Eugène Charavay. Ann. 46. 1911. No 358, Jan. Paris: Charavay 1911. Jg. (12 Nrn) 3 Fr., Ausland 4 Fr. [1137

V.

Buchgewerbe.

1. Allgemeines.

Avetta, A. Per una Mostra retrospettiva del libro in Torino. Bollettino
  storico-bibliografico subalpino 15. 1910. S. 130—153.   [1139
Bredt, E. W. Das Buch als technisch-künstlerische Schöpfung. Drei
  Vorträge: Archiv für Buchgewerbe 48. 1911. S. 2—10. 66
  —69.   [1140
Juristische und nationalökonomische Dissertationen zum Buchgewerbe
  im Jahrzehnt 1899—1909. (Von W.) Korrespondenzblatt des
  Akademischen Schutzvereins 5. 1911. S. 7—10.   [1141
Exposition du livre ancien et moderne. Tournai, 11 septembre—
  3 octobre 1910. Catalogue. (Tournai: Casterman) 1910. 72 S. [1142
Hijmans, H. Schrijfmachines en machineschrijven. (Schluſs.) De Boek-
  zaal 5. 1911. Afl. 1. 3. 5. 6.   [1143
Le Livre microphotographique. Le bibliophote ou livre à projection.
  Bulletin de l'Institut internat. de Bibliographie 16. 1911. S. 215
  —222 m. 2 Abb.   [1144
Otlet, Paul. L'Avenir du livre et de la bibliographie. Bruxelles:
  1911. Aus: Bulletin de l'Institut international de Bibliographie
  1911. S. 275—296.   [1145
Prunières, Louis. La Morale de l'histoire des industries du livre.
  Pourquoi l'histoire des industries du livre comporte une morale. —
  Les origines de l'imprimerie: Gutenberg. — Quelques maîtres: les
  Estienne, Alde Manuce, les Plantin, les Didot. — Trois libraires:
  Nicolas Flammel, Barbin et Renduel. — La leçon du passé. —
  Dignité des industries du livre. — Nécessité de la culture générale
  et professionelle. — Conclusions. Bibliographie de la France 1911.
  Nr 10, Suppl. 16 S.   [1146
Sevensma, T. P. De nationale tentoonstelling van het boek te
  Amsterdam. Tijdschrift voor boek- & bibliotheekwezen 8. 1910.
  S. 233.—235.   [1147

2. Papier.

Berger, E. Les Filigranes. Dictionnaire historique des marques du
  papier ... de C. M. Briquet. Note. Nogent-le-Rotrou 1910: Dau-
  peley-Gouverneur. 2 S. Aus: Bibliothèque de l'École des Chartes
  T. 71.   [1148
Brinckmann, Ad. 1528 Hohenkrug 1910. Zur Geschichte der
  Pommerschen Papierfabrik Hohenkrug zu Hohenkrug. Für die Ost-

deutsche Ausstellung Posen 1911 . . . zsgest. u. bearb. (Hohenkrug:
Papierfabrik 1910.) 42, 12 S. 4⁰. [1149

Cramer, H. G. D. Papiermakerij in vroegeren tijd. De Boekzaal 5.
1911. S. 236—245 m. 6 Abb. Aus: Gelre 14. 1911. [1150

Cramer, H. G. D. Papiermakerij in vroegeren tijd. Gelre. Bijdragen
en mededeélingen 14. 1911. S. 233—244, 1 Taf. [1151

Devaux, Alexandre. Les Papiers et parchemins timbrés de France.
Ancien régime, 1673—1791. Ill. de 900 reproductions. Lille:
Lefebvre-Ducrocq 1911. 377 S. [1152

Ebbinghaus, Paul. Die Geschichte der Papiermühle Tycho Brahes auf
der Insel Hven. Papier-Fabrikant 1911. Fest- und Auslandsheft
· S. 64—68 m. 3 Abb. [1153

Hössle, Friedr. von. Wasserzeichen alter Papiere des Münchener Stadtarchivs. Originalstudie. Papier-Fabrikant 1911. Fest- und Auslandsheft S. 69—74 m. 17 Abb. [1154

Kobert, R. Ueber das älteste in Deutschland befindliche echte Papier.
Papier-Fabrikant 1911. Fest- und Auslandsheft S. 44—48 m.
1 Abbild. [1155

Ostwald, Wilhelm. Das einheitliche Weltformat. Börsenblatt 1911.
S. 12 330—12 333. [1156

Quidde, Ludwig. Ein wissenschaftliches Weltformat für Drucksachen.
Süddeutsche Monatshefte 1911. November. S. 238—246. [1157

Reinick, William R. Insects destructive to books. American Journal
of Pharmacy 1910. December. S. 551—562. [1158

Rückert, Gg. Zur Geschichte der Papiermühle in Schretzheim. Jahrbuch des Histor. Vereins Dillingen 23. 1910. S. 226—230. [1159

Wiesner, J. v. Zur Geschichte des Papiers. Oesterreichische Rundschau. 27. 1911. H. 6. S. 443—452. [1160

Wiesner, J. v. Ueber die ältesten bis jetzt aufgefundenen Hadern-
papiere. Ein neuer Beitrag zur Geschichte des Papiers. M. 3 Textfig.
Wien: Hölder in Komm. 1911. 26 S. 0,85 M. Sitzungsberichte d.
Kais. Akademie d. Wiss. in Wien. Philos.-histor. Klasse Bd 168.
Abh. 5. [1161

Zschokke, Bruno. Ueber Papierprüfung. Eidgenöss. Materialprüfungs-
anstalt an der Schweiz. Techn. Hochschule in Zürich. (Zürich: 1911).
12 S. [1162

3. Buchdruck.
(Geschichte.)

1. Allgemeines.

Biedermann, Flodoard Frhr. von. Die Schrift auf römischen Münzen
und der typographische Schriftstil. Zeitschr. f. Bücherfreunde N. F. 3.
1911/12. S. 176—181. [1163

Essai de chronologie de l'imprimerie. Principaux innovateurs et faits
historiques concernant l'imprimerie et les arts graphiques. Bulletin

officiel 1910, Okt. Supplément: Bulletin officiel de l'Union syndicale
des maîtres imprimeurs de France. 1,50 Fr. [1164

Frank, Rafael. Ueber hebräische. Typen und Schriftarten. Archiv
für Buchgewerbe 48. 1911. S. 20—25 mit 15 Abb. und 1 Bl.
Taf. [1165

Gardthausen, V. Bewegliche Typen und Plattendruck. Zur Vor-
geschichte der Buchdruckerkunst. Deutsches Jahrbuch für Stenographie, Schriftkunde und Anagrammatik 1. 1911. S. 1—14 m.
1 Taf. u. 1 Abb. [1166

Heſs, Wilhelm. Himmels- und Naturerscheinungen in Einblattdrucken
des XV. bis XVIII. Jahrhunderts. Zeitschr. f. Bücherfreunde N. F. 2.
1910/11. Nr 10.—12, m. 11 Abb. [1167

H(essels), J. H. Typography 1. History of Typography. Encyclopaedia
Britannica 11. Ed. Vol. 27. 1911. S. 509—542. [1168

Kristeller, Paul. Kupferstich und Holzschnitt in vier Jahrhunderten.
2. durchges. Aufl. Berlin: B. Cassirer 1911. X, 597 S. m. 260 Abb.
25 M., geb. 30 M. [1169

Müller, August. Lehrbuch der Buchdruckerkunst. 8., vollständig neu
bearbeitete Auflage. Mit 286 Abb. i. T. und 10 farbigen Beilagen.
Leipzig: J. J. Weber 1911. XVI, 600 S. 6 M. [1170

Oliva, Gaetano. L'arte della stampa in Sicilia nei sec. XV e XVI.
Archivio storico per la Sicilia orientale 8. 1911. S. 82—131.
(Wird fortges.) [1171

Reinecke, Adolf. Deutsche oder lateinische Schrift. Börsenblatt 1911.
S. 2932—2936. [1172

Roos, S. H. de. Vier Eeuwen Nederlandsche boekdrukkunst. De Boekzaal 4. 1910. S. 407—410. [1173

Ruprecht, Gustav. Die deutsche Schrift und das Ausland. Börsenblatt
1911. Nr 109. 110. [1174

Ruprecht, Gustav. Die deutsche Schrift und das Ausland. Augen-
ärzte und Schriftfrage. Ergänzter Sonderdr. a. d. Börsenbl. f. d.
Deutschen Buchhandel 1911. (Leipzig 1911: Ramm u. Seemann.)
32 S. (Vom Verf. gegen Antwortkarte als Portoersatz erhältlich.) [1175

Scheibler, H. Bogtrykkerkunstens og Avisernes Historie. Med. 138
Ill. Kristiania: Fabritius 1910. 288 S. 16 Kr. [1176

Schinnerer, Johannes. Die Entstehung der Fraktur. Zur Ausstellung
im Deutschen Buchgewerbemuseum. Archiv f. Buchgewerbe 48.
1911. S. 202—208 m. 9 Abb. [1177

Schinnerer, Johannes. Fraktur und Antiqua. Eine historische Betrachtung zur Schriftfrage. M. 19 Abb. i. T. u. 1 Taf. Zeitschr. f.
Bücherfreunde N. F. 3. 1911/12. S. 201—217. [1178

Vorstermann van Oijen, A. A. Les marques d'imprimeurs. Arnhem:
(Archives généalogiques et héraldiques) 1911. 12 S. 4°. 1,75 Fl. [1179

Windeck, Albert. Altschrift (Antiqua) oder Bruchschrift (Fraktur).
Börsenblatt 1911. S. 2177—2180. [1180

Wolff, Hans. Die Strafsburger Buchornamentik im XV. und XVI. Jahrhundert. Archiv für Buchgewerbe 48. 1911. H. 6. 7. m. 24 Abb. [1181

Wolff, Hans. Alte Drucker- und Verlegerzeichen Archiv für Buchgewerbe 48. 1911. S. 10—17 m. 14 Abb. [1182

2. Erfindung des Buchdrucks.

Hessels, J. H. The so-called Gutenberg documents. (Forts.) Library 3. Ser. 2. 1911. April. Juli. Oktober. (Wird fortges.) [1183

Gutenberg-Gesellschaft. Jahresbericht 10, erstattet in der ordentlichen Mitgliederversammlung zu Mainz am 25. Juni 1911. Mainz 1911: Prickarts. 58 S. [1184

Koegler, Hans. Ueber Bücherillustrationen in den ersten Jahrzehnten des deutschen Buchdrucks. Gutenberg-Gesellschaft. Jahresbericht 10. 1911 S. 27—58 m. 14 Abb. [1185

Müller, G. H. Die Quellen der Costerlegende. Zbl. 28. 1911. S. 145 —167. 193—207. [1186

Ricci, Seymour de. Catalogue raisonné des premières impressions de Mayence (1445—1467). Mainz: Gutenberg-Ges. 1911. IX, 166 S., 1 Taf. 4⁰. = Veröffentlichungen der Gutenberg-Gesellschaft zu Mainz VIII. IX. [1187

Rodenbach, Félix. Guide théorique et pratique en matière de bibliographie et de journographie. Bruges berceau de l'art typographique. Bruges: The St.-Chatherine Press 1910. 106 S. 2 Fr. [1188

Root, Azariah S. The present situation as to the origin of printing. Bibliographical Society of America. Papers 5. 1910 (1911). S. 9 —21. [1189

3. Fünfzehntes Jahrhundert.

Allgemeines.

Beiträge zur Inkunabelkunde. 3. M. 1 Taf. u. 4 Textabb. Frankfurter Bücherfreund 8. 1910. S. 94—100. [1190

Benziger, C. Holzschnitte des fünfzehnten Jahrhunderts in der Stadtbibliothek zu Bern. M. 10 handkol. Tafeln in Hochätzung. Strafsburg: Heitz 1911. 10 S., 10 Taf. 2⁰. 40 M. (Einblattdrucke des 15. Jahrhunderts.) [1191

Bilderbeck, J. B. Early printed books in the Library of St. Catharine's College, Cambridge s. 652. [1192

Bohatta, Hanns. Liturgische Bibliographie des XV. Jahrhunderts mit Ausnahme der Missale und Livres d'Heures. Wien: Gilhofer u. Ranschburg 1911. VIII, 71 S. 4⁰ (8⁰). 12 M. [1192

Cassuto, Umberto. Incunaboli ebraici a Firenze. (Forts.) Bibliofilia 12. 1910/11. Disp. 9. 12. Anno 13. 1911/12. Disp. 5—6. (Wird fortges.) [1193

Geisberg, M. Die Formschnitte des fünfzehnten Jahrhunderts im Kgl. Kupferstichkabinett zu Dresden. Mit 82 Abbild. in Lichtdruck.

Straſsburg: Heitz 1911. 24 S., 82 Abb. 2⁰: 80 M. (Einblattdrucke des fünfzehnten Jahrhunderts.)   [1194

Haebler, K. Kleine Funde (bei der Inventarisierung der Wiegendrucke.) Zbl. 27. 1910. S. 552—557.   [1195

Haebler, K. Schlnſsbericht über die Inventarisierung der Inkunabeln in Deutschland. Zbl. 28. 1911. S. 318—325.   [1196

Huck, Thomas William. The earliest printed maps. (1460 ff.) The Antiquary 46. 1911. S. 253—257 m. 3 Abb.   [1197

Kolberg, Joseph. Die Inkunabeln aus ermländischem Besitze auf schwedischen Bibliotheken. Braunsberg 1911: Ermländ. Zeitungs- und Verlagsdruckerei. S. 94—137. Aus: Zeitschrift f. d. Geschichte u. Altertumskunde Ermlands 18.   [1198

Kruitwagen, Bonaventura. Het Typenrepertorium van Haebler. Tijdschrift voor boek- en bibliotheekwezen 9. 1911. S. 49—68 m. 1 Abb.   [1199

Kukula, Richard. Ein österreichischer Generalkatalog der Wiegendrucke. Zeitschr. f. Bücherfreunde N. F. 2. 1910/11. Beiblatt S. 432—434.   [1200

Leidinger, Georg. Einzel-Holzschnitte des 15. Jahrh. in der Kgl. Hof- und Staatsbibliothek München. Mit erläut. Text hrsg. Bd 2. 50 handkol. Nachbildungen in Hochätzung. Straſsburg: J. H. Ed. Heitz 1910. 24 S., 50 Taf. 2⁰. 80 M. (Einblattdrucke des 15. Jahrh.) [1201

Major, Emil. Frühdrucke von Holz- und Metallplatten aus den Bibliotheken des Barfüſserklosters in Freiburg i. S. und Kapuzinerklosters in Luzern. Mit erläut. Text. Straſsburg: Heitz 1911. 13 S., 10 Taf. 2⁰. 40 M. (Einblattdrucke des fünfzehnten Jahrhunderts.)   [1202

Mitteilungen der Gesellschaft für Typenkunde des XV. Jahrhunderts. 1911. (Uppsala 1911: Almqvist u. Wiksell.) 3 Bl. 4⁰.   [1203

Molsdorf, Wilhelm. Gruppierungsversuche im Bereiche des ältesten Holzschnittes. Straſsburg: Heitz 1911. VIII, 60 S., 11 Taf. 7 M. = Studien z. deutschen Kunstgeschichte H. 139.   [1204

Pfeiffer, Maximilian. Einzel-Formschnitte des fünfzehnten Jahrhunderts in der Königl. Bibliothek Bamberg. Mit erläut. Text hrsg. Bd 2. Mit 29 Nachbild., wovon 15 handkoloriert. Straſsburg: Heitz 1911. 20 S., 29 Taf. 2⁰. 60 M. (Einblattdrucke des 15 Jahrhunderts.) [1205

Rance-Bourrey, A. J. Incunables de Louis de Grimaldi, évêque de Vence, abbé de Saint-Pons. Nice 1909: Lersch et Emanuel. 48 S. Aus: Nice historique.   [1206

Reichling, Dieter. Appendices ad Hainii-Copingeri repertorium bibliographicum. Additiones et emendationes. Indices fasciculorum 1—6. München: J. Rosenthal 1911. 328 S. 15 M.   [1207

Schmidt, Adolf. Amtliche Drucksachen im 15. Jahrhundert. Korrespondenzblatt d. Gesamtvereins d. deutschen Geschichts- u. Altertumsvereine 59. 1911. Sp. 347—362.   [1208

Schnorr von Carolsfeld, H. Zur Geschichte der Inkunabel-Bibliographie. Zbl. 27. 1910. S. 557—558.   [1209

Schreiber, W. L. Manuel de l'amateur de la gravure sur bois et sur
métal au XVe siècle T. 5. Contenant un catalogue des incunables
à figures imprimés en Allemagne, en Suisse, en Autriche,-Hongrie
et en Scandinavie avec des notes critiques et bibliographiques.
Partie 2. I — Z. Leipzig : O. Harrassowitz 1911. 380 S.
12 M. [1210

Kon. Vlaamsche Academie voor taal- en letterkunde. Commissie
voor Incunabelstudie. Verslagen. Gent 1911: A. Siffer. 24 S.
Aus: Verslagen en Mededeelingen der Kon. Vlaamsche Academie
1911. [1211

Weber, Franz. Die Inkunabeln der Stettiner Stadtbibliothek s. 493.

Weis, J. E. Inkunabeln des Formschnitts in den Bibliotheken zu
Eichstätt. Mit 20 Abbild. Strafsburg: Heitz 1910. 15 S., 20 Taf.
2⁰ (4⁰). 40 M. (Einblattdrucke des 15. Jahrhunderts.) [1212

Nach Ländern und Orten.

Bamberg. Zedler, Gottfried. Die Bamberger Pfisterdrucke und die
36 zeilige Bibel. Mit 22 Tafeln in Lichtdruck, einer Tafel in Auto-
typiedruck, einer Typentafel im Text und 9 weiteren Abbildungen.
Mainz: Gutenberg-Gesellschaft 1911. 113 S. 4⁰. = Veröffentlichungen der Gutenberg-Gesellschaft X. XI. [1213

Italien. Rappaport, C. E. Incunabula typographica ex Italiae officinis
provenientia diligenter descripta notisque bibliographicis illustrata.
Romae: Rappaport 1911. 68 S. m. 25 Abb. [1214

Köln. Voulliéme, E. Die Druckerei Retro Minores in Köln und
Heinrich Quentell. Zbl. 28. 1911. S. 97—107. [1215

Lyon. Di un Cimelio silografico lionese del sec. XV. (Von F. N.)
Vgl. Bibliographie des Bibliotheks- und Buchwesens 7. 1910.
Nr 1085.) Il Libro e la Stampa 5. 1911. S. 12—16. [1216

Neapel. Correra, Luigi. Saggi della tipografia napoletana nel secolo XV.
Catalogo di 40 fotografie, riprodotte a cura del municipio di Napoli,
ed esposte alla mostra internazionale di Torino del 1911. Napoli:
F. Perella 1911. 48 S., 48 S., 40 Taf. [1217

— Fava, Mariano, e Giovanni Bresciano. La stampa a Napoli nel
15 secolo. Vol. 1. Notizie e documenti. Leipzig : Haupt 1911.
XXXII, 199 S. 14 M. = Sammlung bibliothekswiss. Arbeiten H. 32
(2. Ser. H. 15). [1218

Reutlingen. Schmidt, Adolf. Die Anfänge des Buchdrucks in Reutlingen. Zbl. 28. 1911. S. 325—329. [1219

Schweden. Collijn, J. Bibliografiska Miscellanea. Tredje samlingen.
(Darin: 10. Manuale Upsalense 1487; 11. Canonbilden i Missale
Upsalense 1513; 12. Brasks „Keyserlige mandata"; 13. Den i
Stockholm år 1628 tryckta ryska katekesen.) Kyrkohistorysk Års-
skrift. 1911. S. 111—131 mit 5 Abbild. und 1 Taf. [1220

Schweden. Collijn, Isak. Boktryckerikonstens uppfinning og guldalder.
4. Sverige. (Göteborg: Zachrisson. 1911). 72 S., 32 Abb. Aus:
Wald. Zachrissons Boktryckeri-Kalender 1910. [1221

Schweiz. Buess, G. A. Der Einzug und die Verbreitung der Buchdruckerkunst in der Schweiz. Verein zur Förderung der Gutenberg-
stube in Bern. Jahresbericht pro 1910. Bern 1911. S. 9—20 u.
VIII S. [1222

Valencia. Haebler, K. Zur Druckergeschichte von Valencia. Zbl. 28.
1911. S. 253—259. [1223

Einzelne Drucker und Drucke.

Ablafsbriefe für Neuhausen. Schmidt, Adolf. Die Ablafsbriefe für
Neuhausen bei Worms 1461 und 1462. Zeitschrift für Bücherfreunde
N. F. 3. 1911/12. S. 65—74, 131—132. M. 3 Abb. [1224

Coignart. Lepreux, G. Contributions à l'histoire de l'imprimerie
parisienne. 4. Un libraire (et imprimeur?) inédit du XVe siècle.
(Gervais Coignart.) Revue des bibliothèques 20. 1910. S. 309
—319. [1225

Divina Commedia. Marinelli, Ang. La Stampa della Divina Commedia
nel XV secolo. Firenze 1911: Landi. 29 S., 1 Faks. Aus: Arte
della stampa. [1226

Gottfried von Ghemen. Facsimile-Udgave af En lysthelige Historie
aff Jon Presth. Gotfred af Ghemens Udg. af 1510. Kjøbenhavn:
Hermann-Petersen 1910. 10 Bl. [1227

Grüninger. Haebler, Konrad. Johann Grüninger der Drucker des
Missale mit dem Kanon Peter Schöffers. (Uppsala 1911: Almqvist
u. Wiksell). 7 S. 4⁰. = Beiträge z. Inkunabelkunde hrsg. v. d.
Gesellschaft f. Typenkunde d. XV. Jahrhunderts 4. [1228

Hausbuchmeister. Flechsig, Eduard. Der Meister des Hausbuchs als
Zeichner für den Holzschnitt. Monatshefte für Kunstwissenschaft 4.
1911. H. 3. 4. m. 8 Taf. [1229

Leonardi. Ambrosini, Raimondo. Un cimelio e due rarissime edizioni
di Giustiniano Leonardi da Rubiera, stampatore bolognese. Bibliofilia 12.
1910/11. S. 332—340 m. 7 Abb. [1230

Luft. Steele, R. Hans Luft of Marburg. A contribution to the
study of William Tyndale. Library 3. Ser. 2. 1911. S. 113—131
m. 3 Abb. [1231

Meister E. S. Albert, Peter O. Der Meister E. S. Sein Name, seine
Heimat und sein Ende. (Endress Silbernagell? in Freiburg i. Br.,
Inkunabeln des Kupferstichs.) Strafsburg: Heitz 1911. XII, 112 S.,
16 Taf. 8 M. [1232

Psalmi. Bongiovanni, A. Per un incunabolo ebraico creduto di edizione bolognese. (Salmi col commento di R. David Quinchi, 1477.)
L'Archiginnasio 6. 1911. S. 44—47. [1233

Türkenbulle. Die Türkenbulle Papst Calixtus III. Ein deutscher
Druck von 1456 in der ersten Gutenbergtype. In Nachbildung hrsg.

u. untersucht von Paul Schwenke. Mit e. geschichtl.-sprachl. Abhandlung von Hermann Degering. Berlin: M. Breslauer 1911. 13 Bll. Faks., 38 S. 4⁰ (8⁰). 16 M. = Seltene Drucke der Königlichen Bibliothek zu Berlin. In Nachbildungen hrsg. unter Leitung von Paul Schwenke. 1. [1234

Vérard. Prinet, Max. Le trésor de noblesse. (Gedruckt 1497 durch Antoine Vérard). Bibliographe moderne 14. 1910 (1911). S. 84 —89. [1235

Vita Catharinae. Collijn, Isak. Till frågan om Vita Katherines tryckår och Strengnäsmissalets tryckort. Collijn, Bibliografiska Miscellanea. VII. Uppsala 1910. 4 S. Aus: Kyrkohistorisk Årsskrift 1910. [1236

Faksimiles.

A Litil Boke the whiche traytied and reherced many gode thinges necessaries for the ... Pestilence ... made by the Bisshop of Arusiens ... (London 1485?). Reproduced in facsimile from the copy in the John Rylands Library. With an introd. by Guthrie Vine. Manchester: University Press, London: B. Quaritch 1910. XXXVI S., 9 Bll. Faks. 5 Sh. = The John Rylands Facsimiles 3. [1237

Des Hieron. Brunschwig Buch der Cirurgia, Straßburg Johann Grüninger 1497. Begleit. Text von Gust. Klein. München: Carl Kuhn 1911. 272, XXXVIII S., 16 Taf. 25 M., in Leder gebd. 60 M. = Alte Meister der Medizin u. Naturkunde in Facsimile-Ausgaben 3. [1238

Canticum canticorum. Holztafeldruck v. c. 1465. Zwickau: F. Ullmann 1910. 25 S. 4,50 M. = Zwickauer Facsimiledrucke Nr 4. [1239

Facsimile-Udggave af Guillaume Caoursins Beretning om Belejringes of Rhodos, Johan Snels Udgave af 1482. Facsimile-Udgave af Tyrkens Tog til Rhodos, Gotfred af Ghemens Udgave af 1508. (Nebst) Text von Aug. Fjelstrup. København: Hermann-Petersens Forl. 1910. 22 Bl., 78 S. 10 Kr. [1240

Defensorium inviolatae virginitatis Mariae aus der Druckerei der Hurus in Sarrgossa (1485—1499) in Faksimile-Reproduktion hrsg. von Wilhelm Ludwig Schreiber. Weimar: Gesellschaft der Bibliophilen 1910. 9 S., 16 Bl. Faksim. 4⁰. [1241

Des Dodes Dantz Lübeck 1489. Hrsg. von M. J. Friedländer. Berlin: B. Cassirer 1910. 2 Bll., 36 Bll. Faksim. 4⁰. = Graphische Gesellschaft Veröffentlichung 12. [1242

Ortolff. Das Frauenbüchlein des Ortolff von Bayerland gedruckt vor 1500. Begleit-Text von Gustav Klein. München: C. Kuhn 1910. 14 S. Faksim., 30 S., 4 Bl. Faksim. 2,50 M. = Alte Meister der Medizin und Naturkunde in Faksimile-Ausgaben und Neudrucken 1. [1243

Propositio Johannis Russell, printed by William Caxton circa A. D. 1476. Reproduced from the copy preserved in the John Rylands

Library, Manchester. With an introduction by Henry Guppy.
Manchester: University Press, London: B. Quaritch 1909. 35 S.
3 Sh. 6 d. = The John Rylands Facsimiles 1.   [1244
Type Facsimile Society. Publications of the Society for the year
1908. (Oxford: H. Hart 1911). Bl. a — u. x. z. aa —-tt. Faksim.
4⁰. Beitrag 20 Sh.   [1245
Veröffentlichungen der Gesellschaft für Typenkunde des 15. Jahrhunderts.
Vol. 4. 1910. Fasc. 3. I. A. d. Ges. hrsg. v. Victor Madsen. Vol. 5.
1911. Fasc. 2. . . . hrsg. v. Konrad Haebler. Leipzig: R. Haupt
(1911.) Taf. 301—325. 351—380. 2⁰. Jahresbeitr. 25 M.   [1246

4. Nach 1500.

Deutches Sprachgebiet.

16. Jahrhundert.

Bernoulli, Eduard. Aus Liederbüchern der Humanistenzeit. Eine
bibliographische und notentypographische Studie. M. 33 Notenbei-
lagen. Leipzig: Breitkopf u. Härtel 1910. 116 S. 3,50 M., geb.
4,50 M.   [1247
Titelblatt des auf der Ratsschulbibliothek in Zwickau (Sa.) befindlichen
Frankfurter Drucks des Faustbuchs von 1587 (Zarncke: Aa⁴) in
Photographischer Nachbildung. Zwickau: G. Ehrhardt 1910. 1 Bl.,
1 Bl. Faks.   [1248
Heitz, Paul. Unbekannte Ausgaben geistlicher und weltlicher Lieder,
Volksbücher und eines alten ABC-Büchleins gedruckt von Thiebold
Berger (Strafsburg 1551—1584.) 74 Titelfaksimiles in Original-
gröfse mit 68 Abb. Strafsburg: J. H. Ed. Heitz 1911. 25 S., 76 Bll.
4⁰. 10 M.   [1249
Heitz, Paul. Dietrich von Bern (Sigenot). 4 unbekannte Holzschnitte
aus einer Ausgabe des 16. Jahrhunderts hrsg. Strafsburg: Heitz
1911. 6 S. 4⁰. 0,80 M.   [1250
Hans Holbein's Initial-Buchstaben mit dem Todtentanz. Manul-Neudruck
der Ausgabe vom Jahre 1849 mit einem Vorwort von O. A. Ellissen.
Leipzig: Dieterich 1911. VIII, 131 S. Geb. 2 M.   [1251
Luther, Johannes. Die Titeleinfassungen der Reformationszeit. Aus-
gabe A. Lief. 2. Oktober 1910. Leipzig: R. Haupt 1910. 7 S.,
Taf. 39—84. 4⁰. 25 M.   [1252
Neumann, Felix. Zwei seltene deutsche Hebammenbücher des 16. Jahr-
hunderts. Archiv f. Geschichte der Medizin 5. 1911. S. 132
—141.   [1253
Pauli, Gustav. Barthel Beham. Ein kritisches Verzeichnis seiner
Kupferstiche. Strafsburg i. E.: J. H. Ed. Heitz 1911. 77 S., 4 Taf.
6 M. = Studien z. deutsch. Kunstgeschichte H. 135.   [1254
Pauli, Gustav. Hans Sebald Beham. Nachträge zu dem kritischen
Verzeichnis seiner Kupferstiche, Radierungen und Holzschnitte.

Straßburg i. E.: J. H. Ed. Heitz 1911. 67 S., 5 Taf. 6 M. == Studien
z. deutschen Kunstgeschichte H. 134. [1255

Pohl, Josef. Egerer Buchdrucker im 16. Jahrhundert. Mitteilungen
des Vereines für Geschichte der Deutschen in Böhmen 49. 1910.
S. 193—216. [1256

Rösslin. Eucharius Rösslin's „Rosengarten". Gedruckt im Jahre 1513.
Begleit-Text von Gustav Klein. München: C. Kuhn 1910. 110 S.
Faksim., XVI S., 15 Taf. 7 M. == Alte Meister der Medizin und
Naturkunde in Facsimile-Ausgaben und Neudrucken ... 2. [1257

Schillmann, F. Der Auftrag eines Bischofs von Cammin an einen
Leipziger Buchdrucker. (Konrad Kachelofen, 1503.) Monatsblätter
hrsg. v. d. Gesellsch. f. pommersche Geschichte und Altertumskunde
1911. Juni. S. 81—82. [1258

Schottenloher, Karl. Fränkische Druckereien der Reformationszeit.
Zbl. 28. 1911. S. 57—72. [1259

Stümcke, H. Die ältesten deutschen Theaterzettel, Texte und Ab-
bildung. Für die Teilnehmer am Jahres-Festmahl der Gesellschaft
für Theatergeschichte zum 2. April 1911. In Druck gegeben vom
geschäftsführenden Ausschuß. (Mit Abb., Rostock 1520.) Berlin
1911: O. Elsner. 3 Bll., 1 Taf. [1260

Ein kurtzweilig lesen von Dyl Ulenspiegel geborē vſs dem land zū
Brunſwick. Wie er sein leben vollbracht hat. XCVI seiner ge-
schichten. (Faksim.-Ausg., hrsg. von Edward Schröder. Leipzig:
Inselverlag 1911.) 130 Bl., 39 S. [1261

Weiditz. Die Holzschnittwerke von Hans Weiditz. Börsenblatt 1911.
Nr 72—74. [1262

Wolfgang von Män. Das Leiden Jesu Christi unseres Erlösers. Augsburg, Hans Schönsperger d. J. 1515. Zwickau: F. Ullmann 1911.
68 Bl. Taf. 10,50 M. == Zwickauer Faksimiledrucke Nr 5. [1263

Deutsches Sprachgebiet.

Neuere Zeit.

Brieger Wasservogel, Lothar. Neuere deutsche Buchkünstler. 28. E. M.
Lilien. Deutsch. Buch- u. Steindrucker 17. 1910/11. S. 529—534
m. 12 Abb. [1264

Heineck. Altkumistica. Ein Mühlhäuser Druck vom Jahre 1616.
Mühlhäuser Geschichtsblätter 11. 1910/11. S. 49—55. [1265

Wiener Porträtlithographen. Börsenblatt 1911. S. 4807—4809. [1266

Roth, F. W. E. Die Buchdruckereien zu Höchst 1610—1804. Nassovia
11. 1910. S. 232—234. [1267

Rotscheidt, W. Die erste Elberfelder Bibel vom Jahre 1702. Monatshefte für Rheinische Kirchengeschichte 5. 1911. S. 161—172 m.
1 Faksim. [1268

Schinnerer, Johannes. Deutsche Buchkünstler der Gegenwart. 3. Georg
Belwe und seine Klasse an der Königlichen Akademie für graphische

Künste und Buchgewerbe in Leipzig. Zeitschr. für Bücherfreunde
N. F. 3. 1911/12. S. 1—21 m. 41 Abb. u. 1 Taf. [1269
Die Radierungen des Herkules Seghers. Hrsg. v. Jaro Springer. T. 1.
Berlin: B. Cassirer 1910. 2⁰. = Graphische Gesellschaft. Veröffentlichung 13. [1270
Im Wechsel der Zeit. (Ostpreußische Druckerei und Verlagsanstalt,
seit 1724.) Fürs traute Heim. Gratisbeil. d. Ostpreußischen Zeitung.
11. 1911. S. 259—268 m. 16 Abb. [1271
Wolff, Kurt. Deutsche Buchkünstler der Gegenwart. II. Emil Pree-
torius. Zeitschr. f. Bücherfreunde N. F. 2. 1910/11. S. 373—387
m. 23 Abb. u. 2 Taf. [1272

Frankreich.

Bielohlawek, K. Die regii typi graeci. (Robert Estienne 1541).
Zeitschr. d. Oesterr. Vereines f. Bibliothekswesen. 1. 1910. S. 193
— 195. [1273
Clouzot, Henri. Les débuts de l'imprimerie à Luçon. (1694.) Bulletin
du bibliophile 1911. S. 166—169. [1274
Lepreux, Georges. Gallia Typographica ou répertoire biographique et
chronologique de tous les imprimeurs de France depuis les origines
de l'imprimerie jusqu'à la révolution. Série Parisienne (Paris et
l'Ile de France) T. 1. Livre d'or des imprimeurs du roi. P. 1.
Chronologie et biographie. P. 2. Documents et tables. Paris:
H. Champion 1911. 543, 235 S. = Revue des bibliothèques.
Supplément 2. 3. [1275
Lepreux, G. Une enquête sur l'imprimerie de Paris en 1644. Biblio-
graphe moderne 14. 1910 (1911). S. 1—36. [1276
Morin, Louis. Sur quelques impressions troyennes de la fin du XVIᵉ
siècle. Paris: Impr. nat. 1911. 16 S. Aus: Bulletin historique et
philologique 1910. [1277
Morin, Louis. Les livres liturgiques et les livres d'église imprimés à
Troyes pour d'autres diocèses. Paris: Impr. nat. 1911. 23 S. Aus:
Bulletin historique et philologique 1910. [1278
Plan, Pierre Paul. Une réimpression ignorée du Pantagruel de Dresde.
(Lyon, 1533—Paris 1883.) Mercure de France 1910. Dezember 1.
S. 451—468. [1279
Rance-Bourrey, A. J. L'imprimerie de Hugolin Martelli, évêque de
Glandèves (1572—1593), Nice 1910: Lersch et Emanuel. 33 S.,
1 Taf. Aus: Nice historique. [1280
Stein, Henri. Notes pour servir à l'histoire de l'imprimerie à Bourg-
Saint-Andéol (Ardèche) au XVIIIᵉ siècle. Bibliographe moderne 14.
1910 (1911). S. 262—274. [1281
Yrondelle. Les premiers livres imprimés à Orange. (Seit 1573).
Revue du Midi (Gard et Vaucluse). 24. 1910. S. 707—708. [1282

Grofsbritannien.

Axon, William E. A. „The Atheist converted“, the first book printed in Lincoln (1748.) Library 3. Ser. 2. 1911. S. 319—322. [1283

Baker, George P. Some bibliographical puzzles in Elizabethan quartos. Bibliographical Society of America. Papers 4. 1909 (1910). S. 9 —23. [1284

The Holy Bible. A facsimile in a reduced size of the author. version .publ. in the year 1611. With an introd. by A. W. Pollard and illustrative documents. Oxford: Univ. Press ... 1911. 144 S., Bl. A—Aa. 4⁰ (8⁰). 31 Sh. 6 d. [1285

.A Booke in English metre, of the Great Marchaunt man called „Dives Pragmaticus ... 1563. Reproduced in facsimile from the copy in the John Rylands Library. Together with an introduction by Percy E. Newbery and remarks on the vocabulary and dialect, with a. glossary by Henry C. Wyld. Manchester: University Press, London: B. Quaritch 1910. XXXVIII S., 8 Bll. Faksim. 5 Sh. = The John Rylands Facsimiles 2. [1286

Cole, George Watson. The first folio of Shakespeare. A further word regarding the correct arrangement of its preliminary leaves. Bibliographical Society of America. Proceedings and Papers 3. 1908 (1909). S. 65—83, 2 Tabell. [1287

A Dictionary of printers and booksellers in England, Scotland and Ireland, and of foreign printers of English books 1557—1640 by H. G. Aldis; Robert Bowes; E. R. McC. Dix; E. Gordon Duff; Strickland Gibson; G. J. Gray; R. B. McKerrow; Falconer Madan, and H. R. Plomer. General editor: R. B. McKerrow. London: Print. for the Bibliographical Society by Blades 1910. XIX, 346 S. (Publications of the Bibliographical Society.) [1288

Dix, E. R. McClintock. An early 18th century broadside on printing. (Dublin.) Proceedings of the R. Irish Academy. 27. 1908/09. Abt. C. S. 401—403, 1 Taf. [1289

Dix, E. R. McClintock. Note upon the leaves of the first book printed in Dublin discovered in the Academy. Proceedings of the R. Irish Academy 27. 1908/09. Abt. C. S. 404—406. [1290

Dix, E. R. McClintok. Humfrey Powell, the first Dublin printer. (1549/50.) Proceedings of the R. Irish Academy 27. 1908/09. Abt. C. S. 213—216 m. 4 Taf. [1291

Dix, E. R. McClintock. A very rare Kilkenny-printed proclamation, and William Smith, its printer. Proceedings of the R. Irish Academy 27. 1908/09. Abt. C. S. 209—212, 1 Taf. [1292

Hart, Horace. On the red printing in the 1611 Bible. Library 3. Ser. 2. 1911. S. 173—180 m. 3 Abb. [1293

McKerrow, R. B. The red printing in the 1611 bible. Library 3. Ser. 2. 1911. S. 323—327. [1294

Moule, H. F. The Coverdale bible of 1535. Library 3. Ser. 2. 1911.
S. 273—276. [1295

Neidig, William J. The Shakespeare Quartos of 1619. Modern Philology 8. 1910. S. 145—163 m. 13 Taf. [1296

Pollard, A. W. False dates in Shakespeare Quartos. The Library 3.
Ser. 2. 1911. S. 101—107. [1297

Salaman, Malcolm C. Old English Colour Prints. Ed. by Charles
Holme. (With 40 choice examples in facs. colours.) London: The
Studio 1910. VI, 42 S., 40 Taf. 4⁰. (The Studio 1909—10.
Special Winter Number.) [1298

Strachan, Lionel R. M. A historic bible at Heidelberg. (English
author. version, 1612.) Library 3. Ser. 2. 1911. S. 260
—272. [1299

The Tudor Facsimile Texts. Under the supervision and editorship
of John S. Farmer. Continuation issues 11. The three Ladies of
London. By R. W. 1584. 1911. 25 Bl. 4⁰. — 13. The life and
death of Jack Straw. 1593. 1911. 25 Bl. 4⁰. — 14. Nathan.
Woodes. The Conflict of conscience. 1581. 1911. 39 Bl. 4⁰. —
21. The Misfortunes of Arthur. By Thomas Hughes and others.
1587. 1911. 34 Bl. 4⁰. — 22. A Knack to Know a Knave.
1594. 1911. 31 Bl. 4⁰. — Contin. issues. Apocryph. Shakespearean
Plays. 6. Shakespeare William. The London Prodigal 1605. 1910.
31 Bl. 4⁰. — 7. Shakespeare, William. Sir John Oldcastle 1600.
1911. 44 Bl. 4⁰. — 9. The Puritan or the Widow of Watling Street.
Written by W. S. 1607. 1911. 34 Bl. 4⁰. — 10. Thomas Lord
Cromwell. Written by W. S. 1602. 1911. 30 Bl. 4⁰. — 11. Arden
of Feversham. 1592. 1911. 39 Bl. 4⁰. — 12. Fair Em. 1631.
1911. 25 Bl. 4⁰. — 13. The merry Devil of Edmonton. 1608.
1911. 25 Bl. 4⁰. — 14. The troublesome Reign of John, King of
England. P. 1. 2. 1591. 1911. 4⁰. London and Edinburgh: T. C.
and E. C. Jack. 1910—1911. [1300

Italien.

Bresciano, Giovanni. Documenti per servire alla storia della tipografia
napoletana nel secolo XVI. Zbl. 28. 1911. S. 329—345. [1301

Castellani, G. Note tipografiche Fanesi. Giacomo Moscardi da Verona
(1560—1572). Bibliofilia 13. 1911/12. S. 59—77 m. 4 Abb. [1302

Degli Alberti, Gastone. Cenni storici sull' arte della stampa in Lucca.
Lucca: E. Guidotti 1911. 53 S. 1,50 L. [1303

Reich, D. Donato Fezio. Uno stampatore trentino del cinquecento.
Tridentum. Rivista mensile di studi scientifici 13. 1911. Fasz. 2/3.
S. 135—140. [1304

Roland, F. Un Franc-Comtois éditeur et marchand d'estampes à
Rome au XVIᵉ siècle. Antoine Lafrerx (1512—1577). Notice
historique. Mémoires de la Société d'Émulation du Doubs Sér. 8.
Vol. 5. 1910 (1911). S. 320—378. [1305

Ozzola, Leandro. Gli editori di stampe a Roma nei sec. XVI e
XVII. Repertorium für Kunstwissenschaft 33. 1910. S. 400
—411, 1 Abb. [1306

Niederlande und Belgien.

Boas, M. De Cato-Editie van Scriverius. (Amsterdam, Jensson 1646.)
Tijdschrift v. boek- en bibliotheekwezen 9. 1911. S. 21—30. [1307
Bogeng, G. A. E. Offizin Joh. Enschedé en Zonen-Harlem. Zeitschrift
für Bücherfreunde N. F. 3. 1911/12. S. 237—249. Mit 7 Abbild.
u. 1 Faks. [1308
Van den Branden, J. F. Vreemde drukkers-boekhandelaars te Antwerpen ter school. Tijdschrift voor boek- en bibliotheekwezen 9.
1911. S. 121—124. [1309
Burger, C. P. Oude Hollandsche zeevaart-uitgaven. Kaartboeken van
de tweede helft der XVIᵉ eeuw. Tijdschrift voor boek- en bibliotheekwezen 8. 1910. S. 255—262. [1310
Burger, C. P. Zestiende-eeuwsche volksprenten. Tijdschrift voor boek-
en bibliotheekwezen 8. 1910. S. 239—254 m. 6 Abb. [1311
Enschedé, J. W. De Verhouding tusschen het aantal drukpersen en
het aantal gezellen in 1644. Tijdschrift v. boek- en bibliotheek-
wezen 9. 1911. S. 34—38. [1312
(Hillesum, J. M.) Het eerste te Amsterdam gedrukte hebreeuwsche
boek. (1627.) Amsterdam: 1910. Aus: Achaweh. [1313
Kruitwagen, Bonaventura. Vroegere lettergieterijen in Nederland.
(Gegen Ch. Enschedé, Fonderies de charactères, 1908.) Drukkers
Jaarboek 4. 1911. S. 61—72 m. 1 Taf. [1314
Matthieu, Ernst. Bibliographie athoise. Un ouvrage d'André Couvreur.
(Gedruckt von Jean Maes zu Ath, 1618.) Société des bibliophiles
belges séant à Mons. Bulletin 1. Facs. 3. 1911. S. 57—60 m.
1 Taf. [1315
Moes, E. W., De Amsterdamsche boekdrukkers en uitgevers in de
zestiende eeuw. Voortg. d. C. P. Burger. Afl. 14. Amsterdam: Van
Langenhuysen (1911.) Bd 4. S. 97—192. 2 Fl. [1316
Nijhoff, Wouter. L'Art typographique dans les Pays-Bas. (1500
—1540.) Reproduction en facsimile des caractères typographiques,
des marques d'imprimeurs, des gravures sur bois et autres ornements
employés dans les Pays-Bas entre les années MD et MDXL. Avec
notes critiques et biographiques. Livr. 9—11. La Haye: M. Nijhoff,
Leipzig: K. W. Hiersemann (1910. 1911). 4⁰. Je 7,50 Fl. [1317
Roos, S. H. de. Een Boek over Kinderprenten. De Boekzaal 5. 1911.
S. 24—33 m. 7 Abb. [1318
Verheyden, Prosper. Drukkersoctrooien in de 16ᵉ eeuw. Tijdschrift voor
boek- & bibliotheekwezen 8. 1910. S. 203—226. 269—278. [1319
Vincent, Aug. Les Velpius imprimeurs librairies. Louvain, Mons,
Bruxelles, XVIᵉ et XVIIᵉ siècles. (Suite.) Revue des biblioth. et
archives de Belgique 7. 1909 (1911). S. 415—427 mit 2 Ab-
bild. [1320

Wesemael, Gabriel van. Bijvoegsel aan Jan Broekaerts Dendermondsche drukpers. 3. Dendermonde: Du Caja-Beeckman 1910. 130 S. = Oudheidkundige Kring ... van Dendermonde. Buitengewone Uitgaven Nr 12. [1321

Wiersum, E. Te pand gegeven drukkersgerief. (Rotterdam, 1638.) Tijdschrift voor boek- en bibliotheekwezen 8. 1910. S. 266 —268. [1322

Willems, Leonard. A. Pevernage's Cautiones Sacrae van 1578. (Duaci, Ex officina Joannis Bogardi.) Tijdschrift v. boek- en bibliotheekwezen 9. 1911. S. 1—20, 1 Taf. [1323

Andere Staaten.

Chauvin, Victor. Le Livre dans le monde arabe. Conférence donnée à la Maison du Livre. (Bruxelles: Larcier) 1911. 12 S. = Publication du Musée du Livre 17. [1324

Csürös, Ferenc. (Magyar.) Geschichte der Debrecziner Stadtdruckerei. Debrecen: Város Könyvnyomda-vállalata (1911). 504 S. 12 M. [1325

Del Arco, Ricardo. La imprenta en Huesca. Apuntes para su historia. Revista de archivos, bibliotecas ... 14. 1910. Nr 1—4. 11/13. 15. 1911. Nr 1/4. [1326

Divéky, Adrien. Un nouveau fragment du cantique d'Etienne Gálszécsi. (Krakau, 1536.) Magyar Könyvszemle N. S. 19. 1911. S. 10—13 m. 2 Abb. u. 8 Bll. Faks. [1327

Grünberg, Jeannot. Iwan Fedorow, Rußlands erster Drucker. (Seit 1553.) Archiv für Buchgewerbe 48. 1911. S. 26—28 m. 4 Abbild. [1328

Hanson, J. C. M. Preliminary statement on collecting information in regard to early Scandinavian-American imprints. Bibliographical Society of America. Proceedings and Papers 3. 1908 (1909). S. 43—48. [1329

Isshiki, Tadao. Ett japanskt mönstertryckeri. Boktryckeri Kalendern 1910. S. 167—174 m. 8 Abb. u. 1 Taf. [1330

Laval, Ramon A. Un incunable chileno. Modo de ganar el Jubileo Santo, año de 1770. Noticia bibliografica. (Santiago) 1910: Impr. universitaria. 16 S. [1331

Maslov, S. (Russ.) Bibliographische Notizen über einige kirchenslavische Altdrucke. Russkij filolog. Věstnik 64. S. 353—366 m. 2 Abb. [1332

Melich, Jean. Le fragment de Cracovie des „Puerilium colloquiorum formulae" de Sebaldus Heyden. (1531.) Magyar Könyvszemle N. S. 18. 1910. S. 289—299 m. 4 Taf. Faksim. u. 2 Abb. i. T. [1333

Sztripszky, Hiador. Les plus anciens monuments typographiques des Ruthènes de Hongrie. (1640 ff.) P. 1. 2. Magyar Könyvszemle N. S. 19. 1911. S. 117—131, 243—262 m. 4 Abb. u. 1 Taf. [1334

Verzeichnis (Russ. spisok) von Abdrücken aus den ältesten russischen Drucken des Rigaer Stadtarchivs, vorgelegt dem XV. archäolog. Kongreſs in Novgorod von der Gesellschaft für Geschichte und Altertum des Pribaltischen Landes. Riga 1911: V. Gekker. 2 S. [1335

4. Bucheinband.

Armando, Vinc. Alcune vecchie legature artistiche inedite. Torino 1911: Off. Subalpina. 7 S., 5 Taf. 4⁰. Aus: Annuario della società fra gli amatori di Ex-libris. [1336

Bericht der Lederkommission (des Vereins Deutscher Bibliothekare). a) Loubier, Jean. Bericht über Einbandleder. b) Paalzow, Hans. Bericht über Pergament, gewebte Einbandstoffe und Papier. c) Loubier. Technik der Buchbinderei. Zbl. 28. 1911. S. 390—400. [1337

Bogeng, G. A. E. „Einband-Kritik." Archiv f. Buchbinderei 10. 1910/11. S. 168—172. [1338

Bogeng, G. A. E. Deutsche Einbandkunst im 1. Jahrzehnt des 20. Jahrhunderts. M. e. Einleit. u. 245 Abbild. von Einband-Arbeiten deutscher Buchbinderwerkstätten. Halle: W. Knapp 1911. XXIII, 78 S. 6 M. [1339

Boinet, Amédée. Notice sur une reliure exécutée pour Diane de Poitiers. Revue d. bibliothèques 21. 1911. S. 114—116, 1 Taf. [1340

Chivers, Cedric. Paper and binding of lending library books. Bulletin of the American Library Association 3. 1909 (1910). S. 231—259 m. 26 Abb. [1341

Collijn, Isak. En Uppsalabokbindare år 1519 = Collijn, Bibliografiska Miscellanea VIII. 1910. S. 5—6. Aus: Kyrkohistorisk Årsskrift 1910. [1342

Coutts, Henry T., and George A. Stephen. Manual of library bookbinding: practical and historical. With an introd. by Douglas Cockerell. London: Libraco 1911. 262 S. 7 Sh. 6 d. [1343

Davenport, Cyril J. Bookbinding in France. Libr. Assoc. Record 13. 1911. S. 98—104. [1344

Davenport, Cyril. Cameo book-stamps figured and described. London: Edw. Arnold 1911. XVI, 207 S. 21 sh. [1345

Einbände aus der Rokokozeit. Archiv f. Buchbinderei 10. 1910/11. S. 172—174 m. 4 Abb. [1346

Elberling, Carl. Et italiensk bogbind fra det sextende aarhundrede. Bogvennen 1907—10. S. 48—49 m. 1 Abb. [1347

Epstein, J. H. Deutsche Ledereinbände. Mit Erwiderung von E. T. Zwiebelfisch 2. 1910/11. S. 197—204. [1348

Gulyás, Paul. L'évolution de la reliure artistique. Magyar Könyvszemle N. S. 19. 1911. S. 41—52. [1349

Hedberg, Arvid. En framstående bokbindarmästare. (Carl Gustav
Hasselgren, geb. 1740.) Allmänna svenska boktryckareföreningens
Meddelanden 16. 1911. S. 3—5 m. 1 Abb. [1350

Ihm, Karl, und Felix Frohnknecht. Leder für Bucheinbände und
seine Haltbarkeit! Allgemeine Buchhändlerzeitung 18. 1911. Nr 14
—18. [1351

Ihm, Karl, und Felix Frohnknecht. Leder für Bucheinbände und seine
Haltbarkeit. (Stuttgart 1911: Greiner.) 32 S. Aus: Allgemeiner
Anzeiger für Buchbindereien. [1352

Von der Lederkommission des V. D. B. Zbl. 28. 1911. S. 76
—78. [1353

Mestern. Aus dem Buchgewerbehause in Leipzig. Ausstellung alter
Bucheinbände. Börsenblatt 1911. S. 1086. [1354

La Reliure à l'Exposition internationale de Bruxelles en 1910. Société
des bibliophiles et iconophiles de Belgique. Annuaire 1910. S. 135
—156. [1355

Renner, Paul. Vom Zwiebelfisch und vom Ziegenleder. Allgemeine
Buchhändlerzeitung 18. 1911. S. 61—64. [1356

Rudbeck, Joh. Svenska bokband under nyare tiden. 1. 1521—1718.
Svensk Exlibris-Tidskrift 1. 1911. S. 42—45 m. 3 Abb. [1357

Schöppl, Heinrich. Kunstvolle Bucheinbände aus Alt-Regensburger
und Oberpfälzer Bibliotheken auf der Ausstellung der Bayer. Landes-
gewerbeanstalt (Nebenstelle Regensburg.) Regensburg 1910: Habbel.
31 S. [1358

Schubert, Anton. Ein Prachteinband von 1581. Zeitschr. f. Bücherfreunde N. F. 3. 1911/12. S. 63—64. [1359

Senf, Max. Die Buchbinder-Innung zu Wittenberg im 16. Jahrhundert.
O. O. u. J. 19 S. Aus: Wittenberger Allgemeine Zeitung 1909,
November. [1360

Senf, Max. Die Wittenberger Buchbinder im 16. Jahrhundert. Zbl. 28.
1911. S. 208—214. [1361

Verheyden, Prosper. Plantijnsche bandmerken. Tijdschrift voor boek-
en bibliotheekwezen 8. 1910. S. 263—265 m. 3 Abb. [1362

Vorschriften für Bibliothekseinbände, beschlossen vom Verein Deutscher
Bibliothekare am 8. Juni 1911. Zbl. 28. 1911. S. 350—362
in Sonderabdr.: Leipzig: O. Harrassowitz. 1911. 15 S., 1 Taf.
50 Pf. [1363

VI.
Buchhandel.

Allgemeines.

Baumgarten, Paul Maria. Seltene Bücher und ihre Preise. Die Kultur
12. 1911. S. 213—222. [1364

Bourrelier, Henri. La librairie classique et le livre d'enseignement.
Bibliographie de la France 1911. Nr 13, Supplément. 13 S. [1365

Bowker, R. R. The literature of copyright. Libr. Journal 36. 1911.
S. 492—496. [1366

Congrès international des éditeurs. Session 7; Amsterdam, 18—22
Juillet 1910. Compte rendu. Amsterdam: Cercle de la librairie
néerlandaise. 1910. 184 S. 6 Fl. [1367

Denkschrift zur Erinnerung an die Begründung der Berner Ueber-
einkunft, betreffend die Bildung eines Internationalen Verbandes
zum Schutze von Werken der Literatur und Kunst am 9. September
1886. Hrsg. am Tage ihres 25 jährigen Bestehens vom Börsenverein
der Deutschen Buchhändler zu Leipzig. (Leipzig 1911: Ramm u.
Seemann.) 31 S. [1368

De Giorgio, Ernesto. L'indice dei libri proibiti e la legge sui diritti
d'autore. Napoli: R. Majolo 1910. 20 S. 1 L. [1369

Gnau, Hermann. Die Zensur unter Joseph II. Straßburg u. Leipzig:
Singer 1911. XVI, 313 S. 7 M. [1370

Hilgers, Josef. Bücherverbot und Bücherzensur des sechzehnten Jahrhunderts iu Italien. Zbl. 28. 1911. S. 108—122. [1371

Huck, Thomas Wm. The birth of the various book-trade catalogues.
Nr 4—7. The Librarian 1. 1910/11. 1910. November, Dezember.
1911. Januar. Febr. [1372

Humblot, M. L'Édition littéraire au XIXe siècle. Bibliographie de la
France 1911. Nr 11. Supplément. 18 S. [1373

Jahrbuch der Bücherpreise. Alphabetische Zusammenstellung der
wichtigsten auf den europäischen Auktionen (mit Ausschluß der
englischen) verkauften Bücher mit den erzielten Preisen, bearb. von
C. Beck. Jg. 5. 1910. Leipzig: O. Harrassowitz 1911. VII, 342 S.
10 M. [1374

Iwinski, B. La Statistique internationale des imprimés. Rapport ...
Bulletin de l'Institut internat. de Bibliographie 16. 1911. S. 1
—139. [1375

Spring Lines of the publishers' and some of the men who will show
them. Publishers' Weekly 79. S. 1010—1048 m. 24 Portr. [1377

Mortet, Ch. Les origines du dépôt légal. Observations sur les ordon-
nances du 28 décembre 1537 et du 17 mars 1538. Bibliographe
moderne 14. 1910 (1911). S. 347—353. [1378

Mumby, Frank A. The Romance of bookselling: a history from the
earliest times to the twentieth century. With a bibliography by
W. H. Peet. London Chapman u. Hall 1910. XVIII, 490 S., 39 Taf.
16 Sh. [1379

Prager, Robert. Bücher, Menschen, Dinge. Dritte Folge. Berlin:
Prager 1911. 108 S. Aus: Börsenblatt für den Buchhandel. [1380

Congrès international des éditeurs. Session 7, Amsterdam 18—22 juillet
1910. Rapports. Amsterdam: Cercle de la librairie néerlandaise
1910. 302 S. 3,50 M. [1381

Schinnerer, Johannes. Moderne Signete. Archiv f. Buchgewerbe 48.
1911. S. 49—53 m. 55 Abb. [1382

Sleumer, Albert. Index romanus. Verzeichnis sämtl. auf dem römischen
Index stehenden deutschen Bücher, desgl. aller wichtigen fremd-
sprachlichen Bücher seit d. J. 1750 ... 5. verm. Aufl. Osnabrück:
Pillmeyer 1911. 141 S. 1,50 M. [1383

Streissler, Friedrich. Verlagszeichen. Allgemeine Buchhändlerzeitung
18. 1911. Nr 9 u. 10 v. 2. u. 9. März. [1384

Streissler, Friedrich. Das Verlagszeichen. Allgemeine Buchhändlerzeitung 18. 1911. Nr 32—43 m. 163 Abbild. [1385

In einzelnen Ländern und Städten.

Deutsches Reich. Offizielles Adrefsbuch des Deutschen Buchhandels.
(Begründet von O. A. Schulz.) I. A. des Vorstandes bearb. von der
Geschäftsstelle des Börsenvereins der Deutsch. Buchhändler zu
Leipzig. Jg. 73. 1911. 74. 1912. Leipzig: Börsenverein (1910,
1911.) Getr. Pag., 1 Portr. Geb. je 12 M., für Mitglieder 10 M.,
in 2 Bde geb. 15, bez. 13 M. [1386

— Müllers Adrefsbuch des deutschen Buchhandels und verwandter
Berufszweige mit Zeitschriften-Adrefsbuch. Jg. 16. 1911. Leipzig:
C. F. Müller 1910. Getr. Pag. Geb. 10,80 M.. [1387

— Börsenblatt für den Deutschen Buchhandel. Eigentum des Börsenvereins der Deutschen Buchhändler zu Leipzig. Verantwortlicher
Redakteur: Max Evers. Jg. 78. 1911. Nr 1. Leipzig: Börsenverein 1911. 4⁰. Jährlich für Mitglieder 10 M., für Nichtmitglieder
20 M., bei Zusendung unter Kreuzband (aufser dem Porto) 25 M. [1388

— Bücher, Karl. Neue Bewegungen im Buchhandel. Korrespondenzblatt des Akademischen Schutzvereins 4. 1910/11. S. 105—111. [1389

— Korrespondenzblatt des Akademischen Schutzvereins. I. A. d. Vereins
hrsg. von L. Beer und J. Plenge. Jg. 5. 1911. Nr 1 (vom 31. Januar).
Leipzig: Schutzverein 1911. Jg. (10 Nrn) 4 M., für Mitglieder
kostenfrei. [1389 a

— Librarius, Leo. Nach sieben Jahren. (Rabattfrage im Buchhandel
betr.) Korrespondenzblatt d. Akademischen Schutzvereins 4. 1910.
S. 117—121. [1390

Deutsches Reich. Satzungen des Börsenvereins der Deutschen Buchhändler zu Leipzig. Angenommen ... 25. September 1887, abgeändert ... 14. Mai 1911. Börsenblatt 1911. Nr 35, Beilage. [1391

Altenburg. Voretzsch, Max. Ein landesherrliches Privilegium für eine Altenburger Buchhandlung aus dem Jahre 1653. (Otto Michael.) Mitteilungen der Geschichts- und Altertumsforsch. Gesellschaft des Osterlandes 12. 1911. S. 188—196. [1392

Essen. Wiedemann, Heinrich. Die Irrungen zwischen dem Stift und der Stadt Essen 1785—1794. (Darin: Die Irrungen in betreff des Hofbuchdruckers Zacharias Baedecker.) Beiträge zur Geschichte von Stadt und Stift Essen 32. 1910. S. 153—156. [1393

Frankfurt a. M. Estienne, Henri. The Frankfort fair. The Franco-fordiense Emporium of Henri Estienne. Ed. with historical introduction. Latin text with English translation on opposite pages and notes by James Westfall Thompson. Chicago: Caxton Club 1911. [1394

Oesterreich-Ungarn. Adrefsbuch für den Buch-, Künst-, Musikalien-handel und verwandte Geschäftszweige der österreichisch-ungarischen Monarchie. M. e. Anhang: Oesterr.-ungar. Zeitungs-Adrefsbuch. Hrsg. v. Mor. Perles. Jahrg. 45. 1910/11. Wien: M. Perles 1910. 456, XL S., 1 Portr. Geb. 6,80 K. [1395

— Oesterreichisch-ungarische Buchhändler-Correspondenz. Organ des Vereines der österreichisch-ungarischen Buchhändler. Jg. 52. 1911. Nr 1 (4. Januar). Wien: Buchhändlerverein 1911. 4°. Jg. (52 Nrn) 16 M. [1396

— Grolig, M. Antiquariatskataloge und Bücherauktionen im Jahre 1910. Zeitschr. d. Oesterreich. Vereines f. Bibliothekswesen 1. 1910. S. 183—187. [1397

Dänemark. Adressebog for den danske Bog- og Papirhandel og hermed beslaegtede fag 1911. 19. aargang af Adressebog for den nordiske Boghandel. Udg. af Boghandler-Medhjaelper-Foreningens pensionsforening. København: Schønberg 1911. 120 S. Geb. 2 Kr. [1398

Frankreich. Waldmann, Ernst. Reformbestrebungen im französischen Sortiment. Börsenblatt 1910. S. 15 777—80. [1399

Dijon. Belle, E. Les libraires dijonnais et les débuts de la Réforme à Dijon. Appendice: Lettre inédite de Mathurin Cordier à Guillaume Eudeline, 27 janvier 1561. Société de l'histoire du protestantisme français. Bulletin 59. 1910. S. 481—495. [1400

Grofsbritannien. Aldis, H. G. The book trade 1557—1625. In: The Cambridge History of English literature. Vol. 4. 1909. S. 378—414. [1401

— Book-Auction Records. Ed. by Frank Karslake. A priced and annotated record of London book-auctions. Vol 8. 1910/11. P. 1—4. October 1910—August 1911. London: Karslake 1911. LXXVIII, 637 S. 1 £ 1 Sh. [1402

Grofsbritannien. Book-Prices Current. A Record of the prices at which books have been sold at auction, from October, 1910, to August, 1911, being the season, 1910—1911. Vol. 25. London: Elliot Stock 1911. IX, 758 S. 27 Sh. 6 d. [1403

Dublin. Dix, E. R. McC. An old Dublin stationer's will and inventory. (1663.) Library 3. Ser. 2. 1911. S. 379—383. [1404

Leeds. Hand, Thomas W. Leeds booksellers, printers, and libraries. Book-Auction Records (Karlslake) 8. 1910/11. S. XXXIII —XXXIX, 1 Taf. [1405

London. Plomer, Henry R. The Church of St. Magnus and the book-sellers of London Bridge. Library 3. Ser. 2. 1911. S. 384 —395. [1406

Italien. Legge concernente obbligo per lo stampatore ed editore di consegnare al procuratore del re del circondario o distretto tre copie di ogni pubblicazione prima di porla in commercio, 7 luglio 1910, No 432. Napoli: E. Pietrocola 1910. 5 S. 20 Cent. = Biblioteca legale No 1092. [1407

Bologna. Carcereri, Luigi. Cristoforo Dossena, Francesco Linguardo e un Giordano, librai, processati per eresia a Bologna (1548). L'Archiginnasio 5. 1910. S. 177—192. [1408

Niederlande und Belgien. Sijthoffs Adresboek voor den Nederlandschen Boekhandel en aanverwante Vakken, benevens aanwijzing der in Nederland uitkomende Dag-, Week- en Maandbladen en Tijd-schriften. N. S. Jaarg. 57. 1911. Leiden: A. W. Sijthoff 1911. 712 S. 2,50 M. [1409

Brüssel. Le Clercq, L. Brusselsche boekverkoopers en -binders te Brussel in de 17e eeuw. Tijdschrift v. boek- en bibliotheekwezen 9. 1911. S. 31—33. [1410

Groningen. Evers, G. A. Het Boekverkoopers-Collegie te Groningen. Eene herinnering bij het 100-jarig bestaan. De Boekzaal 4. 1910. S. 495—500 m. 3 Abb. [1411

Spanien. Ansorena, Luis de. Tratado de propriedad intelectual en España. Historia de la legislación de propriedad intelectual en España; las leyes y reglamentos vigentes sobre esta materia, convenios inter-nacionales, etc. Madrid: Sáenz de Jubera 1911. 267 S. 2 Pes. [1412

Vereinigte Staaten. American Book-Prices Current. A record of books, manuscripts, and autographs sold at auction in New York, Boston and Philadelphia, from September 1, 1909, to September 1, 1910, with the prices realized. Comp. from the auctioneer's cata-logues by Luther S. Livingston. Vol. 16. New York: Dodd 1910 (1911). XV, 891 S. 6 $, Ausg. mit breitem Rande 15 $. [1413

— The Publishers' Trade list annual 39. 1911. New York: Publ. Weekly 1911. Getr. Pag. 4⁰. 2 $. [1414

Einzelne Buchhandlungen. Beziehungen einzelner Personen zum Buchhandel.

Droste-Hülshoff. Löffler, Kl. Annette von Droste-Hülshoff und ihre Verleger. Börsenblatt 1910. Nr 274. 275. [1415

Göschen. Gerhardt, L. Schriftsteller und Buchhändler vor hundert Jahren. Karl August Böttiger und Georg Joachim Göschen im Briefwechsel. Leipzig: Haessel 1911. VII, 291 S. [1416

Goldschmidt. Prager, R. L. Albert Goldschmidt, geb. den 28. Oktober 1838, gest. den 20. Januar 1911. Ein Nachruf. Börsenblatt 1911. S. 2981—2983. [1417

Gyldendal. Lauritsen, P. Gyldendalske Forlag og danske Litteraturforhold. (Silkeborg): Nationale Forfatteres Forl. 1911. 32 S. 0,50 Ø. [1418

Hansen, Chr. M. Fra mine senere Aar i den Gyldendalske Boghandel. Spredte Minder (II). Trykt som Manuscript. København: 1911. 30 S. Nicht im Buchhandel. Aus Medhjaelperen. [1419

Hertz. Koch, Rudolf (R. v. Belzig.) Buchhändlers Lehrjahre. Ein Beitrag zur Geschichte des Buchhandels und zur Kulturgeschichte überhaupt. Zugleich eine Charakterschilderung von Wilhelm Hertz und Ferdinand Springer. Börsenblatt 1911. Nr 162—166. [1420

Hoepli. Padovan, Ad. La casa editrice Ulrico Hoepli. Parole dette ai soci dell' università popolare milanese, convenuti nella libreria Hoepli la mattina del 2 luglio 1911. Milano 1911: Allegretti. 26 S. [1421

Kröner. Adolf von Kröner † Börsenblatt 1911. S. 1359—1362. [1422

Kühn. Knudsen, H. Der Posener Buchhändler Johann Friedrich Kühn (1776—1847). Histor. Monatsblätter f. d. Prov. Posen 12. 1911. S. 101—106. [1423

Liliencron. Friedrich. Neue Kunde von Liliencron. Des Dichters Briefe an seinen ersten Verleger, hrsg. von Heinrich Spiero. Leipzig: Xenienverlag 1911. 188 S. 3 M., in Leinen geb. 4 M., in Pergament 5 M. [1424

Murray. Smiles, Samuel. A Publisher and his friends: memoir and correspondence of John Murray with an account of the origin and progress of the house, 1768—1843. Abridged edition. London: Murray 1911. 400 S. 2 Sh. 6 d. [1425

Nicolai. Ellinger, Georg. Friedrich Nicolai. (1733—1811.) Vossische Zeitung 1911. Sonntagsbeil. Nr 2 vom 8. Januar. [1426

— Landau, Paul. Friedrich Christoph Nicolai. Zu seinem 100. Todestage (8. Januar 1911). National-Zeitung 1911. Nr 5 vom 6. Januar. [1427

Putnam. Schneider. Die Putnams. Eine Verleger- und Schriftsteller-Familie. Börsenblatt 1911. S. 7266—7267. [1428

Reclam. Mischke, Karl. Deutsche Weltfirmen der graphischen Industrie. 12. Philipp Reclam jun. Deutscher Buch- und Steindrucker 17. 1910/11. S. 465—469 m. 4 Abb. [1429

Teubner. Ahrens, W. B. G. Teubner 1811—1911. Börsenblatt 1911.
S. 2503—2509.   [1430
— Die Jubiläumsfeier der Firma B. G. Teubner in Leipzig am 3. und
4. März 1911. Börsenblatt 1911. Nr 58. 59.   [1431
— Lyon, Otto. Die Hundertjahrfeier eines Welthauses deutscher
Geisteskultur. (B. G. Teubner.) Zeitschrift für den deutschen Unter-
richt 25. 1911. März u. April.   [1432
— Mischke, Karl. Deutsche Weltfirmen der graphischen Industrie.
13. B. G. Teubner in Leipzig. Deutsch. Buch- und Steindrucker 17.
1910/11. S. 543—547 m. 3 Abb.   [1433
— Schulze, Friedrich. B. G. Teubner 1811—1911. Geschichte der
Firma, in deren Auftrag herausgegeben. Leipzig: Teubner 1911.
VI, 520 S. m. zahlr. Abb., Portr. etc.   [1434
Trowitzsch. Das Haus Trowitzsch & Sohn in Berlin. Sein Ursprung
und seine Geschichte von 1711 bis 1911. Berlin: Trowitzsch 1911.
VI, 122 S., 6 Taf.   [1435
— Zwei Jahrhunderte des Hauses Trowitzsch u. Sohn in Frankfurt
a. Oder. (Von R. Tbr.) Börsenblatt 1911. S. 7265—7266. [1436
Vieweg. Geleitwort (Geschichte der Firma Friedr. Vieweg & Sohn in
Braunschweig 1786—1911.) Verlagskatalog von Friedr. Vieweg
... Braunschweig 1911. XLIX S., 11 Taf.   [1437
Wagner, Richard. Briefwechsel mit Breitkopf und Härtel. Hrsg. von
Wilhelm Altmann. Leipzig: Breitkopf und Härtel 1911. XI, 239 S.
6 M.   [1438
— Richard Wagners Briefwechsel mit seinen Verlegern. Hrsg. von
Wilh. Altmann. 2. Mit B. Schott's Söhne. Mainz: B. Schott 1911.
VIII, 252 S. 6 M.   [1438a

VII.

Zeitungen und Zeitschriftenwesen.

Allgemeines.

Gottheil, R., und W. Popper. Die jüdische Presse, ihre Bibliographie,
Statistik und Geschichte. Blätter f. d. ges. Sozialwiss. 6. 1910.
S. 75—80. 83—88. 91—94.   [1439
Le Musée international de la presse. Section de l'Institut international
de bibliographie et section du Musée international. Bulletin de
l'Institut internat. de bibliographie 1910. S. 285—302.   [1440
T(edder), H. R. Periodicals. Encylopaedia Britannica. 11. Ed. Vol. 21.
1911. S. 151—162.   [1441

Deutsches Sprachgebiet.

Bobeth, Johannes. Die Zeitschriften der Romantik. Preisschrift der Knust-Stiftung in Leipzig. Leipzig: Haessel 1911. VIII, 431 S. 8 M. [1442

Diez, Hermann. Das Zeitungswesen. Leipzig: Teubner 1910. 145 S. (Aus Natur und Geisteswelt Bdch. 328.) [1443

d'Ester, Karl. Zur Geschichte der Zeitungsforschung vor 1800. I. II. Westfälisches Magazin N. F. 2. 1910/11. Nr 22/23; 3. 1911/12. Nr 1. [1444

Gerster, M. Die Zeitungen und Zeitschriften Württembergs im Jahre 1909. Württemb. Jahrbücher für Statistik und Landeskunde 1910. S. 251—340. [1445

Hartung, Wilhelm. Die deutschen moralischen Wochenschriften als Vorbild G. W. Rabeners. Halle: Niemeyer 1911. VIII, 156 S. 5 M. = Hermaea Bd 9. [1446

Jahrbuch der Schweizer Presse und Politik 1911. Hrsg. unter dem Patronate und der Mithilfe des Vereines der schweizerischen Presse, des Vereines Basler Presse, des bundesstädtischen Prefsvereines, des Vereines Genfer Presse, des Vereines waadtländischer Presse, des Vereines Züricher Presse ... von J. Grünberg. Bd 2. (Auch mit franz. Tit. Annuaire ...) Genf: Schweizer Argus der Presse 1911. Geb. 5 Fr. [1447

Deutscher Journal-Katalog für 1912. Zusammenstellung von ca. 3700 Titeln deutscher Zeitschriften und periodischen Erscheinungen, systemat. in 42 Rubriken geordnet. Jg. 48. Leipzig: Schulze & Co. 1911. 169 S. 2,25 M. [1448

Meissner, J. Frdr. Die volkswirtschaftliche Bedeutung der Fachpresse. Heidelberg: J. Friedrich Meissner 1910. III, 86 S. 1,50 M. = Beiträge zur Geschichte des Buch- und Zeitungswesens Bd 3. [1449

Pissin, R. Almanache der Romantik. Berlin-Leipzig: B. Behr 1910. XII S., 452 Sp. 32 M., für Mitglieder d. deutsch. bibliograph. Gesellschaft 20 M. = Bibliographisches Repertorium Bd 5. = Veröffentlichungen der Deutschen Bibliographischen Gesellschaft 7. [1450

Post-Zeitungsliste II (internationaler Dienst) f. d. J. 1911, enthaltend die zum Postvertriebe angemeldeten inländischen und die durch Vermittlung der Postanstalt zu beziehenden ausländischen Zeitungen und Zeitschriften. Bearb. v. K. K. Post-Zeitungsamte I in Wien. Wien: Jos. Eberle 1911. VIII, 354 S. 4⁰. 2,40 K. [1451

Preisliste der durch das Kaiserliche Postzeitungsamt in Berlin und die Kaiserlichen Postanstalten des Reichs-Postgebiets i. J. 1911 zu beziehenden Zeitungen, Zeitschriften usw. Berlin: Reichsdruckerei. 4⁰ (2⁰). [1452

Preisliste der Zeitungen und anderer periodischer Blätter ... die bei den schweizerischen rechnungspflichtigen Poststellen abonniert werden können. Gültig vom 1. Januar 1911 an. (Hrsg. durch die) Schweizerische Postverwaltung. — Indicateur du pıix des journaux

... Prontuario dei prezzi dei giornali. (T. 1.) Blätter der Schweiz.
(T. 2.) Blätter des Auslandes. (Bern: Rösch u. Schatzmann 1910).
VI, 80; II, 216 S. 1,30 Fr.   [1453

Röthlisberger, Manuel. Der Kampf um den Pressartikel bei Anlaſs
der Revision des Obligationenrechts. Bern: Büchler (1910). 12 S.
Aus: Helvetia. Polit.-literar. Monatsheft d. Studentenverbindung
Helvetia 1910. Nr 5.   [1454

Stephan, J. E. Die Zeitung. Eine kulturgeschichtliche Skizze. Oesterr.-
ungar. Buchhändler-Correspondenz 52. 1911. S. 12—14.   [1455

Stoklossa, Paul. Deutsches Zeitungswesen. Einige Zahlen. Dokumente
des Fortschritts. Internat. Revue. 4. 1911. S. 160—163.   [1456

Ulbrich, Franz. Die Belustigungen des Verstandes und des Witzes.
Ein Beitrag zur Journalistik des 18. Jahrhunderts. Leipzig: R. Voigtländer 1911. VII, 229 S. 6 M. = Probefahrten 18. 1911. [1457

Wolfram. Plan eines Zeitungsmuseums. Korrespondenzblatt d. Gesamtvereins d. deutsch. Geschichts- und Altertumsvereine 59. 1911.
Sp. 165—167.   —————   [1458

Breslau. Schierse, Bruno. Zum Breslauer Zeitungswesen. Ein Nachtrag. Zeitschr. d. Vereins für Geschichte Schlesiens 44. 1910.
S. 163—169 m. 3 Faks.   [1459

Dortmund. D'Ester, Karl. Zur Geschichte der moralischen Wochenschriften in Dortmund. Westfälisches Magazin N. F. 2. 1910/11.
S. 183—184.   [1460

Hadersleben. Hille, Georg. Peter Christian Koch und sein Wochen-
blatt Dannevirke. (Hadersleben, 1838.) Nach den Akten der
Kopenhagener Deutschen Kanzlei und der Schleswig-Holsteinischen
Regierung auf Gottorp. Zeitschrift der Gesellschaft f. schlesw.-
holst. Geschichte 40. 1910. S. 291—324.   [1461

Hamburg. Bandman, Otto. Die Hamburger Zeitung (1862—1866).
Zeitschrift des Vereins für Hamburger Geschichte 15. 1910. S. 14
—38.   [1462

— Kowalewski, G. Beiträge zur Geschichte des hamburgischen
Zeitungswesens 6. Von Tettenborns „Zeitung aus dem Feldlager."
Mitteilungen des Vereins für Hamburg. Geschichte. Bd 10. 1911
(= Jg. 28—30). S. 61—73. 104.   [1463

Rostock. Kohlfeldt, G. Aus der 200jährigen Geschichte der Rostocker
Zeitung. Rostocker Zeitung, Jg. 201. Nr 104, Beilage vom 16. April
1911 m. 4 Abb.   [1464

Sorau. 100 Jahre im Dienste Gutenbergs. Festnummer des Sorauer
Wochenblatts. Sorau: Rauert u. Pittius 1911. 8 S. 2⁰.   [1465

Andere Gebiete.

Annuaire de la presse française et étrangère et du monde politique.
Édition de 1911. Dir.: Paul Bluysen. Ann. 29. Paris: Bureau
1911. CXCIX, 1332 S., m. Porträts. Geb. 12 Fr.   [1466

Auerbach, Joseph S. One Phase of journalism. North American Review
1911. November. S. 723—736. [1467

Axon, William E. A. James Amphlett and Samuel Taylor Coleridge.
(Amphlett: The newspaper press ... recollections ... London 1860.)
The Library 3. Ser. 2. 1911. S. 34—39. [1468

Supplément au Catalogue-Tarif à prix forts et nets des journaux,
revues èt publications périodiques publ. à Paris jusqu'en novembre
.1910, contenant 1⁰. les nouvaux journaux parus à Paris du 1er décembre 1909 au 1er décembre 1910; 2⁰ les changements d'adresses
et les modifications des prix ... publ. par Henri Le Soudier.
Ann. 31. Paris: Le Soudier 1911. 74 S. [1469

Collijn, Isak. Alexis Haselquist †. Allm. Svenska Boktryckarefören.
Meddelanden 16. 1911. S. 42—44 m. 1 Portr. [1470

Dunlop, Andrew. Fifty years of Irish journalism. Dublin: Hanna
and Neale 1911. 314 S. 5 Sh. [1471

Gómez Imaz, Manuel. Los periodicos durante la guerra de la independencia (1808—1814). Memoria premiada. Madrid 1910:
Revista de archivos, bibliotecas y museos. 421 S. 4⁰ (8⁰). [1472

Jules, Léon. Le Petit Journal. Sin-le-Noble (Nord): Romans-Revue
1911. 132 S. 1 Fr. = Etudes sur les revues, journaux et magazines Nr 3. [1473

Kucharzewski, Jan (Poln.): Das polnische Zeitschriftenwesen in Polen,
Litauen und Rufsland und zugleich bei den Emigranten. (Bibliographisch-historische Skizze). Warszawa 1911: Gebetner i Wolff.
121, 2 S. Aus: „Przeglad Narodowy". [1474

■El Libro de la Prensa. Madrid: V. Priéto 1911. 226 S. 3,50 Pes. [1475

The Newspaper press directory 1911. London: C. Mitchell 1911.
■ 2 Sh. [1476

Pellisson, Maurice. Journalistes et gens de lettres au XVIIIe siècle.
Mercure de France. 1911. Sept. 16. S. 307—318. [1477

La Presse périodique hongroise en 1910. 1. Les journaux hongrois.
2. Les journaux étrangers. Par Étienne Kereszty. 3. Les révues.
Par Guillaume Fitos. Appendice. Statistique des journaux et des
revues en langue hongroise d'après Joseph Szinnyei. Magyar
Könyvszemle N. S. 19. 1911. Suppl. 2. S. 1—91. [1478

Rogers, James Edward. The American newspaper. Cambridge: Univ.
Press 1911. 228 S. 4 Sh. [1479

Sanial, S. C. History of the press in India. Calcutta Review Nr 263.
264. 1911. (Wird fortges.) [1480

Scott, Franklin William. Newspapers and periodicals of Illinois 1814
—1879. Rev. and enlarged (of „Newspapers publ. in Illinois prior
to 1860" by Edmund Janes James.) Springfield, Ill.: Ill. State Hist.
Libr. 1910. CIV, 610 S. = Collections of the Illinois State Hist.
Library Vol. 6. Bibliograph. Ser. Vol. 1. [1481

Slosberg, A. N. (Russ.): Der Anfang der periodischen Presse in Russland. (Historisch-literarische Untersuchung.) S.-Peterburg 1911:
Senatsk. 75 S. [1482

Smólski, G. (Poln.) Die ältesten polnischen Zeitschriften. Krakau
1910: Ksieg. Spólki Wyd. Pol. 34 S. 2 K.   [1483
Williams, Wa., and F. K. L. Martin. The practice of journalism. A
treatise on news-paper making. Columbia, Mo.: Stephens 1911.
330 S. 2 $.   _____   [1484

London. Rutari, A. Etwas vom „Punch" und denen, die ihn brauen.
Velhagen & Klasings Monatshefte 25. 1910/11. S. 209—215. [1485
Toulouse. Desazars de Montgailhard, Baron. Les Débuts du journal
à Toulouse. (1675.) Mémoires de l'académie des sciences ... de
Toulouse Sér. 10.—T. 10. 1910. S. 219 ff.   [1486

VIII.
Allgemeine und Nationalbibliographie.

1. Allgemeine Bibliographie.
(Zeitschriften s. a. I und II, 4.)

Bibliographie der fremdsprachigen Zeitschriftenliteratur. Hrsg. von
F. Dietrich. Alphabetisches nach Schlagworten in deutscher Sprache
sachlich geordnetes Verzeichnis ... Bd 1. Januar—Juni 1911.
Lief. 1. Gautzsch: Dietrich 1911. 4⁰. Bd (5 Lief.) 25 M. = Internationale Bibliographie der Zeitschriftenliteratur. Abt. B.   [1487
La Coopération internationale en matière de bibliographie et de documentation. Liste d'institutions, collectivités et particuliers affiliés
à l'Institut internat. de Bibliographie ... Bulletin de l'Institut internat.
de Bibliographie 16. 1911. S. 140—198.   [1488
Le Congrès international de bibliographie et de documentation
(Bruxelles, 25—27 août 1910.) Programme, ordre du jour et
renseignements divers; résolutions et voeux; rapports divers. Bulletin
de l'Institut internat. de bibliographie 1910. S. 71—263.   [1489
Delpy, A. Essai d'une bibliographie spéciale des livres perdus, ignorés
ou connus à l'état d'exemplaire unique. Vol. 2. H—P. Paris:
A. Durel. 1911. 179 S.   [1490
Le Musée international fondé par le congrès mondial des associations
internationales et ses rapports avec la bibliographie et la documentation universelles. Bulletin de l'Institut internat. de bibliographie
1910. S. 264—284.   [1491

Peddie, R. A. National bibliographies. XXVIII—XXXIII. Library
: World 13. 1910/11.. S. 165—168. 273—274. [1492

Wharton, L. C. Kongress für Bibliographie und Dokumentation. (In
Brüssel.) Uebers. von Paula Arnold. Zeitschr. d. Oesterr. Vereines
f. Bibliothekswesen 1. 1910. S. 159—163. [1493

2. Nationalbibliographie.

Deutsches Sprachgebiet.

Brockhaus' allgemeine Bibliographie. Monatliches Verzeichnis der
wichtigeren neuen Erscheinungen. 1910. Nr 1. Leipzig: Brockhaus
u. Pehrsson 1911. Jg. 2 M. [1494

Bibliographie der deutschen Zeitschriften-Literatur mit Einschluſs von
Sammelwerken. Alphabet. nach Schlagworten sachlich geordnetes
Verzeichnis von Aufsätzen ... Unter besond. Mitwirkung von E. Roth
.... hrsg. von F. Dietrich. Bd 27. Juli—Dez. 1910. 28. Januar
—Juni 1911. Gautzsch: F. Dietrich 1911. Kompl. (je 5 Lief) je
25 M. [1495

Bibliographie der deutschen Zeitschriften-Literatur mit Einschluſs von
Sammelwerken und Zeitungsbeilagen. Suppl.-Bd. Bibliographie der
deutschen Rezensionen ... Mit Rezensenten-Verzeichnis und Sachregister. Unter besond. Mitwirk. von E. Roth für den medizinisch-
naturwiss. Teil hrsg. von F. Dietrich. Bd 12. 1910. Lief. 1.
Gautzsch b. Leipzig: F. Dietrich 1911. Bd (5 Lief.) 35 M. [1496

Halbmonatliches Verzeichnis von Aufsätzen aus deutschen Zeitungen
in sachlich-alphabetischer Anordnung. Mit Beiblatt „Die biblio-
graphisch-literarische Auskunft. Beilage zur Bibliographie der
deutschen Zeitschriften-Literatur. Jg. 4. 1911—1912. Nr 1. Oktober 1911. Gautzsch: F. Dietrich 1911. Jg. (24 Nrn) 20 M. [1497

Christian Glob. Kayser's vollständiges Bücher-Lexikon. Ein Verzeichnis
der seit dem Jahre 1750 im deutschen Buchhandel erschienenen
Bücher und Landkarten. Ganze Reihe Bd 35 und 36. 1907—1910.
Mit Nachtr. u. Bericht zu den früheren Bänden. Bearb. von Heinr.
Conrad. (In 16 Lief.) Lief. 1—13. Leipzig: Tauchnitz 1911.
Bd 35. 1335 S., Bd 36. S. 1—1264. Lief. je 8 M. [1498

Hinrichs' Halbjahrs-Katalog der im deutschen Buchhandel erschienenen
Bücher, Zeitschriften, Landkarten usw. Mit Registern nach Stich-
worten und Wissenschaften, Voranzeigen von Neuigkeiten, Verlags-
und Preisänderungen. 225. Fortsetzung. 1910. Halbjahr 2. 226. 1911.
Halbjahr 1. Leipzig: J. C. Hinrichs 1911. 560, 195; 592, 194 S.
10 M., 10,30 M. [1499

Jahres-Verzeichnis der an den deutschen Schulanstalten erschienenen
Abhandlungen. 22. 1910. Berlin: Behrend 1911. 63 S. Einseit.
u. zweiseit. bedruckt je 1,20 M., beides zusammen 2 M. [1500

Jahres-Verzeichnis der an den Deutschen Universitäten erschienenen
Schriften. XXV, 15. August 1909 bis 14. August 1910. Berlin:
Behrend 1911. V, 878 S. Einseitig und zweiseitig bedruckt je 15 M.,
Zettelausgabe (Subskription für sämtliche Zettel oder Subskr. nach
Fakultäten) 1 Pf. für den Zettel.   [1501

Jahresverzeichnis der schweizerischen Hochschulschriften. Catalogue
des écrits académiques suisses 1909—1910. Basel 1910: Schweig-
hauserische Buchdr. 147 S. 1,60 M.   [1502

Hinrichs' Katalog der im deutschen Buchhandel erschienenen Bücher,
Zeitschriften, Landkarten usw. Titelverzeichnis u. Sachregister.
1906—1909. Der ganzen Reihe 12. Bd. Bearb. v. Heinr. Weise.
Sachreg. zusammengest. u. bearb. v. Adolf Schäfer. Bd 1. 2.
Leipzig: Hinrichs 1911. 1586, 648 S. 100 M., geb. 105,50 M., in
3 Bde geb. 107 M.   [1503

Keiter's katholischer Literatur-Kalender. Hrsg. von Karl Menne.
Jg. 11. Essen-Ruhr: Fredebeul u. Koenen 1911. XXIV, 604 S.,
5 Bilder. Geb. 5 M.   [1504

Kürschners Deutscher Literatur-Kalender auf d. J. 1911. Hrsg. v.
Heinrich Klenz. Jg. 33. M. 8 Bildn. Leipzig: G. J. Göschen (1911).
VI S., 62 u. 2120 Sp. Geb. 8 M.   [1505

Bibliographischer Monatsbericht über die neu erschienenen Schul-,
Universitäts- und Hochschulschriften ... Unter Mitwirkung ver-
schiedener Universitätsbehörden und Technisch. Hochschulen hrsg.
v. d. Zentralstelle für Dissertationen u. Programme der Buchh.
Gust. Fock. Jg. 23. 1910/11 Nr 1. Oktober 1911. Leipzig:
G. Fock 1911. Jg. (12 Nrn u. Reg.) 5 M.   [1506

Karl Georgs Schlagwort-Katalog. Verzeichnis der im deutschen Buchhandel erschienenen Bücher und Landkarten in sachlicher Anordnung.
Bd 6. 1908—1910. Lief. 46—53 (Schlufs.) Hannover: M. Jänecke
1911. S. 1423—1452 u. Autorenreg. 227 S. Lief. je 1,30 M. [1507

S(chwenke), P. Zur Versendung und zum Jahresverzeichnis der
Universitätsschriften. Zbl. 27. 1910. S. 558—560.   [1508

Monatliche Uebersicht der bedeutenderen Erscheinungen des deutschen
Buchhandels. Jg. 46. 1911. Nr 1. Leipzig: J. C. Hinrichs 1911.
Jg. (13 Nrn) 1,50 M.   [1509

Verzeichnis der in den Programmen der österreichischen Gymnasien,
Realgymnasien und Realschulen über das Schuljahr 1909/10 veröffentlichten Abhandlungen. Verordungsblatt des K. K. Ministeriums
f. Kultus u. Unterricht 1910. Stück XXIV, Beilage.   [1510

Wöchentliches Verzeichnis der erschienenen und der vorbereiteten
Neuigkeiten des deutschen Buchhandels. Nach den Wissenschaften
geordnet. Nebst 12 Monatsregistern. Jg. 70. 1911. Nr 1. Leipzig:
J. C. Hinrichs 1911. Jg. (52 Nrn) 10 M.   [1511

Verzeichnis der Programm-Abhandlungen, die von Gymnasial- und
Realanstalten Deutschlands und von Gymnasien Oesterreichs i. J.
1909 der buchhändlerischen „Zentralstelle" zugestellt worden sind.

Leipzig: B. G. Teubner 1910. 30 S. 0,60 M., einseitig bedruckt
0,80 M. Aus: Statist. Jahrbuch d. höh. Schulen. [1512
Verzeichnis der Programme, welche im Jahre 1911 von den höheren
Schulen Deutschlands (ausschl. Bayerns) veröffentlicht werden.
(Leipzig: Teubner 1911.) 26 S. 4⁰. [1513
Vierteljahrs - Katalog der Neuigkeiten des deutschen Buchhandels.
Nach den Wissenschaften geordnet. Mit alphabet. Register. Jg. 65.
1910. H. 4. S. 915—1336. Jg. 66. 1911. H. 1—3. 924 S.
Leipzig: J. C. Hinrichs 1911. Je 2,40 M. [1514

Frankreich.

Bibliographie de la France. Journal général de l'imprimerie et de la
librairie. Publié sur - les documents fournis par le Ministère de
l'Intérieur. Paraissant tous les vendredis (Directeur-Gérant: L.
Prunières.) (I. Bibliographie. II. Chronique. III. Féuilleton.) Ann.
100, 2ᵉ série. 1911. Nr 1 (Janv. 6.) Paris: Cercle de la Librairie
1911. Jg. 20 Fr., Ausland 24 Fr. [1515
Catalogue général de la librairie française. Continuation de l'ouvrage
d'Otto Lorenz. Réd. par D. Jordell. T. 20. Tables des matières
des T. 18 et 19, 1900—1905. Fasc. 2. 3. Eifel-Zirane. Paris:
D. Jordell 1910. S. 241—799. [1516
Catalogue général de la librairie française. Continuation de l'ouvrage
d'Otto Lorenz. Réd. par D. Jordell. T. (21. 22. 1905 —1910).
21, 2. Chamard — Hyvert. 22, 1. J.—Monod. Paris: D. Jordell
1911. S. 213—616; 240 S. [1517
Delalain, Paul. Les Ancêtres de la „Bibliographie de la France",
Journal général de l'imprimerie et de librairie p. p. le cercle de
la librairie de Paris. Bibliographie de la France 1911. Chronique
S. 223—229. [1518
Federn, Robert. Répertoire bibliographique de la littérature française
des origines à 1911, avec un Index analytique. Fasc. 1. Leipzig-
Berlin: E. Volckmar 1911. XXXII, 64 S. 3 M. [1519
Le Soudier, H. Bibliographie française. Sér. 2., paraissant par périodes
quinquennales. T. 2. 1905—1909. P. 1. 2. A—H. I—Z. Paris:
Le Soudier 1911. 504, 505—1035 S. 75 Fr. [1520

Großbritannien und Kolonien.

The English Catalogue of Books. Giving in one alphabet, under
author and title, the size, price, month of publication, and publisher
of books issued in the United Kingdom ... 74ᵗʰ year for 1910.
London: Publishers' Circular, Sampson Low 1911. 327 S. 6 Sh. [1521
The Publishers Circular and Booksellers' Record. Established by the
publishers of London in 1837. N. S. Vol. 44. 45. (Vol. 94. 95.)
1911 Nr 2270. London: Publ. Circular 1911. Jg. 10 Sh. 6 d.,
Ausl. 13 Sh. 6 d. [1522

Clarke, Olive E. English publishing trade bibliographies. Libr. World
　　13. 1910/11. S. 197—201. 　　　　　　　　　　　　　　　[1523
Annual Magazine subject-index. 1910. A Subject-index to a selected
　　list of American and English periodicals and society publications
　　not elsewhere indexed; including as pt. 2 the dramatic index for
　　1910 ed. by F. Winthrop Faxon and compiled with the co-operation
　　of librarians. Boston: Boston Book Co. 1911. 225, 260 S.
　　5,50 $. 　　　　　　　　　　　　　　　　　　　　　　　　[1524
Ost-Bengalen und Assam.. Catalogue of books and pamphlets re-
　　gistered in Eastern Bengal and Assam for 1911. Quarter 1. O. O.:
　　1911. 2⁰. 　　　　　　　　　　　　　　　　　　　　　　　[1525
Madras. Catalogue-of books registered in the Madras Presidency
　　during 1911. Quarter 1. (Madras: Governm. Press). 1911. 2⁰.
　　= Suppl. of the Fort St. George Gazette. 　　　　　　　　[1526
Punjab. Catalogue of books registered in the Punjab under Act XXV
　　of 1867 and Act X of 1890 during the quarter end. the 31st March
　　1911. Lahore: 1911. 2⁰. 　　　　　　　　　　　　　　　　[1527
Vereinigte Provinzen. Statement of particulars regarding books
　　and periodicals publ. in the United Provinces, registered under
　　act XXV of 1867, during ... 1910. Quart. 1—4. Allahabad:
　　1910/11. 4⁰ (2⁰). 　　　　　　　　　　　　　　　　　　　[1528
Zentralprovinzen. Catalogue of books registered in the Central
　　Provinces and Berar under Act XXV of 1867 as amended by Act X
　　of 1890. During 1910. 1911. Quarter 1. 2. Nagpur: 1910. 1911.
　　2⁰. 　　　　　　　　　　　　　　　　　　　　　　　　　　[1529

Italien. Spanien. Rumänien.

Bibliografia Espanola. Órgano oficial de la asociación de la libreria
　　de España. Año 11. 1911. Nr 1. Madrid: Asociación 1911.
　　Jg. (24 Nrn) 10 Pes., Ausland 12 Pes. 　　　　　　　　　[1530
Cotlarciuc, N. Kurze Uebersicht über die rumänische Bibliologie.
　　Zeitschr. d. österreich. Vereines f. d. Bibliothekswesen 2. 1911.
　　S. 1—4. 　　　　　　　　　　　　　　　　　　　　　　　[1531
Genovés y Olmos, Eduardo. Catalech descriptiu de les obres impreses
　　en llengua valenciana desde 1474 fins 1700. Prec. d'una carta-
　　prólech de Manuel Berenguer y Molera. Valencia 1911: Pau.
　　XI, 290 S. 　　　　　　　　　　　　　　　　　　　　　　[1532
Genovés y Olmos, Eduardo. Catalech descriptiu de les obres im-
　　preses en llengua valenciana desde 1701 fins 1880. Valencia 1911:
　　Pau. 247 S. 　　　　　　　　　　　　　　　　　　　　　　[1533
Genovés y Olmos, Eduardo. Catalech descriptiu de les obres im-
　　preses en llengua valenciana desde 1881 fins 1910. Valencia 1911:
　　Pau. 223 S. 　　　　　　　　　　　　　　　　　　　　　　[1534
Giornale della libreria, della tipografia e delle arti ed industrie affini.
　　Organo ufficiale dell' associazione tipografico-libraria italiana. Anno
　　24. 1911. Nr 1. Milano: Associazione 1911. Jg. (52 Nrn) Italien
　　6 L., Ausland 10 Fr. 　　　　　　　　　　　　　　　　　[1535

Pagliaini, Attilio. Catalogo generale della libreria italiana. Supplemento 1. 1900 a 1910. Vol. 1. Fasc. 1. Milano: Assoz. tipogr.-libraria 1911. 3 L. [1536

Rocco, Emmanuele. Anonimi e pseudonimi italiani. Supplemento al Melzí ed al Passano. (Opera postuma. Hrsg. v. Lorenzo Rocco.) Bibliofilia 12. 1910/11. Disp. 7/8. 10/11. [1537

Niederlande und Belgien.

Bibliographie de Belgique. Journal officiel de la librairie. Publ. sous les auspices du ministère des sciences et des arts et du cercle belge de la librairie et de l'imprimerie av. le concours de l'office internat. de bibliographie. Dir.-Admin: Ernest Vandeveld. (Partie 1. Livres. 2. Publications périodiques. 3. Bulletin mensuel des sommaires des périodiques.) Ann. 37. 1911. No 1, 15. Janvier. Bruxelles: 1911. Jg. (24, 24, 12 Nrn nebst Regg.) 7,50 Fr., Ausland 10 Fr. [1538

Bibliographie nationale. Dictionnaire des écrivains belges et catalogue de leurs publications. 1830—1880. T. 4. Livr. 7. Suppl.: H—Z. Bruxelles: M. Weissenbruch 1910. S. 561—615. 2 Fr. [1539

Nederlandsche Bibliographie. Lijst van nieuw versehenen boeken, kaarten enz. Uitgave van A. W. Sijthoff's Uitg. Mij. Leiden 1911. Nr 1, Januar. 'sGravenhage: M. Nijhoff 1911. Jährl. 12 Nrn. [1540

Bibliotheca belgica. Bibliographie générale des Pays-Bas, publ. par Ferdinand van der Haeghen et R. Van den Berghe avec la collaboration de Victor van der Haeghen et Alph. Roersch. Livr. 185 et 186. Gand: C. Vyt 1911. Je 2 Fr. [1541

Catalogus van boeken in Noord-Nederland versehenen van den vroegsten tijd tot op heden. Samengesteld door de Tentoonstellings-commissie der nationale tentoonstelling van het boek, Juni—Augustus 1910 ... 'sGravenhage: M. Nijhoff 1911. 958 S. 4⁰. 15 Fl. [1542

Brinkman's Catalogus der boeken, plaat- en kaartwerken, die sedert 1901 tot en met 1910 in Nederland zijn uitgegeven en herdrukt, benevens aanvullingen van voorafgaande jaren; in alphabetische volgorde gerangschikt, met vermelding van den uitgever of eigenaar ... door R. van der Meulen. Afl. 1/15. (S. 1—1120.) Leiden: A. W. Sijthoff 1911. Afl. je 5,10 M. [1543

Brinkman's alphabetische Lijst van boeken, landkaarten, en verder in den boekhandel voorkommende artikeln, die in het jaar ... in het Koninkrijk der Nederlanden uitgegeven of herdrukt zijn, benevens opgave van den uitgever, den prijs en eenige aanteekeningen; voorts en lijst der overgegane fonds-artikelen alsmede een wetenschappelijk register. Jaarg. 65. 1910. Leiden: A. W. Sijthoff 1911. LII, 324 S. 2 Fl. [1544

Revue bibliographique belge. Bulletin littéraire et bibliographique, rédigé par une réunion d'écrivains belges, accomp. d'un bulletin bibliographique international. Secrétaire de la rédaction: Maurice de Meus. Mensuel. Ann. 23. 1911. Bruxelles: Société belge de librairie 1911. Jg. 3 Fr., Ausland 4,50 Fr. [1545

Nordische Staaten.

Aarskatalog over norsk literatur 1910. Utg. af den norske boghandler-forening. Forsynet med henvisninger og systematisk register av Chr. Dybwad 1911. Kristiania: J. Dybwad 1911. 81 S. 2 Kr. [1546

Årskatalog för svenska bokhandeln. Utg. af Svenska bokförläggare-föreningen genom Vilhelm Gödel. Årg. 39. (1910.) Stockholm: Bokförläggarefören. 1911. 134 S. 1,35 Kr. [1547

Dansk Bogfortegnelse. Udgivet og forlagt af G. E. C. Gad-København. Aarg. 61. 1911. Nr 1. København: Gad 1911. Jahrg. 2,50 Kr. [1548

Islandsk Bogfortegnelse for 1909. Meddelt af Th. Melsteð. Nordisk Boghandlertidende 45. 1911. Nr 38. 39. [1549

Norsk Bokfortegnelse for 1909. 1910. Utgit av. Universitets-Biblioteket. Kristiania: (H. Aschehoug) 1910. 1911. 157, 153 S. Je 2 Kr. [1550

Nordisk Boghandlertidende. (Boghandlertidendes syv og halvtredsind-styvende Aargang. Red.: J. L. Lybecker.) Aarg. 45. 1911. Nr 1. (København: Boghandlerforening.) 1911. 4°. Jg. (52 Nrn) 5 Kr. [1551

Bygdén, Leonard. Svenskt anonym- och pseudonymlexikon. Biblio-grafisk förteckning öfver uppdagade anonymer och pseudonymer i den svenska litteraturen. H. 15 (= Bd 2. H. 6). Uppsala: Akadem. Boktr. 1910. Sp. 481—576. = Skrifter utgifna af Svenska Litteratur-sällskapet 17, 13. [1552

Ehrencron-Müller, H. Dansk Bogfortegnelse for aarene 1901—1908. København: Gad 1910/11. 502 S. 39,50 Kr. [1553

Nelson, Axel. Akademiska afhandlingar vid Sveriges universitet och högskolor. 1890—1910. Bibliografi. Uppsala: Akadem. Bok-handeln (1911). VIII, 149 S. 4,50 Kr. [1554

Pettersen, Hjalmar. Bibliotheca Norvegica. Bd 3. Norske forfattere for 1814. Beskrivende Katalog over deres Vaerker. D. 1. Kristiania: Cammermeyer 1911. 325 S. 45 Kr. [1555

Register til Norges tidsskrifter. 2. Norsk biografi (til 31. 12. 1909.) Utgit af Deichmanske Bibliotek. (H. 1. 2.) Kristiania: Cammer-meyer 1911. 509 S. 6 Kr. [1556

Slavische Sprachen.

Beresniewicz, Christine. Essai d'une bibliographie des traductions françaises de la littérature polonaise. Revue des bibliothèques 21. 1911. S. 117—172. [1557

Estreicher, K. Bibliografia polska. T. 23. H. 2. OK—OZ. Kraków: Druk. Univers. Jagiellońsk. 1910. S. 313—545 u. XLIII S. [1558

Estreicher, Karol. Bibliografia Polska. 19. stulecia lata 1881—1900.
T. 3. L — Q. Kraków: Społk. księg. Polsk. 1911. 474 S.
20 K. [1559
Kniżnaja Lětopis. (Russ.) Bücher-Jahrbuch der Hauptverwaltung in
Angelegenheiten der Presse. Erscheint wöchentlich unter der Redaktion
von A. D. Torpov. Jg. 5. 1911. Nr 1. St. Petersburg: Redaktion
des Regierungsboten 1911. Jg. 4 Rubel. [1560
Przewodnik bibliograficzny. Miesięcznik dla wydawców, księgarzy,
antykwarzy, jako też dla czytających i kupujących książki. Rok. 34.
1911. Nr 1. Krakau: G. Gebethner 1911. Jg. (12 Nrn) 4 M. [1561
Tobolka, Zdeněk V. Česká Bibliografie. Svazek 7. Za rok 1908.
Prag: Selbstverlag 1911. 249 S. 10 K. [1562

Vereinigte Staaten.

Bay, J. Christian. A survey of periodical bibliography. Bibliographical
Society of America. Papers 5. 1910 (1911). S. 61—69. [1563
The American Catalog 1908—1910. Containing a record under author,
title, subject and series of the books published in the United States,
recorded from Jan. 1, 1908 to Dec. 31, 1910, together with a
directory of publishers. New York: Publ. Weekly 1911. LXXXVI,
1541 S. 7,50 $. [1564
A. L. A. Publishing Board. Subject index to the A. L. A. Booklist
Vol. 1—6, Jan. 1905—June, 1910. (Editor Miss Bascom with the
assistance of Mrs. Sawyer.) Chicago: 1910. 216 S. [1565
The Publishers' Weekly. The American Book Trade Journal with
which is incorporated the American Literary Gazette and Publishers'
Circular. 1911. Vol. 79 Nr 1. New York: Publication Office 1911.
Jg. (2 Vols) 4 $., Ausland 5 $. [1566
The Publishers' Weekly Reference List of new publications. January
—December, 1910. Publishers' Weekly 79. 1911. Nr 4. [1567

Andere Sprachen.

Ungarn. Bibliothèque hongroise. Contributions au I. vol. de l'ancienne
bibliothèque hongroise de Ch. Szabó. (Par Étienne Harsányi, Ignace
Horváth, Louis Kemény, Désire Rexa et Elemér Rössler.) Magyar
Könyvszemle N. S. 19. 1911. S. 53—61. 154—160. [1568

IX.

Fachbibliographie.

(Nach dem sachlichen Stichworte geordnet.)

Erziehung.

Döring, Max. Die pädagogische Presse. Eine Bibliographie der
gegenwärtig in deutscher · Sprache erscheinenden pädagogischen
Zeitungen, Zeitschriften und anderen Periodica nebst Anregungen
zur Ausgestaltung der pädagogischen Bibliographie. Leipzig: Brand-
stetter 1911. 64 S. 2 M. Aus: Pädagogischer Jahresbericht
1910.   [1569

Liste d'ouvrages traitant de matières relatives à l'éduction familiale
... publiée à l'occasion du IIIᵉ Congrès international d'éducation
familiale, Bruxelles 1910, préparée par Louis Stainier av. la collab.
de Th. Goffin ... Bruxelles: Goemaere 1910. IV, 142 S.   [1570

Freimaurer.

Wolfstieg, August. Bibliographie der freimauerischen Literatur. Hrsg.
i. A. des Vereins deutscher Freimaurer. Bd 1. Burg: Hopfer 1911.
X, 990 S. 25 M.   [1571

Geschichte und Hilfswissenschaften. Geographie.
Landeskunde.

Aimond, Ch. Catalogue des cartes relatives à l'histoire de la région
qui a formé le département de la Meuse. Mémoires de la Société
des lettres, sciences et arts de Bar-le-Duc 4. Sér. 7. 1909. S. 198
—223.   [1572

Bibliographie der Schweizerischen Landeskunde ... Fasz. V, 5. H. 4.
(Kulturgesch. u. Volkskunde H. 4). Heinemann, Franz. Kirchliche
u. relig. Gebräuche. 1910. XVI, 195 S. 2,50 Fr. Fasz. V, 10 f.
Anderegg, Ernst u. Hans. Armenwesen u. Wohltätigkeit: Abgeschl.
auf Ende 1900. H. 1. 2. 1910. 1911. VIII, 924 S. 8 Fr. Bern:
K. J. Wyſs 1910. 1911.   [1573

Bohatta, H. Liechtensteinische Bibliographie. 1. Das Geschlecht der
österreichischen Liechtensteine. 2. Das Fürstentum Liechtenstein.
Buchs (1911): J. Kuhn XI, 117 S. Aus: Jahrbuch d. histor. Vereines
f. d. Fürstent. Liechtenstein 11. 1911.   [1574

Bradford, T. Lindsley. Bibliographer's manual of American history; cónt. an account of all state, territory, town and country histories relat. to the U. S. of North America, with verbatim copies of their titles ... ed. and rev. by Stan V. Henkels. Vol. 5. Philadelphia: Stan V. Henkels 1910. 3,50 $. [1575

Brébion, Antoine. Bibliographie des voyages dans l'Indochine française du IXe au XIXe siècle. Saigon: Impr. F. H. Schneider 1910. V, 299, . XLIV S. 10 Fr. [1576

Davois, Gustave. Bibliographie napoléonienne française jusqu'en 1908. T. 2. (F—M.) Précedé d'une étude historique sur la bibliographie. Paris: L'Edition bibliographique 1910. 256 S. [1577

Gelre. Vereeniging tot beof. v. Geldersche geschied. P. Gouda Quint. Grondslagen voor de bibliographie van Gelderland (nebst) Vervolg 1. Arnhem: Quint 1910. 1911. XXXI, 804 S. u. S. 395—443. 23,15 M. = Werken uitg. door Gelre No 8 u. Vervolg 1 = aus Bijdragen en Mededeelingen der Vereen. Gelre, D. 14. [1578

Gromaire, G. La Littérature patriotique en Allemagne 1800—1815. Paris: Colin 1911. VIII, 304 S. 3,50 Fr. [1579

Häberle, Daniel. Die ortskundliche Literatur der Rheinpfalz alphabetisch geordnet. Heidelberg: E. Carlebach 1910. 297 S. 6 M = Pfälzische Bibliographie III. Aus: Mitteilungen der Pollichia. [1580

Häberle, Daniel. Ortskundliche Literatur der Stadt Zweibrücken. Zur 500 jährigen Erinnerung an die Uebernahme von Stadt und Fürstentum Zweibrücken durch Pfalzgraf Stephan aus dem Hause Wittelsbach. (2. X. 1410—1910). Zweibrücken: Fr. Lehmann 1910. S. 265 —293. 0,30 M. Aus: Mitteilungen der Pollichia. [1581

Herre, Paul. Quellenkunde zur Weltgeschichte. Unter Mitw. von Adolf Hofmeister und Rudolf Stübe bearb. und hrsg. Leipzig: Dietrich 1910. XII, 400 S. 4⁰ (8⁰). 4,80 M. [1582

Hulth, J. M. Swedish arctic and antarctic explorations 1785—1910. Bibliography. Uppsala & Stockholm 1910: Almqvist & Wiksell. 189 S. = K. Svenska Vetenskapsakademiens Årsbok 1910. Beilage 2. [1583

Hupp, Otto. Philipp Apian's bayerische Landtafeln und Peter Weiner's Chorographia Bavariae. Eine bibliographische Untersuchung. Frankfurt a. M.: Heinr. Keller 1910. 39 S., 40 Abb., 1 Taf. 4⁰. 7 M. [1584

Jovanovič, Vojislav M. (Serbisch.) Englische Bibliographie über die orientalische Frage in Europa. Beograd 1908: Državna stampa. 111 S. 4⁰. = Srpska Kral. Akademija. Spomenik 48. Razred 2, 40. [1585

Kiran Nath Dhar. A critical account of the literature of the Indian mutiny. Libr. Assoc. Record 13. 1911. S. 165—177. [1586

Lindbaek, Johannes. Oversigt over historisk Litteratur fra aarene 1904—1907 vedørende Sønderjylland. Sønderjydske Aarbøger 1910. S. 223—270. [1587

Revelli,. Pa. Saggio - di bibliografia siciliana. La contea di Modica.
Torino: C. Sartori 1910. XIII, 128 S. [1588
Reynolds, Ja. Bronson. Civic Bibliography for Greater New York, ed.
for the New York Research Council. New York: Charities Publi-
cation 1911. 296 S. [1589
Sanson, Victor. Répertoire bibliographique pour la période dite „revo-
lutionnaire" 1789—1801, en Seine-Inférieure. T. 1. Le Département.
Rouen: F. Cavé 1911. 278 S. [1590
Ségur-Cabanac, Victor Graf. Bibliographie des gräflichen Hauses
Ségur. Seine genealogischen Beziehungen zu dem Hause Lothringen.
Wien: C. Konegen 1911. XVI, 206 S., 4 Taf., 5 Stammtaf.
20 M. [1591
Severn, E. G. A bibliography of the conventions and constitutions
of Virginia, including references to essays, letters and speeches in
the Virginia newspapers. Richmond, Va.: 1910. 441 S. [1592
Wegelin, Oscar. Books relating to the history of Georgia in the
Library of Wymberly Jones de Renne, of Wormsloe, Isle of Hope,
Chatham County, Georgia. New York: O. Wegelin 1911. 268, 18 S.
4 0. (Privat. print.) [1593
Zibrt, Cenĕk. Bibliografie české historie, D. 5. Svaz. 2. II. Zpracováni,
1669—70. Čis. 17 255 — 22 998. Prag: Tsch. Franz. Jos. Akademie.
1911. S. 321—640, III S. [1594

Kunst.

Mazerolle, F. La renaissance de la médaille en France. Essai bibliographique. Congrès internat. de numismatique ·... 1910. S. 749
—77J. [1595
Tourneux, Maurice. Salons et expositions d'art à Paris (1801—1900).
Essai bibliographique (Suite). Bibliographe moderne 14. 1910.
(1911). S. 37—83. (Wird fortges.)]1596

Medizin und Naturwissenschaften.

Bibliographie der Internationalen Hygiene-Ausstellung Dresden 1911.
· Zsgst. von v. Zahn & Jaensch, Dresden. Börsenblatt. 1911. S. 9997
— 10 001. [1597
Bibliography of science teaching. Compiled by a committee of·the
American Federation of Teachers of the mathematical and the natural
sciences. Washington: Gov. Print. Off. 1911. 27 S. = United States
Bureau of Education Bulletin 446 (1911, 1.) [1598
Gocht, Herm. Die Röntgen-Literatur gesammelt. Zugleich Anhang
zu „Gocht, Handbuch der Röntgen-Lehre". Stuttgart: Enke 1911.
IV, 387 S. 12 M. [1599
Loeb, Fritz. Verzeichnis der im zwanzigsten Jahrhundert erschienenen
Bücher und Broschüren zur Bekämpfung der Geschlechtskrankheiten.

Zeitschrift für Bekämpfung der Geschlechtskrankheiten 11. 1910/11.
S. 451—492. [1600

Pictet, Amé. Liste bibliographique des travaux de chimie faits en
Suisse. Sér. 1. Ann. 1901 —1910. (Publ. p. la) Société suisse de
Chimie. Genève: Soc. gén. d'impr. 1911. II, 276 S. 5 Fr. Aus:
Archives d. sciences physiques et naturelles Pér. 4. T. 13—31. [1601

Rehder, Alfred. The Bradley bibliography. A guide to the literature
of the woody plants of the world publ. before the beginning of
the twentieth century. Compiled at the Arnold Arboretum of
Harvard University under the dir. of Charles Sprague Sargent.
Vol. 1. Dendrology. P. 1. Cambridge: Riverside Press 1911. XII,
566 S. 4⁰. 20 $. = Publications of the Arnold Arboretum
No 3. [1602

Sano, F., et G. Schamelhout. Vlaamsche geneeskundige Literatuur
voor de XIXe eeuw. Tweede druk. Antwerpen: Nederlandsche
boekhandel 1911. 32 S. 0,75 Fr. [1603

Standley, Paul C. The type localities of plants first described from
New Mexico. A bibliography of New Mexican Botany. Washington:
Gov. Print. Off. 1910. S. 143— 246, VII—XIV, 1 Taf., 1 Kte. =
Smithsonian Institution. U. S. National Museum. Contributions from
the U. S. National Herbarium Vol. 13. P. 6. [1604

Wickersheimer, Ernest. Index chronologique des périodiques médicaux
de la France (1679—1856). Paris: A. Maloine 1910. 39 S. Aus:
Bibliographe moderne 1908. [1605

Wickersheimer, Ernst. Les thèses françaises d'histoire de la médecine
de 1904 à 1909. Harlem.: Bohn 1911. 13 S. Aus: Janus
1911. [1606

Musik.

Bäumker, Wilhelm. Das katholische deutsche Kirchenlied in seinen
Singweisen. I, 5. Bibliographie. In: Wilh. Bäumker, Das kath.
deutsche Kirchenlied . . . hrsg. v. Joseph Gotzen. Freiburg i. B.:
Herder 1911. S. 28—287. [1607

Ernst Challiers grofser Duetten-Katalog. Nachtr. 3, enth. die neuen
Erscheinungen vom Febr. 1906 bis Mai 1911 . . . Giefsen: E. Challier
1911. S. 163—182. 1,75 M. [1608

Müller-Reuter, Theodor. Lexikon der deutschen Konzertliteratur.
(Bd 1. = Lief. 1/13.) Leipzig: Kahnt 1909/10.) 625 S. Lief.
0,75 M. [1609

Pazdírek, Fr. Universal-Handbuch der Musikliteratur aller Völker
. . . Teil 1. Die gesamte, durch Musikalienhandlungen noch bezieh-
bare Musikliteratur aller Völker. Vol. 32—34. Vogler—Zycka.
Wien: Pazdírek 1911. S. 273— 356. XVI, 603; XVI, 142 S. [1610

Towers, John. Dictionary catalogue of the operas and operettas which
have been performed on the public stage. Morgantown: Acme.
Pub. Co. 1910. 7 $. [1611

Weigl, Bruno. Handbuch der Violoncell-Literatur. Systemat. geordn.
Verzeichnis d. Solo- u. instruktiven Werke f. d. Violoncell. Zsgest.,
mit krit. Erl. Leipzig, Wien: Universal-Ed. 1911. X, 132 S.
(Universal-Edition Nr 2797.) [1612

Ökonomie. Technologie.

Klinckowstroem, Graf Carl v. Beitrag zur Gusmão-Bibliographie.
(Luftfahrten betr.) Leipzig: F. C. W. Vogel 1911. S. 213—223
m. 2 Abb. Aus: Archiv f. d. Geschichte d. Naturwissenschaften Bd 3.
1911. H. 3. — [1613

Klinckowstroem, Graf Carl von. Bibliographie der Wünschelrute.
M. e. Einleit. von Ed. Aigner: Der gegenwärtige Stand der Wünschel-
ruten-Forschung. München: Ottmar Schönhut in Komm. 1911.
146 S. 3,50 M. [1614

Literatur der Elektrotechnik 1900/1910. Verzeichnis der Erscheinungen
auf dem Gebiete der Elektrotechnik in den letzten 10 Jahren,
abgeschlossen im März 1911. (Umschlagtitel:) Handbuch der
elektrotechnischen Literatur. Leipzig: Schulze 1911. 58 S.
1 M. [1615

Mariboè, Carl. Fortegnelse over dansk havebrugs-litteratur fra 1546
—1908. Udg. af de samvirkende danske haveselskaber. Lyngby:
Selbstverlag 1911. 58 S. 50 Ø. [1616

Müller, Max. Literatur der Sulfit-Ablauge. Berlin: Carl Hoffmann
1911. III, 114 S. Geb. 6 M. Schriften des Vereins der Zellstoff-
und Papier-Chemiker Bd 4. [1617

Rechts- und Staatswissenschaften.

Járossy, Max von. 10 Jahre Buchhaltung. Eine Bibliographie der
während des letzten Dezenniums auf dem Gebiete der Buchhaltungs-
wissenschaft in den Ländern deutscher Zunge erschienenen Schriften.
Zusammengestellt, z. T. besprochen und in ein Schlagwort-Register
vereinigt. Wien: Export-Akademie 1910. IX, 168 S. 2,40 M.
(Publikationen der Export-Akademie.) [1618

Kudora, Károly. Jogi Könyvtár. A jogés államtudományi irodalom
müszavak szerint rendezett Könyvészete. 1867—1910. Budapest:
Grill 1910. 276 S. 2 Kr. [1619

Michels, Robert. Ueber die Arbeitsmittel zur Herstellung bibliographischer und historischer Schriften über die moderne Arbeiter-
bewegung. Archiv.f. Sozialwiss. und Sozialpolitik 32. 1911. S. 518
—539. [1620

Sport.

Weissbein, Siegfried, und Ernst Roth. Bibliographie des gesamten Sports hrsg. von der Internationalen Hygiene-Ausstellung Dresden 1911. M. e. Vorw. von Zuntz. Leipzig: Veit 1911. X, 324 S. 1,50 M. [1621

Sprachen und Literaturen.

Ayres, Harry Morgan. Bibliographical sketch of Anglo-Saxon literature. New York: Lemcke & Buechner 1910. 20 S. 25 cents. [1622

Beaurepaire-Froment, de. Bibliographie des chants populaires français. Éd. 3e, revue et augmentée. Avec une introd. sur la Chanson populaire. Paris: Rouart 1910. XCIII, 186 S. 5 Fr. [1623

Closset, Joseph. Littérature wallone. Table alphabétique des ouvrages littéraires wallons suivie d'une Table générale par noms d'auteurs. (Théâtre, poésie, prose, travaux divers), publ. sous les auspices de l'Association des auteurs dramatiques et chansonniers wallons. Liège: Impr. La Meuse 1910. 253 S. 5 Fr. [1624

Davies, J. H. A bibliography of Welsh ballads print. in the eighteenth century. (Continued.) Transactions of the hon. Society of Cymmrodorion. Sess. 1908—09. (1910.) S. 94—160. [1625

Farinelli, Arturo. Per un dizionario bibliografico di scrittori tedeschi. A proposito di una compilazione recente. (Guido Manacorda.) Rivista di letteratura tedesca 4. 1910. S. 129—295. [1626

Goedeke, Karl. Grundriſs zur Geschichte der deutschen Dichtung, aus den Quellen. 2. ganz neu bearb. Aufl. ... fortgeführt von Edmund Goetze. Band 4. H. 10 bearb. zumeist von Franz Muncker. H. 27 bearb. von Alfred Rosenbaum. Dresden: L. Ehlermann 1910. S. 209—432. III, 321—563. 5,80, 6,40 M. — Dasselbe. 3. neu bearb. Aufl. Bd 4. Abt. 2. Vom siebenjährigen bis zum Weltkrieg. 6. Buch, Abt. 1, T. 2. Dresden: L. Ehlermann 1910. VI, 748 S. 20 M. [1627

Jacymyrškyi, A. (Ruthen.) Uebersicht über die neueren Abhandlungen und Publikationen auf dem Gebiete der altukrainischen Literatur. Naša škola 1910. Nr 3. S. 40—61. [1628

Kellen, Tony. Bibliographie der Poetik. Börsenblatt 1911. Nr 68 —71. [1629

Klussmann, Rudolf. Bibliotheca scriptorum classicorum et graecorum et latinorum. Die Literatur von 1878 bis 1896 einschlieſslich umfassend. Bd 1. Scriptores graeci. T. 2. Hybrias—Zosimus. Leipzig: O. R. Reisland 1911. 450 S. 11 M. = Jahresbericht über die Fortschritte der klassischen Altertumswissenschaft Supplementband 151. [1630

Lanson, Gustave. Manuel bibliographique de la littérature française moderne 1500—1900. III. Dix-huitième siècle. Paris: Hachette 1911. XV, 531—923 S. 5 Fr.   [1631

Museo Mitre. Mitre, Bartolomé. Catálogo razonado de la sección lenguas americanas. T. 1—3. Buenos Aires 1909—1911: Coni. 84 M.   [1632

Northup, Clark S. The present bibliographical status of modern philology. Bibliographical Society of America. Papers 5. 1910 (1911). S. 71—94.   [1633

Petit, Louis D. Bibliographie der middel-nederlandsche taal- en letter-kunde. D. 2. De Literatuur bevattende verschenen van 1888—1910. Leiden: E. J. Brill 1910. VIII, 221 S. 6 M.   [1634

Theologie.

Complete Catalogue of Catholic literature containing all Catholic books published in the U. S., together with a selection from the catalogues of the Catholic publishers of England and Ireland. Boston: Flynn 1910.   [1635

Clemen, Carl. Quellenbuch zur praktischen Theologie zunächst zum Gebrauch in akad. Vorlesungen und Uebungen. T. 1. Quellen z. Lehre vom Gottesdienst (Liturgik). 2. ... z. Lehre vom Religions-unterricht (Katechetik). 3. ... z. Lehre von der Kirchenverfassung (Kybernetik). Gießen: Töpelmann 1910. 10,40 M.   [1636

Goovaerts, Léon. Ecrivains, artistes et savants de l'ordre de Pré-montré. Dictionnaire bio-bibliographique. Vol. 4. Livr. 1. Bruxelles: Société belge de librairie 1911. 96 S. 4 Fr.   [1637

Hurter, H. Nomenclator literarius theologiae catholicae, theologos exhibens aetate, natione, disciplinis distinctos. T. 5. Theologiae catholicae aetas recens. Seculum tertium post celebratum concilium Tridentinum ab anno 1764—1868. Ed. III plurimum aucta et emen-data. Innsbruck: Wagner 1911. VII S., 1422 Sp. 22 M.   [1638

Palmieri, Aurelio. Nomenclator litterarius theologiae orthodoxae Russicae ac Graecae recentioris. Vol. 1. Fasc. 1. Pragae: Acad. Velehrad. 1910. = Opera Academiae Velehradensis T. 3.   [1639

Richardson, Ernest Cushing. Periodical articles on religion 1890—1899. With the co-operation of Charles S. Thayer ... Author index. New York: Scribner (1911.) 876 S.   [1640

Rotscheidt, W. Quellenkunde zur rheinischen evangelischen Kirchen-geschichte. I. A. der rhein. Prov.-Synode angefertigt. Neuwied: J. Meincke 1910. XI, 184 S. 1,60 M.   [1641

Streit, Robert. Führer durch die deutsche katholische Missionsliteratur. Freiburg i. B.: Herder 1911. XI, 139 S.   [1642

Zerener, Holm. Studien über das beginnende Eindringen der Luther-
schen Bibelübersetzung in die deutsche Literatur nebst e. Verzeichnis
. über 681 Drucke — hauptsächlich Flugschriften — der Jahre 1521
—1525. Leipzig: M. Heinsius 1911. X, 108 S. 5 M. = Archiv f.
Reformationsgeschichte. Ergzbd 4. Subskriptionspreis 4 M. [1643

X.
Lokale Bibliographie.
(Nach Gebieten bezw. Orten geordnet.)

Ampezzo. Emmert, Bruno. Contributo alla bibliografia d'Ampezzo e
del Cadore. Trento: G. Zippel 1910. 28 S. Aus: Archivio per
l'Altò Adige. [1644
Berry. Rollet, Louis. Essai de bibliographie Berruyère. Ouvrages
biographiques P. 2. Mémoires de la Société hist., litt. et scientif.
. du Cher 1911. S. 1—142. (P. 1 ersch. 1886.) [1645
Bretagne. Coupel, J. Bibliographie d'articles de périodiques concernant la Bretagne (1798—1900). Rennes: Plihon 1911. 296 S. [1646
Cuba. Trelles, Carlos, M. Bibliografia Cubana del siglo XIX. T. 1.
(1800—1825). Matanzas 1911: Quiros y Estrada. VII, 330 S. [1647
Domodossola. Bustico, Guido. Saggio di una bibliografia ossolana.
Domodossola 1910: Tip. Ossolana. 83 S. [1648
Etampes. Pinson, Paul. Bibliographie d'Etampes et de l'arrondissement
ou catalogue par ordre alphabétique de noms d'auteurs et d'ano-
nymes, des documents imprimés, cartes et plans ... avec des notes
bibliographiques et littéraires. Étampes: M. Dormann, Paris:
H. Champion 1910. VI, 155 S. [1649
Lothringen. Bibliographie lorraine (1909—1910). Revue de mouve-
ment intellectuel, artistique et économique de la région. Paris u.
Nancy: Berger-Levrault 1910. 169 S. 4 Fr. = Annales de l'Est
24. 1910. Fasc. 3. [1650
Lyonnais. Audin, Marius. Bibliographie iconographique du Lyonnais.
. T. 2. P. 2. Fasc. 1. Plans et vues générales. Lyon: Rey 1910.
II, 50 S., S. 217—219. (Bibliothèques de la ville de Lyon. Collection
de travaux de bibliographie.) [1651
Medina Sidonia. Thebussem. Añadidura á notas bibliographicas de
. Medina Sidonia. Madrid 1910: Rivadeneyra. 1 Pes. [1652
Palästina. Thomsen, Peter. Die Palästina-Literatur. Eine inter-
nationale Bibliographie in systematischer Ordnung mit Autoren-

und Sachregister. Unter Mitwirkung von Herm. v. Criegern, Rich-
Hartmann ... u. m. Unterstützung des Deutschen Vereins zur Er-
forschung Palästinas, des Palestine exploration fund ... bearb. u.
hrsg. Bd 2. Die Literatur der Jahre 1905—1909. Leipzig: Hinrichs
1911. XX, 316 S. 8 M., geb. 9 M..   [1653
Piazza. Ciancio, Santi. Bibliografia paesana moderna: elenco delle
pubblicazioni di autori e scrittori piazzesi dal 1842 ai giorni nostri.
Piazza Armerina 1910: Giovenco. 40 S.   [1654
Sierra Leone. Lukach, Harry Charles. A bibliography of Sierra
Leone. With an introductory essay on the origin, character and
peoples of the Colony. Oxford: Clarendon Press 1910 (1911).
144 S. 2,90 $. —   [1655
Wales. The National Library of Wales. Bibliotheca Celtica. A
register of publications relating to Wales and the Celtic peoples &
languages for the year 1909. Aberystwyth: 1910. VI, 123 S. [1656

XI.

Personale Bibliographie.

(Nach den Personen geordnet.)

Colonna. Boffito, G. Saggio di bibliografia Egidiana. Precede uno
studio su Dante, s. Agostino ed Egidio Colonna romano. Firenze:
L. S. Olschki 1911. XXXI, 78 S. 4⁰. Aus: Bibliofilia Jg. 10
—12.   [1657
Coutil, L. Bibliographie des publications archéologiques, historiques
et artistiques, 1884—1911. Le Mans 1911: Monnoyer. 8 S. [1658
Delisle. Lacombe, Paul. Bibliographie des travaux de M. Léopold
Delisle. Supplément 1902—1910. (Forts. u. Schluſs.) Bulletin du
bibliophile 1910. Nr 11. 12. 1911. Nr 1—3.   [1659
— Lacombe, Paul. Bibliographie des travaux de M. Léopold Delisle.
Supplément 1902—1910. Paris: H. Leclerc 1911. XXIII, 86 S.
Aus: Bulletin du bibliophile 1910 und 1911.   [1660
Doebner. (Doebner, Eduard). Bibliographia Doebneriana. (Doebnersche
Bibliographie.) Als Hds. gedruckt. Meiningen 1911: Keyssner.
35 S.   [1661
Duchêne. Rastout, A. Catalogue des publications faites sous les
noms „Père Duchêne", „Mère Duchêne" etc., conservées au département des imprimés de la Bibliothèque nationale. Paris: Impr.
nat. 1911. 103 Sp. Aus: Catalogue général des livres imprimés
de la Bibliothèque nationale T. 43.   [1662

Dumas. Catalogue des ouvrages des Dumas (Alexander) père et fils, conservées à la Bibliothèque nationale au département des imprimés. Paris: Impr. nat. 1911. 160 Sp. Aus: Catalogue général des livres imprimés de la Bibliothèque nationale. T. 44.   [1663

Du Moulin. Catalogue de ouvrages de Pierre Du Moulin conservés au département des imprimés à la Bibliothèque nationale. Paris: Impr. nat. 1911. 35 S. Aus: Catalogue général des livres impr. de la Bibliothèque nationale T. 44.   [1664

Erasmus. Enthoven, Ludwig. Ueber Druck und Vertrieb Erasmischer Werke. Neue Jahrbücher f. d. klass. Altertum 28. 1911. S. 33 —59.   [1665

Friedrich der Grofse. Droysen, Hans. Friedrich des Grofsen literarischer Nachlafs. Berlin: Weidmann 1911. 38 S. 4⁰. 1 M. = Beilage z. Jahresbericht d. Königstädt. Gymnas. zu Berlin.   [1666

Galilei. Klug, J. Die Galilei-Ausgaben. Deutsche Literaturzeitung 31. 1910. Sp. 3013—3022.   [1667

Gautier. Cadet de Gassicourt, Catalogue des portraits, dessins, autographes et ouvrages imprimés de Théophile Gautier (1811—1872). Exposées dans le vestibule d'honneur de la Bibliothèque nationale á l'occasion du centenaire de la naissance du poète. Revue des bibliothèques 21. 1911. S. 173—186 m. 1 Portr.   [1668

Goethe. Bibliographie. (1. Schriften. 2. Biographisches. 3. Verschiedenes. . Anhang: Englisch - amerikanische Bibliographie zusammengest. von Rud. Tombo. Ungarische Bibliographie zusammengest. von L. Verö.) Goethe-Jahrbuch 32. 1911. S. 200—250.   [1669

— Harrwitz, Max. Zur Goethe-Ausgabe vom Jahre 1806. Börsenblatt 1911. S. 2233—2234.   [1670

— Kurrelmeyer, W. Die Doppeldrucke von Goethes Werken, 1806 —1808. Baltimore: Johns Hopkins Press (1911). 4 S. 4⁰. Aus: Modern Language Notes 1911. Mai.   [1671

— Seuffer, Die beiden Drucke (A und A 1) der ersten Cottaschen Ausgabe von Goethes Werken (1806—10, 13 Bde.) Börsenblatt 1911. S. 1697—1698.   [1672

— Goethes Werther. Wertherliteratur. Leipzig: Friedr. Meyer 1911. 120 S. = Friedr. Meyer, Antiqu.-Katalog Nr 100.   [1673

Guericke. Ahrens, W. Die Schriften Otto von Guerickes und die Literatur über ihn. Montagsblatt. Wissenschaftl. Wochenbeilage der Magdeburgischen Zeitung 1911. Nr 26 u. 27 vom 26. Juni, 3. Juli.   [1674

Harrisse. Cordier, Henri. Henry Harrisse. Bibliographie. Bulletin du bibliophile 1910. November. Dezember.   [1675

Hasse. Müller, Walther. Johann Adolf Hasse als Kirchenkomponist. Ein Beitrag zur Geschichte der neapolitanischen Kirchenmusik. Mit themat. Katalog der liturgischen Kirchenmusik J. A. Hasse's. Leipzig: Breitkopf u. Härtel 1911. VII, 179 S. 5 M., geb. 6,50 M. = Publikationen d. internat. Musikgesellschaft. Beihefte, 2 F. H. 9.   [1676

Herbert. ·Palmer, George Herbert. A Herbert bibliography.· Being
a ·catalogue of a collection of books relating to George Herbert.
Cambridge, Mass.: Library of the Harvard University 1911. IV, 19 S.
= Library of Harvard University. Bibliographical Contributions
No 59.   [1677

Ewige Jude. Neubauer, L. .Zur Bibliographie der Sage vom ewigen
Juden. Zbl. 28. 1911. S. 495—509.   [1678

Lincoln. Fish, Daniel.· Lincoln collections and Lincoln bibliography.
Bibliographical Society of America. Proceedings a. Papers 3. 1908
(1909). S. 49—64.   [1679

Maréchal. Karmin, Otto. Essai d'une bibliographie de Sylvain
Maréchal. Chalon-sur-Saône 1911: L. Bertrand. 12 S. Aus: Revue
historique de la Révolution française 1911.   [1680

Mark Twain. Johnson Merle. A bibliography of the work of Mark
Twain, Samuel Langhorne Clemens. A list of first editions and of
first printings in periodicals ... New York and London: Harper
1910. XV, 203 S. 5 $.   [1681

Menéndez y Pelayo.· Bonilla y San Martin, A Bibliografia de D. Mar-
cellino Menéndez y Pelayo. Madrid: Suárez 1911. 33 S.
1 Pes.   [1682

Molière. Chatelain, Émile. Notes de bibliographie Molièresque.
Revue d. bibliothèques 21. 1911. S. 93—104.   [1683

Peirce. Plomer, Henry R. An „Anonymous" royalist writer: Sir
Edmond Peirce. Library 3. Ser. 2. 1911. S. 164—172. [1684

Petermann. Weller, E. Bibliographie zu A. Petermanns Kartenwerken
und wissenschaftlichen Abhandlungen. Quellen und Forsehungen
zur Erd- und Kulturkunde 4. 1911. S. 241—284.·   [1685

Petrarca. Fowler, Mary. The autographs of Petrarch's „Rerum vul-
garium fragmenta". The Library 3. Ser. 2. 1911. S. 61—100. [1686

Pope. A Catalogue of the first editions of the works of Alexander
Pope (1688—1744), together with a collection of the engraved
portraits of the poet and of his friends. New York: Grolier Club
1911. 3 $.   [1687

— An Exhibition of the first editions of the works of Alexander
Pope (1688—1744). Together with a collection of the engraved
portraits of the poet and of his friends. January 26 to March 4.
(New York): Grolier Club 1911. VII, 80 S.   [1688

Ripalda. Sanchez, Juan M. Doctrina cristiana del P. Jerónimo de
Ripalda é intento bibliográfico de la misma, annos 1591—1900.
Madrid: Impr. Alemana 1909. XIV, 46 S., 113 Taf.   [1689

Sachs. Buchwald, Reinhard. Ueber einige Verleger und Illustratoren
des Hans Sachs. Zeitschr. f. Bücherfr. N. F. 2. 1910/11. S. 233
—245 m. 9 Abb.   [1690

Saint-Just. Vellay, Charles. Essai d'une bibliographie de Saint-Just.
Le Puy: Rouchon et Gamon 1910. 31 S. Aus: Revue historique
·de .la Révolution française 1910. S. 418—435. 559—570. [1691

Scarron. De Backer, Hector. L'Édition originale du premier livre du Roman Comique de P. Scarron. Société des bibliophiles et iconophiles de Belgique. Annuaire 1910. S. 105—124. [1692

Schram, W. Meine literarische Tätigkeit in den letzten 35 Jahren (1876—1910). Brünn 1910: C. Winiker. 12 S., 1 Portr. [1693

Shakespeare. Daffis, Hans. Shakespeare-Bibliographie 1910. Mit Nachträgen zur Bibliographie früherer Bände des Jahrbuchs der Deutschen Shakespeare-Gesellschaft. Jahrbuch der Deutschen Shakespeare-Gesellschaft. 47. 1911. S. 372—415. [1694

— Jaggard, William. Shakespeare Bibliography. A Dictionary of every known issue of the writings of our national poet and of recorded opinion thereon in the English language. With histor. introd., facsimiles ... Stratford-on-Avon: Shakespeare Press 1911. XXI, 729 S., 27 Abb. 3 £, 3 Sh. [1695

Slater. Kleerkooper, M. M. Bibliographie van Slater's werken met inleidende levensschets en een register der zangwijzen en liederen. 'sGravenhage: M. Nijhoff 1911. 59 S. [1696

Strauss. Vollständiges Verzeichnis der im Druck erschienenen Werke von Richard Straufs. Mit Porträt und biographischen Daten und einer Einführung von Richard Specht. Wien u. Leipzig: Universal-Edition (1911). 42 S. [1697

Swedenborg. Stroh, Alfred H., och Greta Ekelöf. Kronologisk förteckning öfver Emanuel Swedenborgs skrifter 1700—1772. På uppdrag af kungl. Vetenskapsakademien utarbetad. Uppsala und Stockholm 1910: Almqvist u. Wiksell. 50 S. = K. Svenska Vetenskapsakademiens Årsbok 1910. Bil. 3. [1698

Thackeray. Mudge, Isadore Gilbert, a. M. Earl Sears. A Thackeray dictionary: the characters and scenes of the novels and short stories alphabetically arranged. London: Routledge 1910. XLV, 304 S. 8 Sh. 6 d. [1699

Tourneux. Maistre, Henri. Bibliographie des travaux de M. Maurice Tourneux. Paris: R. Paquet 1910. XII, 123 S., 1 Portr. [1700

XII.
Bibliophilie.

1. Allgemeines.

(Zeitschriften siehe unter I, Gesellschaften unter II, 4.)

Anderton, Basil. Fragrance among old volumes. Essays and idylls of a book lover. (Darin: Concerning the bookplates of Thom. Bewick S. 44—74 m. 4 Taf.) London: Kegan Paul ... 1910. XI, 100 S., 13 Taf. 7 Sh. 6 d. [1701

Bogeng, G. A. E. Umrifs einer Fachkunde für Büchersammler. 7. Geschichte der Bibliomanie. Entwicklung des öffentlichen Bibliothekswesens, des Buchhandels, der Bibliographie. Altbuchhandel und Altbüchermarkt. Theorie der Liebhaberwerte des Altbuchhandels. 8. Sach-Verzeichnis. Jahrbuch f. Bücher-Kunde und -Liebhaberei 3. 1911. S. 17—160. [1702

Alcuni rari Cataloghi di biblioteche vendute.: (Von) E. C. Bibliofilia 12. 1910/11. S. 242—247. [1703

Couderc de Saint-Chamant, H. Collection de . . .; beaux livres anciens et modernes, riches reliures exécutées d'après les dessins de M. Adolphe Giraldon. Préface par M. Henri Vever. Paris: J. Meynial 1910. 92 S. 2º u. Atlas. [1704

Kuhns, Oscar. The love of books and reading. New York: H. Holt 1910. 158 S. 1 $. [1705

Loubier, Jean. Buchkunst und Bücherliebhaberei. 10 Vorträge. Sonderdruck nach d. Berichten d. Papier-Zeitung. Berlin: Karl Hofmann 1910. 66 S. m. Abb. 1,50 M. [1706

Loele, Kurt. Der Buchhändler als Erzieher zum Bibliophilen. Allgemeine Buchhändlerzeitung 18. 1911. S. 145—147. [1707

Lumachi, Francesco. Historie per gli amici dei libri. Firenze: F. Lumachi 1910. 181 S. 2 L. [1708

Macdonald, Frederic W. Recreations of a booklover. London: Hodder 1911. 224 S. 2 Sh. 6 d. [1709

Macek, A. Bibliomanie. Ceský Bibliofil 1. 1910. S. 2—7. [1710

Müller, Emil. Etwas über die Hausbibliotheken. Eckart 5. 1910/11. S. 634—637 aus: Deutscher Reichsbote (Kalender) 1912. [1711

Richardson, Ernest Cushing. Manuscript hunting. Bibliographical Society of America. Proceedings and Papers 3. 1908 (1909). S. 14—28. [1712

Schur, Ernst. Die Bücher und das Publikum. Zeitschr. f. Bücherfreunde N. F. 3. 1911/12. S. 28—32. [1713

La Variété des espèces dans le monde des amis des livres. Causerie. (Von B.) Société des bibliophiles et iconophiles de Belgique. Annuaire 1910. S. 57—76. [1714

Vicaire, Georges. Les noces d'argent de la société des bibliophiles lyonnais. Bulletin du bibliophile 1910. S. 537—540. [1715

2. Einzelne Bibliophilen.

Callot. Bruwaert, Edmond. Un livre de la Bibliothèque nationale ayant appartenu à Jacques Callot et orné de ses dessins. (Scelta d'alcuni miracoli della Santissima Nunziata di Firenze, 1619.) Gazette des beaux arts 1911. April. S. 261—267 m. 5 Abb. u. 1 Taf. [1716

Grisebach. Loubier, Jean. Der Architekt Hans Grisebach als Bücherliebhaber. Jahrbuch für Bücher-Kunde und -Liebhaberei 3. 1911. S. 5—12. [1717

Holmes. Axon, William E. A. The „Autocrat" as book-lover. (Oliver Wendell Holmes, Astraea). Library 3. Ser. 2. 1911. S. 356 —362. [1718

Isidor von Sevilla. Weymann, Carl. Analecta X. Zu den Versen Isidors von Sevilla über seine Bibliothek. Historisches Jahrbuch 33. 1911. S. 63—66. [1719

Lopez. Scheuerleer, D. F. Een Haagsche muziekliefhebber uit de 18° eeuw. (Francisco Lopez de Liz, m. Katalog seiner Musikbibl.) Tijdschrift der Vereen. v. Noord-nederl. muziekgeschiedenis 9. 1910. S. 41—64. [1720

Parr. Rose-Troupe, F. Two book bills of Katherine Parr. The Library 3. Ser. 2. 1911. S. 40—48. [1721

Haus Wittelsbach. Schottenloher, Karl. Die Wittelsbacher und das Buchwesen. Anmerkungen zur Wittelsbacher-Ausstellung der Kgl. Hof- und Staatsbibliothek. Bayerland 22. 1911. Nr 32—36 mit 13 Abb. [1722

3. Privatbibliotheken.

Albrecht V. von Bayern s. 1089.

Bourget. Fleury, Paul. La Bibliothèque d'un curé de Marans (Louis Bourget.) au XVII° siècle. La Rochelle 1911: N. Texier. 127 S. (Commission des arts et monuments historiques de la Charente-Inférieure et Société d'archéologie de Saintes.) [1723

Chapelain. Searles, Colbert. The library of Jean Chapelain and its catalogue. Bibliographical Society of America. Papers 5. 1910 (1911). S. 23—44 m. 2 Taf. [1724

Crawford. Bibliotheca Lindesiana. (Earl of Crawford). Vol. 7. A Bibliography of the writings general, special and periodical forming the literature of philately. Aberdeen: University Press 1911. XI S., 924 Sp. 2°. [1725

Czartoryski s. 1095.

Denbigh, Earl of s. 1060.

Devonshire, Herzog von s. 1107.

Du Mont. Collections historiques de feu Charles Philippe Du Mont, ancien conservateur de la Bibliothèque cantonale vaudoise, savant héraldiste et bibliophile, 1803—1893. T. 1. Manuscrits, imprimés (bibliothèque héraldique), autographes. T. 2. Imprimés ... Genève: L. Goulon 1910. XII, 94; VIII, 319 S., 1 Portr. [1727

Guilliaud. Gillot, A., et Ch. Boëll. Supplément au catalogue de la bibliothèque de Claude Guilliaud, chanoine d'Autun, 1493 —1551. Mémoires de la société éduenne N. S. 38. 1910. S. 219—292. [1728

Haverbeir. Schütte, Otto. Vom Büchernachlafs einiger Braun-
schweigischer Bürger a. d. J. 1585—1639. ·(Peter Haverbeir, Jürgen
Weibel.) Braunschweigisches Magazin 1910. S. 145—146. [1729

Hoe. A catalogue of books in English later than 1700 forming a
portion of the library of Robert Hoe. Vol. 1—3. New York:
1905. (Priv. print.) [1730
— A catalogue of books printed in foreign languages before the
year 1600 forming a portion of the library of Robert Hoe. Vol. 1.
2. New York: 1907. (Priv. print.) [1731
— Catalogue of books of emblems in the library of Robert Hoe.
New York: 1908. 133 S. (Priv. print.) [1732
— Catalogue of books in foreign languages publ. after the year
1600 forming a portion of the library of Robert Hoe. Vol. 1—4.
New York: 1909. (Priv. print.) [1733
— A Catalogue of manuscrits, forming a portion of the library of
Robert Hoe. New York: 1909. 230 S. (Privat. Print.) [1734
— Catalogue of the library of Robert Hoe of New York ... P. 1.
A—K. L—Z. To be sold by auction ... by The Anderson
Auction Company ... (Vorr.: Beverley Chew.) New York: 1911.
XII, 605 S. m. Taff. (Auktions-Katalog Nr 905. 906.) [1735
— The Hoe Sale. Day 1—3. 4—7. Publishers' Weekly 1911.
Nr 17. 18. [1736
— Die Versteigerung der Sammlung Robert Hoe in New York. (Von
B. P.) Börsenblatt 1911. S. 4687—89. [1737

Huth, Alfred Henry. A catalogue of the woodcuts and engravings
in the Huth Library. London: Chiswick Press 1910. X, 96 S.,
8 Taf. 4⁰ (8⁰.) 21 Sh. [1738

Isaak. Cassuto, Umberto. I libri di Isach ebreo in Empoli. (15. Jahrhundert.) Bibliofilia 12. 1910/11. S. 247—249. [1739

Kainz. Katalog der Bibliothek Josef Kainz. Deutsche und ausländische Klassiker ... Versteigerung: Dienstag, den 17. Januar
1911 in Rudolf Lepkes Kunst-Auktionshaus ... (Berlin: 1911.)
56 S. [1740

Kaska. Bibliotheca Mexicana. Katalog der Sammlung des † Barons
Kaska. Versteigerung: 30. und 31. Januar 1911. Berlin: J. A. Star-
gardt 1911. 54 S., 2 Faksim. [1741

Lanna. Katalog der Sammlung Bⁿ Lanna-Prag. Handschriften,
..., Miniaturen ..., künstlerische Einbände ..., Inkunabeln, Holzschnittwerke ... Wien: Gilhofer u. Ranschburg 1911. 87 S., 15 Taf.
4⁰. = Gilhofer u. Ranschburg, 33. Auktion. [1742

Leicester, Lord s. 1120.

Mayor. Corn Exchange, Cambridge. Catalogue of the library of the
Rev. Prof. E. B. Mayor deceased, comprising upwards of 18 000 vol.
of books. Cambridge 1911: Heffer. 106 S. [1743

Middleton, Lord s. 1062.

Obrist. Musikbibliothek des † H. Hofkapellmeisters Dr. A. Obrist, bestehend aus wertvollen Werken zur Geschichte und Theorie der Musik ... Stuttgart: R. Levi 1911. 106 S. = Antiquariats-Katalog 189. [1744

Ormonde, Marquess s. 1065.

Polwarth, Lord s. 1067.

Rospigliosi. Catalogo della libreria circolante di S. E. il principe Giulio Rospigliosi. Firenze 1911: Tip. S. Giuseppe. 16 S. [1745

Salisbury, Marquis s. 1069.

Schedel. Reicke, Emil. Die Schedelsche Bibliothek. Mitteilungen des Vereins f. Geschichte d. Stadt Nürnberg 19. 1910. S. 271 —278. [1746

Schlosser. Wolff, Kurt. Fritz Schlossers Bibliothek. Zeitschr. f. Bücherfreunde N. F. 3. 1911/12. S. 58—61. [1747

Tarnowski, Graf s. 1071.

Trithemius. Lehmann, Paul. Nachrichten von der Sponheimer Bibliothek des Abtes Johannes Trithemius. Festgabe Hermann Grauert ... gewidmet ... 1910. S. 205—220. [1748

Valentini. Catalogo dei libri della Biblioteca Valentini di Sanseverino. Roma: D. G. Rossi 1911. 212 S. [1749

Warnecke. Hildebrandt, A. Stammbücher - Sammlung Friedrich Warnecke. Leipzig 1911: (Poeschel u. Trepte.) 162 S. [1750

Wedderburn. Malcolm, C. A. The library of a Forfarshire Laird in 1710. (Alexander Wedderburn, Baronet of Blackness.) Library 3. Ser. 2. 1911. S. 212—216. [1751

Wilczek. Strobl, Josef. Die Schlofsbibliothek von Kreuzenstein. Eine Skizze. (Eigentümer Graf Hans Wilczek). Zeitschr. d. österr. Vereines f. Bibliotheksw. 1. 1910. S. 121—122. [1752

XIII.

Ex Libris.

Exlibris, Buchkunst und angewandte Graphik. Hrsg. von W. von zur Westen, i. A. des Vereins für Exlibriskunst und Gebrauchsgraphik unter red. Mitwirkung des verantwortl. Schriftleiters E. von Brauchitsch. Jg. 21. Nebst: Mitteilungen des Vereins für Exlibriskunst und Gebrauchsgraphik E. V. zu Berlin, Jg. 5. 1911. Magdeburg: Heinrichshofen 1911. Jg. (4 Hefte) 20 M. [1753

Svensk Exlibris-Tidskrift. (Meddelanden for exlibrissamlare och bokvänner utg. af Arthur Sjögren.) Arg. 1. Nr 1. Stockholm 1911: Lagerström.) 4⁰. [1754

Oesterreichische Exlibris-Gesellschaft. Jahrbuch 8. Weihnachten 1910. Wien: Gesellschaft 1910. 85 S., m. 47 Abb. i. T. u. 12 Taf. 4º. 10 K.   [1755

Bayros, Franz von. Ex-libris. Wien: R. Ludwig 1911. III S., 12 Taf. In Mappe 15 M.   [1756

Behr, F. Franz Wilhelm Graf von Wartenberg, Bischof von Osna-brück, Regensburg, Minden und Verden. (Exlibris.) Exlibris, Buchkunst u. angewandte Graphik 21. 1911. S. 9.1—95 mit 3 Abbild.   [1757

Bergmans, Paul. Het ex-libris van den arts Robert Sanders. (16. Jahr-hundert). Tijdschrift voor book- en bibliotheekwezen 9. 1911. S. 106—109 m. 2 Abb.   [1758

Collijn, lsak. Handmålade medeltida Exlibris i Lüneburgs Stads-bibliotek 1. 2. Svensk Exlibris-Tidskrift 1. 1911. S. 32—33 m. 2 Abb.   [1759

Dirick, Jos. L. Ex-libris belges. Bruxelles: Xav. Havermans (1911). 19 S. m. Taff. 5 Fr.   [1760

Héroux, Bruno. Verzeichnis der graphischen Arbeiten von 1900—1910, umfassend die Blätter 1—200. Neu bearb. von Artur Liebsch. M. e. Vorw. v. Richard Braungart. Abgeschlossen im Ok-tober 1910. (Enthält zahlreiche Exlibris.) Leipzig: Héroux 1911. M. 16 Abb. u. 1 Orig.-Rad. 10 M.   [1761

Lemperly, Paul. Book-plates and other engravings by Edwin Davis French. With a foreword by C. Dexter Allen. Cleveland O.: Rowfant Club 1911. 45 S. 1,50 $.   [1762

Mitterwieser. Wilhelm von Zell der Aeltere und Jüngere. (Exlibris, 16. Jahrhundert.) Exlibris, Buchkunst u. angewandte Graphik 21. 1911. S. 33—38 m. 1 Abb.   [1763

Nelson, Harold. Reproductions of twenty-fife designs for book plates. Edinburgh: O. Schulze 1911. ln Mappe 21 Sh.   [1764

Reychmann, K. (Polnisch.) Unbekannte polnische Exlibris. Mit Zeichnungen. Warschau 1910: P. Laskauer. 32 S. 50 Kop.   [1765

Rheude. Exlibris-Kunst 2. 15 Exlibris-Zeichnungen von Lor. M. Rheude. Magdeburg: C. Loeffel 1910. IV S., 15 Bl. 2,20 M.   [1766

Sangermano, R. E. Gli ex-libris: monografia, con la riproduzione di XXXV facsimili di ex-libris antichi e moderni, tolti dalla collezione dell' autore. Torino 1910: Archivio tipografico. 41 S., 3 Taf. (Nicht im Buchhandel.)   [1767

Schock, Josef. Die Exlibris des Stiftes Seitenstetten. Oesterreich. Exlibris-Gesellschaft. Jahrbuch 8. 1910. S. 8—16 m. 2 Taf.   [1768

Siegl, Oskar. Johannes Herold aus Höchstädt a. D. (Exlibris, 16. Jahrh.) Exlibris, Buchkunst u. angewandte Graphik 20. 1910. S. 147—148, 1 Taf.   [1769

Uzanne, Octave. Les Marques de possession du livre: Ex-Libris français. Mercure de France 1911. Juni 16. S. 756—766. [1770

Vorsterman van Oijen, A. A. Bibliographie des ouvrages, plaquettes, articles des revues et de journaux sur les ex-libris. Arnhem: Archives généalogiques et héraldiques 1911. 23 S. 4⁰. 1,75 Fl. [1771

Vorsterman van Oijen, A. A. Les Dessinateurs néerlandais d'ex-libris. Arnhem: Archives généalogiques et héraldiques 1911. 40 u. 10 S., 70 Taf. 4⁰. 12,50 Fl. [1772

Walde, O. Det Rosenbergska Bibliotekets exlibris. Almänna svenska boktryckareföreningens Meddelanden 16. 1911. S. 2—3 mit 2 Abb. [1773

Weittenhiller, Moritz von. Exlibris der Bibliothek des fürsterzbischöflichen Seminars in Wien. Oesterreich. Exlibris-Gesellschaft. Jahrbuch 8. 1910. S. 6—7 m. 1 Abb. [1774

White, Esther Griffin. Indiana bookplates. Richmond, Ind.: (E. G. White) 1910 (1911). 153 S. 2,50 $. [1775

Živný, L. Ex libris. Český Bibliofil 1. 1910. S. 13—17. [1776

Zur Westen, Walter von. Berliner Exlibris. Exlibris, Buchkunst u. angewandte Graphik 21. 1911. S. 1—32 mit 46 Abbild. [1777

Zur Westen, W. von, Ex bibliotheca und doch kein Eignerzeichen! Exlibris, Buchkunst und angewandte Graphik 20. 1910. S. 148 —149. [1778

Nachtrag.

Johusen, Oscar Alb. Norske geistliges og kirkelige institutioners bogsamlinger i den senere middelalder. Sproglige og historiske Afhandlinger viede Sophus Bugges Minde. Kristiania 1908. S. 73 —96. [1779

Zimmer, Hugo Otto. Bibliothekarinnenseminare. Leben und Wirken 4. 1909/10. S. 346—350. [1780

Prag. Patera, A., u. Ant. Podlaha. (Tschech.) Verzeichnis der Handschriften der Bibliothek des Prager Metropolitankapitels. H. 1. Prag: Tschech. Akademie 1910. 4⁰ (8⁰). = Verzeichnis der Handschriften (Soupis rukopisů) der Bibliotheken und Archive der böhmischen Länder sowie der hdsl. Bohemica aufserhalb Böhmens. H. 1. [1781

Alençon. Duval, Frédéric; Besnard, Félix. Les Boiseries de la Bibliothèque d'Alençon. Société hist. et archéol. de l'Orne T. 27. 1908. S. 235—247 m. 4 Taf. [1782

Duff, E. Gordon. William Caxton. Chicago: Caxton Club 1905. 118 S., 25 Taf. 4⁰. 10 $. [1783

Pollard, Alfred W. An essay on colophons. With specimens and translations. Introd. by Richard Garnett. Chicago: Caxton Club 1905. XX, 198 S. 4⁰. 12,50 $. [1784

Dix, E. R. Mc C. William Kearney, the second earliest known printe
in Dublin. Proceedings of the R. Irish Academy 28. 1910. S. 15
— 161.   [178

Dix, E. R. Mc Clintock. The earliest printing in Dublin, in the Irisl
Latin, Greek, Hebrew, French, Italian, Saxon, Welsh, Syria(
Armenian, and Arabic Languages. Proceedings of the R. Iris
Academy 28. 1910. S. 149—156 m. 5 Abb.   [178

Uzanne, Octave. The French bookbinders of the eighteenth century
Translat. by Mabel Mc Ilvaine. Chicago: Caxton Club 1904. 133 S
20 Taf. 4⁰. 18 $.   [178

Register.

Poëte, Marcel. 636.
Pohl, Josef. 1256.
Pokrovskij, F. J. 867.
Pollard, Alfred W. 28. 1285. 1297. 1784.
Pomfrey, Joseph. 91.
Poncelet, Albertus. 725.
Poole, Reginald L. 247.
Popov, K. M. 824.
Popov, N. 823.
Popper, W. 1439.
Porträtlithographen, Wiener. 1266.
Pósse, O. 204.
Post-Zeitungsliste. 1451.
Potter, Alfred Claghorn. 930.
Prager, R. L. 1417.
Prager, Robert. 1380.
Preisendanz, Carolus. 1108.
Preisliste der Zeitungen. Reichs-Postgebiet. 1452.
— Schweizerische Poststellen. 1453.
Prescott, Harriet B. 161.
Presse périodique hongroise. 1478.
Prevost, M. 612.
Prinet, Max. 1235.
Prisse. 1126.
Proceedings. Library Association. 146.
— Bibliographical Society of America. 160. 162.
— New York, Public Library. 962.
Programm. Budapest, Städt. Oeffentl. Bibl. 531.
Programme. Bruxelles, Congrès de bibliographie. 1489.
Progress. London, British Museum. 663.
Projet de loi instituant une bibliothèque postale intercommunale. 311.
Propertius. 1125.
Proposta. Biblioteche magistrali, mezzogiorno d'Italia. 305.
Proskurjakov, E. 45.
Prunières, Louis. 1146. 1515.
Przewodnik antykwarski. 34.
— bibliograficzny. 1561.
Publications. Type Facsimile Society. 1245.
— Washington, Library of Congress. 989.
Purnell, H. Rutherford. 219.

Quidde, Ludwig. 1157.

Ragyndrudis-Kodex, Fulda. 1061.
Rance-Bourrey, A. J. 592. 1206. 1280.
Ranck, Samuel H. 92. 93. 230.
Rappaport, C. E. 1214.

Rapport. Amsterdam, Congrès internat. d. éditeurs. 1381.
— Paris, Bibl. nationale. 603. 604.
— — Bibliothèque technique. 629.
Rastout, A. 1662.
Reference List, Publishers Weekly. 1567.
References. Washington, Kongrefsbibl. 990—993.
Register. Kristiania Deichmanske Bibl. 1556.
Règlement. Kairo, Université Egyptienne. 662.
Reglement. Windau, Domesnesskische Bibliotheksges. 900.
Reglement und Statuten. St. Petersburg, Kais. öffentl. Bibl. 866.
Règles catalographiques anglo-américaines. 220.
Regolamento. Avola, Bibl. comunale. 702.
Rehder, Alfred. 1602.
Reich, D. 1304.
Reichling, Dieter. 1207.
Reicke, Emil. 1746.
Reil, Moritz. 1027.
Reinecke, Adolf. 1172.
Reinick, William R. 221. 1158.
Relazione. Bologna, Bibl. comunale. 705.
Reliure à l'Exposition de Bruxelles. 1355.
Renner, Paul. 1356.
Report on Hours of Library Assistants in Lancashire. 174.
Report. Manuscripts, Earl of Denbigh. 1060.
— Manuscripts, Lord Middleton. 1062.
— Manuscripts, Lord Polwarth. 1067.
— Aberystwyth, National Libr. 643.
— Birmingham, Free Libraries Committee. 647.
— Boston, Publ. Library. 926.
— Brooklyn, Pratt Institute Free Library. 928.
— Cambridge, University Libr. 649.
— Chicago, John Crear Library. 935.
— Newberry Library. 936.
— Cincinnati, Public Library. 937.
— Evanston. Northwestern Univ. Library. 938.
— Grand Rapids, Public Library. 940.
— Ithaca, Cornell University Library. 944.
— London, University College. 673.
— Milwaukee, Public Library. 945.
— Newark, Free Public Library. 946.
— New Haven, Yale University. 950.

10*

Druck von Ehrhardt Karras, Halle a. S.

Die Handschriften
des Klosters Weingarten

Von

Prof. Dr. Karl Löffler
Bibliothekar an der Landesbibliothek in Stuttgart

Unter Beihilfe von Oberbibliothekar Dr. Scherer-Fulda

XLI. Beiheft zum Zentralblatt für Bibliothekswesen

Leipzig
Otto Harrassowitz
1912

Vorwort.

Eine Handschriftensammlung, welche Kleinode wie die älteste der drei weltberühmten Minnesängerhandschriften und das Psalterium des Landgrafen Hermann von Thüringen barg und auch sonst nach Inhalt und Schrift noch mancherlei Merkwürdigkeiten enthielt, und welche durch die Ungunst des Schicksals in aller Herren Länder zerstreut wurde, war wohl einige Mühe wert, die auf ihre Wiederherstellung verwendet wurde, und konnte diese Wiederherstellung auch nur im Bilde versucht werden.

Günstige Zufälle förderten den Plan einer solchen Wiederherstellung. Zunächst fand sich ein genauer alphabetischer Katalog der Sammlung, den nicht lange vor ihrer Zerstreuung ein Weingartner Bibliothekar, P. Bommer, angelegt hatte; eine Wiedervereinigung der darin getrennt aufgeführten Stücke der einzelnen Handschriften war schon eine Verwirklichung jenes Gedankens. Weiterhin stellte sich heraus, daß die Bibliothek, in der sich der Katalog gefunden hatte, die Stuttgarter Landesbibliothek, nicht, wie seither angenommen wurde, nur 37, sondern über 500 Handschriften aus jener Sammlung beherbergte. Daraus ergab sich von selbst die Erweiterung des Planes dahin, das ursprünglich gedachte Bild durch die Feststellung von den heutigen Heimstätten und den heutigen Bezeichnungen der Weingartner Handschriften zu ergänzen.

Da lag es nun nahe, nachdem doch, wenn irgend möglich, auf die einzelnen Handschriften selbst zurückgegangen werden sollte, statt einer Zusammenstellung mit Inhaltsangabe eine eigentliche Beschreibung ins Auge zu fassen. Aber es wurde trotzdem von einer solchen Weiterung Abstand genommen. So viele von den Weingartner Handschriften sich schließlich zusammenfinden ließen, es blieb immer noch eine größere Anzahl von solchen übrig, die in jenem Katalog aufgeführt werden, aber seither verschollen sind; sie hätten nicht beschrieben werden können. Und andererseits: wenn die Handschriftenbestände der Bibliotheken, in denen sich die Weingartner befinden, einmal alle beschrieben sein werden — was ja doch wohl zu hoffen sein dürfte —, dann werden auch die darin enthaltenen Weingartner Handschriften diese genauere Bearbeitung gefunden haben. Einstweilen würde sonst dieser verschwundenen Handschriftenbibliothek eine Behandlung zuteil, deren sich die meisten bestehenden noch nicht erfreuen durften.

Es wurde also von Angabe der genauen Maße, des Unterschieds der cod. chart. und perg., der Blattzahlen, Lagen, Initia und dergl. abgesehen, und nur der Inhalt der Handschriften wiedergegeben, wie er in den heutigen Katalogen, in Bommers Katalog oder in den vorn eingeklebten Inhaltsverzeichnissen festgestellt ist, wobei eine eingehende wissenschaftliche Prüfung dieser Angaben nicht beabsichtigt war und nur offenkundige Irrtümer richtiggestellt wurden. Außerdem wurde Alter — Angaben, welche mit Nachsicht aufgenommen werden mögen —, heutige Heimat und Signatur angegeben und daneben besonders alles, was Entstehung und Geschichte der einzelnen Handschrift betrifft. Auf diese Seite der Arbeit wurde das Hauptaugenmerk gerichtet: es sollte eine bibliotheksgeschichtliche Studie sein, welche zugleich die Weingartner Handschriftenbibliothek wenigstens in dieser Aufzeichnung wieder so erstehen lassen wollte, wie sie einst in den Bücherschränken der alten Reichsabtei gestanden haben mochte.

Zur Einführung ist ein Überblick über die Geschichte der Sammlung gegeben, außerdem eine kurze Würdigung des Inhalts der einzelnen Fächer, die natürlich keine weiteren fachwissenschaftlichen Ansprüche erhebt, eine Skizzierung des Gehalts an Miniaturen und Initialen, und endlich noch ein paar Worte über die Einbände.

Die dem Hauptteil, der Zusammenstellung der Handschriften selbst, folgende Verzeichnung nach heutigen Standorten soll praktischen Zwecken dienen.

Als Mitarbeiter hat sich der Oberbibliothekar der Landesbibliothek in Fulda, Dr. Scherer, dankenswerte Verdienste um das Ganze erworben, indem er für die große Zahl der dortigen Weingartner Handschriften Beschreibungen ausarbeitete, die der Zusammenstellung zu Grunde gelegt wurden. Für die Handschriften in der Hofbibliothek von Darmstadt hat Direktor Dr. Schmidt Beschreibungen und Studien in selbstloser Weise zur Verfügung gestellt. Für diese gütige Unterstützung sei auch an dieser Stelle verbindlichster Dank gesagt.

Stuttgart, im November 1912.

Karl Löffler.

Inhaltsverzeichnis.

Berichtigung.

Bei H 49 ist zu tilgen: elegia ad Bartholomaeum episcopum Turonensem; Horatii de arte poetica (in der 2. Aufführung) und: constitutio Sigismundi ducis Austriae de convocatione concilii.

Benützte Quellen.

Ausgangspunkt bildete die Handschrift der Stuttgarter Landesbibliothek:

H. B. XV, 102, Catalogus codicum manuscriptorum in Bibliotheca Weingartensi exsistentium. 1781. (von P. Bommer.)

Weiterhin wurde hauptsächlich benützt:

Gerhard Hess, Prodromus monumentorum Guelficorum seu catalogus abbatum imperialis monasterii Weingartensis. Augustae Vindelicorum 1781. (In dem Ergänzungswerk dazu, Monumentorum Guelficorum pars historica, 1784, hat Hess eine Reihe von Stücken aus Weingartner Handschriften abgedruckt.)

Pirmin Lindner, Fünf Profeßbücher süddeutscher Benediktiner-Abteien, II. Weingarten. Kempten und München 1909. Hier ist auch (S. 4) die Literatur über die Weingartner Bibliothek angegeben, wozu noch die Zusammenstellung in den Beiträgen zur Handschriftenkunde von Wilhelm Weinberger (Sitzungsberichte der Akademie der Wissenschaften in Wien, phil.-hist. Klasse, 159, 6 und 161, 4) nachzutragen wäre.

Sonst benützte Literatur für einzelnes ist je an Ort und Stelle angegeben.

A. Allgemeiner Teil.

I. Zur Geschichte der Handschriftensammlung.

Wie entstand die Weingartner Bibliothek? Und wie verschwand sie wieder? Eine wertvolle Antwort auf die erste Frage ist verloren gegangen, und die zweite in einem amtlichen Berichte zu beantworten, hielt man seinerzeit nicht für nötig. Von den Orten, wo heute Stücke der Weingartner Sammlung sich finden, zurückgehend, kann man wohl die Wege verfolgen, welche seit der Aufhebung der Abtei ihre Bücher gegangen sind; aber eine Urkunde, ein amtliches Aktenstück über die Bestimmung der Bibliothek wurde offenbar damals von den neuen Herren des Klosters nicht aufgenommen. Wenigstens hat sich in den in Betracht kommenden Archiven von Stuttgart, Ludwigsburg, Haag, Marburg und Wiesbaden nichts dergleichen gefunden. Schmerzlicher ist der Verlust der Antwort auf unsere erste Frage; sie lag in dem Bericht des Mannes, dessen Arbeiten über die Weingartner Bibliothek es überhaupt nur ermöglichen, dafs wir uns heute noch ein genaues Bild von den wichtigsten Teilen dieser Sammlung machen können, des P. Johannes Albert Bommer, gestorben 1785 als Bibliothekar seines Klosters. Er hinterliefs aufser einem Handschriften- und einem Inkunabelkatalog seiner Bibliothek auch [1] eine „Abhandlung von dem Ursprung und Wachstum der Weingartischen Bibliothek vom Anfang der Stiftung vom 8. Jahrhundert an bis aufs dreifsigste Jahr dieses [18.] Jahrhunderts" nebst einem „Verzeichnisse der Bibliothekare und ihrer Schriften". Die beiden Kataloge Bommers, die lange Zeit auch für verschollen [2] galten, sind neuerdings aufgefunden [3] worden; dagegen scheint seine Bibliotheksgeschichte endgültig als verloren angesehen werden zu müssen. Jedenfalls ist da, wo die Kataloge verborgen waren, von ihr keinerlei Spur zu finden gewesen, und auch an den andern in Betracht kommenden Orten war alles Suchen umsonst. Bei der jahrelangen eingehenden Beschäftigung Bommers mit der ihm anvertrauten Bibliothek, bei seinen hervorragenden fachmännischen

---

1) Nach der auf Schelhorns Biographie zurückgehenden Angabe von Zapf in der neuen Ausgabe seiner Literarischen Reisen, Bändchen 1, Augsburg 1796, S. 141 f.
2) Vgl. Lindner, Die Schriftsteller der Abtei Weingarten, in Studien und Mittheilungen aus dem Benediktiner-Orden, Jahrg. 3, 1882, Bd. 2, S. 275.
3) = Stuttgart, HB. XV. Wirt. 102 und cod. histor fol. 792. Vgl. Zentralblatt für Bibliothekswesen, 1910, S. 141 ff.

Fähigkeiten und Kenntnissen und vor allem auch im Hinblick auf reiches Urkundenmaterial, das ihm noch zur Verfügung stand, seither aber wohl zum grofsen Teil verschwunden sein wird, hätte uns sicherlich seine Darstellung ganz besonders wertvolle Aufschlüsse über Werden und Wachsen der Weingartner Bibliothek geboten.

So ist der Versuch, einen Ueberblick über die Geschichte dieser Handschriftensammlung zu geben, auf die in der Literatur über Weingarten versteckten Mitteilungen angewiesen, oder auf Angaben und Andeutungen, welche die Handschriften selbst enthalten und welche meist auch die Grundlage dieser Mitteilungen sind. Die vornehmlichste Quelle ersterer Art bietet der Geschichtschreiber seines Klosters, P. Gerhard Hess, in seinem auf Weingartner Aufzeichnungen beruhenden Werk Prodromus monumentorum Guelficorum seu catalogus abbatum imperialis monasterii Weingartensis ..., Augustae Vindelicorum 1781. Die hauptsächlichste Ergänzung dazu, aus Rotelnsammlungen und Personalnotizen, gibt der Salzburger Benediktiner P. Pirmin Lindner in seinem Profefsbuch von Weingarten (= fünf Profefsbücher süddeutscher Benediktiner-Abteien, II., Weingarten. 1909).

Die Geschichte des Klosters Weingarten geht nicht über die Mitte des 11. Jahrhunderts zurück: im Jahre 1053 räumte Welf III. seine Burg auf dem Martinsberg einer Benediktinerniederlassung von Altdorf bei Ravensburg als Kloster ein, das dann den Namen Weingarten erhielt. Die Benediktiner waren obdachlos geworden, da ihr Altdorfer Kloster am Fufs des Martinsberges, das sie nur einige Jahre innegehabt hatten, abgebrannt war. Dieses Kloster selbst, vorher ein Nonnenkloster, war ihnen auch von den Welfen angwiesen worden, die sie hierher von Altomünster in Bayern versetzt hatten, worauf Altomünster den Altdorfer Nonnen übergeben worden war. Und nach Altomünster waren die Benediktiner ums Jahr 1000 vom Kloster im Scherenwalde bei Unterammergau gekommen, welch letzteres Kloster ebenfalls wieder auf die Welfen zurückgehen soll. [1])

Dafs die Weingartner Bibliothek Handschriften enthielte, die auf diese früheren Sitze, vor allem etwa Altomünster, zurückgingen, ist nicht nachzuweisen; die Manuskripte selbst bieten keinerlei Anhaltspunkte dafür. Allerdings enthält die Sammlung sehr viele Stücke, deren Alter weit über das Gründungsjahr von Weingarten zurückgeht. Aber der gröfste Teil davon sind spätere Erwerbungen, besonders durch den Ankauf der Bibliothek des Konstanzer Domkapitels, und viele sind Schenkungen von Gönnern, unter denen die mächtige und reiche Gründerfamilie obenan steht.

Es ist eine eigenartige Fügung, dafs die älteste urkundliche Erwähnung von Weingartner Handschriften sich auch auf das Geschlecht bezieht, welchem das Kloster selbst seine Entstehung verdankt. In der aus Weingarten stammenden Fuldaer Handschrift Aa 21, die für die Klostergeschichte wichtige Einträge enthält, ist eine Ur-

---

1) Vgl. Lindner, a. a. O., S. V.

kunde [1]) über eine grofse Schenkung an das Kloster von Herzog Welf IV. und seiner Gemahlin Judith aus Flandern, die in erster Ehe in England verheiratet gewesen war. Da sind unter anderen Schätzen aufgeführt: tria plenaria cum uno textu ewangelii. Der Historiker Gercken, der um 1780 Weingarten besuchte, erwähnt [2]) unter den Klosterschätzen einen codex evangeliorum und ein plenarium mit wertvollen Deckeln aus dieser Schenkung. Nach Angaben des Stuttgarter Katalogs der früheren Hofhandschriften sah man die zwei Weingartner Handschriften II, 40 und II, 42 — welch letztere übrigens aus der Hofbibliotkek in den zwanziger Jahren des 19. Jahrhunderts abgegeben wurde und seither verschwunden ist — als zwei von diesen Welfenhandschriften an. Aber II, 40 trägt noch heute die alte Weingartner Signatur A 21, war also in Weingarten in die Bibliothek eingereiht, während Gerckens Angabe beweist, dafs die Welfenhandschriften mit den Klosterschätzen aufbewahrt wurden, was auch durch Hess bestätigt wird. [3]) Die Annahme des Stuttgarter Katalogs kann also nicht aufrecht erhalten werden. Nun haben Haseloffs kunstgeschichtliche Studien über die Weingartner Manuskripte [4]) Licht in die Frage der Judithhandschriften gebracht. Haseloff entdeckte zwei der verschollenen Stücke in zwei Prachthandschriften der Bibliothek des Lord Leicester in Holkham Hall und die dritte in der Fuldaer Handschrift Aa 21 selbst. Er stellte die zwei ersten als Erzeugnisse angelsächsischer Malerei und die dritte als eines der Hauptwerke einer niederländischen Schule fest und brachte so diesen Teil der Welfenschenkung in engere Beziehung zu Judith. Die besondere Bedeutung dieser Handschriften für die Weingartner Bibliothek sieht der Kunsthistoriker darin, dafs sie später als Vorlagen von Einflufs auf die Weingartner Malerschule gewesen sind. Ihre Prachteinbände bekamen diese Judithhandschriften aber wohl erst im Kloster selbst (vgl. Abschnitt über die Einbände).

Solcher Schenkungen, auch aus der ersten Zeit des Klosters, werden wohl noch manche anzunehmen sein, und die eine oder andere davon wird auch auf die Welfen zurückgehen. Sind doch unter den besonderen Gaben an die Kirche, mit denen im Mittelalter der Fromme fürs Heil seiner Seele zu sorgen gedachte, Evangelienbücher, Missale u. dgl. häufig anzutreffen; und an Ergebenheitsbeweisen der Kirche gegenüber taten es die Welfen den andern gern zuvor. Jedenfalls sind unter den im Jahre 1628 inventarisierten Handschriften, welche, besonders in der Gruppe mit einem Eintrag wie liber sancti martini in wingarten, die ältesten Bestände der Weingartner Bibliothek darstellen, mehrere, die weit älter sind als das Kloster, und deren Schriftheimat fernab von Weingarten liegt. Doch verraten die Handschriften

---

1) Abgedruckt in Hefs, Monumentorum Guelficorum pars historica, p. 153 seq. und im Wirtemberg. Urkundenbuch, 1, S. 300 ff.
2) Gercken, Reisen durch Schwaben, Baiern... 1779—1782..., I, 1783, S. 119.
3) Hefs, a. a. O., S. 65, Anm. 1.
4) Deutsche Literaturzeitung, Jahrg. 26, 1905, S. 1998 ff.

selbst nichts weiter von solchen Schenkungen, und in den Weingartner
Berichten ist sonst nichts davon gesagt. Manche von diesen alten
Handschriften werden wohl. auch aus benachbarten älteren Klöstern
stammen, wie z. B. A 17 aus St. Gallen, worauf ein Eintrag über einen
St. Galler Abt hinweisen dürfte.

Bei den andern Stücken, die ihrem Alter nach wohl im Kloster
geschrieben sein könnten, ist ein solcher Ursprung, ohne Anhaltspunkte aus den Handschriften, meist schwer nachzuweisen, denn die
Mitteilungen über die Bibliothek sind in der Weingartner Geschichte
ziemlich spärlich. Die erste Erwähnung führt in die Zeit des fünften
Abtes, Kunos von Waldburg (Abt 1109—1132), von dem berichtet
wird,[1] dafs er eigenhändig den Johanneskommentar von Augustinus
niedergeschrieben habe; Hess fügt nachträglich hinzu,[2] dafs die
Handschrift zu seiner Zeit noch in der Klosterbibliothek aufbewahrt
wurde. Es ist wohl B 28. Unter den Männern des Klosters, die
sich zur Zeit des Abtes Kuno auszeichneten, wird auch ein Uodalricus
custos erwähnt als Schreiber von liturgischen Büchern.[3] Welche
Handschriften auf ihn zurückgehen, wird sich schwerlich mehr feststellen lassen.

Etwa ein halbes Jahrhundert später entstand die Geschichtsurkunde,
mit welcher Weingarten einen Teil seiner Dankesschuld dem Welfen-
geschlecht zurückbezahlte. Es war schon zur Zeit des Niedergangs
dieses Hauses, ums Jahr 1170, als im Kloster das für die Welfengeschichte hochbedeutsame chronicon de Guelfis mit seiner Fortsetzung
durch die Annales Weingartenses Guelfici verfafst wurde. Die erste
Niederschrift ist verloren gegangen; doch ist eine Abschrift in der
nicht viel später geschriebenen Handschrift G 12, die auch für die
Klostergeschichte selbst wichtige Teile enthält, erhalten geblieben.
Als Verfasser sieht Hefs[4] den späteren elften Abt, Wernher, (1181—
1188) an, und die seitherige Geschichtsforschung läfst auch heute
noch die Annahme von Hess als möglich zu. Eine Andeutung in den
Weingartner Aufzeichnungen findet Hefs in der Erwähnung des
Wernherus prepositus unter den Männern des Klosters, die sich unter
dem neunten Abt, Dietmar (1160—1168), auszeichneten; dieser Wernher,
dessen umfassende Kenntnisse gerühmt werden, habe das Kloster-
archiv zu verwalten gehabt. Die Anhänglichkeit an die Welfen lebte
natürlich in Weingarten dauernd fort; wurde doch noch nach Jahrhunderten das chronicon de Guelfis dort wieder abgeschrieben und
ins Deutsche übertragen. Auch ein benachbartes, den Welfen ver-
wandtes Adelsgeschlecht, die Grafen von Buchhorn, fanden ihr An-
denken bewahrt durch Aufzeichnungen, etwa gleichaltrig mit dem

1) Hefs, a. a. O., S. 35.
2) Hefs, a. a. O., S. 49.
3) Hefs, a. a. O., S. 35.
4) Hefs, Monumentorum Guelficorum pars historica, praefatio; und zugleich Prodomus ... p. 58.

chronicon, einer Handschrift, die auch durch Weingarten auf uns gekommen ist, im necrologium Hofense von F 17*. Hofen selbst (heute
Schloſs Friedrichshafen) war vom 15. Jahrhundert ab eine Propstei
von Weingarten, nachdem es schon vorher in Beziehungen zur Abtei
gestanden hatte.

Ueberhaupt scheint um diese Zeit, in den letzten Jahrzehnten des
12. Jahrhunderts, in welchem viele Bibelkommentare neben homi-
letischen und liturgischen Handschriften im Kloster geschrieben wurden,
ein besonders reges Leben in der Schreibschule [1]) geherrscht zu haben,
und um die Wende des Jahrhunderts hat die Weingartner Schreib-
und Malschule schon ihren Höhepunkt erreicht. Schon für Abt
Wernhers Zeit enthielten ja die Weingartner Aufzeichnungen selbst
manche Andeutung, und für seinen Nachfolger Meingoz, den zwölften
Abt (1188—1200), liegen nun ganz bestimmte Berichte vor. Da
spielt als Schreiber von Handschriften besonders ein Counradus eine
Rolle. Von ihm seien mit Unterstützung des Abtes Meingoz niedergeschrieben worden duae partes Josephi, vita maior sancti Gregorii,
registrum eiusdem et pastoralis cura. Heſs gibt ausdrücklich an, daſs
diese Handschriften zu seiner Zeit sich noch in der Klosterbibliothek
befunden hätten; [2]) er nimmt an, [3]) daſs die Josephushandschrift von
Conrad schon unter Wernher begonnen und unter und von Meingoz
zu Ende geführt wurde, sowie daſs die Schriften Gregors, ebenfalls
von Conrad begonnen und zum gröſsten Teil geschrieben, gleichfalls
von Meingoz abgeschlossen worden seien. Für seine erstere Annahme
beruft er sich auf die bildliche Darstellung am Anfang des Josephus,
worauf ein Wernherus zu sehen ist. Gemeint sind die beiden Handschriften D i und G i, die somit die ersten urkundlich festgelegten
Erzeugnisse der Weingartner Buchmalerei enthalten. Ein anderes,
schon viel kunstvolleres Werk der Schule des Klosters (Schatzhandschrift 5) verewigt in seinem Schöpfer Hainricus Sacrista einen ersten
Weingartner Künstlernamen, dessen Persönlichkeit sich aber nicht
ganz sicher feststellen läſst.

Ihre Blütezeit erlebte diese Schule unter dem folgenden Abte,
Berthold (1200—1232), der auch auf andern Gebieten der Kunst
seinem Kloster wertvolle Werke verschaffte (vgl. das von Heſs, S. 73,
erwähnte silberne Brustbild des Martinus). Seiner Veranlassung verdankt eine ganze Reihe von Handschriften, deren Liste in Weingartner
Manuskripten erhalten ist, [4]) ihre Entstehung. In der folgenden nach
Hess wiedergegebenen Liste sind, soweit sie festgestellt werden konnten,
die späteren Signaturen beigefügt:

---

1) Es sei noch ausdrücklich darauf hingewiesen, daſs in diesem Ueberblick natürlich nicht alle im Kloster geschriebenen Handschriften aufgeführt
sein sollen, sondern nur die für Weingartner Ursprung urkundlich bezeugten.
2) Heſs, a. a. O., S. 36.
3) Heſs, a. a. O., S. 58 f.
4) Heſs, a. a. O., S. 64 f., auch abgedruckt im Wirtenberg. Urkundenbuch,
3, S. 488 f. Die Quelle ist die Handschrift Anh. I₁, 1.

Liber expositionum S. Bernhardi clare-vallensis Abbatis in Cantica canticorum qui sic incipit: Nobis fratres alia ... = D 9.

Item alius eiusdem Bernhardi in-cantica Canticorum, qui sic incipit: fulcite me floribus, stipate me malis ... = D 11.

Liber eiusdem Bernardi de diligendo Deo, qui sic incipit: Viro illustri ... Hierzu schon bei Hefs die bedauerliche Anmerkung: deest.

Item Liber sermonum eiusdem Bernhardi, qui sic incipit: Exultate fratres ... Wohl = D 16.

Item speculum S. Marie quod sic incipit: Andreas natione Italus ... Wieder mufs Hefs bemerken: deest.

Item scolasticam hystoriam pro quinque talentis redemit. Wohl = B 46.

Preterea duo libri matutinales, in uno quorum XII minores prophete, in altero passiones et legende sanctorum continentur.

Item missalis Liber vestitus auro et argento et is qui pre manibus est, et hanc continet scripturam. Dazu bemerkt Hefs: Prior in sacrario cum antiquioribus a Juditha Guelfi IV. uxore oblatis etiamnum servatur. Alter Liber Lytaniarum est, quo et variae Benedictiones, ritus, ordo ad faciendum Judicium per aquam frigidam, ferrum caudens etc. continentur.

Die erstere Handschrift ist das Berthold-Missale in der Bibliothek des Lord Leicester in Holkham Hall, Nr 37. Die zweite, als Quelle des catalogus abbatum von Hefs und zugleich auch dieser Liste hochwichtig, ist erst neulich wieder aufgefunden worden in Anh. I_1, 1.[1])

Item Libellus evangeliorum qui capitulo sororum deputatus est: = F 45.

Item Liber Richardi de patriarchis qui sic incipit: Benjamin Adolescentulus: = D 71.

Item Libellus questionum veteris et novi testamenti; dazu nochmals die leidige Anmerkung von Hefs: deest.

Diese 13 Handschriften werden bezeichnet als libri quos Bertholdus de novo conscribi fecit. Vielleicht ist mit der Wendung de novo hingewiesen auf die Verluste durch den grofsen Brand vom Jahre 1215, der Kloster und Kirche zerstörte und durch den auch, wie ausdrücklich berichtet wird, liturgische Bücher zu Grunde gingen. Doch wurde jedenfalls von der Bibliothek vieles gerettet, und überhaupt scheint sich das Kloster von dem schweren Schlage schnell erholt zu haben. Denn nicht blofs in der Schreibschule wurde fleifsig gearbeitet, sondern auch die Kunst, die Handschriften mit Malereien zu schmücken, hinterliefs aus der Zeit Abt Bertholds ihre schönsten Erzeugnisse. Als bedeutendste Leistung der Weingartner Buchkunst bezeichnet Haseloff[2])

---

1) Die von Léon Dorez (s. u.) angedeutete Möglichkeit, sie mit dem Missale in Wien zu identifizieren, ist schon aus dem Grunde abzulehnen, als dieses den catalogus abbatum nicht enthält.

2) Deutsche Literaturzeitung, Jahrg. 26, 1905, S. 1999 f.

die auf Goldgrund gemalten Bilder des Berthold-Missales (Schatz-handschrift 3) in der Bibliothek Lord Leicesters in Holkham Hall in Norfolk, seither von Léon Dorez genauer beschrieben.[1]) Auf den Künstler dieses Missales führt Haseloff auch die Bilder von A 34 zurück. Eine dritte durch Bilderschmuck ausgezeichnete Handschrift, die mit Abt Berthold in Verbindung steht und zugleich einen andern Namen aus dem Kloster, Udalricus, verewigt, ist das jetzt in Wien aufbewahrte Missale. (Schatzhandschrift 5). Sie bietet uns zugleich mit dem Berthold-Missale Beispiele künstlerisch gearbeiteter Einbände.

Nach Bertholds Zeit fliefsen die Nachrichten über die Bibliothek wieder spärlicher, mehr in Form von kleinen zerstreuten Notizen. Etwa in die Mitte des 13. Jahrhunderts führt die Erwähnung eines Fridericus camerarius qui ... hunc librum, breviarium, officiale et librum benedictionalem de novo scribi fecit.[2]) Die erstgenannte Handschrift ist G 12, worein ca. 1240 Nachträge eingefügt wurden; welche weiteren Handschriften sonst gemeint sind, läfst sich nicht mehr feststellen.

Erst ein Jahrhundert nach Abt Berthold, werden wieder von einem Abt, dem 18., Konrad von Ibach (1315—1336), regere Beziehungen zur Bibliothek erwähnt; Konrad habe eine Reihe von Büchern mit beträchtlichen Kosten schreiben lassen.[3]) Hefs stellt dafür folgende Liste zusammen: 1. Biblia latina integra = A 5. 2. De Questionibus casualibus L. IV. Joannis ordinis predicatorum magistri = E 22. 3. Compendium Veritatis Theologice Fr. Johannis de Combis = E 27. 4. Epistole et Evangelia per annum = F 10. 5. Missale de tempore et sanctis = F 11. 6. Missale de tempore = F 29*. 7. Ordo monasticus Mnrii Weing. = F 16. Auch diese Handschriften haben zum Teil wieder Miniaturen, doch sind sie nach Haseloffs Urteil als künstlerische Leistungen ganz unbedeutend und nicht zu vergleichen mit den Schöpfungen aus Bertholds Zeit.

Aus der Zeit des nächsten Abtes, Conrads III. (1336—1346?), stammen die beiden Handschriften H 24 und I 10.[4]) Wieder fast 100 Jahre später, unter dem 23. Abt, Johannes Blarer (1418—1437), schreibt im Jahre 1433 P. Conrad Ebersperg die imitatio Christi I 59; eine andere Handschrift, H 12, wird vom Abte einem Conrad Lullin in Sulgen überlassen.[5]) Unter Blarer, der eine rege Bautätigkeit entwickelte, erstand auch ein neuer Raum für die Bibliothek; in dem Berichte, in welchem der Abt Rechenschaft ab-legt über die Verwendung der Klostergelder, sagt er: Item ich han die Liberi gemachet summam nescio.[6])

---

1) Léon Dorez, Les manuscrits à peintures de la Bibliothèque de Lord Leicester à Holkham Hall, Paris 1908.
2) Monumenta Germaniae historica. Necrologia I, p. 226.
3) Hefs, a. a. O., S. 94 u. 96 f.
4) Hefs, a. a. O., S. 139.
5) Hefs, a. a. O., S. 159.
6) Hefs, a. a. O., S. 161.

Auf Blarers Nachfolger, Eberhard Fridang (1437—1455), werden die zwei Handschriften summa Thomae. E 1 und das catholicon von Januensis (s. H 1 Anm.) zurückgeführt.[1]

Unter dem folgenden Abt, Jodoens Bentelin (1455—1477) wurde F 20 von Jodocus Dietenhainer, praepositus in Hofen, und von einem Jodocus de Lindow, möglicherweise dem Gleichen wie der Ebengenannte, ein Psalterium cum hymnis de tempore et sanctis geschrieben,[2] das sich nicht mehr feststellen läfst.

Im letzten Jahre dieses Abtes wurde das Kloster wieder durch einen grofsen Brand heimgesucht, in dem möglicherweise auch wieder Teile der Bibliothek zugrunde gingen, wenngleich in den Berichten nichts davon gesagt ist,

Aus der Zeit des 26. Abtes, Caspar Schiegs (1477—1491), wird die Handschrift F 1 erwähnt.[3] Der von diesem Abte. eingeführten St. Sebastiansbruderschaft resp. dem Kloster selbst schenkt unter seinem Nachfolger, Hartmann (1491—1520), ein P. Georg Vetter die Handschriften F 36 und 46.[4]

Neben dem Schreiben von neuen Handschriften erstreckte sich die Tätigkeit in der Bibliothek natürlich auch andauernd auf nachträgliche Aufzeichnungen, meist chronikalischer Art, in die alten Handschriften, wie dies z. B. F 4 beweist mit Einträgen aus .der Zeit von Abt Hartmann.

Der in der Reformationszeit viel genannte Abt Gerwik Blarer (1520—1567) ist durch seine ausgedehnte politische Tätigkeit so in Anspruch genommen, dafs er dem Geistesleben seines Klosters im engeren weniger Aufmerksamkeit schenken kann; jedenfalls wird nichts von ihm im Zusammenhang mit der Bibliothek erwähnt. Immerhin beweist uns ein Eintrag wenigstens in Einer Handschrift, K 18, dafs sie Eigentum des Abtes war. Eine Reihe von Büchern wurde in dieser Zeit von P. Georg Bez dem Kloster vermacht.[5]

Der schwerste Schlag, der die Weingartner Sammlung traf, war der grofse Brand im Jahre 1578, der die neugebaute Prälatur vernichtete. Durch einen unglücklichen Zufall war kurz vorher die Bibliothek, deren grofser Reichtum an alten Handschriften in den Berichten über den Brand ausdrücklich hervorgehoben wird, aus ihrem früheren Raum in die Prälatur gebracht worden, so dafs bei dem Brand der gröfste Teil der alten Schätze verloren ging; nur weniges soll dadurch gerettet worden sein, dafs die Gewalt der Flammen selbst es weit hinaus aus dem brennenden Gebäude schleuderte.[6]

Wenn auch wohl etwas mehr gerettet wurde als nach diesem Bericht anzunehmen wäre — sind doch von den älteren in Weingartner

1) Hefs, a. a. O., S. 174.
2) Hefs, a. a. O., S. 183.
3) Hefs, a. a. O., S. 202.
4) Hefs, a. a. O., S. 219.
5) Lindner, a. a. O., S. 26.
6) Bucelinus, Constantia Rhenana, Francofurti 1667, p. 359.

Berichten erwähnten Handschriften die meisten erhalten —, so war es nach diesem Verlust doch doppelt notwendig, daſs das Kloster seiner Bibliothek besondere Aufmerksamkeit zuwandte und mit den vorhandenen Mitteln möglichst viel zu erreichen suchte; und es war ein Glück für die Bibliotheh, daſs der gröſste Organisator, den Weingarten besessen, Abt Georg Wegelin (1586—1627), ihr hervorragendes Interesse schenkte. Um Stetigkeit in die Erwerbungen zu bringen und der Bibliothek eine planmäſsige und wohlüberlegte Vergröſserung zu sichern, bestimmte Wegelin seit 1601 für diese Zwecke zusammen mit den Ausgaben für Ausbildung der Weingartner Studenten in Dillingen eine jährliche, gleichbleibende Summe,[1]) von der wir aus späteren Aufzeichnungen (s. unten) wissen, daſs sie 1000 fl. betrug; für die Bibliothek scheint von dieser Summe etwa $1/4$ verwendet worden zu sein. Der Bibliothekar P. Johannes Rieber hatte jährlich einen bestimmten Vorschlag für Neuerwerbungen zu machen, und nach diesem Plan wurden dann im Rahmen der zur Verfügung stehenden Mittel auf den Büchermärkten von Leipzig, Frankfurt, Salzburg und andern Orten die Anschaffungen vorgenommen.[2]) Uebrigens war die Festlegung der jährlichen Ausgaben für die Bibliothek offenbar nicht so gemeint, daſs nicht in besonderen Fällen gestattet sein sollte, darüber hinauszugehen. Als nach dem Tode des kaiserlichen Rates, Johannes Pistorius, Ritters von und zu Reichenweiler, dessen schöne Bibliothek erworben werden konnte, legte Wegelin dafür allein 5000 fl. an und gewann dadurch diese besonders auch an seltenen Handschriften reiche Bibliothek für sein Kloster.[3]) Merkmale der früheren Zugehörigkeit zu dieser Pistoriusbibliothek haben sich in den Handschriften nicht gefunden und so wird sich nicht mehr feststellen lassen, welche Stücke aus ihr stammen.

Auch am schriftstellerischen Leben des Klosters selbst beteiligte sich Wegelin durch die auf ihn zurückgehenden Abtsbücher (Archivhandschrift 3), die allerdings nicht in die Weingartner Bibliothek, sondern ins dortige Archiv eingereiht wurden. Dagegen wird wohl aus der Bibliothek K 96 von ihm selbst stammen, aus seiner Dillinger Studienzeit. Hat so dieser Abt sich jedenfalls hervorragende Verdienste um die Sammlung erworben, so hat seine Vorliebe für die Jesuiten allerdings dem Kloster auch wieder manches entzogen; z. B. hat er dem neuen Jesuiten-Kollegium in Konstanz auſser einem beträchtlichen Beitrag zu den Baukosten auch eine groſse Anzahl von Büchern gestiftet, was offenbar später, als freilich die Haltung Weingartens den Jesuiten gegenüber eine ganz andere war, nicht ungeteilten Beifall fand.[4]) In Wegelins Zeit fällt auch die Schenkung des wertvollsten Stückes, das Weingarten besaſs, der Liederhandschrift (K 107).

---

1) Heſs, a. a. O., S. 363 f.
2) Heſs, a. a. O., S. 364.
3) Heſs, a. a. O., S. 364 u. 420.
4) Heſs, a. a. O., S. 367.

Freilich konnte der Wert dieser Schenkung damals nicht erkannt werden. Ebenfalls aus Konstanz erhielt das Kloster einige Jahre später ·eine schöne Terenzhandschrift (K 49*).

Nach Wegelins erfreulichem Vorgang wurde auch von seinem Nachfolger, dem 32. Abte, Franz Dietrich (1627—1637), der Klosterbibliothek besondere Aufmerksamkeit gewidmet. Zunächst wurde gleich in der ersten Zeit der Amtsführung ·des neuen Abtes eine vollständige Aufnahme sämtlicher Bestände vorgenommen und überall ein Eigentumsvermerk des Klosters eingeschrieben in der Form des Eintrags: Monasterii Weingartensis 1628. Einträge, welche einzelne Handschriften als Weingartner Besitz kennzeichnen sollen, finden sich schon aus viel früheren Zeiten, hauptsächlich aus dem 14. Jahrhundert, meist in der Form von: liber sancti martini in wingarten. Und gerade der Umstand, daſs dieselben Handschriften fast alle wieder den Eintrag Monasterii Weingartensis 1628 erhielten, beweist den Charakter dieses Eintrags als einer Inventarisierungsnotiz.[1]) In ganz vereinzelten Ausnahmen· scheinen Handschriften auch schon früher inventarisiert worden zu sein, so tragen C 4 und C 6 Inventarisierungseinträge noch aus der Zeit Wegelins. Sonst sind in den Jahreszahlen, die meist auf dem ersten Blatt der Handschriften eingetragen sind, besonders von 1628 an — aber auch schon früher, vgl. A 15, 24 u. a. —, für gewöhnlich die Jahre zu sehen, in welchen eine Handschrift · der Weingartner Bibliothek einverleibt wurde. Natürlich ist es im einzelnen Fall nicht ausgeschlossen, daſs auch mit einer solchen Jahreszahl einmal das Inventarisierungsjahr gemeint ist; darauf könnte z. B. hinweisen, daſs bei D 4 aus der groſsen, gleich zu besprechenden Gruppe mit dem Eintrag 1630, am Schluſs die Bemerkung sich findet: extat hic liber in bibliotheca Weingarten anno 1630. Ebensowenig ist es ausgeschlossen, daſs auch von den Handschriften mit dem Eintrag 1628 die eine oder andere in diesem Jahr vom Kloster erst erworben wurde, wie auch verschiedene Stücke, z. B. F 13, H 30, 46, mit diesem Eintrag auch nach Konstanz, also zur Gruppe von 1630 weisen.

Die eben erwähnte Gruppe mit dem Eintrag 1630, unter welcher sich besonders viele alte Codices und sogar Bruchstücke von zwei Handschriften aus dem 5. und 6. Jahrhundert — „Weingartner Italafragmente" — befinden, hat der Paläographie und Handschriftenforschung schon mancherlei Rätsel aufgegeben. Von neuen Gesichtspunkten aus wies Traube wieder auf die Frage hin, wie die Bibliothek eines Klosters aus dem 11. Jahrhundert solch alte Stücke in so groſser Anzahl unter seinen Handschriften bergen konnte. Nun hat neuerdings Paul Lehmann dies Rätsel gelöst, indem er nachwies,[2]) daſs diese ·Handschriften nicht alter ·Weingartner Besitz waren, sondern aus der Bibliothek des Domkapitels von Konstanz stammten.

---

1) Vgl. auch Zentralblatt für Bibliothekswesen, Jahrg. 27, 1910, S. 439.
2) Sitzungsberichte der K. Bayerischen Akademie der Wissenschaften. Philos.-philol. und hist. Klasse, Jahrg. 1908, Abt. 4.

Und auch Konstanz verdanken wohl nicht alle ihre Entstehung, sondern die Spuren der ältesten könnten nach andern Kultursitzen der Bodenseegegend, Reichenau und St. Gallen, bezw. auch darüber hinaus nach Italien weisen.

Die Konstanzer Dombibliothek mußte im Winter 1628/29 ihren alten Platz räumen und sich nach einem neuen umsehen.[1]) Da sich schon seit langen Jahren kein Mensch mehr um sie gekümmert hatte, war sie nicht im besten Zustand; die Bücher waren „abgangen, verlegen und nit mehr zu brauchen". Und da man andererseits mehr Wert darauf legte, eine Zechstube frei zu bekommen, als Raum für die Bibliothek zu schaffen, beschloß ein hochwürdiges Domkapitel die unnötigen Bücher zu verkaufen, da sie ja „nicht mehr zu gebrauchen seien". Des Anstands halber wollte man einige auswählen, die etwas „Denkwürdiges" in sich hielten. Man fühlte freilich, ein solcher Verkauf würde gerade nicht als Ruhmestat des Domkapitels angesehen werden und wollte deshalb nicht den nächsten Besten als Käufer annehmen. „Wann aber ein Gotteshaus annähme und dagegen der Kirche andere Ergötzlichkeit täte, möchte es verantwortlich sein". Glücklicherweise hatte die benachbarte Abtei Weingarten eine andere Meinung vom Wert alter Bücher und machte ein Kaufangebot, das frohen Herzens angenommen wurde. Um 300 fl. erwarb so Weingarten im Juni 1630 die alte Konstanzer Dombibliothek! Nur etwa 20, „so ein nothurfft und wolstandt beim stüfft aufzuhalten", sollten in Konstanz bleiben. Diese größte Bereicherung, welche die Weingartner Sammlung überhaupt erlebte, ist auch in den Berichten über die Tätigkeit des Abtes Dietrich ausdrücklich erwähnt; Heß sagt darüber[2]): Tandem silere hic nec licet nee libet, quod Bibliothecam nostram hic Abbas insigniter dotavit. Ut de aliis, quos suorum usu comparavit, taceam, hoc unum dicam, sagacissimum virum usu mercatu supra nongentos libros coemisse, inter quos 339 erant MScta et quidem 150 in pergamena, alii chartacei: reliqui impressi. Eine Ergänzung dazu bieten Akten der Weingartner Finanzverwaltung aus jener Zeit, die im Staatsfilialarchiv Ludwigsburg aufbewahrt werden. Hier ist in dem Rechenschaftsbericht über die Verwendung der seit Wegelin festgesetzten Summe von 1000 fl. folgende Anmerkung beim Jahre 1630: NB: Anno 1630 in Junio a Capitulo Cathedrali Constantiensi pervetustam Bibliothecam nongentorum et septem librorum, qua manu, qua typis descriptorum trecentis florenis emptam esse, quam emptionem, utpote extraordinariam, sic separatim adnotandam opera duximus.

> Ms in Pergameno erant 159
> „ in carta 172
> Impressorum 577.

.1) Vgl. H. Baiers Mitteilung aus den Konstanzer Protokollen in der Zeitschrift für die Geschichte des Oberrheins, Bd. 63 [N. F. Bd 24], 1909, S. 182f.
2) a. a. O., S. 474.

In vecturas, et honoraria propterea expensi triginta septem floreni cum tribus baziis.

Atque adeo extraordinarie hoc anno in Bibliothecam expensi sunt trecenti triginta septem floreni cum tribus baziis. [1])

Erforderte diese Erwerbung einen, freilich im Vergleich zu ihrem Wert recht bescheidenen Aufwand, so war es andererseits der Weingartner Bibliothek auch beschieden, selbst in diesen Zeiten des 30-jährigen Krieges eine Vergröſserung zu erfahren, ohne daſs das Kloster hätte etwas dafür auszugeben gehabt. In Ausführung des Restitutionsedikts zog eine Weingartner Kolonie nach dem leer stehenden Benediktiner-Kloster Blaubeuren, übrigens nicht, ohne daſs über diese Frage Schwierigkeiten mit den Jesuiten entstanden wären. Man nahm auſser kirchlichen Geräten u. dgl. auch Bücher aus Weingarten mit, [2]) und so schien diese Entwicklung zunächst einen Verlust für die heimatliche Bibliothek zu bringen. Doch der Aufenthalt der Kolonie in Blaubeuren sollte nur von kürzerer Dauer sein; der Westfälische Friede zwang sie wieder zur Heimkehr. Und dabei nahmen die Weingartner offenbar Teile der alten wertvollen Blaubeurer Bibliothek mit nach Hause, soweit sie eben von den Jesuiten in Blaubeuren gelassen worden war. Viel war dies freilich nicht. Etwas über ein Dutzend Handschriften waren dabei, worunter wohl nur eine besonders wertvolle; es sind die folgenden: A 43, E 58 Anm., F 14, 57, 61, 70, 88, 89, G 5, H 64, I 18, 39, 52, 57, Anh. I 46. [3]) Ueber weitere Teile der Blaubeurer Bibliothek besaſs Weingarten noch einen im Jahre 1676 erneuerten Katalog, in dem sich aber auch Werke finden, die in den späteren Weingartner Katalogen fehlen. Jedenfalls ist auſser den Handschriften auch eine schöne Zahl von Drucken damals von Blaubeuren nach Weingarten gekommen. Es sei hier angefügt, daſs Weingarten uns auch von einem andern schwäbischen Kloster, dessen Bibliothek fast spurlos verschunden ist, dem alten Hirsau, einige wenige Bibliotheksreste [4]) gerettet hat, nämlich B 115, I 33, wahrscheinlich A 47, I 23, vielleicht auch, dem Inhalt nach zu schlieſsen, G 5 auf dem Wege über das Filialkloster Blaubeuren.

So durfte die Abtei Weingarten gerade in diesen unseligen Zeiten, da ringsum deutsche Lande darniederlagen und für Kunst und Wissenschaft kaum mehr etwas übrig war, das gröſste Wachstum ihrer Bibliothek erleben; eine beträchtliche Vermehrung, die gleich zu erwähnen sein wird, schlieſst sich ja zeitlich gleichfalls fast unmittelbar an. Freilich zog auch an Weingarten der 30jährige Krieg nicht unbemerkt vorüber. Er brachte auch dahin Not und Gefahr; muſsten

---

1) Leider ist das für den Verkauf von zwei Konstanzer Kaplanen angelegte Verzeichnis verloren; doch lassen sich von den 321 angekauften Handschriften in unserer Zusammenstellung gegen 250 wiederfinden.

2) Heſs, a. a. O., S. 467.

3) Vgl. Württembergische Vierteljahrshefte für Landesgeschichte. N. F. 20, 1911, S. 145 ff.

4) Ein paar weitere Handschriften wurden durch Zwiefalten gerettet.

doch eine Zeitlang die Mönche ihr Kloster ganz im Stiche lassen und sich nach Feldkirch flüchten. Und um die Bibliothek vor den Fährnissen dieses Krieges zu sichern, der ja mancher anderen Sammlung so verhängnisvoll geworden ist, wurden die Bücher in der Erde vergraben. Als im Jahre 1637 der Kriegssturm sich etwas gelegt zu haben schien, grub man die Bibliothek wieder aus, damit sie in ihrem Versteck nicht zugrunde ginge.

Unter Dietrichs Nachfolger, Dominicus Laymann, dem 33. Abte (1637—1673), dauerte zunächst die Not des 30jährigen Krieges, deren Ende man gekommen geglaubt hatte, noch weiter an; der Abt mußte ja in seiner eigenen Person die Wechselfälle der Kriegszeiten erfahren. Auch der Bibliothek drohte wieder neue Gefahr. Als Februar 1638 Prinz Weimar in die Gegend von Weingarten gekommen war, handelte es sich um die Wegschaffung der Bibliothek. Bei diesem Anlaß wurde eine genaue Zählung ihres Bestandes vorgenommen und dabei folgende Zahlen festgestellt[1]): In der Klasse der Spirituales 82 Handschriften, in derjenigen der Canonistae 25, außerdem noch 408, also 515 Handschriften bei einer Gesamtzahl von 10245 Bänden der Bibliothek, gezählt nach Buchbinderbänden. Dabei wird ausdrücklich erwähnt, daß eine große Anzahl von Werken schon weggeschafft war, und dies besonders auch von den Handschriften hervorgehoben. Außerdem war nicht gezählt, was sich gerade in den Händen der Benützer, besonders des Abtes befand, und endlich war ausgeschaltet die auch Weingarten gehörende Bibliothek in Feldkirch.

■. Die Gefahr vom Jahre 1638 scheint an der Bibliothek vorübergegangen zu sein, und weiterhin hören wir dann nichts mehr von ähnlichen Vorfällen des Krieges. Dafür durfte man bald nach seinem Abschluß im Kloster wieder eine schöne Bereicherung der Sammlungen erleben durch eine wertvolle Stiftung. Im Jahre 1654 kam nach Weingarten der Kaiserliche Rat Johann Ochsenbach, der Sohn des bekannten Tübinger Schloßhauptmanns Nicolaus Ochsenbach. Er hatte in seinem Leben große Reisen gemacht und viele hervorragende Zeitgenossen kennen gelernt. Gegen Ende seines Lebens war er von der evangelischen zur katholischen Konfession übergetreten und wollte nun in Weingarten seinen Lebensabend verbringen. Er starb im Kloster 1658, nachdem er all sein Hab und Gut der Abtei vermacht hatte.[2]) Das war eine große Sammlung[3]) von allen möglichen kostbaren und seltenen Dingen, zu welcher schon von seinem Vater der Grundstock gelegt worden war, und die er auf seinen Reisen rastlos vermehrt hatte. Darunter war auch eine wertvolle Bibliothek[4]) mit

---

1) Heß, a. a. O., S. 476.
2) Heß, a. a. O., S. 485.
3) Vgl. Zeitschrift für Bücherfreunde, Jahrg. 4, S. 69 ff.
4) Ein handschriftlicher Katalog über eine Auswahl aus dieser Bibliothek, verfaßt 1659 von P. Gregorius [wahrscheinlich P. Gregor Knauß, † 1662] wurde von Antiquar Rosenthal-München im 10. Band seiner bibliotheca catholico-theologica (Kat. Nr 60, S. 289) angeboten.

einer grofsen Anzahl von Handschriften; es gehörten dazu E 56; G 2,
32, 39, 40, 43 und 49.; I 28, 35, 56, 61; K 61, 62, 88, 91, 94, 95,
98, 102, 104; Anhang I 7, 9, 14, 17, 24, 35. Für die Württembergische Landesbibliothek, in die ja mit den Weingartner Beständen
diese Ochsenbach-Handschriften fast alle wieder kamen, hat diese
Sammlung noch besonders Interesse, weil sich in ihr zwei. Handschriften wiederfanden, welche Eberhard im Bart gewidmet waren, aus
seinem. Besitze sich aber verloren hatten. [1])

Das schriftstellerische Leben war in Weingarten selbst zu den
Zeiten des 30jährigen Krieges immer rege gewesen. Aus der Amts-
zeit des Abtes Dietrich und seines Nachfolgers wird eine Reihe von
Schriftstellern genannt, die handschriftliche Werke. hinterlassen haben.
Ihre Arbeiten scheinen aber der Bibliothek nicht einverleibt worden
zu sein, wenn auch von manchen ausdrücklich aus späterer Zeit be-
richtet wird, dafs sie immer noch aufbewahrt und benützt seien.
Jedenfalls sind sie in Bommers Katalog nicht enthalten, und auch
unter den Weingartner Handschriften selbst waren sie nicht zu finden.
An Namen wären hier nach Lindners Profefsbuch aus dieser Zeit zu
nennen: Hieronymus Rainoldt, Matthaeus Völker, Michael Faber von
Rosenbuch, Simon von Bodmann, Ambros von Plawen und Paulus
Rummel. [2]) Ungleich bedeutender und fruchtbarer als sie alle war
Gabriel Bucelin (in Weingarten 1616—1681). Aufser einer grofsen
Anzahl von gedruckten Werken aus den Gebieten der Genealogie und
Geschichte, besonders seines Ordens, hinterliefs er 22 grofse Bände
von. Manuskripten, die uns, jedenfalls auf dem Wege über Weingarten,
erhalten geblieben sind. Aber auch sie tragen nicht die Signatur
der Bibliothek; und ebensowenig führt Bommer in seinem Katalog
den Namen Bucelinus auf. Unmittelbare Verdienste um die Weingartner Bibliothek erwarb sich Bucelin dadurch, dafs er, wie berichtet
wird, [3]) von einer Reise nach Wien kostbare Werke. mitbrachte.

Von besonderen Schicksalen der Bibliothek wird von da an in den
Weingartner Berichten nicht mehr erzählt; von so bedeutsamen Er-
weiterungen durch Kauf oder Schenkung, wie sie die erste Hälfte des
17. Jahrhunderts gebracht hatte, ist nicht mehr die Rede. Doch ist
vom 17. Jahrhundert ab jedenfalls eine geregelte Verwaltung fortgeführt worden; wir erfahren von da ab in fortlaufender Reihe die
Namen der Klosterbibliothekare. Und mancher von ihnen hat
sich nicht darauf beschränkt, die ihm anvertrauten Schätze zu hüten,
sondern hat auch versucht, an ihnen weiter zu arbeiten oder sie durch

---

1) Vgl. Besondere Beilage des Staatsanzeigers für Württemberg, 1910,
S. 120 ff.
2) Für weitere schriftstellerische Tätigkeit von Weingartner Mönchen
zwischen 1750—1856, soweit sie in Druckwerken vorliegt, s. Lindners Zusammenstellung in den Studien und Mittheilungen aus dem Benediktinerorden,
1881, Bd·2. 113—128 u. 1886, 84—91.
3) Lindner, a. a. O., S. 41.

eigene Werke zu vermehren. So erwähnt Hefs [1]) vom Bibliothekar
P. Joseph Haan, er habe sich durch Nachträge zum Nekrolog in F 6
Verdienste erworben um einen catalogus monachorum Weingartensium;
die Herausgeber des Necrologiums in den Monumenta Germaniae
hisorica sind allerdings über den Wert der Nachträge Haans anderer
Meinung. [2]) In K 97 hat Haan die genealogischen Aufstellungen über
seine Familie, die sein Oheim begonnen, weitergeführt und wahr-
scheinlich die Handschrift selbst der Klosterbibliothek verschafft, und
endlich hat er in G 30 eine Beschreibung von Weingarten angefügt.
An Bibliothekaren der Weingartner Bibliothek aus dem 17. und
18. Jahrhundert wären nach Lindner weiterhin zu erwähnen: Raphael
Brock, Philipp von Bötting, Constantin von Welden, Leopold Herderer,
Gabriel Leuthin, Beda Staatmüller, Leo Gimmi, Hermann Manz, Joh.
Nep. Sattler, Robert Schindele, Martin Bürgin und Christoph Vogel.
Auch von ihnen wird mancher durch eigene Werke hervorgetreten
sein, wie dies z. B. vom Letzterwähnten ausdrücklich berichtet wird:
neben andern Werken werden von ihm besonders auch Kompositionen
erwähnt. Ueberhaupt scheint die Musik in Weingarten vornehmlich
gepflegt worden zu sein; [3]) aufser Vogel haben noch eine Reihe von
Weingartner Komponisten musikalische Werke handschriftlich hinterlassen, so z. B. Matthias Breni, Johann Baptist Barmann, Meingoz
Gälle, [4]) Michael Steyr, Georg Bernhard. Auch diese Werke scheinen
nicht in die Bibliothek aufgenommen worden zu sein und haben sich
unter den Handschriften nicht gefunden. Ebensowenig trägt eine
Bibliotheksignatur die Handschrift von Paulus Kenzel, noch das für
die Weingartner Geschichte so wichtige Manuskript von Joseph Sicherer
(Archivhandschr. 9 und 11).

Vom Klosterbibliothekar zum Abt rückte Placidus Renz auf (Abt
1738—1748). Von seiner früheren Tätigkeit her bewahrte Renz
auch als Abt für die Bibliothek eine besondere Vorliebe und warf
für ihre Ausstattung reiche Mittel aus; doch überstiegen seine Ausgaben, freilich nicht allein für diesen Zweck, die Kräfte der Abtei,
und er stürzte das Kloster in bedenkliche Schulden. [5])

Der bedeutendste aller Weingartner Bibliothekare, ein Mann, der
sich um seine Bibliothek fortdauernde, grofse Verdienste erworben
hat durch seine Arbeiten über die ihm anvertraute Sammlung, wichtig
besonders jetzt, da die Sammlung selbst überallhin zerstreut ist, war
Johannes Albert Bommer. Geboren 1737 zu Ludwigsburg aus an-
gesehenem Hause, hatte Bommer 1759 sein Klostergelübde in Weingarten abgelegt und war 1767 zum Priester geweiht worden. Nachdem

---

1) Hefs, Monumentorum Guelficorum pars historica, p. 133.
2) Monumenta Germaniae historica, Neerol. I, p. 222.
3) Vgl. auch Kornmüller, U., Musiker u. Componisten von Weingarten
in Studien u. Mittheilungen aus dem Benediktiner-Orden, 1881, 2. Bd, 222—224.
4) Eine Liederhandschrift von ihm ist neulich herausgegeben worden von
Blümml in den Quellen und Forschungen zur Deutschen Volkskunde, Bd. 8, 1912.
5) Hefs, a. a. O., S. 545.

er verschiedene andere Aemter im Kloster innegehabt hatte, wurde ihm zuletzt die Bibliothek anvertraut. Er faſste die ihm dadurch auferlegten Pflichten tiefer auf als alle seine Vorgänger, indem er sich zuerst die dazu nötigen Kenntnisse in rastlosem Eifer aneignete. und unermüdlich erweiterte. Zu diesem Zwecke muſste er zunächst groſse Lücken seiner Bibliothek auf literarhistorischem und bibliographischem Gebiet durch Neuerwerbungen ausfüllen, brachte es aber dann durch Studium der neuerworbenen Hilfsmittel und besonders auch durch einen regen Briefwechsel mit vielen Gelehrten seiner Zeit so weit, daſs er noch als einer der ersten Bücherkenner gerühmt wurde. Zapf, der ihn von seiner Reise her auch persönlich kannte, entwirft eine ganz begeisterte Schilderung seiner Persönlichkeit.[1] Nachdem sich so Bommer das nötige Rüstzeug zu seinem Amte angeeignet hatte, ging er an eine gründliche Neuordnung der ganzen Bibliothek; auf ihn geht jedenfalls die in den Signaturen festgehaltene Einteilung zurück. Nach der Neuordnung unternahm er eine umfassende Neuaufzeichnung des ganzen Bestandes und begann mit den Handschriften und Inkunabeln. Diese seine Arbeiten, sowie seine geschichtliche Darstellung sind ja schon eingangs erwähnt.[2] Mitten aus dieser umfassenden Tätigkeit wurde Bommer im besten Alter im Jahre 1785 durch einen Schlaganfall herausgerissen. Doch wurde das von ihm begonnene Werk der Katalogisierung von seinen Nachfolgern Basilius Locher und Rupertus Dick weitergeführt und abgeschlossen, wobei der Abschluſs einiger Bände des groſsen Katalogs ganz nahe an das Ende der Weingartner Bibliothek heranführte.[3] Hand in Hand mit dieser Katalogisierung ging jedenfalls auch die Verzeichnung der verschiedenen Stücke der einzelnen Handschriften auf vorn in die Handschriften eingeklebten Zetteln, die meist die gleiche Schrift zeigen, wie der groſse Katalog selbst. Neben seinen Arbeiten an der Bibliothek hatte Bommer auch sonst am geistigen Leben des Klosters regen Anteil, indem er z. B. jährlich für die Feste einige dramatische Stücke dichtete; besonders aber war er zugleich ein treuer Mitarbeiter an den Werken des Weingartner Geschichtschreibers Gerhard Heſs, der auch einige Handschriften des Klosters in „Monumentorum Guelficorum pars historica" veröffentlichte. Bommers Mitarbeit wird jedenfalls in den aus den Handschriften entnommenen Beiträgen zur Geschichte der Bibliothek zu sehen sein.

Es war von Vorteil für das Ansehen der Weingartner Bibliothek, daſs gerade ein solch tüchtiger Bibliothekar an ihrer Spitze stand, als sie von verschiedenen Gelehrten besucht wurde; die zweite Hälfte des 18. Jahrhunderts war ja die klassische Zeit der Bibliothekreisen. Zwar war schon ein Jahrhundert früher, im Jahre 1683, der

---

1) Besonders in der Neuen Ausgabe der Litterarischen Reisen, Augsburg 1796.

2) Vgl. auſserdem Zentralblatt für Bibliothekswesen, Jahrgang 27, 1910, S. 141 ff.

3) Vgl. Zentralblatt für Bibliothekswesen, Jahrgang 27, 1910, S. 141 ff.

auf dem Gebiet der Handschriftenkunde berühmteste Vertreter des Benediktinerordens, Mabillon, in Weingarten gewesen; er rühmt in seinem Bericht[1]) den Reichtum an Handschriften, berührt die Welfenaufzeichnungen und erwähnt besonders die Handschriften B 83, G 37, Anhang III, 2, H 76 und I 23. Auf Mabillons Bericht fußt die Würdigung der Weingartner Handschriftensammlung in der großen Darstellung der wissenschaftlichen Tätigkeit des Benediktinerordens durch Ziegelbauer,[2]) der übrigens sein Urteil wohl auf Grund eigener Einsichtnahme erweitert haben konnte. Einige Jahre nach Mabillon kam der württembergische Historiker und Archivar Pregizer[3]) in die Abtei und besuchte ihre Bibliothek, die „nicht gar groß sei" und „von Manuskripten keine so große Menge" habe. Seine auswählende Erwähnung einzelner Handschriften zeigt, daß seine Besichtigung nicht sonderlich eingehend war, und so ist auch sein Schlußurteil, daß „die übrigen Codices nicht von sonderbar großem Wert oder Consideration" seien, nicht gerade schwer zu nehmen.

Doch die Zeit der regeren Besuche durch fremde Gelehrte, die dann ihre Berichte weiteren Kreisen vorlegten, kam für die Weingartner Bibliothek erst mit der zweiten Hälfte des 18. Jahrhunderts. Als erster erschien, im Jahre 1760, der Fürstabt von St. Blasien, Martin Gerbert, „die Zierde des Benediktinerordens". Er hat offenbar die Handschriftenschätze eingehend durchgesehen und rühmt eine große Anzahl derselben.[4]) Zunächst fielen ihm auf die wenigen aber alten Handschriften aus dem Fache C; vor allem C 3; weiterhin nennt er mit mehr oder weniger genauen Angaben D 52, D 24, G 31, Anhang III, 1, G 37, F 17, D 63, I 23, D 53, K 102, D 46 und H 76. Zwei Jahrzehnte nach Gerbert kam der Historiker Gereken nach Weingarten. Auch er hat die Bibliothek genau gemustert und dabei, wie er selbst sagt,[5]) sein Augenmerk vorzüglich auf die Handschriften gerichtet, wovon „ein großer Schatz hier bewahrt sei, der sich wohl auf 500 Vol., wo nicht höher belaufen möge". Er bedauert nur, daß kein Katalog vorhanden sei, ein Mangel, dem ja dann ganz kurze Zeit nachher abgeholfen war. Er hebt eine noch größere Zahl einzelner Handschriften hervor, z. T. natürlich dieselben, die schon früheren Besuchern aufgefallen waren, und zwar als solche, die er „genau besehen und notieret" habe: H 76, B 88(?), C 2, D 24, B 17 Anm., C 5, A 21, D 6(?), G 42, B 80, C 4, C 1, F 16, G 12, die genau beschrieben wird, G 37, wovon der Inhalt der einzelnen Kapitel angegeben wird, H 41 und G 30; die Handschrift Anh. III, 1 wird schon als fehlend erwähnt. Am ausführlichsten, mit beigegebenen

---

1) Mabillonii iter germanicum, Hamburgi 1717, p. 41 sqq.
2) Ziegelbauer, Historia rei literariae ord. S. Benedicti, pars I, 1754, p. 566.
3) Johann Ulrich Pregizers Reise nach Oberschwaben im Jahre 1688, in den Württembergischen Vierteljahrsheften für Landesgeschichte, 11, S. 44 f.
4) M. Gerberti iter alemannicum . . ., St. Blasien 1765, p. 234 sqq.
5) Ph. W. Gereken, Reisen durch Schwaben, Baiern, angränzende Schweiz, . . . in den Jahren 1779—1782 . . ., Th. 1, Stendal 1783, S. 120 ff.

Schriftproben und Abbildungen, wurde die Weingartner Bibliothek von dem emsigsten Bücherforscher seiner Zeit, Hofrat Zapf, be- schrieben,[1]) der mit P. Bommer befreundet war und in regem Brief- wechsel stand. Er war im September 1781 in die Abtei gekommen und hatte unter Führung von Bommer die Bibliothek einer gründlichen Besichtigung unterzogen. Freilich finden sich auch in seinen An- gaben da und dort Irrtümer, entsprechend dem Stand seiner Kennt- nisse, die wohl in unermüdlichem Lerneifer zusammengerafft waren, denen aber keine planmäßige Schulbildung zugrunde gelegen hatte. Die Handschriften, die ihm eingehender Beschreibung würdig er- schienen und teilweise in Stücken veröffentlicht wurden, wiederum natürlich vielfach die gleichen wie die schon genannten, sind folgende: in erster Linie G 12, als zweite G 37, dann die Liederhandschrift K 107, welche sonderbarerweise noch keinem früheren Besucher auf- gefallen war, weiterhin A 24, K 78, K 6, F 39, K 3, F 48, K 49*, H 76. Von den zwei nach Wien abgegebenen und nicht zurück- gekommenen Handschriften, die heute in Gießen liegen, erwähnt Zapf zwei Fragmente, die der über ihre Abgabe verärgerte Wein- gartner Bibliothekar, der Vorgänger von Bommer, herausgeschnitten habe. An Papierhandschriften hebt er fernerhin hervor G 8, I 25, H 59 und G 16, die auch z. T. in größeren Stücken abgedruckt werden. Das aus Konstanz stammende glossarium Salomonis in zwei Bänden, das auch Gerbert und Gereken erwähnt hatten, wird von Zapf noch mit kritischen Bemerkungen besprochen und seine Ver- stümmelung erwähnt, während es auffälligerweise in dem zur Zeit von Zapfs Besuch geschriebenen Katalog von Bommer schon fehlt. Dieser Besuch war der letzte von größerer Bedeutung. Drei Jahre später kam noch der St. Galler Bibliothekar Hauntinger, der aber in seinem Bericht[2]) auf die früheren Beschreibungen verweist, und in dessen Angaben nur die letztmalige Erwähnung von Salomos Glossar von besonderer Bedeutung ist. Als letzter in der Reihe dieser Be- sucher erschien im Jahre 1789 der Theologe Clement Alois Baader, der sich durch seine bayerischen Gelehrtenlexica verdient gemacht hat. Er spricht in seinem Reisebericht[3]) über die Weingartner Biblio- thek nur in einer Anmerkung und geht dabei offenbar in der Haupt- sache von den Berichten seiner Vorgänger, besonders Zapfs und Ger- berts, aus.

Durch die teils mehr, teils weniger ausführlichen Schilderungen in diesen Reiseberichten war die Kunde von der Weingartner Biblio-

---

1) In allen Ausgaben seiner „Reisen" ist in einander ergänzenden Aus- führungen von Weingarten die Rede; die eingehenden Handschriftenbeschrei- bungen bringt die Erlanger Ausgabe von 1786: Reisen in einige Klöster Schwabens, durch den Schwarzwald und in die Schweiz, S. 11 ff.

2) Süddeutsche Klöster vor 100 Jahren. Reisetagebuch des P. N. Haun- tinger, O. S. B. Herausgegeben von P. G. Meier. Köln 1889. S. 14.

3) Baader, Reisen durch verschiedene Gegenden Deutschlands in Briefen Bd 1, Augsburg 1795, S. 10 ff.

thek in weite..Kreise hinausgetragen worden, und die zu ihrer Benutzung nötigen Kataloge waren mit grofsem Fleifse abgeschlossen,
als das Ende · der ·Selbständigkeit der Abtei und die Zeit der Zerstreuung ihrer Bibliothek herannahte. Vorher war die Sammlung im
wesentlichen wohl unversehrt geblieben; von Verlusten durch ver-
schenkte oder ausgeliehene und nicht zurückgegebene Teile ist nirgends
mehr die Rede gewesen.[1]) Eine Ausnahme bilden hier die zwei nach
Wien an den Freiherrn von Senkenberg gesandten Handschriften
Anh. III, 1 und 2 und ebenso der nicht geklärte Verlust von Salomos
Glossar, das von Zapf noch in der Bibliothek gesehen wurde, aber in
Bommers Katalog sehon fehlte.

Die erste Verschleppúng von Teilen der Bibliothek brachten die
napoleonischen Kriege. Für die zwei Cicerohandschriften K 78 und
105 ist in Bommers Katalog die Nachricht festgehalten, dafs sie im
Jahre 1801 dem französischen General Thomas, der in die Weingartner Gegend gekommen war, geschenkt werden mufsten. Auch
eine Reihe von Druckwerken hat offenbar derselbe Bücherfreund mitgenommen.[2]) Doch das war nur der Anfang vom Ende. In den
nächsten Jahren begannen die Irrfahrten der Bibliothek, die näher
verfolgt werden mögen, da sie selbst für diese Jahre der allgemeinen
Verschiebungen ein besonders grelles Bild der Unruhe der Zeit wider-
spiegeln.

Der Vertrag, welchen Frankreich und das Haus Oranien am
23. Mai 1802 in Ergänzung des Lüneviller Friedens abschlossen,
machte der Selbständigkeit der Reichsabtei Weingarten ein Ende.
Ihr Gebiet sollte nebst einigen anderen Länderstrichen, worunter auch
das Fürstbistum Fulda war, an den seit Winter 1794/95 nach England geflohenen Wilhelm V. von Nassau-Oranien-Dillenburg, Erb-
statthalter von Holland, kommen als Entschädigung für den Verlust
der Statthalterschaft und der in den Niederlanden gelegenen Be-
sitzungen. Noch ehe diese Abmachungen durch die Reichsdeputation
im Februar 1803 gutgeheifsen waren, ergriff der Sohn von Wilhelm V.,
der Erbprinz Friedrich Wilhelm (von 1815 ab König Wilhelm I. von
Holland), zu dessen Gunsten Wilhelm verzichtet hatte, Besitz von den
neuen Gebieten und machte Fulda zu seiner Residenz, wo am 6. Dez.
1802 sein feierlicher Einzug stattfand.[3])

---

1) Die seitherige noch von Corssen, Zwei neue Fragmente der Weingartener Prophetenhandschrift, 1899, im Anschlufs an Vogel, Beiträge zur
Herstellung der alten lateinischen Bibel-Uebersetzung 1868, vertretene Annahme, dafs die zwei Handschriften mit Italafragmenten XXV a/11 und XXV a/16
in St. Paul über Weingarten dorthin gekommen seien, wird wohl
nicht mehr aufrecht erhalten. Gegen Lehmanns Annahme, diese Handschriften
seien von Konstanz direkt nach St. Blasien und dann nach St. Paul gekommen,
ist nichts einzuwenden (s. Lehmanns Veröffentlichung der „Konstanz-Weingartener Prophetenfragmente", Einleitung S. IIIf.
2) Vgl. Zentralblatt für Bibliothekswesen, Jahrg. 27, 1910, S. 145.
3) Die folgende Darstellung der Schicksale der Weingartner Bibliothek
in Fulda beruht auf Böhms bis 1811 gehenden „Nachrichten von der öffent-

Einige Monate nach seinem Regierungsantritt[1]) befahl der Erbprinz, die Weingartner Bibliothek nach Fulda zu verbringen, wo sie
mit der 1778 vom Fürstbischof Heinrich VIII. von Bibra gegründeten
öffentlichen Bibliothek vereinigt werden konnte, und beauftragte den
Finanzrat Schmitt mit dem Abholen der Sammlung. Die Fuldaer
Bibliothek, die durch Verschmelzung der dortigen Hofbibliothek mit
derjenigen des Benediktinerklosters und der jüngeren Jesuitenbibliothek
gebildet worden war, konnte eine solche Vermehrung wohl brauchen,
nachdem die altberühmte Klosterbibliothek schon im 17. Jahrhundert
fast ganz verschwunden war. An ihrer Spitze stand der Benediktiner-
pater Prof. Dr. theol. Petrus Böhm; er hatte sich durch Ordnen der
alten Bestände verdient gemacht und dann in den neunziger Jahren
allerlei Bedrohungen durch französische Begehrlichkeit von seinen
Schätzen abzuwehren gehabt, wobei er auch wieder zu dem bewährten
Mittel hatte greifen müssen, seine Bibliothek auszuräumen und die
Sammlung zu verbergen. Ein Bücherfreund wie Böhm mußte die
Ankömmlinge aus Weingarten mit heller Freude begrüßen. Doch
sollten sie in der neuen Heimat nicht so leicht wieder Ruhe finden.
Zur Reise von Weingarten waren sie in eine große Anzahl von Kisten
verpackt worden. Nur ein Teil[2]) dieser Kisten wurde in Fulda gleich
an den richtigen Ort verbracht; als man bei ihrer Oeffnung die Handschriften aus dem Judithgeschenk und die andern aus der Bertholdzeit mit ihren kostbaren Einbänden vorfand, machte das fürstliche
Oberfinanzkollegium gleich den gut fiskalischen Vorschlag, die Einbände zu verkaufen, was aber am 5. April 1806 glücklicherweise vom
Erbprinzen abgelehnt wurde. Auf Befehl des Fürsten wurde nun für
die vier Handschriften eine Beschreibung der Einbände angefertigt,
weil schon bei ihrer Ankunft „verschiedene Steine herausgebrochen"
waren. Die in diesen Kisten enthaltenen Teile der Weingartner

lichen Bibliothek zu Fulda", die Böhm [† 1822] nach seinen Tagebüchern im
Manuskript hinterlassen hatte, und die Zwenger im „Hessenland", 1900 und
1901, im Auszug veröffentlichte in den Aufsätzen „Zur Geschichte der Fuldaer
Landesbibliothek". Weitere Auszüge aus Böhms Manuskript und aus den
Akten der Landesbibliothek in Fulda stellte Dr. Scherer zur Verfügung.
Eine zweite Quelle der Darstellung bilden Akten des Geheimen Rats zu
Kassel „betr. Erwerbung der in den Besitz des P. Böhm gelangten Wein-
gartner Bücher und Manuskripte für die Bibliothek zu Fulda, 1816—19",
welche im Kgl. Staatsarchiv in Marburg liegen und von dort gütigst zur Benützung überlassen wurden.
    Die geschilderten Verhältnisse erwähnt auch Schaab in der Vorrede zum
2. Band seiner „Geschichte des großen rheinischen Städtebundes." Seine
Mitteilungen, wohl auf Kindlinger, der von 1806 ab Archivar in Fulda war,
zurückgehend, sind mehr zusammenfassender Art und nicht ganz genau in
Einzelheiten.
    1) Nach einer gelegentlichen Bemerkung in den Kasseler Akten, die zwar
mit Schaabs Angaben übereinstimmt, aber doch wohl irrtümlich ist, war es
erst kurz vor der Schlacht von Jena.
    2) Nach den Fuldaer Akten wären überhaupt nur die vier Prachthand-
schriften vom Erbprinzen am 6. Dez. 1805 der Bibliothek überwiesen worden,
vgl. auch Anm. zu S. 27.

Bibliothek scheinen dann ordnungsgemäfs in die Fuldaer Bibliothek eingereiht worden zu sein. Die andere, wie es scheint gröfsere Zahl der Kisten war aber nicht in das Bibliotheksgebäude, sondern auf Veranlassung des Geheimen Konferenzrats von Arnoldi, dem — offenbar nicht zur Freude von Böhm — die Oberaufsicht über die Bibliothek übertragen worden war, in seine Wohnung in der Domdechanei verbracht worden. Und hier standen sie noch, als die Schlacht von Jena der oranischen Herrschaft in Fulda ein Ende machte. Am 22. Oktober 1806 besetzte Marschall Mortier die alte Bischofstadt. Anfang November kam der neue Stadtkommandant Oberst Niboyet in die Bibliothek und liefs sich ihre Schätze zeigen. Wie schon vorher das Oberfinanzkollegium, so fand auch er wieder besonderes Wohlgefallen an den vier Handschriften mit Miniaturen und kostbaren Einbänden. Um sie einem Kenner zu zeigen, wie er versicherte, liefs er sie in seine Wohnung holen. Böhm konnte sich nicht widersetzen; doch liefs er sich einen Revers unterzeichnen und meldete den Vorfall dem Kurator. Aber es sollte nichts helfen; anfangs Dezember reiste Niboyet ab und nahm die Handschriften mit. Nach mancherlei Zwischenstufen bei französischen Händlern fanden dann diese Kostbarkeiten, von Thomas Cook, Grafen Leicester, 1818 in Paris gekauft, ein Heim in der Bibliothek des Lord Leicester in Holkham Hall, wo sie sich heute noch befinden.

Auch dem grofsen noch unausgepackt in den Kisten liegenden Teil der Weingartner Bibliothek drohte ähnliche Gefahr: Der französische Intendant Laran liefs sie ins Schlofs schaffen und wollte sie als eroberte Sache nach Frankfurt bringen zur öffentlichen Versteigerung. Glücklicherweise kam es nicht dazu. Ein Wendepunkt trat ein mit der Ankunft des neuen französischen Gouverneurs, des Generals Thiébault, in der Mitte des Monats November. Thiébault war 1769 als Sohn einer Familie der französischen Kolonie von Berlin geboren und im Unterschied von so manchem napoleonischen General ein gebildeter Mann mit wissenschaftlichem Interesse. Böhm rühmt ihn als einen Gönner der Fuldaer Bibliothek, die er manchmal vor der Begehrlichkeit seiner Landsleute geschützt habe. Doch so ganz einwandsfrei war Thiébaults Verhalten in diesen Dingen entschieden auch nicht, wie seine eigenen Memoiren verraten, worin er über die weiteren Geschicke der Weingartner Handschriften sehr interessante Mitteilungen macht. Er sagt dort[1]): Mon maréchal du palais m'ayant avisé qu'il existait dans le château de Fulda 120 caisses, contenant toute la bibliothèque de la ci-devant abbaye de Weingarten, j'ordonnai de les ouvrir et de vérifier le catalogue. Cette opération faite, il se trouva une soixantaine de manuscrits du dixième siècle au quinzième; je pris pour moi un volume de chacun de ces siècles et je fis deux lots du reste: l'un de ces lots, le plus considérable, fut porté à la bibliothèque de Fulde; l'autre le plus précieux, fut envoyé à la

---

1) Thiébault, Mémoires, vol. IV, Paris 1895, p. 51—52.

Bibliothèque Impériale à Paris, ou sans donte les manuscrits qui le composaient sont encore; j'avais. signé sur chaque volume: „envoyé par le général Thiébault, gouverneur. du pays de Fulde", petite satisfaction de vanité dont je souris aujourd'hui et que j'espère, on me pardonnera. Thiébault liefs also den Rest der Weingartner Kisten, der zu Arnoldi gekommen war, öffnen, und nun sollte endgültig über ihren Inhalt entschieden werden.

Suchen wir zunächst den Weg derjenigen Handschriften zu verfolgen, die Thiébault der Pariser Bibliothek zugedacht .hatte, und deren Zahl einmal von Zwenger auf 32 angegeben wird. In der Nationalbibliothek sind sie jedenfalls nicht. Deslisle weifs in seinem „Cabinet des manuscrits" nichts von ihnen, auch da nicht, wo er von der 1814 und 1815 erfolgten Rückgabe der aus Deutschland weggeführten Handschriften spricht; ebenso hat er sie auf unmittelbare Anfrage vergeblich in der Nationalbibliothek gesucht. Dagegen befinden sich in der Hofbibliothek in Darmstadt 17 Handschriften mit der Aufschrift auf dem ersten Blatt: Imperiali Bibliothecae Lutetiis Thiebault Fuldensis Regionis Gubernator 1807.[1] Sie sind es ohne jeden Zweifel, die Thiébault nach Paris bestimmt hatte. Wie sind sie nach Darmstadt gekommen? Man nahm seither meist an, auf dem Wege über Paris. Als man in den dreifsiger Jahren für die Herausgabe der Monumenta Germaniae historica die Handschriftenbestände in den verschiedenen Bibliotheken durchforschte und in Darmstadt diese Weingartner Handschriften mit der Bemerkung von Thiébault vorfand, sprach Knust[2] zum erstenmal diese Annahme aus, sie müssen über Paris nach Darmstadt gebracht worden sein. Noch im Jahre 1886 .zog Ernst Dümmler in seinen „Mitteilungen aus Handschriften"[3] denselben Schlufs aus jenem Eintrag. Sogar der sonst so vorsichtige L. Traube[4] spricht gelegentlich von Weingartner Haudschriften, die nach dem Pariser Frieden statt nach Fulda nach Darmstadt gerieten, und .scheint sich dabei an F. W. E. Roths auf unsicherem Boden gewonnene Auffassung anzuschliefsen, dafs.die ganze Sache einfach auf einem Irrtum im Adressaten beruhen solle.[5]

Erst der jetzige Direktor der Darmstädter Hofbibliothek Adolf Schmidt wies darauf hin, dafs jener Eintrag ja nicht beweise, dafs die Handschriften in Paris gewesen seien, sondern nur, dafs Thiébault sie dahin bestimmt hatte. Aber die Verwirklichung dieser Absicht war vereitelt worden, wahrscheinlich weil Thiébault selbst bald darauf Fulda hatte verlassen müssen, und so ist wohl anzunehmen, dafs die Stücke von Fulda direkt an den Landgrafen von Hessen-Darmstadt,

---

1) Die Jahreszahl fehlt bei 2.
2) Archiv der Gesellschaft für ältere deutsche Geschichtskunde ..., Bd 8, 1843, S. 112.
3) Neues Archiv der Ges. f. ä. d. Geschichtskunde, Bd 11, 1886, S. 408.
4) Ebd., Bd 27, 1902; S. 739 Anm.
5) Romanische Studien, VI, 26, 1891.

bekannt als Bücherfreund, kamen,[1]) wobei freilich die Einzelheiten dieses Uebergangs noch nicht aufgeklärt sind. Dafs sie nie in Paris gewesen sind,.wird auch dadurch bewiesen, dafs sie nicht den Stempel Bibliothèque Impériale tragen, den man sonst bei ihnen vorfinden müfste.

Thiébault hatte jedenfalls abreisen müssen, ohne dafs er über die Nichtausführung der Pariser Sendung unterrichtet war.[2]) Er wurde Mitte April 1807 plötzlich abberufen und mufste schon am 18. Mai Fulda verlassen. Was aus den Handschriften geworden ist, die er nach seinen Memoiren an sich genommen hatte, ist nicht bekannt. Vielleicht gehören dazu diejenigen, die später in das Britische Museum oder in die Bibliothek Philipps gekommen sind. Immerhin ist in der kurzen Zeit des Aufenthalts Thiébaults in Fulda die Einverleibung der noch nicht eingereihten Weingartner Bestände in die Fuldaer Bibliothek fleifsig weitergefördert worden. Die Durchführung dieser Arbeit war dem Bibliothekar Böhm übertragen worden, und am 30. April, also schon nach seiner Abberufung, unterzeichnete Thiébault die Uebergabe eines weiteren Teils des schwäbischen Zuwachses — nach Böhms „Nachrichten" 1560 Bände, worunter 139 Mss. und 65 Inkunabeln — an die öffentliche Bibliothek in Fulda nach einem leider seither verloren gegangenen Verzeichnis. Nun hatte aber Böhm diese Arbeiten, die die Ordnung, Aufzeichnung und Einreihung der neuen Bestände mit sich brachte, als aufserhalb seiner amtlichen Aufgaben liegend angesehen und eine besondere Belohnung dafür gefordert. Er hatte eine Kostenrechnung von· 228 fl. eingereicht, an der das Oberfinanzkollegium Anstofs nahm, da „es hier bisher nicht üblich sei, in loco Diäten an einen besoldeten Diener zu bezahlen". Schliefslich wurde Böhm eine Gratifikation von 50 fl. bezahlt. Für den Rest[3]) liefs er sich, da, wie er versichert, sein Patriotismus seinem Lande weitere Ausgaben ersparen wollte, ein Stück der Weingartner Bibliothek, und zwar über 100 Handschriften und etliche 300 Bände Bücher, als sein Eigentum ·vom Gouverneur zusprechen. Ein anderes Mal sagt er, es seien ihm 104 Handschriften geschenkt worden, und 35 (resp. 32) habe er erworben. Und so sollte nochmals die Gefahr weiterer Wanderfahrten einem grofsen Teil der Weingartner Bestände drohen! So ganz wohl war es offenbar Böhm bei

---

1) Vgl. Schmidts Mitteilung in Bibliothèque de l'Ecole des Chartes, 56, p. 599—600 und Revue des Bibliothèques, 1895, p. 359.

2) Auch Böhm wufste vielleicht nichts Näheres darüber, denn in seinen „Nachrichten" sagt er nichts davon und in dem Bericht von Schenk bei den Kasseler Akten (s. unten), der ja wohl auf Böhms Angaben beruht, heifst es von den Bücherkisten bei Arnoldi, „viele Bücher seien dem Vernehmen nach entkommen (sic!) und andere nach Paris geschickt worden".

3) Nach einer bei den Kasseler Akten liegenden Erklärung Böhms waren ihm 3000 fl. angeboten, wobei aber wohl versehentlich 3000 statt 300 geschrieben ist. Ueberhaupt sind die Zahlangaben in den Akten hier wie sonst sowohl für die Summe der Bände als für den verlangten Betrag nicht immer übereinstimmend.

der Sache nicht. Er liefs sich noch am Tage der Abreise Thiébaults, morgens um 7 Uhr, vom Sekretär des Gouverneurs zu seiner Beruhigung ein Attest ausstellen mit folgendem Wortlaut: „Auf des Herrn Bibliothekars Böhm vorgetragene Besorgnis, man möchte ihm bei einer künftigen Landesveränderung wegen der Weingartner Bücher Verdrufs zu machen suchen, indem ihm schon jetzt ist vorgeworfen worden, er sei schuld daran, dafs die Weingartner Bücher den Frauzosen in die Hände geraten seien, habe ich, ohnerachtet jeder billig denkende Mann den Ungrund dieses Vorwurfs leicht bemerken wird, auf besonderen Befehl seiner Excellenz des Herrn Generalgouverneurs Thiébault ihm doch zu seiner etwa erforderlichen Rechtfertigung folgende Erklärung aufsetzen müssen.

1. Sind die von Weingarten nach. Fulda gebrachten Bücher kein fuldriches Eigentum, es könnte also der Herr General Gouverneur alle für die Imperial Bibliothek zu Paris in Beschlag nehmen.

2. Dieses würde auch mit der öffentlichen Bibliothek zu Fulda als in einem eroberten Lande geschehen sein, wenn nicht die gute Einrichtung derselben dem Herrn Gouverneur so wohl gefallen hätte, dafs er sie auf Ersuchen des Bibliothekars in seinen besonderen Schutz genommen hätte. In dieser Rücksicht hat

3. der Herr Gouverneur die in einem darüber verfertigten Katalog bemerkten Bücher der öffentlichen Bibliothek geschenkt,

4. die andern aber dem Bibliothekar selbst zu einiger Entschädigung, weil man ihn ohnerachtet des wiederholten Befehls ohne Hilfe seither allein hat arbeiten lassen und anstatt der ihm bewilligten 228 Gulden nur 119 hat bezahlen wollen."

Zunächst scheint der Besitz Böhms von niemand angefochten worden zu sein. Sowohl der Nachfolger Thiébaults, General Kister, als der Grofsherzog von Frankfurt, Karl von Dalberg, an welchen 1810 das Fürstentum Fulda fiel, wie endlich die preufsische Kommission, die nach ihm das Land in Besitz nahm, alle hätten, wie Böhm versichert, seine Besitzrechte anerkannt. Und es wurden ihm von Engländern, Oesterreichern, Bayern, und zuletzt von einem Berliner Antiquar hohe Summen für einen Verkauf angboten, den er aber, wie er erklärt, aus Vaterlandsliebe, nicht annahm. Einem Verkauf an sich war Böhm, um doch noch zu seinem Gelde zu kommen, nicht durchaus abgeneigt, nur wollte er seine Schätze eben der Fuldaer Bibliothek verkaufen. Und er stand gerade in darauf abzielenden Verhandlungen mit dem preufsischen Gouvernement, dem er im August 1815 für 1234 fl. [1]) seinen Besitz angeboten hatte, als Fulda wieder einmal den Herrn wechselte und der Oberappellationsgerichtspräsident Schenk zu Schweinsberg die Stadt für den neuen Kurfürsten von Hessen-Kassel in Besitz nahm. Schenk nahm gleich die den Verkauf betreffenden Akten an sich und befahl Böhm, weiteren Bescheid abzuwarten. Böhm fand sich leicht

---

1) Nach Fuldaer Akten für 1294 fl.

in die veränderte Sachlage, indem er nun seine Bücher und Handschriften dem neuen Landesherrn zum Ankauf für die Fuldaer Bibliothek anbot. Darüber kam es dann zu längeren Verhandlungen, die sich vom Mai 1816 bis Januar 1819 hinzogen und in denen sich Aktenstück an Aktenstück reihte. Es hatte dabei der erste Bibliothekar der Kasseler Bibliothek Oberhofrat Völkel ein Gutachten über den Wert der angebotenen Bestände abzugeben, worin er sich über die Handschriftensammlung nicht besonders günstig äußerte, aber immerhin einige wenige bezeichnete, die „der Schönheit der Schrift und Malerei, auch des Altertums wegen einer Bibliothek zur Zierde gereichen, oder in wissenschaftlicher Hinsicht nützlich sein können". Der Regierungspräsident von Meyerfeld hatte einen Bericht über die rechtliche Seite der Sache abzugeben, bei dem er zu dem Schluß kam, die Schenkung Thiébaults an Böhm nicht für rechtlich gültig anzuerkennen, aber doch auch den Antrag stellte, zu dem schon Schenk in seinem ersten Bericht, wenn auch von andern Gesichtspunkten aus, gekommen war, die Böhmsche Sammlung zu behalten und Böhm als „Remuneration und Gratifikation" eine entsprechende Summe zu bewilligen. Böhm selbst suchte den Gang der Verhandlungen zu beschleunigen, indem er von Zeit zu Zeit darauf bezügliche Eingaben machte. Das eine Mal legte er eine Zusammenstellung der Forderungen vor, die er eigentlich an die Bibliothekverwaltung noch habe; ein anderes Mal bot er seine Weingartner Bücher als Geschenk an, wenn ihm dagegen die Handschriften abgekauft würden; dann wieder drehte er dies Verhältnis um; ein weiteres Mal wies er auf seine Verdienste um die Bibliothek und auf seine Vaterlandsliebe hin und appellierte an die Großmut des Kurfürsten. Ganz klar lag ja die Sache zweifellos nicht,[1]) aber schließlich wurde am 15. Januar 1819 von der Regierung genehmigt, daß dem Pater Böhm 500 fl. im Nominalwert in Kassenscheinen verabfolgt werden sollten, nachdem noch u. a. darauf hingewiesen worden war, daß der 70 jährige Greis eine solche Unterstützung wohl brauchen könne. Die Bücher und Handschriften seien darnach in die Fuldaer Bibliothek einzureihen. Nachdem dann noch fast ein weiteres Jahr vergangen war, bis die für die Aufstellung nötigen Schränke bewilligt waren, fanden auch diese Teile der Weingartner Bibliothek endlich ihre Ruhe in der neuen Heimat. Leider sind die Verzeichnisse derselben, die in den Akten öfters genannt werden, verloren, vielleicht absichtlich beseitigt worden, so daß nicht mehr festzustellen ist, welche Handschriften gerade diese Irrungen hatten durchmachen müssen.

---

1) In diesem Zusammenhang mag auch darauf hingewiesen werden, daß in Böhms „Nachrichten ..." — wenigstens soweit sie von Zwenger veröffentlicht sind — kein Wort von dieser an Zahlungsstatt erfolgten Ueberweisung von Weingartner Büchern und Handschriften durch Thiébault an Böhm zu lesen ist. Möglicherweise ist auch die dortige Darstellung von der Einverleibung in zwei Abschnitten eine absichtliche Verschiebung, so daß vielleicht jene erste Einverleibung noch unter oranischer Herrschaft gar nicht stattgefunden hätte; vgl. auch dazu oben S. 22 Anm. 2.

Aber damit sollte diese unerquickliche Böhm-Episode noch nicht zu Ende sein. Nach Böhms Tod fand man in seinem Nachlafs noch weitere Weingartner Bücher und Handschriften. In einem Bericht an den Kurator wird darüber gesagt: „Unter den Büchern des Seligen stehen einige merkwürdige, welche nach Einband und Inschrift aus der Bibliothek von Weingarten stammen. In manche hat er geschrieben, dafs er sie der öffentlichen Bibliothek schenke. Wie wird man diese für dieselbe erhalten?" Es wurde entschieden, sie alsbald „zur öffeut-licheu Bibliothek zu reklamieren". Weil auch sonst noch allerlei Anstände sich ergaben, die anscheinend durch eine gewisse Saumseligkeit Böhms verschuldet waren, legte der Staatsanwalt die Hand auf die Hinterlassenschaft und beantragte Konkurserklärung. Da aber keine Verzeichnisse mehr vorhanden waren, liefs sich gar nicht feststellen, was eigentlich der Bibliothek von den Weingartner Beständen fehlte, und so war man genötigt, 1830 „von dem Manko der Weingartner Bücher zu abstrahieren". Ihren endgültigen Abschlufs fand die unerfreuliche Angelegenheit erst im Jahre 1837.

Nun war aber nach der von Oranien angeordneten Versendung immer noch der gröfste Teil der Bibliothek in Weingarten zurück-geblieben und ihm waren wenigstens Wanderungen aufserhalb Landes erspart. Was Friedrich Wilhelm von Nassau-Oranien hatte nach Fulda schaffen lassen, betrug an Handschriften etwa $1/3$ des Gesamtbestandes. Warum nur dieser Teil mitgenommen wurde, wird sich nicht mehr nachweisen lassen. Wahrscheinlich hatte es nicht der ursprünglichen Absicht entsprochen; ihre völlige Durchführung war wohl nur durch den Gang der Ereignisse unmöglich geworden. Aufklärung über diese Frage hätte der Wortlaut jenes Befehls des Erbprinzen, die Bibliothek nach Fulda zu verbringen, verschaffen können; doch ist kein dies-bezügliches Dokument aufbewahrt worden. In Fulda erklärte man schon 1816, dafs man darüber eine Nachweisung zu geben hier aufser Stand sei, weil die Anhersendung der Bücher von Weingarten durch keine hiesige Staatsbehörde veranlafst, auch die Ablieferung der Kisten an eine solche nicht geschehen, sondern unmittelbar von dem König der Niederlande die Verfügung ergangen war".[1] Auch im Königl. Hausarchiv im Haag war das entsprechende Dokument nicht zu finden. Wie es scheint, ist das einzige Stück aus der Weingartner Bibliothek, das im Haag die Erinnerung an diese Beziehungen zwischen Oranien und Weingarten-Fulda festhält, die Handschrift G 30, welche jedenfalls in der fraglichen Zeit, wohl wegen ihrer Bilder, an den Erbprinzen selbst kam und von ihm 1824 der Kgl. Bibliothek im Haag überwiesen wurde.[2]

Uebrigens scheint man in Fulda sogar mit der Möglichkeit gerechnet zu haben, dafs das Königreich Württemberg, an welches im Jahre 1806

---

1) Casseler Akten.
2) Nach freundlicher Mitteilung von Herrn Dr. Van Wyk, conservateur des manuscrits.

das ganze ehemalige Weingartische Besitztum endgültig fiel, nachträglich die schon fortgeschafften Teile der Bibliothek zurückverlangen könnte. Regierungspräsident von Meyerfeld verneint zwar in seinem Gutachten [1] die Berechtigung zu einem etwaigen Ansinnen in der angedeuteten Richtung. Und in der Tat ist auch von württembergischer Seite gar kein solcher Versuch gemacht worden. Hier war ohnehin durch die Säkularisation eine große Anzahl reichlich fließender Quellen von Büchern und Handschriften aus den Bibliotheken der Klöster und ritterschaftlichen Gebiete für das neue Kurfürstentum und Königreich eröffnet worden, die seit 1805, wo die Komburger begonnen hatte, nach dem Willen des Landesherrn alle nach der öffentlichen Bibliothek in Stuttgart flossen, nachdem der Plan einer Zentralbibliothek für Neuwürttemberg in Ellwangen bald wieder aufgegeben worden war. Das gab zunächst so großen Zufluß und damit so viel Arbeit, daß man fernerliegende Bibliotheken wie die Weingartner noch einige Jahre in ihrer alten Heimat ließ. Aber bestimmt waren auch diese für die Stuttgarter Sammelstelle, entsprechend einer Verfügung vom 28. Oktober 1806,[2] worin den Bibliothekaren der öffentlichen Bibliothek eröffnet wurde, daß ebenso wie die Ellwanger Bibliothek alle übrigen noch in den Klöstern, Stiften usw. vorhandenen Werke mit der Stuttgarter Königlichen Bibliothek vereinigt werden sollen. Am 28. Januar 1810[2] wurden Auszüge aus den Katalogen der Weingartner Bibliothek von den Stuttgarter Bibliothekaren dem Cameralamt Weingarten vorgelegt, damit nachgesehen würde, was davon noch im Kloster sich vorfände; und noch im August desselben Jahres wurde der öffentlichen Bibliothek eröffnet,[2] daß der König befohlen habe, auch die Weingartner Bibliothek nach Stuttgart zu bringen und das „Vorzüglichste und Branchbarste mit der Königlichen Großen Bibliothek zu vereinigen". Diese Anordnung des Königs wurde durchkreuzt durch seinen eigenen Plan, der dann auch im Jahre 1810 noch ausgeführt wurde, eine Handbibliothek zu gründen. Und da nach des Königs Willen diese Königl. Haudbibliothek — seit 1887 Königl. Hofbibliothek — „des Handschriftenschmuckes nicht entbehren" sollte,[3] so kamen die Weingartner Handschriften in diese neugegründete Bibliothek gleich mit ihrer Gründung und bildeten dort zusammen mit den Mergentheimern den Hauptbestand der Handschriftensammlung. In der Handbibliothek wurde im Jahre 1813 eine neue Verzeichnung dieser Handschriftenbestände vorgenommen, offenbar unter Benützung der Weingartner Kataloge und der in den meisten Handschriften vorn eingeklebten Inhaltsverzeichnisse. Eine solche Verzeichnung wurde für später um so wertvoller, als jedenfalls auch noch unter der Regierung König Friedrichs († 1816), vielen der Handschriften, besonders den historischen und juristischen, aber auch

---

1) Casseler Akten; s. oben.
2) Nach Akten der Landesbibliothek.
3) s. Heyds Einleitung zu den „Handschriften der K. Oeffentlichen Bibliothek zu Stuttgart", I. Abt. 1., 1889—1890, S. VIII.

besonders wertvollen aus andern Fächern, wohl auf Wunsch ihres
königlichen Herren, ein neues prunkvolles Kleid mit goldverzierten
Maroquineinbänden und Goldschnitt gegeben wurde, wodurch freilich
manche wertvollen Aufschriften und Einträge, so z. B. auch alle alten
Signaturen verloren gingen, die nun glücklicherweise. z. T. in den
Katalogen vom Jahre 1813 gerettet sind. Einige wenige Stücke wurden
übrigens nach 10 jährigem Aufenthalt aus ihrem neuen Heim wieder weg-
gegeben. Im Jahre 1820 wurde die Bibliothek der von Sternbergschen
Herrschaft zu Schussenried — die „Bibliotheca Sorethana“ —, die im
Jahre 1809 eingezogen worden war, an ihren rechtmäfsigen Herrn nach
Schussenried zurückgegeben und von dort in den 30 er Jahren an
Antiquare verkauft. Darunter befanden sich auch drei Weingartner
Handschriften, nach den Signaturen der Hofbibliothek II, 42, III, 17 u. 21,
wovon die erstere, schon ihres Alters wegen, besonders wertvoll
war. Ob sonst noch Weingartner Besitz unter den abgegebenen Beständen
war, wird sich kaum mehr feststellen lassen. Das ganze Verfahren
vom Jahre 1820 scheint etwas summarischer Art gewesen zu sein;
Verzeichnisse wurden offenbar nicht angelegt. Dafs die drei Handschriften
vor 1809 von Weingarten einmal nach Schussenried gekommen waren,
ist bei der nachbarlichen Lage der beiden Orte nicht unmöglich, aber
nicht sehr wahrscheinlich, um so weniger als die Handschriften in
Bommers Katalog noch aufgeführt sind. Es ist sehr wohl denkbar,
dafs 1820 auch das eine oder andere Stück abgegeben wurde, das
gar nicht von Schussenried gekommen war.

Im übrigen führten die Handschriften in den stillen Räumen der
Kgl. Handbibliothek ein geruhsames Dasein. Nicht als ob sie wissenschaftlicher Benutzung entzogen worden wären; in den 20 er Jahren
z. B. wurden dort die Weingartner Handschriften zusammen mit dem
übrigen Bestand der Handbibliothek von Meusebach nach altdeutschen
Sprachdenkmälern durchforscht,[1] ebenso in den 30 er und 40 er Jahren
von den Kunsthistorikern Kugler und Waagen nach ihrem Miniaturen-
besitz.[2] Immerhin war ihre Trennung vom Hauptstock der Stuttgarter
Handschriften, der in der öffentlichen Bibliothek lag, für die Gelehrtenwelt doch mifslich. Und so war es auch von dieser Seite aus freudig
zu begrüfsen, dafs der Wunsch des Königs Karl, diesen Schätzen eine
sicherere Aufbewahrung zu verschaffen, den Anlafs gab, die Inkunabeln
und Handschriften der Kgl. Handbibliothek in die öffentliche Bibliothek
zu verbringen. Im Mai 1884 fand die Uebernahme statt, und seit dem
Jahre 1885, in dem der Mittelbau der neuen Bibliothek vollendet
wurde, wohnten die Weingartner Handschriften, zunächst als Gäste,
im gleichen Raum, in dem die übrigen Württembergischen Handschriften
ihr Heim gefunden hatten, und unter der gleichen Verwaltung. Dieses

---

1) Graffs Diutiska, Bd 2, 1827, p. 40—70.
2) Waagen, Kunstwerke und Künstler in Deutschland, Teil 2, 1845,
S. 198 ff. Kugler, Kleine Schriften und Studien zur Kunstgeschichte, Teil 1,
1853, S. 69—76.

Gastverhältnis wurde dann einige Zeit später zu einem dauernden und rechtmäfsigen umgewandelt. Aus Anlafs der infolge des Thronwechsels 1891 vorgenommenen Uebergabe und Revision der Kronausstattung wurde von Seiten der Zivilverwaltung bei einer Anzahl von Gegenständen, die der Kronaustattung längst entfremdet waren und mit ihr in keinem inneren Zusammenhang mehr standen, Rückgabe an den Staat gegen Ersatz angeregt. Zu diesen Gegenständen gehörten auch die Handschriften der Hofbibliothek, von denen übrigens bei dieser Gelegenheit, im Jahre 1892, auch einige, und darunter auch Weingartner, an das Königl. Haus- und Staatsarchiv übergeben wurden. Alles übrige blieb beisammen und war eingeschlossen in den am 9. November 1898 abgeschlossenen Tauschvertrag zwischen der Hofdomänenkammer und der Staatsfinanzverwaltung, der dann im März 1901 vollzogen wurde, und wodurch u. a. die Hofhandschriften, gegen 1000 Bände, damals geschätzt zu 250 000 M., in das freie Eigentum und das Verfügungsrecht des Staates übergingen. Damit war der natürliche Gang der Dinge, der im Jahre 1810 unterbrochen worden war, wiederhergestellt, und dem Verfahren der Säkularisation auf diesem Gebiete erst die innere Berechtigung verschafft. Denn wenn es zweifellos im Interesse der Wissenschaft lag, dafs alle diese Erzeugnisse der Gelehrsamkeit vergangener Zeiten an grofsen Sammelstätten vereinigt wurden, statt an allen möglichen, z. T. recht abseits liegenden, und nicht jedermann zugänglichen Orten zerstreut zu sein, so gehörten folgerichtig die Schätze zu der grofsen schon vorhandenen Sammlung in die öffentliche Bibliothek, wo sie der Gelehrtenwelt am leichtesten zugänglich waren und im Zusammenhang mit einer reichen wissenschaftlichen Büchersammlung aus allen Gebieten benutzt werden konnten. Und dem war durch diesen Uebergang Rechnung getragen. So war dieser letzte Besitzerwechsel, den damit auch die Weingartner Handschriften über sich ergehen lassen mufsten, für die Allgemeinheit ohne Zweifel höchst erwünscht, und die frühere Unsicherheit, ob eine Handschrift in der Hofbibliothek oder in der Landesbibliothek zu suchen war, hörte damit auf. Von einigen wenigen Resten nebst einzelnen Blättern, die freilich durch Italafragmente ganz besondere Bedeutung haben und die im Jahre 1884 jedenfalls versehentlich zurückgeblieben sind, ist wohl mit Grund zu hoffen, dafs sie auch vollends dem Ganzen nachfolgen dürfen, zu dem sie gehören.

Zur feierlichen Beurkundung dieser letzten Wanderung und zugleich gewissermafsen als neuen Heimatschein erhielten dann im Dezember 1901 alle diese Handschriften den Stempel „Aus der K. Handbibliothek an die K. Landesbibliothek Stuttgart abgetreten 1901", nachdem die neue Heimat selbst ihren Namen „Oeffentliche Bibliothek" im November 1901 gegen den Namen „Landesbibliothek" umgetauscht hatte.

In diesem Zusammenhang ist schliefslich noch zu erwähnen, dafs die Weingartner Fremdlinge, als sie nach fast 100 jähriger Wanderzeit endlich in der Landesbibliothek ihr endgültiges Heim fanden, hier zu ihrer Ueberraschung schon über ein Dutzend Vertreter ihrer Familie vorfanden.[1]) Es ist wohl anzunehmen, dafs diese Handschriften seinerzeit, als die Weingartner Bibliothek nach Stuttgart verbracht wurde, versehentlich gleich in die öffentliche Bibliothek gelangten.

Zum Schlufs sei noch ein kurzer Ueberblick gegeben über die endgültigen Heimstätten der Handschriften[2]) des Klosters Weingarten, die sie nach all diesen Wanderungen und Irrfahrten gefunden haben: Von den in der Zusammenstellung aufgeführten 843 Handschriften — die geschriebenen Kataloge nicht mitgerechnet — befinden sich heutzutage in Stuttgart 531, in Fulda 146 und in Darmstadt 17. 14 sind einzeln zerstreut in Giefsen, Berlin, Karlsruhe, München, Wien, Haag, Holkham Hall, London und Cheltenham.[3]) Und 135 konnten noch nicht wieder aufgefunden werden.

II. Miniaturen und Initialen.

Es ist hier nicht beabsichtigt, eine fachwissenschaftliche Darstellung zu bieten; nur als Vorarbeit dazu soll ein kurzer Ueberblick über diejenigen Handschriften gegeben werden, die Miniaturen- oder Initialenschmuck tragen. Eine solche Zusammenstellung dürfte ja nicht blofs das Material für eine abschliefsende Untersuchung der kunstgeschichtlichen Bedeutung der Buchkunst von Weingarten selbst enthalten, sondern in den aus Konstanz stammenden Handschriften zugleich Stücke, die für die Zeichnung der Reichenauer Malerschule verwertet werden können, einer Malerschule, die vor 20 Jahren Vöge[4]) zuerst ohne bestimmte Heimat feststellte, die dann Haseloff[5]) der Reichenau zuwies und Swarzenski[6]) noch schärfer bestimmte und umgrenzte, und die neuerdings, seit Beissel[7]) wieder hinter einige Punkte Fragezeichen gesetzt hat, die Kunsthistorikerschule Goldschmidt-Halle in Einzeluntersuchungen neu in Behandlung zu nehmen scheint.

Aufser einer solchen Materialsammlung will natürlich das Folgende auch einen Auszug aus dem Ergebnis der kunstgeschichtlichen Forschung

---

1) s. B, Besonderer Teil, III a, 2.

2) Für die Klosterbibliothek überhaupt mögen hier noch ein paar Zahlen angefügt werden: nach schätzungsweiser Berechnung an der Hand der Kataloge besafs das Kloster ca. 1000 Inkunabeln und 15000—20000 weitere Druckwerke, wofür wohl die doppelte Zahl als Summe der Buchbinderbände angenommen werden kann.

3) Betreffs Frauenfeld vgl. die Anmerkung am Schlufs des Verzeichnisses der Handschriften nach heutiger Bibliothekheimat.

4) Vöge, Eine deutsche Malerschule um die Wende des ersten Jahrtausends, 1891, in Ergänzungsheft 7 der Westdeutschen Zeitschrift für Geschichte und Kunst.

5) Haseloff, Der Psalter Erzbischof Egberts von Trier, 1901.

6) Swarzenski, Reichenauer Malerei und Ornamentik im Uebergang von der karolingischen zur ottonischen Zeit, im Repertorium für Kunstwissenschaft, Bd 26, 1903, S. 389 ff. und 476 ff.

7) Beissel, Geschichte der Evangelienbücher in der ersten Hälfte des Mittelalters, in Ergänzungsheft 92 und 93, 1906, der Stimmen aus Maria-Laach.

geben, soweit sie sich mit Weingartner Handschriften schon im einzelnen beschäftigt hat.

Was zunächst die Handschriften mit Bildern Weingartner Buchkunst anbelangt, so liegen hier erfreulicherweise schon fachmännische Untersuchungen vor. A. Haseloff hat zuerst die in Betracht kommenden Handschriften behandelt und das Ergebnis seiner Forschung vorläufig in einem Vortrag der Kunstgeschichtlichen Gesellschaft zu Berlin vorgelegt, über den in dem vierten Sitzungsbericht dieser Gesellschaft vom Jahre 1905 berichtet ist (zugleich abgedruckt in der Deutschen Literaturzeitung, Jahrgang 26, 1905, S. 1998 ff.). Einige Jahre später hat L. Dorez in einer sehr eingehenden Arbeit mit schönen photographischen Abbildungen Weingartner Handschriften, die sich in der Bibliothek des Lord Leicester in Holkham Hall befinden und worunter das bedeutendste Erzeugnis der Buchkunst des schwäbischen Klosters ist, besprochen und wiedergegeben.[1] Da das Werk von Dorez nur ganz wenige, wenn auch die wichtigsten Stücke berücksichtigt, wäre es sehr zu bedauern, wenn Haseloffs ursprünglicher Plan, die Weingartner Schule in einer besonderen Veröffentlichung eingehender zu behandeln, nicht mehr zur Ausführung käme.

Von Haseloff ist auch schon untersucht worden, was an fremdem Einfluß auf die Malerschule von Weingarten eingewirkt hat. Wie zu erwarten, wird von ihm eine Einwirkung der Reichenau festgestellt, besonders in den Initialen, von welchen nachher noch die Rede sein soll. Unmittelbare Vorlagen von Handschriftenbildern besaß das Kloster in den Miniaturen der Judithhandschriften (Schatzhandschrift 1, 2 und 3), Erzeugnissen angelsächsischer und niederländischer[2] Schulen; für 1 und 2 vgl. Dorez, für 3 Haseloff. Weiterhin dürfte wohl nur noch eine Handschrift mit Bildern als Vorlage zu nennen sein, das turonische Evangelienbuch A 21 mit einem Bild der Majestas Domini und Darstellungen der vier Evangelisten.

Das älteste Bild der Kunst unseres Klosters könnte man in der romanischen Federzeichnung des gekreuzigten Christus in F 59 sehen; doch ist die Handschrift wohl älter als das Kloster. Mit größerer Wahrscheinlichkeit dürfte man die frühesten Bilder in G 28 finden. Die Handschrift gehört jedenfalls zu dem alten Bestand der Bibliothek und widerspricht in keiner Hinsicht der Annahme Weingartischen Ursprungs, für welche außer der Schrift auch der Inhalt, das Leben der Schutzpatrone des Klosters, des hl. Martinus und Oswaldus, geltend gemacht werden kann; auch finden wir das matt, fast schwarz gewordene Deckgold auf grünlicher Unterlage, wie es die Initialen von G 28 mit ihrer noch ungeübten Technik zeigen, sonst ebenfalls bei Weingartner Initialen. Die Handschrift mit ihren Bildern wäre dann in der ersten

---

1) Les manuscrits à peintures de la bibliothèque de Lord Leicester à Holkham Hall, Norfolk. Choix de miniatures et reliures publié ... par Léon Dorez. Paris 1908.
2) Zugleich Bamberger Einfluß? Vgl Beissel, a. a. O., S. 272.

Zeit des Klosters, noch im Jahrhundert der Gründung entstanden. Sie enthält drei ganzseitige Miniaturen, deren erste, am Anfang des Buches, jedenfalls den hl. Martinus darstellt, während die beiden andern, in der Mitte, wohl Szenen aus dem Leben der hl. Afra bringen. Einen gewissen Anklang an diese Handschrift zeigt aus etwas späterer Zeit F 43, deren Hauptschmuck sonst große Initialen sind, mit einer ganzseitigen Bildinitiale A, etwas vor der Mitte des Bandes, die Auferstehung Christi darstellend. Den Einfluß der Judithhandschriften in ihren Initialen bekunden einige Handschriften des 12. Jahrhunderts, die aber hier zuerst der Miniaturen wegen zu nennen sind: F 26, von deren zwei Bildern nur eins, die Kreuzabnahme, erhalten ist, während das andere leider herausgeschnitten wurde, und das Fuldaer Breviarium (Anh. II, 1), das mit einer großen Anzahl von Miniaturen geschmückt ist. Eine gewisse Verwandtschaft mit diesen letzteren könnte man in zwei weiteren Handschriften finden, F 29, mit einem Bild des Gekreuzigten nebst Maria und Johannes, und F 30, mit einem Bild eines Heiligen. Zwar ist ihre Entstehung in Weingarten nicht außer Zweifel, aber sie könnten im Kloster bemalt worden sein. An die Beziehungen zu den Welfen erinnert das Bild des Welfenstammbaums in G 12, worin außerdem noch das Bild von Kaiser Friedrich I. mit seinen Söhnen enthalten ist. Aus der gleichen Zeit stammmt F 9 mit einem miniaturgeschmückten C, in dessen Rundung der Papst sitzt. Auf urkundlich bezeugten Boden, z. T. durch die Einträge in den Handschriften selbst, kommen wir endlich mit G 1 und D 1, aus den Zeiten der Aebte Wernher und Meingoz. G 1 zeigt auf ihrem Bilde[1]) unten den Abt Wernher selbst, wie er dem hl. Martinus das Buch überreicht; darüber übergibt Josephus mit andern Juden dem Vespasian seine Rolle. D 1 bietet auf drei Seiten Szenen aus dem Leben des hl. Gregor. Zu diesen beiden Handschriften gehört auch D 54 mit einem Bild am Anfang, das den hl. Gregor darstellt, wie er sein Werk über pastoralis cura schreibt, in sein Ohr geflüstert vom hl. Geist in Gestalt eines Vogels; hinter Gregor steht ein Mönch, der das Geschriebene in Empfang nimmt. Wohl ebenfalls noch in die Zeit von Abt Meingoz dürfte das jetzt im Besitz von Lord Leicester in Holkham Hall befindliche Missale des Hainricus sacrista (Schatzhandschrift 5) zu setzen sein, das in seiner prächtigen Ausstattung von den seitherigen einfacheren Werken schon gewaltig absticht; für seine Bilder und seinen Prachteinband sei auf das oben erwähnte Werk von L. Dorez verwiesen.

Wir nähern uns damit zeitlich schon dem Höhepunkt Weingartischer Buchkunst, die am Anfang des 13. Jahrhunderts ihre Blütezeit unter Abt Berthold (1200—1232) erreichte.[2]) Ihr schönstes Werk ist nach Haseloff das Berthold-Missale (Schatzhandschrift 3), jetzt ebenfalls im Besitze von Lord Leicester; es ist genau beschrieben

---

1) Vgl. auch Heß, Prodomus ..., p. 58.
2) Vgl. Haseloff a. a. O.

und abgebildet bei Dorez. Dem nach Namen und Persönlichkeit nicht
weiter bekannten hochbedeutenden Maler dieses Missales, das in beiden
Arten seiner Darstellungsweise, einer einfachen, ruhigen und einer
lebhaft bewegten gleich hervorragt, schreibt Haseloff auch die zwei
Bilder von A 34 zu, den · Evangelisten Matthäus und die Geburt
Christi darstellend, die hinter unausgefüllten Kanontafeln und einem
unbemalten Apostelbild in die der Schrift nach ältere Handschrift
eingemalt wurden. Ein drittes Denkmal aus der Bertholdzeit ist das
Wiener Missale (Schatzhandschrift 6); über seinen künstlerischen Ge-
halt siehe Jahrbuch der kunsthistorischen Sammlungen des Allerhöchsten. Kaiserhauses, Bd 5, 1887, Th. 2, II—IV.

Von dieser Höhe schéint die Kunst in Weingarten rasch herab-
gesunken. zu sein. Was aus der späteren Zeit erhalten ist, reicht
nach Haseloffs Urteil an die Werke der Blütezeit weit nicht heran
und ist auch der Zahl nach nicht sehr bedeutend. Aus der zweiten
Hälfte des 13. Jahrhunderts stammen die Bruckstücke eines bilder-
geschmückten Breviariums, die in München aufbewahrt werden (Anh. V).
Etwa in die gleiche Zeit gehören die Federzeichnungen des codex
maior traditionum Weingartensium (Archivhandschrift 4), welche die
Aebte von Weingarten, natürlich nur in typischen Figuren, darstellen
sollen. Von der Zeit Konrads von Ibach (1315—1336) erzählen
wieder einige Bilder selbst. In F 2 ist der Abt mit anderen Kloster-
brüdern abgebildet; darüber ist Christus und Maria sitzend dargestellt.
F 11 zeigt das Bild des Gekreuzigten mit Maria und Johannes; die
gleiche Darstellung etwas schwächer, hat die ältere Handschrift F 29.
Die reicher mit Miniaturen geschmückte Handschrift A 48, die vier
Darstellungen aus dem Leben Jesu und in Bildinitialen David, einen
Heiligen und einen Bischof zeigt, und ferner F 6 mit zwei ganzseitigen
Bildtafeln, sind für Weingartner Ursprung nicht ganz gesichert. Zum
Schluſs seien noch ˙erwähnt die Bilder von G 30, welche eine lange
Reihe von „Stiftern von Weingarten" vorführen; sie sind, wenn auch
künstlerisch nicht ohne Wert, eher vom kulturhistorischen Gesichts-
punkt aus von Bedeutung.

Mit dieser letzten Leistung hat die Weingartner Buchmalerei sich
dem Ende des Mittelalters genähert. Sie hat keine besonders groſse
Zahl von Werken aufzuweisen, hat auch nach auſsen keinen nach-
gewiesenen Einfluſs ausgeübt und ist hierin mit denen der benachbarten älteren Kunstmittelpunkte wie Reichenau und St. Gallen nicht
zu vergleichen, hat aber immerhin Einen. überragenden Meister besessen von ausgeprägter künstlerischer Eigeuart.

Wo von den Weingartner Handschriften nach ihrer küustle-
rischen Bedeutung die Rede ist, dürfen aber nicht nur diejenigen
genannt werden, die in Weingarten entstanden, sondern weiterhin
auch die andern, die durch die Bibliothek des Klosters auf uns gekommen sind. Und da sind es ja besonders zwei, die den Namen
Weingarten weit berühmter gemacht haben, als alle seither genannten.
In erster Linie die Liederhandschrift (K 107); die kunstgeschichtliche

Bedeutung ihrer Bilder, die aufserdem von höchstem Wert für die Kostümgeschichte sind, sei kurz darin zusammengefafst, dafs sie zum erstenmal in Deutschland die französische Illustrationstechnik in Deckfarben zeigen und Vorbilder waren für die reichere Manessische Haudschrift, wenn nicht, was wohl wahrscheinlicher ist, beide auf eine verloren gegangene gemeinsame Vorlage zurückgehen.[1]) Künstlerisch wohl noch wertvoller als die Minnesängerhandschrift ist das Psalterium des Landgrafen Hermann von Thüringen (Anh. I, 3); über seine Bilder und ihre Bedeutung für die Kunstgeschichte vgl. Studien zur deutschen Kunstgeschichte, 9: Haseloff, Eine thüringisch-sächsische Malerschule des 13. Jahrhunderts. Besonders interessant ist, dafs Dorez in den Bildern der Handschriften aus der Bertholdzeit verschiedentlich Anklänge an Miniaturen dieses Psalteriums findet, so dafs man fast daraus schliefsen könnte, dafs das Psalterium bald nach seiner Entstehung nach Weingarten gekommen wäre.

Was sonst sich in der Bibliothek von Weingarten an Bilderhandschriften ansammelte, steht natürlich davon in weitem Abstand. In erster Linie wäre zu erwähnen A 24, die ungemein reich mit Miniaturen illustriert ist und wohl nach Böhmen weist. F 40, aus Hofen stammend, mit zwei ganzseitigen Miniaturen, wäre vielleicht Weingarten selbst zuzuschreiben. Sonst sind es vor allem Proben der Illustrationskunst aus dem Ende des Mittelalters. Beachtenswerte Beispiele der Illustration der Spielmannsdichtung zeigt die Handschrift Anh. I, 28, der Augsburger Schlachten- und Geschichtsmalerei G 17, astronomischer Vorwürfe nebst andern Bildern K 17. Zwei Prachtstücke reich geschmückter livres d'heures sind F 22 und F 47 und vertreten französische resp. flandrische Kunst in Weingarten.

Schöne Erzeugnisse feiner, zierlicher Renaissancekunst enthalten weiterhin die beiden Breviere F 93 und F 92; neben diesen könnte von den Brevieren noch F 64 genannt werden. Endlich sei auf die zum Teil recht wohl gelungenen Bildchen hingewiesen, welche die Stammbücher der Familie Ochsenbach (Anh. I, 35) schmücken.

Unter den sehr zahlreichen und alten Handschriften, welche von Konstanz nach Weingarten kamen, sind auffallend wenige mit Miniaturen versehen. Die älteste ist A 30 aus der Reichenau; ihr Bild ist, wenn auch künstlerisch wenig wertvoll, nach Swarzenski[2]) kunstgeschichtlich von Bedeutung als Erzeugnis der konservativen Richtung der Reichenauer Schule aus der karolingischen Zeit, das den Zusammenhang mit Arbeiten aus der ottonischen Zeit herstellt. Aufserdem wären nur noch zwei Handschriften des 14. Jahrhunderts zu

---

1) Vgl. als letzte zusammenfassende Darstellung die Königsberger Dissertation von Stange, Die Miniaturen der Manessischen Liederhandschrift und ihr Kunstkreis, 1909, S. 37, und die Erwähnung in der Dissertation von Hertha Wienecke, Konstanzer Malereien des 14. Jahrhunderts, Halle 1912, S. 22, wo trotz Vogts Untersuchung wieder Konstanzer Ursprung angenommen ist.

2) Repertorium für Kunstwissenschaft, Bd. 26, 1903, S. 480.

nennen: die Prachthandschrift H 2, die nach Italien weist, und H 1
mit einer Miniatur, die Bonifacius darstellt.

Weit gröfser als die Zahl der Handschriften, die durch Bilder
hervorragen, ist, wie es ja in der Natur der Sache liegt, die Zahl
derjenigen, die nur durch Initialen ausgezeichnet sind. Da aber
auch die Initialen kunstgeschichtliches Interesse erwecken und gelegentlich zur Bestimmung einer Handschrift verwertet werden können,
sei auch ihre Reihe hier kurz aufgeführt. Zunächst wieder die Reihe
derjenigen, für welche Weingartischer Ursprung angenommen werden
kann.

Eine recht stattliche Zahl von Handschriften dürfen wir der
Initialkunst des Klosters zuweisen, besonders das 12. Jahrhundert ist
reich vertreten. Die Initialen der ältesten Zeit zeigen in der Hauptsache Pflanzenornamentik, besonders in der von der Reichenau her
bekannten Ausbildung; doch drängen sich zwischen die Bänder und
Ranken vielfach Motive aus dem Tierreich. Die Buchstaben sind
hier meist in roten, seltener in schwarzen Umrissen gezeichnet und
sind schon in dieser einfachsten Form durch ihre kunstvolle Zeichnung
gewöhnlich recht wirkungsvoll. Gelegentlich finden wir eine grüne
Untermalung als Grundlage; häufig wird reichere Wirkung erstrebt,
indem die Zwischenräume farbig ausgemalt werden, meist in blau und
rot, aber auch violett, grün und gelb. Manchmal, wie es scheint in
den ältesten Handschriften, ist versucht, den Buchstabenkörper mit
Gold zu decken. Dieses Deckgold ist heute recht matt, zum Teil fast
schwarz geworden, teilweise auch abgefallen; auch scheint man im
Kloster von diesen Versuchen bald wieder abgekommen zu sein. Mit
Erzeugnissen dieser älteren Zeit, die sicher Weingartischen Ursprungs
sind, haben die Initialen von G 35 in ihrem verblafsten, wässerig
verschwommenen Grün eine gewisse Aehnlichkeit. Aber die Handschrift ist doch wohl in ihrem zweiten Teil, der eben die Initialen
enthält, älter als das Kloster und könnte für Reichenauer Ursprung
selbst in Anspruch genommen werden, wie die etwas ältere Wiener
Handschrift gleichen Inhalts und ähnlicher Schrift[1] (Wien. Hofbibl.
Cod. 573), die Swarzenski erwähnt[2]); allerdings wäre bei der alten
Schule der Reichenau die ungeübte Technik unserer Handschrift ver-
wunderlich. Aus dem 11. und 12. Jahrhundert sind Initialen mit
matt gewordenem Deckgold vertreten in G 28, F 24, A 7, B 13, 17,
D 45; in roten Federzeichnungen vorwiegend in A 10, 32, 35, B 12,
36, 72, 97, D 33, 62, F 59; aufserdem mit farbiger Ausmalung der
Zwischenräume in D 5, B 79, 89, 93, 102, 106, 109, D 71, F 34*, 39,
43 und 45.[3]) Weiterhin sind hier nochmals zu nennen die schon
ihrer Miniaturen wegen erwähnten Handschriften D 1, F 30, G 1 und 12;
endlich F 26, G 11 und Anh. II, 1, wobei die drei letzteren besonders

---

1) s. Chrousts Monumenta Palaeographica, Ser. I, Lief. XX, Taf. 9.
2) Repertorium für Kunstwissenschaft, Bd 26, S. 390.
3) Die noch nicht näher bekannten Initialen von G 3 konnten in die
Gruppierung nicht eingereiht werden.

auch den Einfluſs der Judithhandschriften bekunden. Die hier nach ihren bezeichnendsten Initialen in Gruppen zusammengefaſsten Handschriften zeigen natürlich im einzelnen die gröſsten Unterschiede von der kleinen, einfachen Initiale zum groſsen, kraftvollen, in reichen Windungen sprossenden Gebilde phantasievoller Pflanzenornamentik, an dem wir oft ganz eigenartige, geistreiche Einfälle zu bewundern haben.

Prunkvoller, manchmal eine ganze Seite einnehmend, auf Goldgrund mit mehrfachem, verschiedenfarbigem Rahmen, glänzen die Initialen aus dem folgenden Jahrhundert in der Handschrift F 58, die aber immer noch ihre Ornamentik aus der Pflanzenwelt entnimmt. D 11, auch aus dem 13. Jahrhundert, hat schöne Initialen, die schon die Herrschaft der Gotik verraten. Auch F 29 ist nochmals zu erwähnen mit reicher Ornamentik. Einfacherer Art sind die Initialen von F 15 und H 37. Zum 14. Jahrhundert, das wieder reicher vertreten ist, aber ohne die Fülle des 12. zu erreichen, leiten die Handschriften H 24, 47, 70 und 73 über, die im wesentlichen sich in bescheideneren Grenzen halten. Im 14. Jahrhundert selbst werden gern in den Grund der vielfach nur kalligraphisch verzierten Initialen, die in ihren Farben im Vergleich zu den früheren teilweise recht matt geworden sind, Brust- oder Figurenbilder eingemalt; siehe z. B. E 57, K 5 und 50. Auſserdem sind für reichere Initialornamentik anzuführen die schon bei den Miniaturen erwähnte Handschrift F 2, damit verwandt I 1, ferner A 5, ähnlich F 10. F 68 zeigt französischen Einfluſs, ist aber für Weingartner Ursprung nicht gesichert. Einfacherer Art sind die Initialen von A 48, D 45, 53, F 5, 11, 29*, 67, H 12. Wegen der besonderen Kunst der Rankenverzierung, die oft den ganzen Rand einer Seite ausfüllt, einer Kunst, die vor allem in den Brevieren eine Stätte fand, sei F 91 erwähnt. Doch ist es fraglich, ob dieses Brevier, wie andere der Art, die genannt werden könnten, im Kloster geschrieben wurde. Es ist sehr wohl möglich, daſs es dem Kloster geschenkt wurde, wie dies z. B. bei den drei Brevieren F 49, 50 und 51, die ähnlichen Initialenschmuck tragen, die eingemalten Wappen verraten könnten.

Für die Initialkunst, wie sie sich so im Kloster ausgebildet hat, lagen in fremden Handschriften der Bibliothek kaum nennenswerte Vorbilder vor. Die einzigen, die etwa hier zu erwähnen wären, sind die francosächsische Handschrift A 38 und die schon bei den Miniaturen erwähnte Handschrift A 21. Doch scheint die darin vertretene Bandornamentik in Weingarten keinen Anklang mehr gefunden zu haben. Viel eher hat die Reichenauer Schule mit der Pflanzenornamentik Einfluſs ausgeübt, wie Haseloff in der gleich in der ersten Zeit des Klosters nachträglich in die Schatzhandschrift 3 eingetragene Initiale nachweist.

Was an fremden Handschriften mit Initialkunst sich später in der Weingartner Bibliothek ansammelte, ist auſser den von Konstanz erworbenen nicht viel. Vielleicht haben wir eine Probe Hirsauer Kunst

und damit einen kümmerlichen Rest des verschollenen Schatzes in
A 47 mit zierlichen Initialen gotischen Charakters in den Farben rot
und blau und einem einmaligen randleistenartig ausgebildeten J mit·
sieben kleinen figürlichen Medaillons, welche die Schöpfungstage darstellen. Doch weist die mit A 47 verwandte Handschrift A 50 eher
nach Frankreich. Weiterhin wären etwa noch die beiden dem Grafen
Eberhard von Württemberg gewidmeten Handschriften K 94 und K 102
zu erwähnen, denen der künstlerische Schmuck gewissermaſsen das
höfische Kleid geben sollte. An die zweite könnte noch G 47 angeschlossen werden, deren zierliche Initialen ebenfalls italienische
Humanistenkunst bezeugen. Bei D 60 mit hübschen Rankenverzie-
rungen dürfte vielleicht das Wappen Anhaltspunkte für Bestimmung
der Herkunft bieten.

Dagegen war in der Konstanzer Dombibliothek die Initialkunst
reich vertreten mit beachtenswerten und teilweise sehr alten Erzeugnissen, die häufig über Konstanz hinaus nach der Reichenau, vielleicht
auch nach St. Gallen zu weisen scheinen. Die ältesten Proben haben
die zwei Handschriften des 8. Jahrhunderts, H 76 und die ihrer Miniaturen wegen schon erwähnte A 30; die Initialen der ersteren, in
Zeichnung und Farbe noch ziemlich roh, die zweite mit eigenartiger
Ornamentik, im wesentlichen das Band benützend, mit Ansätzen von
Knospen, gelegentlich an Fischmotive erinnernd, und zwar in den
typischen Farben der „merowingischen" Zeit, grün, rot und gelb.
Die gleichen Farben und ähnliche Art, aber im ganzen einfacher gehalten, zeigen aus dem folgenden Jahrhundert die Initialen von B 78.
Aus demselben Jahrhundert stammt die groſse interessante Initiale
der Handschrift B 95 (auf S. 221) in Riemenornamentik mit ihren
eigenartigen Abschlüssen in Hundeköpfen, in den Farben rot, gelb
und schwarz. Auch in diesen Farben, zu denen häufig noch grün
oder blau tritt, zieren zahlreiche Initialen G 42, die gleichfalls durch
ihre Abschlüsse auffallen, eigenartige Knollen, gebildet durch Riemen-
verschlingungen. Wegen ihres Alters — auch noch aus dem 9. Jahrhundert stammend — seien noch die kleinen einfachen Initialen von
A 36 und B 81 und 82 erwähnt, die wieder mehr Aehnlichkeit mit
A 30 aufweisen. Zur Ranken- oder Pflanzenornamentik leiten die
zwei verwandten Handschriften D 24 und B 52 über, die erstere
spärlicher, die letztere reicher mit Initialen geschmückt. Der Haupt-
stätte der Pflanzenornamentik selbst, Reichenau, gehört[1]) F 27 an mit
der eigentümlichen Verwendung von Gold und Silber; verwandt damit
ist A 31. Sind seither in der Ornamentik immer auch noch lineare
Tiergestalten vertreten gewesen, so ist die Pflanzenornamentik aus-
schlieſslich zur Herrschaft gelangt in den zwei Handschriften des
10. Jahrhunderts D 63 und D 35, welche nach Swarzenski wahrscheinlich auch der Reichenau entstammen,[2]) und zwar die erste die

---

1) Vgl. Repertorium für Kunstwissenschaften, Bd 26, S. 399.
2) Vgl. Repertorium für Kunstwissenschaften, Bd 26, S. 405 resp. 408.

St. Gallische Richtung daselbst vertretend, die zweite einer Uebergangsgruppe zwischen karolingischen und ottonischen Prachthandschriften der Reichenauer Schule angehörend. Eine gewisse Aehnlichkeit mit diesen Initialen hat ein schönes kunstvolles C in roten Umrissen der Handschrift B 83, während B 44 noch einmal die Bandornamentik in einem grofsen, aber etwas plumpen J vertritt. Auch A 11 hat noch einmal einige Initialen in einfacher Bänderverzierung, teilweise von den bisherigen abweichend; B 23 schliefst sich mit den ihrigen in Band- und Rankenornamentik den andern an und könnte vielleicht mit dem eingemalten Wappen einen Anhaltspunkt für genauere Herkunftsbestimmung bieten. Krausere Phantasie verraten die Initialen der Handschrift F 48 Anm. aus dem 12. Jahrhundert; da haben sich in die Pflanzenornamentik schon alle möglichen Tier- und Menschenfiguren eingedrängt. Auch bei A 19, die einige farbige Initialen mit goldener Zeichnung des Buchstabens hat, sind die Rundungen etc. figürlich belebt. Ein J, das auf Goldgrund durch ein phantastisches Tier mit einem Menschenkopf dargestellt wird, zeigt B 70. Beispiele farbenprächtiger, prunkvoller Initialkunst aus dem 13. Jahrhundert, wie wir sie aus den Weingartner Schöpfungen schon in F 58 vertreten gefunden haben, schmücken, z. T. in noch gröfserem Glanz als in F 58, die Handschriften B 4, 22, 35, 50, 56, 58 und 65. Aehnliche Art zeigt B 18; doch stellen hier die Bilder der Initialen meist figürliche Wortillustrationen dar.[1] Auch bei B 7 mit sehr schöner Ausstattung sind in das Ranken- und Flechtwerk Tiere, Masken und Figuren eingeschoben. Aehnliches ist der Fall bei B 15, womit B 22 nahe verwandt ist. Neben dieser reicheren Ausschmückung findet sich im 13. und 14. Jahrhundert aber auch bescheidenere Art mit einfachen Initialen in rot und blau, wie schon in B 22. Beide Arten vertritt B 19, 41 und E 4; Beispiele der einfacheren sind H 11, 25, 26, 27, 28, 29, 30, 33, wobei natürlich im einzelnen beträchtliche Unterschiede bestehen und auch diese einfachere Kunst gelegentlich maniert wird, wie z. B. in B 47. Französische Kunst, oder wenigstens Einwirkung, scheint vertreten zu sein in den Initialen von K 38, H 3, 4, 5 und 14, italienische in H 31.

Als Anhang an vorliegende Zusammenstellung möge noch eine kurze Anreihung von einigen Weingartner Handschriften folgen, die zwar keine Miniaturen oder Initialen bergen, aber in eingeklebten Blättern oder Tafeln teilweise recht wertvolle Erzeugnisse der Kunst besitzen.[2] Das Blatt des Meisters mit der Bandrolle, das Glücksrad und den Lebensbaum darstellend, ist in K 28; ein sehr früher und wichtiger Holzschnitt des 15. Jahrhunderts in K 27, ein weiterer aus

---

1) Vgl. die Dissertation von Hertha Wienecke, Konstanzer Malereien des 14. Jahrhunderts, Halle 1912, S. 11 f.
2) Nach gütiger Bestimmung durch Herrn Geheimrat Lehrs. Eine Veröffentlichung der Holzschnitte wird in den Einblattdrucken von Heitz erfolgen.

demselben Jahrhundert in F 51, einer aus dem 15. und ein anderer
aus dem 16. Jahrhundert in I 56, ein weiterer des 16. Jahrhundert, in
G 39, aus demselben Jahrhundert ein italienischer in I 61, zwei alte
Federzeichnungen endlich in K 94.

III. Einbände.

Eine Beschreibung jedes einzelnen Einbandes liegt aufserhalb des
Rahmens, der für vorliegende Arbeit festgelegt war. Doch soll, getreu
dem Plane, ein Bild der Weingartner Handschriftenbibliothek zu ent-
werfen, versucht werden, die verschiedenen Arten von Einbänden in
einzelnen Vertretern festzuhalten. Vielleicht kann auch daraus ein
Hilfsmittel werden, die eine oder andere noch irgendwo verborgene
Weingartner Handschrift als solche zu erkennen.

. Den einfachsten Einband zeigen Handschriften, deren Holz-
deckel mit sämischem Schafleder [1]), weifsem oder rotem Ziegenleder,
gelegentlich später auch mit einer besonderen Art von Pergament,
geglättetem Schweinsleder ähnlich, überzogen sind, ohne jegliche
weitere Verzierung durch Linien, Stempel oder dergleichen. Beispiele
für diese übrigens nicht sehr stark vertretenen Gruppen bieten D 34,
D 79, F 25 und D 66. Alle diese Handschriften hatten am Vorder-
schnitt eine oder zwei Schliefsen, die aber in den allermeisten Fällen
verschwunden sind. Sie bestanden in der einfachsten Form aus einem
schmalen, aber kräftigen Lederstreifen, der am hinteren Deckel mit
einem Metallstück befestigt wurde, und dessen Spitze mit einer
Messingöse versehen war zum Einlassen in einen im vorderen Deckel
steckenden Dorn aus Messing; so noch ganz erhalten z. B. bei F 45.
Vielfach bestand die Schliefse aber auch ganz aus Metall in einfacher Schmiedearbeit, z. B. bei A 40. Gelegentlich waren an den
Ecken und in der Mitte der Deckel metallene Buckel angebracht, wie
z. B. bei D 66, die aber hier wie in den meisten Fällen nicht mehr
vorhanden sind.

Die nächste Stufe nach diesen schmucklosen Einbänden bezeichnen
die weit zahlreicher vertretenen Gruppen von solchen mit einfacher
Linienverzierung; neben die schon seither genannten Leder-
überzüge tritt dabei noch ein sehr häufig verwendeter Ueberzug aus
braunem Ziegenleder. Es sind in den Lederüberzug des vorderen und
hinteren Deckels doppelt oder dreifach nebeneinander laufende Linien
meist zweimal in gleichen Abständen von den Rändern eingedrückt;
in dem dadurch entstehenden rechteckig oblongen Mittelfeld werden

---

1) Oder sollte es vielleicht das von Mabillon, Iter germanicum, 1717, p. 44
erwähnte Hirschleder sein?

diese Linien in diagonaler Richtung geführt, wodurch, wenn dies
mehrfach wiederholt wird, eine Gliederung in Rautenfelder entsteht.
Beispiele für diese Gruppen von Einbänden bieten F 45, B 98, A 40.

Noch ein weiterer Schritt zur Ausschmückung des Einbands war
getan, wenn in die durch die Linienverzierung entstandenen Randleisten und Mittelfelder Stempel mit Blindpressung eingedruckt
wurden. Diese Stempel waren von verschiedener Form und Größe,
stellten teils bloße Ornamente, teils Pflanzenmotive, vor allem Lilien
und Rosetten, teils Tiermotive, z. B. Adler und Greife, teils Spruch-
bänder mit Aufschrift Maria oder Ave Maria dar. Zum Teil sind
diese Stempel ganz ähnlich denjenigen, die auf den Tafeln zu
P. Schwenkes Aufsatz „Zur Erforschung der deutschen Bucheinbände
des 15. und 16. Jahrhunderts" in Dziatkos Sammlung bibliotheks-
wissenschaftlicher Arbeiten, Heft 11, 1898, S. 114, wiedergegeben
sind. Beispiele für solche mit Blindpressungen geschmückten Einbände, die wieder in allen genannten Arten von Lederüberzügen vorhanden sind, stellen dar B 92, B 102, D 59.

Die Aufschrift erhielten die Handschriften auf einem Papier- oder
Pergamentstreifen, der auf dem oberen Teil des vorderen Deckels
aufgeklebt war, und bei den genannten Handschriften überall, wenn
auch z. T. nur noch in Spuren, zu sehen ist.

Die seither angeführten Handschriften vertraten mit ihren Einbänden sämtlich mehr oder weniger große Gruppen. Ihrer besonderen Stempel wegen mögen noch die folgenden Einbände von einzelnen Handschriften kurz erwähnt werden, die auch durch die Besitzer oder Schreiber besonderes Interesse erwecken. K 18, aus dem
Besitze des Abtes Gerwik Blarer, fällt durch ein großes Rosetten-
muster auf, das sich sonst nicht findet; dieses Muster bildet eine
fortlaufende Einfassung den ganzen Rand entlang. Die übrigen
Stempel dies Einbands sind auch sonst in ähnlicher Art zu finden.
D 54, eine der ältesten Handschriften von nachweislichem Weingartner
Ursprung, verwendet ein Kreismuster mit darin enthaltenen Ornamenten,
das sonst auch nicht vertreten ist. Auch der Ziegenlederüberzug ist
in Farbe und Zubereitung auffälliger Art.

Alle diese Einbände zeigen die einfachere Art des Weingartner
Handschrifteneinbands. Die Zeit der Herstellung der einzelnen Einbände festzustellen, wird kaum möglich sein. Doch dürfte für gewöhnlich kein zwingender Grund dagegen sprechen, sie je als die
ersten Einbände der betreffenden Handschriften anzusehen, und also
das Alter des Einbandes demjenigen der Handschrift selbst gleich-
zusetzen. Dieser Annahme widerspricht jedenfalls nicht die Tatsache,
daß der rote Einband mit einfacher Linienverzierung sich z. B. auch
bei H 60 findet, einer Handschrift, die erst 1630 von Konstanz nach
Weingarten kam. Denn dieser Einband ist so wenig besonderer Art,
daß er natürlich ganz wohl auch an anderen Orten hergestellt
werden konnte.

Anders liegt die Sache, wenn wir zu den gepreßten Lederbänden der Renaissance weitergehen, für welche die Weingartner Handschriften auch ganz beachtenswerte Beispiele bieten — Lederschnittbände scheinen sich in der Bibliothek nicht befunden zu haben. Diese Einbände, die die Grundlage des Holzdeckels beibehalten, weisen ja, wenigstens bei alten Handschriften, auf eine Erneuerung des Einbandes hin. Finden wir sie bei Handschriften, die nachweislich alter Besitz von Weingarten sind, so ist um so sicherer auch der spätere Einband als Weingartner Arbeit anzusehen. Als Beispiele für Handschriften mit solchen geprefsten Lederbänden seien angeführt E 51 und F 24. Bei E 51 bilden die Randleisten Platten mit Darstellungen der Auferstehung, des psalmierenden Davids u. a. Die Platte des Mittelfeldes zeigt Frauenbildnisse aus dem Gebiet der Geschichte und der Allegorie, wie z. B. Lucrecia, Justitia. Bei F 24 sind die Pressungen, die wohl von Anfang an etwas wenig tief waren, im Lauf der Zeit recht undeutlich geworden. So weit es sich noch erkennen läfst, waren auf den Randleisten fortlaufend antike Kampfszenen dargestellt. Der schöne Einband von F 68 aus dem 16./17. Jahrhundert zeigt besondere Beziehung zu Weingarten, indem er hinten das Wappen des Klosters und vorn ein Bild des Heiligblutgefäfses zeigt.

Auch die kostbarste Art von Erzeugnissen alter Buchbindekunst, der Prachteinband in getriebenem Edelmetall, ist in Weingarten durch mehrere Beispiele würdig vertreten gewesen. Diese führen wieder in die älteste Zeit der Weingartner Bibliothek zurück und verdienen um so gröfseres Interesse, als sie zumeist zu bekannten Persönlichkeiten in Beziehung stehen und zeitlich genau festgelegt sind.

Der wertvollste von ihnen [1]) ist der Einband des Berthold-Missales (Schatzhandschrift 3); er hat auch insofern eine besondere Bedeutung, als er Reliquien birgt. Der Metalldeckel, durch kostbare Steine und Filigranarbeiten geschmückt, trägt figürliche Darstellungen in erhabener Arbeit. Von dem Mittelfeld des vorderen Deckels gehen nach den vier Seiten mit Edelsteinen und Filigranarbeiten besetzte Arme aus, so dafs ein Kreuz entsteht, dessen Mitte, eben durch dieses, auch von Edelsteinen umgebene Mittelfeld gebildet wird. Im Mittelfeld selbst ist Maria auf einem Throne dargestellt, eine grofse Krone auf dem Haupt, das Christuskind im Schofs; Brustschmuck und Krone gleichfalls mit Filigran und Steinen besetzt. An den Seiten des Mittelfeldes stehen zwei Statuetten, die beiden oberen die Virginitas und Humilitas, die beiden unteren die Heiligen Martinus und Oswaldus darstellend. In den zwei Feldern je oben und unten sitzen die Evangelisten an einem Lesepult mit einem Buch, und neben dem Pult steht je eine weitere Person; unten links Markus mit Abt Berthold, rechts Lukas mit St. Nikolaus, und oben links Johannes mit Michael, rechts Matthäus mit Gabriel. Um das Ganze geht ein reich

---

1) Die Einbände der Handschriften in Holkham Hall nach Douz, Les manuscrits à peintures de la bibliothèque de Lord Leicester ..., Paris 1908.

mit Steinen und Filigranarbeiten geschmückter Streifen, der noch
einen schmalen glatten Metallrand freiläfst mit der Inschrift der
Namen von allen abgebildeten Personen. Die Schnittflächen der
Deckel sind mit schöner Ornamentik verziert und verraten durch eine
darauf angebrachte Inschrift, dafs der obere Deckel Reliquien von
Maria, Bartholomäus, Thomas, Petrus, Paulus, Jakobus, Georgius und
Oswaldus enthält. Durch die Figur des Abtes Berthold, bei dessen
Bücherliste auch dieses Missale angegeben wird, ist als Zeit der Ent-
stehung dieses künstlerisch sehr wertvollen Einbands das erste Drittel
des 13. Jahrhunderts festgelegt.

Noch ein zweites Mal finden wir eine Darstellung von Abt Berthold auf einem Einband einer Weingartner Handschrift, des Missales
in Wien (Schatzhandschrift 5). Und wahrscheinlich besafs auch diese
Handschrift einstmals einen Prachteinband, von dem aber nur noch
Reste erhalten sind. [1] Im Mittelfeld des hinteren Deckels liegt eine
Füllung in durchbrochener Arbeit, auf der die thronende Maria, ein
kniender Abt und eine mit einem Buch beschäftigte dritte Figur dargestellt sind. Die beiden letzteren sind nach der Inschrift des Randes:
Bertholdus Abbas und Udalricus. Wenn es zeitlich anginge, könnte
man geneigt sein, in dem Udalricus den unter Abt Kuno von Waldburg genannten Uodalricus custos zu sehen, von dem berichtet wird,
dafs er Kunstgegenstände dem Kloster stiftete und liturgische Bücher
schrieb (s. o. S. 6). Aber nach der Person von Berthold und nach
der Schrift ist die Entstehung des Wiener Missales etwa ein Jahrhundert nach diesem Uodalricus anzusetzen, gleichzeitig mit dem
Berthold-Missale.

Einen weiteren Prachteinband, der einen Namen aus dem Kloster
Weingarten verewigt, trägt das zweite Missale in der Bibliothek Lord
Leicesters (Schatzhandschrift 4). Der Einband ist weniger kunstvoll
als derjenige des Berthold-Missales und gehört einer noch früheren
Zeit an. Eingerahmt von einem breiten mit Filigran und Steinen geschmückten Rand ist hier die Krönung Marias in unbeholfener Art
dargestellt. Aufserdem trägt der vordere Deckel die Inschrift:
HAINRICUS SACRTSTA (sic!), welche Persönlichkeit jedenfalls auch
mit dem unten in betender Haltung abgebildeten Mönche gemeint ist.
Es könnte dieser Hainricus sacrista der unter Abt Meingoz erwähnte
Heinricus plebanus oder Heinricus quidam presbiter sein, welche
beiden — oder ist es ein und derselbe? — zu Kunstgegenständen
im Kloster in Beziehung gesetzt sind. [2]

An letzter Stelle der Prachteinbände — weil, wenn auch sehr
wahrscheinlich, so doch nicht sicher Weingartischen Ursprungs —
seien die Einbände der Judithhandschriften, auch im Besitz Lord
Leicesters (Schatzhandschr. 1 u. 2), genannt. Der Deckel der zweiten

---

1) Genauer beschrieben im Jahrbuch der kunsthistorischen Sammlungen
des Allerhöchsten Kaiserhauses, 5, 1887, II. Theil, S. II—IV.

2) s. Hefs, Prodromus, p. 36.

hat eine einfache, aber äufserst wirkungsvolle Anlage: in einer von Edelsteinen und Filigranarbeiten eingefafsten Mandorla die Majestas Domini; als Einfassung des Deckels ein ebenfalls mit Filigran und Steinen in gröfseren Formen gezierter breiter Rand; in den vier Ecken zwischen Mandorla und Rand die Symbole der Evangelisten. Die Fläche des ähnlich verzierten Deckels der ersten Handschrift ist in zwei Felder geteilt, auf deren oberem der thronende und auf deren unterem der gekreuzigte Christus dargestellt ist. Die Figuren der Darstellungen dieser beiden Deckel weisen besonders mit ihren grofsen Händen und Füfsen auf deutsche Arbeit hin, während Schrift und Miniaturen der Handschriften angelsächsischen Ursprungs sind. Dorez setzt als Entstehungszeit der Einbände das Ende des 11. Jahrhunderts an und spricht die Vermutung aus, dafs sie in Weingarten selbst gefertigt worden sind. Wir hätten dann in ihnen die ältesten Weingartner Prachtbände und zwar aus der ersten Zeit des Klosters selbst. Gegen die Vermutung von Dorez könnte geltend gemacht werden, dafs für gewöhnlich solche Prachthandschriften, welche Kirchen von reichen Gönnern gestiftet wurden, schon ihren Einband mitbekommen haben werden.

IV. Die einzelnen Fächer.

Es kann sich hier nicht darum handeln, ein abschliefsendes Urteil über die 843 Weingartner Handschriften abzugeben, über Wert und Bedeutung, welche sie in ihrer Gesamtheit oder in den einzelnen Stücken für die Wissenschaft besitzen. Das ist Sache der Fachwissenschaften, und dazu müfsten erst alle Handschriften von deren Vertretern untersucht sein. Nur wo solche Untersuchungen schon vorliegen und bekannt sind, kann hier auf ihre Ergebnisse hingewiesen werden. Aber ein Versuch, nach diesen Hinweisen den wissenschaftlichen Wert der einzelnen Fächer einzuschätzen, wäre bedenklich, da wohl manchmal der Zufall dabei mitspielte, dafs die eine Handschrift untersucht wurde, die andere nicht, und da aufserdem diese Untersuchungen auch nicht alle bekannt sind.[1]) Im übrigen soll die im besonderen Teil folgende Verzeichnung der einzelnen Handschriften Anhaltspunkte für eine genauere Vorstellung von dem Inhalt im einzelnen bieten.

Hier sei einstweilen nur ein gewisser Ueberblick über die Fächer gegeben. Ein solcher Ueberblick deutet ja zugleich auch die Hauptrichtlinien an, in denen sich das geistige Leben des Klosters bewegte. Da ist es von vornherein selbstverständlich, dafs die theologische Literatur ganz beherrschend überwiegt. Doch ist immerhin auch das Fach K, das die Klosterbrüder bezeichnenderweise

1) Vgl. die Vorbemerkung zu B, I, 1.

an den Schlufs stellten, gewissermafsen als Gebiet der Allotria, das
aber mit seinem vermischten Inhalt der heutigen Zeit und weiteren
Kreisen wohl am meisten Interesse abgewinnen wird, recht erfreulich
ausgebaut und birgt manch bedeutsames Stück; es sei hier nur auf
die Liederhandschrift hingewiesen. In unserem Ueberblick ein Bild
klar abgegrenzter Gebiete zu geben, ist freilich kaum möglich, da die
alte Facheinteilung mit der neueren Systematik der Wissenschaften
oder mit den Einteilungen der heutigen Bibliotheken natürlich nicht
übereinstimmt. Den Ehrenplatz in der Reihe der Fächer nimmt ge-
bührenderweise die Gruppe der Bibeln, das Fach A, mit 51 Nummern
ein. Wenn dieses Fach auch der Zahl der Stücke nach von mehreren
andern übertroffen wird, so hat es doch zwei von den vier aller-
ältesten Handschriften (30, 36) und ist auch dadurch vor den andern
ausgezeichnet, dafs es durch Buchkunst besonders reich geschmückt
ist (21, 30, 34, 38, die drei Schatzhandschriften und das Landgrafen-
psalterium, Anh. I, 3, das dieser Abteilung zuzurechnen ist. Wissenschaftliche Forschung hat bis jetzt zwei Stücke als besonders wichtig
festgestellt, die Handschrift 22, die „für Herstellung eines kritischen
Textes der lateinischen Bibelübersetzung nicht unwichtig" ist und 36,
die nach dem Urteil Thielmans für endgültige Festlegung des Textes
der hieronymischen Bibel nicht umgangen werden kann. Weiterhin
wären vielleicht hervorzuheben die deutschen Bibeln 15 und 16, die
deutschen Teile in 43 und besonders 24, die Weltchronik von Rudolf
von Ems, die hier bei den Bibeln ihr Plätzchen gefunden hat. Für
die Wissenschaft der Bibelforschung liegt aber die gröfste Bedeutung
der Weingartner Handschriftenbibliothek wohl nicht in ihren Bibel-
handschriften selbst, sondern in den Bruckstücken von zwei Itala-
handschriften[1], deren weitaus gröfster Teil durch Konstanzer Handschriften unseres Klosters auf uns gekommen ist. Es möge deshalb
hier die Reihe der Handschriften mit Italafragmenten aufgezählt
werden: A 13, 28, 30, 39; B 11, 24, 32, 57, 76, 80, 82, 83, 94,
95, 104; D 12, 58, 67; G 23, 31; H 42.[2]

Die gröfste Zahl von Stücken, ebenso viel wie das Schlufsfach,
von dem sie aber in der Höchstzahl übertroffen ist, weist die nächste
Abteilung, die Bibelkommentare, Littera B, mit 115 Nummern
auf. Auch hier finden wir wieder sehr alte Handschriften; wenn
auch das 8. Jahrhundert nicht wie bei A vertreten ist, so doch das
9. gleich mit 10 (resp. 15 mit denen aus dem Uebergang des 9. zum
10.), das 10. mit 7 (resp. 11). Dem Kloster selbst verdanken eine
grofse Anzahl davon ihre Entstehung; allein von den 25 Handschriften
des 12. Jahrhunderts sind beinahe alle in Weingarten geschrieben.
Auch in diesem Fach ist die Buchmalerei reich vertreten, besonders

---

1) Ihre Veröffentlichung durch Paul Lehmann siehe Supplementum IX
der Codices Graeci et Latini photographice depicti duce Scatoni de Vries.
2) Die aufserdem aufgefundenen Handschriften mit Italafragmenten sind
jedenfalls nicht nach Weingarten gekommen; vgl. oben S. 21, Anm. 1.

in den eben erwähnten Handschriften des 12. Jahrhunderts. Unter den Kommentatoren treten uns fast alle bekannten Namen entgegen: Ambrosius, Anselmus, Augustinus, Beda, Chrysostomus, Gregorius, Hieronymus, Honorius Augustodunensis, Innocentius V, Isidorus Hispalensis, Nicolaus de Lyra, Paterius, Petrus Comestor, Petrus Lombardus, Rabanus Maurus, Sedulius Scotus, Simon de Cremona, Walafridus Stratus.

Ein kleines Fach birgt die Littera C; es sind nur 6 Handschriften, die aber nicht blofs durch ihr Alter, sondern auch durch ihren Inhalt, die Canones der Konzile, von hohem Werte sind. Dem Hauptforscher auf dem Gebiet des kanonischen Rechtes, Maassen, unbekannt geblieben, sind sie von Schulte nach ihrer Bedeutung erkannt worden. Am wenigsten wichtig ist vielleicht die erste, die auch dem Inhalt nach in der zweiten nochmals vertreten ist; letztere selbst aber ist von Wert für die Untersuchung der Entwicklung des kirchlichen Rechtes in Deutschland; die dritte für diese Entwicklung in der Kirche überhaupt; die vierte durch die Urkunde am Schlufs; die letzte bringt einiges Neue für die Zeit Heinrichs IV.

Wieder eine ziemlich grofse Anzahl von Handschriften, 83 Stücke, umfafste das Fach D, das der Homiletik gewidmet gewesen zu sein scheint. Und auch hier wieder verdankt eine grofse Menge derselben dem Kloster selbst ihre Entstehung; besonders viele wurden wieder im 12. Jahrhundert geschrieben, in welchem offenbar in der Schreibstube des Klosters eine aufserordentlich rege Tätigkeit geherrscht hat. Auch Miniaturenschmuck tragen manche Stücke, allerdings nicht so häufig und so prächtig wie in den Fächern A und B. Wissenschaftlicher Forschung hat dieses Fach bis jetzt anscheinend keine Dienste leisten können.

Aehnlich liegt der Fall bei dem etwas kleinerem Fach E mit 60 Nummern, das offenbar die Dogmatik vertritt. Ihre Blütezeit scheint etwas später zu liegen, denn die Mehrheit der Handschriften stammt erst aus dem 14. und 15. Jahrhundert. Entsprechend dem trockeneren Stoff ist hier die Buchkunst so gut wie gar nicht vertreten.

Sie fand dafür wieder eine um so reichere Stätte in dem grofsen, 110 Nummern enthaltenden Fache F, das der Liturgik gehört. Hier kann die künstlerische Ausstattung wieder wohl wetteifern mit derjenigen, die die beiden ersten Fächer gefunden haben. Und häufig tritt uns auch hier wieder die Tätigkeit von Weingarten selbst entgegen im Niederschreiben wie Bemalen von Handschriften, besonders im 12. und 13. Jahrhundert. Aus all dieser reichen Fülle von Missalen und Brevieren hat die Wissenschaft wenig Ausbeute finden können. Fast allein sind zu nennen 55 und 58 wegen ihrer deutschen Stücke. Mehr Nutzen zog die Geschichtsforschung aus den Kalendaren und Nekrologen, welche vielen Handschriften dieses Faches beigegeben sind; vgl. 6, 17, 18*, 26 und 45.

Das eigentliche Fach der Geschichte, vorwiegend der kirchlichen, enthält Littera G mit 53 Stücken. Hier finden wir wieder eine

ansehnliche Zahl von recht alten Handschriften, und manche, gerade
auch der älteren, sind mit Miniaturen geschmückt. Nach ihrem Inhalt
haben gleichfalls mehrere Stücke gröfsere Bedeutung erlangt. Aus
der Reihe der Passionalien und Heiligenleben sei hingewiesen auf 37,
Vita Anskarii, und 42, Vita Willibrordi. Auch die beiden Giefsener
Handschriften (Anh. III, 1 u. 2) wären in dieses Fach zu nehmen.
Den Namen des Klosters tragen die bekannten Annales Weingartenses
in 28*; für die Geschichte von Weingarten selbst und der Welfen
sind wichtig 11 und 12. Des Gegensatzes und der Merkwürdigkeit
halber seien hier angeschlossen die leontinischen Verse auf Barbarossa
in D 46. Endlich verdankt die Nachbarstadt Konstanz gewisse Beiträge zu ihrer Geschichtsforschung auch 20 aus der Reihe der Chroniken,
wo weiterhin noch Augsburg, Reichenau und Zwiefalten vertreten sind.
Anzufügen wäre noch der Gewinn, den die Geschichtswissenschaft
aus zwei Handschriften eines anderen Faches gezogen hat, aus den
späteren Einträgen von F 16 und 27.

Die J u r i d i c a umfafste die Littera **H** mit 78 Handschriften. Im
13. Jahrhundert hat eine gröfsere Anzahl davon das Kloster selbst
beigesteuert. Weitaus die Mehrheit entstammt aber erst dem 14. und
15. Jahrhundert, und ganz ungewöhnlich viele kamen mit dem Konstanzer Zuwachs nach Weingarten. Daher stammt auch die älteste,
76, dem Inhalt nach wohl zugleich auch die wichtigste. Einige Bedeutung haben ferner die drei Handschriften des Schwabenspiegels,
41, 59, 64, besonders die mittlere. Aber auch weiterhin hat wissenschaftliche Forschung gröfseren oder kleineren Nutzen gezogen aus
einer beträchtlichen Anzahl von Handschriften: 4, 5, 10, 13, 14, 19,
20, 24, 26, 28, 34, 40, 42, 49, 51, 63, 65, 71, 72, 73, 74, 75;
hervorzuheben wären aus diesen besonders 71 und 72. Dieser Reihe
könnte aus andern Fächern noch angeschlossen werden: D 72, E 32,
58, G 31, womit die Liste der Weingartner Handschriften, die seither
Beiträge zur Erforschung der Geschichte des Rechts geliefert haben,
erschöpft sein dürfte.

Die folgende Littera **I** mit 65 Stücken ist nicht leicht für ein be-
stimmtes Fach festzulegen; sie gehörte jedenfalls zur T h e o l o g i e,
sowohl der praktischen, wie der systematischen, aber ohne eine leicht
ersichtliche Abgrenzung gegen die schon vertretenen theologischen
Fächer. Ihre Handschriften stammen mit verschwindenden Ausnahmen
aus der späteren Zeit, die allermeisten aus dem 15. Jahrhundert. Verwertet worden ist die erste, und zwar für die Geschichte des heiligen
Blutes in Weingarten; beigezogen für die Ausgaben von Heinrich
Suso Handschrift 44. Für das Hirsauer Klosterleben dürfte 23 manche
Aufschlüsse bringen. Von den verschiedenen Handschriften der Imitatio
Christi wäre vielleicht 59 hervorzuheben. Aufserdem sei noch hin-
gewiesen auf die deutschen Predigten von 26, 27, 28 und 38, und
auf die deutschen Gebete von 56, 61 und 70.

Das gröfste Fach mit 115 Handschriften stand am Schlufs als
Littera **K**; ihm könnte man die Aufschrift M i s c e l l a n e a geben.

Wir finden hier neben Philosophie, Naturwissenschaften, Medizin, Wörterbüchern vor allem Klassiker, aber auch Werke der deutschen Dichtung. Diese Profanliteratur mußte natürlich gegen die theologischen Werke zurückstehen, war aber doch auch stattlich vertreten, was schon wegen der Klosterschule nötig war. Die Perle dieses Faches, 107, ist ja wohl dem Kloster ohne sein Zutun zu teil geworden, wahrscheinlich auch nicht in ihrem besonderen Werte erkannt worden; ähnliches wird am Ende auch für die zwei andern „Minnesängerhandschriften" (10 und 87) und die dazu gehörige Handschrift Anh. I, 28, sowie für Tüngers Facetien 94 gelten. In diesem Sinne möge hier auch der Gewinn angefügt werden, den weiterhin für die deutsche Philologie Weingartner Handschriften als Nebenertrag ergeben haben: es sind hauptsächlich althochdeutsche Glossen in B 55, 110; C 5; G 3; K 5, 45, 56, 72, eine althochdeutsche Schreibernotiz in D 68, und neben den schon an anderer Stelle erwähnten Handschriften F 55 und 58 die deutschen Predigten in der aus Blaubeuren stammenden Handschrift Anh. I, 46.

Die Erwerbung der Klassikerhandschriften wird dagegen eher eine planmäßige gewesen sein und dem Kloster als Verdienst angerechnet werden müssen, wie ja auch einige, besonders im 15. Jahrhundert, in Weingarten geschrieben zu sein scheinen. An Klassikern finden wir vertreten: Aristoteles, Cicero, Euclid, Juvenal, Sallust, Seneca, Terenz und Vergil. Einiges davon ist auch von der klassischen Philologie schon verwertet worden, vgl. 11 und 37. Neben diesen lateinischen Handschriften stehen keine griechischen. Ob Cc 23 wirklich Weingarten gehörte, ist vielleicht nicht ganz außer Zweifel. Jedenfalls ist die Handschrift, die ja späterer Zeit anzugehören scheint, nicht im Kloster geschrieben worden, und es ist nicht anzunehmen, daß man dort im Mittelalter Griechisch konnte. Ebensowenig dürfte in den in K 26 und 93 enthaltenen Blättern mit hebräischem Text ein Beweis dafür zu sehen sein, daß in Weingarten im Mittelalter hebräische Studien getrieben wurden. In diesem Zusammenhang sei auch noch auf die slavische Handschrift Cc 30 hingewiesen; ob sie jemals im Kloster jemand lesen konnte? Als letzte Wissenschaft von denen, die im Fache K ihre Stelle gefunden hatten, ist noch die Medizin zu nennen; neben den verschiedenen Arzneibüchern dürften sich zwei Handschriften, 42 und besonders 52, als nicht unwichtig für die Geschichte der Medizin erweisen.

B. Besonderer Teil.

I. Die einzelnen Handschriften.

4*

1. Die Handschriften der Bibliothek.

Vorbemerkung.

Die Einreihung der Handschriften erfolgte nach den alten Signaturen; wo solche erhalten waren, nach diesen, wo sie fehlten, nach ihrer Ergänzung aus Bommers Katalog. Wo sich Verschiedenheiten zwischen erhaltenen Signaturen und Bommer ergaben, wurde dies bemerkt. Ebenso wurde angedeutet, wo eine Einreihung fraglich war. Die Signaturen wurden übrigens nicht in der Form, wie sie auf den am unteren Teil der Rücken aufgeklebten eirunden Schildchen aufgeschrieben sind[1]), z. B. $\frac{A}{1}$, sondern aus äußerlichen Gründen mit der Zahl neben der Litera wiedergegeben, also A 1.

Handschriften, für welche keine Signatur festgestellt werden konnte, sind im Anhang aufgeführt.

Die Angaben, ob folio, 4⁰ oder 8⁰, wurden im Anschluß an Bommer beibehalten, da die Reihenfolge der Handschriften durch die Maße bestimmt ist.

Die aus den Handschriften entnommenen, in Kursivschrift gedruckten Angaben beziehen sich auf Schreiber und Besitzer der einzelnen Handschrift und geben Beiträge zur Geschichte derselben. Dabei ist vor den Jahreszahlen *1628, 1630* usw. überall als Ergänzung zu denken: *Monasterii Weingartensis*.

Die Benützung von Handschriften ist, soweit sie bekannt war, angegeben. Freilich werden diese Angaben lückenhaft sein. Sind ja doch auch die heutigen Kataloge unserer Bibliotheken in dieser Hinsicht meist sehr unvollständig. Wohl wurde dazu manches nachgetragen, doch mag vieles noch entgangen sein. Wenn eine Handschrift gedruckt ist, wurde im allgemeinen der grundlegende Druck angegeben, z. B. für die Liederhandschrift der Abdruck in der Bibliothek des literarischen Vereins in Stuttgart, für andere die Veröffentlichung in den Monumenta Germaniae historica. Weiterhin erfolgte, meistens auf solche Erstveröffentlichungen zurückgehende Abdrücke einzelner Stücke alle nachzutragen, hätte zu weit geführt. Ebenso wurde für solche in der Literatur viel berührten Stücke manchmal als Literaturangabe nur die neueste Behandlung angeführt.

---

1) Vgl. Adolf Schmidts Beschreibung im Zentralblatt für Bibliothekswesen, 1905, S. 264.

Für die Handschriften mit der Bemerkung „mit Miniaturen" oder „mit Initialen" sei auf Abschnitt A, II verwiesen.

Mit der Gesamtzahl der Stücke bei den einzelnen Abteilungen ist die Summe der festgestellten oder durch Bommer bezeugten Handschriften gemeint. Die andern in der Reihe fehlenden Handschriften sind nicht mitgezählt. Doch sei darauf hingewiesen, daſs die durch erhaltene Signaturen oder in Bommers Katalog festgelegten Höchstnummern ebensowohl als Gesamtzahl angesehen werden könnten.

Littera A, Abteilung der Bibeln,
mit 51 Nummern.

A 1 fol.

Biblia, N. T.; Hieronymi concordantia.

A 2 fol.

Biblia, Prophetae VIII.

A 3 fol.

Biblia, N. T. cum aliquot libris V. T.; Pauli epistola ad Laodicenses; Rabani Mauri praefatio in libros Macchabaeorum.

A 4 fol.

Biblia, V. T. libri VIII.

A 5 fol. = **Fulda A a 54** saec. XIV. *1628.* Am Schluß: *Anno MCCCXXX scriptus est iste liber quem fecit scribi Abbas Cûnradus in Wingarten dictus de Ibach.*

Biblia tota, N. et V. T. cum Rabani Mauri praefatione ad Ludovicum regem in libros Macchabaeorum; interpretationes nominum hebraicorum.

Mit Initialen.

A 6 fol.

Biblia tota, N. et V. T.

A 7 fol. = **Fulda A a 16** saec. XII. *1628.*

Biblia, V. T. libri XI: parabolae Salomonis, Ecclesiastes, Cantica Canticorum, liber Sapientiae, Ecclesiasticus, Job, Tobias, Judith, Esther, Macchabaeorum lib. 1—2.

Mit Initialen.

A 8 fol.

Biblia, V. T. libri XXII.

A 9 fol.

Biblia, V. T. libri VI; homiliae Augustini, Gregorii, Hieronymi, Maximi; vitae Aegidii, Agnetis, Alexii, Altonis abbatis Weingartensis, Antonii Aegyptiaci, Augustini, Barbarae, Bonifacii et sociorum, Conradi episcopi, Gordiani et Epimachi, Leonardi, Magni abbatis, Margarethae, Oswaldi, Pantaleonis, Remigii, Thomae archiepiscopi, Ursulae; Elfini abbatis origo conceptionis B. V. festivitatis; Isidori sermo in laudem S. Ioannis Evangelistae.

A 10 fol. = **Fulda A a 14** saec. XII. *1628.* Am Schluß: *liber sancti martini in wingarten.*

> Biblia, prophetia Hieremiae cum prologo; lectiones et sermones.
> Mit Initialen.

A 11 fol. = **Fulda A a 29** saec. XI. *1630.*

> Biblia, V. T. libri XIV.
> Mit Initialen.

A 12 fol. = **Fulda A a 10** saec. IX./X.

> Biblia tota, tom. I.

A 13 fol. = **Fulda A a 11** saec. IX./X.

> Biblia tota, tom. II.
> Hat Italafragmente.

A 14 fol. = **British Museum, Addit. Manuscr. 14791** saec. X. an XI. Am Schluß: *liber sancti Martini in Weingarten.*

> Biblia, V. T. libri VIII, scilicet Pentateuchus et libri Josue, Judicum et Ruth cum prologo Hieronymi in Genesin; homiliae SS. Gregorii Magni, Leonis, Ambrosii et Augustini in evangelia.

A 15 et 16 fol. = **Stuttg. H. B. II, 7 et 8** saec. XV. Auf Seite 1: *1613,* auf Seite 3: *1628. 1612* von einem Nürnberger Ehepaar *Müllegg* dem Kloster Weingarten geschenkt. *1468* von einem Nürnberger Bürger *Meischner* seiner Stieftochter in das dortige Kloster zu S. Clara mitgegeben. Geschrieben *1440* (resp. *1455*) für *Martin Rotleb* in *Prag.*

> Deutsche Bibel mit Vorreden und Inhaltsangaben der einzelnen Bücher z. T. in Form der Bibel der Armen.

A 17 fol. = **Stuttg. H. B. II, 36** saec. X. *1628.*

> Biblia, V. T., prophetae.

A 18 fol. = **Fulda A a 33 b** saec. XV. *1630.* Als Schreiber nennt sich öfter ein *Frowenlob.*

> Biblia, V. T.: Regum libri II, Paralipomenon II, cum III. et IV. Esdrae. Fr. Klosii tabula historiarum V. T. ordine alphabetico; Bindonis de Senis distinctiones super Bibliam; tabula Bibliae sive concordantia [Johannis Marchesini]; mammotrectus cum tabula; Isidori de differentiis.

A 19 fol. = **Fulda A a 34** saec. XII./XIII. *1630.*

> Biblia, V. T.: Pentateuchus, Josua, Judicum, Ruth, Regum et Paralipomenon.
> Mit Initialen.

A 20 fol.

> Biblia, psalterium.
> S. Athanasii symbolum; cantica Annae, Isaiae, Mosis et Filiorum Israel.

A 21 fol. = **Stuttg. H. B. II, 40** saec. IX. *1628.* Am Schluß von einer Hand des XII. Jahrhunderts: *liber sancti martini in winigartin.*

> Biblia, N. T., IV evangelia.
> Mit Miniaturen und Initialen.

A 22 fol. = Stuttg. H. B. II, 16 saec. IX.–X. *1630.*
Biblia, V. T. et N. T. epistolae Pauli, Jacobi et I. can. Petri.
Vergl. über diese Theodulfbibel jüngerer Ordnung die Sitzungsberichte der
bayer. Akad. 1899, philos.-philol. und histor. Klasse, Bd. 2, Heft 2.

A 23 fol. = Stuttg. H. B. II, 6 saec. XV. *1630.*
Biblia, V. T. libri XVIII et N. T.

A 24 fol.[1]) = Fulda A a 88 saec. XIV. *1612.* Im vorderen Deckel: *Hunc*
M. S. antiquitate nobilem nobilis vir antiquissimae antiquitatis nobilissimae
Joan: Wolfg: a Bodman D. D. D. huic Vinearum monasterio. Vult eum
suae g̃ã illud fidei amoris ac benevolentiae esse monumentum aera peren-
nius. MDCXII.
Weltchronik von Rudolf von Ems.
Mit Miniaturen.
Vergl. A. F. C. Vilmar, Die zwei Recensionen und die Handschriftenfamilien
der Weltchronik Rudolfs von Ems. Progr. 1839.

A 25 fol. = Stuttg. H.·B. II, 45 saec. XV. *1630.*
Biblia, N. T. IV evangelia cum glossis.

A 26 fol. = Stuttg. H. B. II, 5 saec. XV. *1630.*
Biblia, V. T. libri XXVII.

A 27 fol. = Stuttg. H. B. II, 12 saec. XV. *1628.*
Biblia, V. T. libri XXII.

A 28 fol. = Darmstadt 895 saec. IX. *1630.* — *Imperiali Bibliothecae Lutetiis*
Thiebault Fuldensis Regionis Gubernator 1807.
Biblia; Gregorii comm. in Lucam fragmentum; apocalypsis, epistolae
canonicae, actus apostolorum; Job, Tobias, Ruth, Esther, cantica canticorum, Jeremias; sermo de angelis; homiliae infra octavam Pentecostes;
homilia in die unius martyris; homilia in nativitate unius confessoris.]
Hat Italafragmente.

A 29 fol.[2])
Biblia, N. T. IV evangelia.

A 30 fol. = Stuttg. H. B. II, 54 saec. VIII. *1630.*
Biblia, N. T. epistolae Pauli, actus apostolorum, epistolae canonicae,
Apocalypsis.
Mit Initialen und einer Miniatur.
Hat Italafragmente, die zum Teil noch in der Hofbibliothek sind.

A 31 fol. = Fulda A a 8 saec. IX./X. *1630.*
Canones; Biblia, N. T. evangelia; capitulare evangeliorum de circulo
anni.
Mit Initialen.

---

1) Bei Bommer aufgeführt als Biblia, V. T. bis zur Heilung des Naams.
2) Es könnte sein = Stuttgart H. B. II, 42 saec. X., IV evangelia, 1820
nach Schussenried abgegeben und von dort an Antiquare verkauft; in dieser
Handschrift waren aber außerdem Briefe des Hieronymus und Eusebius.

A 32 fol. = **Fulda A a 42** saec. XII. *1628.* Am Schluß: *liber sancti martini in wingartin.*
Kalendarium; psalterium cum glossa; hymni varii; fides catholica (Athanasii symbolum); capitis S. Joannis inventio.
Die Notizen über Weihung der Weingartner Kirche (1183), Reliquien etc. am Rande des drittletzten Blattes s. Monumenta Germaniae hist., Script. 24, 832.
Mit Initialen.

A 33 fol. = **Stuttg. H. B. II, 43** saec. XV. *1628.*
Biblia, N. T. IV evangelia cum glossis.

A 34 fol. = **Stuttg. H. B. II, 46** saec. XI.
Biblia, N. T. IV evangelia.
Mit Miniaturen von der Hand des Malers des Berthold-Missales, nach Haseloff.

A 35 fol. = **Fulda A a 4** saec. XII. *1628.* Am Schluß: *liber sancti Martini in Wingarten.*
Biblia, N. T. epistolae Pauli cum argumentis.
Mit Initialen.

A 36 fol. = **Stuttg. H. B. II, 35** saec. VIII. an IX. *1630.*
Biblia, V. T. ab Ecclesiasten ad Nehemiam.
Mit Initialen.
Vergl. Sitzungsberichte der bayer. Akademie 1899, philos.-philol. u. histor. Klasse, Bd 2, Heft 2.

A 37 fol. = **Stuttg. H. B. II, 30** saec. XII./XIII. *1628.*
Biblia, psalterium.

A 38 fol. = **Stuttg. H. B. VII, 13** saec. IX./X. *1628.* Auf der Innenseite des hinteren Deckels ist noch zu lesen: *liber sancti martini in winigartin.*
Biblia, N. T. IV evangelia cum prologis; epistolae Hieronymi et Eusebii; concordantia evangelistarum; capitulare evangeliorum.
Mit Initialen.

A 39 4° = **Stuttg. H. B. II, 20** saec. X. *1630.* Auf der 1. Seite: *liber regum rarus.*
Biblia, V. T. libri IV regum.
Hat Italafragmente.

A 40 4° = **Stuttg. H. B. II, 38** saec. XII. an XIII. Auf 1. und letzter Seite: *liber sanctorum martini [et oswaldi] in wingarten.*
Biblia, Threni et Apocalypsis.

A 41 4° = **Stuttg. H. B. II, 52** saec. XI. *1628.* Auf der 3. Seite: *liber sancti martini in wingarten.*
Biblia, N. T. IX libri.

A 42 4° = **Fulda A a 46** saec. XIII.
Biblia, psalterium; oratio germanica; carmina germanica.
Mit Initialen.

A 43 4° = **Stuttg. H. B. II, 28** saec. XV. *Monasterii Blauburani 1636.*
Biblia, psalterium in lingua germanica et epistolae Pauli in lingua latina.
Vorausgehen deutsche geistliche Betrachtungen.

A 44 4° = **Stuttg. H. B. II, 22** saec. XII. *1628.* Am Schluß: *liber sancti martini in winigarten.*
Biblia, psalterium cum praefatione Hieronymi ad Sofronium; remedium contra morbum caducum.

A 45 8°.
Biblia, psalterium.

A 46 4° = **Fulda A a 52** saec. XIII./XIV. *1606.*
Biblia tota, N. et V. T. exceptis Psalmis; interpretationes nominum hebraicorum.
Mit Initialen.

A 47 4° = **Fulda A a 53** saec. XIV *Monasterii Weingartensis* ausradiert; darauf: *Petri Boehm, O. S. B. Fuldae 1806.* Nach einem weiteren recht undeutlich geschriebenen Schenkungsvermerk wurde die Handschrift von *Joannes Brentius, abbas Hirsaugiensis*[1]) einem *Melchior* (?) *Jacobus a Hertringen dominus in Höffingen et Eningen* geschenkt.
Biblia tota, N. et V. T.
Mit Initialen.

A 48 8° = **Fulda A a 82** saec. VIV. *1628.*
Kalendarium; psalterium cum canticis, hymno Ambrosiano, symbolis.
Mit Miniaturen.

A 49 8°.
Biblia tota, N. et V. T.; sermo[2]) funebris in sororem monialem Friderici ducis Bavariae.

A 50 8° = **Fulda A a 80** saec. XIV. *1607.*
Biblia tota, N. et V. T.
Mit Initialen.

A 51 12°.
Biblia, psalterium.

Littera B, Abteilung der Bibelkommentare,
mit 115 Nummern.

B 1 fol.
Nicolai de Lyra commentarius in omnes libros N. T.

B 2 fol.
Nicolai de Lyra commentarius in omnes libros N. T.

---

1) Johannes Brentz, Sohn des Reformators, protestantischer Abt in Hirsau von 1591—96.
2) Die Angabe dieses Stückes bei Bommer beruht zweifellos auf einem Schreibfehler, A 49 statt H 49, worin es enthalten ist unter den sermones diversi.

B 3 fol.

Nicolai de Lyra commentarius in omnes libros N. T.; commentarius in Proverbia, Ecclesiasten etc.

B 4 fol.

Nicolai de Lyra commentarius in omnes libros N. T.

B 5 fol. = Darmstadt 897 saec. IX. *1630.* — *Imperiali Bibliothecae Lutetiis Thiébault Fuldensis Regionis Gubernator 1807.*

Augustini commentarius in psalmos L primos.

Das Verzeichnis der Konstanzer Domgeistlichkeit am Schluß · der Handschrift s. Neues Archiv der Ges. f. ältere deutsche Geschichtskunde, II, pag. 408.

B 6 fol.[1]) = Darmstadt 896 saec. IX.—XIII. *1630.* — *Imperiali Bibliothecae Lutetiis Thiébault Fuldensis Regionis Gubernator 1807.*

Bedae commentarius in psalmos; homilia in evang. Matth. I.; Gregorii Magni homilia in evang. Luc. XVI; Augustini de quantitate animae; legenda s. Margarethae; relatio ad s. Petrum ad vincula; passio s. Pantaleonis et passio s. Catherinae Alexandrinae.

Erwähnt Acta S. S. Juli V S. 32 B.

B 7 fol. = Fulda A a 58 saec. XIII./XIV. *1630.* ·

[Petri Lombardi] collectanea in epistolas·Pauli.

Mit Initialen.

Ist in Bommers Katalog nicht aufgeführt.

B 8 fol. = Stuttg. H. B. IV, 17 saec. XV. *1630.*

Nicolai de Lyra commentarius in prophetas minores et IV evangelia.

B 9 fol. = Stuttg. H. B. IV, 16 saec. XV. *1630.*

Nicolai de Lyra commentarius in prophetas minores, in libros II Macchabaeorum, Tobiam, Baruch etc.

B 10 fol. = Stuttg. H. B. IV, 22 saec. XV. *1630.*

Nicolai de Lyra commentarius in epistolas Pauli, actus apostolorum, epistolas canonicas et apocalypsin.

B 11 fol. = Fulda A a 18 saec. X. *1630.* Am Schluß des Römerbriefs: *hunc libellum wolfleoz* . .[2])

S. Ambrosii commentarius in epistolas Pauli.

Hat Italafragmente.

B 12 fol. = Fulda A a 28 saec. XII. *1628.*

S. Augustini commentarius in psalmos a CI. usque ad CL.

Mit einem Initialen.

B 13 fol. = Fulda A a 26 saec. XII. *1628.* Vorn: *liber sancti martini in wingarten.*

S. Augustini commentarius in psalmos L primos.

Mit Initialen.

---

1) Identifikation ist etwas unsicher; die alte Signatur ist bei der Handschrift nicht erhalten.

2) Vergl. auch B 57.

B 14 fol. = Darmstadt 894 saec. XIII./XIV. *1630.* — *Imperiali Bibliothecae Lutetiis Thiebault Fuldensis Regionis Gubernator 1807.*
Petri Lombardi commentarius in epistolas Pauli.
Mit Initialen.

B 15 fol. = Fulda A a 115 saec. XIII./XIV. *1630.*
Petri Lombardi commentarius in psalmos.
Mit Initialen.

B 16 fol. = Darmstadt 893 saec. XIII. *1630.* — *Imperiali Bibliothecae Lutetiis Thiebault Fuldensis Regionis Gubernator 1807.*
Glossa ordinaria in Ezechielem et Danielem.

B 17 fol.[1]**) = Fulda A a 27** saec. XII. *1628.* Vorn und am Schluß: *liber sancti martini in Wingarten.*
Augustini commentarius in psalmos a LI. usque ad C.
Mit Initialen.

B 18 fol. = Stuttg. H. B. IV, 29 saec. XIII. *1630.* Im vorderen Deckel: *liber ... ecclesie constanciensis acomodatus autem h. dapifero de diessenhoffen canonico constanciensi anno do MCCCXLII° ...*
Glossa ordinaria in psalmos.
Mit Initialen.

B 19 fol. = Fulda A a 63 saec. XIV. *1630.*
Glossa in Jeremiam.
Mit Initialen.

B 20 fol. = Stuttg. H. B. VII, 7 saec. XI. *1630.* Am Schluß:
Presul eberhardus[2]*) christi famulamine tardus*
Hunc tribuit librum christi genetricis ad usum.
Hieronymi commentarius in Esaiam l. VI—XIII.

B 21 fol. = Stuttg. H. B. II, 21[3]**)** saec. XIII.
Glossa ordinaria in Esdram, Nehemiam et Danielem.

B 22 fol. = Fulda A a 60 saec. XIII./XIV. *1630.*
Petri Lombardi commentarius in epistolas Pauli.
Mit Initialen.

B 23 fol. = Fulda A a 31ᵃ saec. XI. *1630.* Auf dem 1. Blatt: *Iste liber pertinet ad monasterium weingarten (weingarten* von späterer Hand auf Rasur).
Gregorii commentarius in Job Moral. pars VI. et VII. (lib. XXIII—XXXV).
Mit Initialen.

---

1) Nach Hauntinger (Süddeutsche Klöster vor 100 Jahren. Reisetagebuch des P. Hauntinger, herausgegeben von P. Meier, Köln 1889, S. 15) wäre B 17 das berühmte glossarium Salomonis gewesen, das auffallenderweise in Bommers Katalog fehlt.

2) Bischof von Konstanz 1034—1046.

3) In Bommers Katalog ist allerdings für B 21 angegeben: Glossa. o. in Esdrae libros II et Danielem. Doch dürfte das eine kleine Ungenauigkeit sein. Mit einer anderen Handschrift läßt sich H. B. II, 21 nicht identifizieren. Die alte Signatur ist verloren gegangen, als die Handschrift einst in der Hofbibliothek einen Prachteinband bekam, wobei auch die Jahreszahl neben *Monasterii Weingartensis* weggeschnitten wurde.

B 24 fol. = **Fulda A a 24** saec. X. *1630.*
  Augustini commentarius in psalmos (CI—CL)..
  Hat Italafragmente.

B 25 fol. = **Stuttg. H. B. IV, 1** saec. XIV. *1630.*
  Concordantia biblica.

B 26 fol. = **Darmstadt 904** saec. X. *1630.* — *Imperiali Bibliothecae Lutetiis Thiebault Fuldensis Regionis Gubernator 1807.* In der Mitte der 2. Seite: *Obsecro quicumque hec legeris ut egilolfi peccatoris memineris qui hec scripsit et librum paravit istum.*
  Tabula annorum, epactarum, festorum mobilium; Gregorii in expositionem Job Moralia, partes V et VI s. libri XXIII.—XXXV.; tropi super Benedicamus.

B 27 fol. = **Fulda A a 74** saec. XIII./XIV. *1630.* Verschiedene auf Konstanz bezügliche Einträge.
  Commentarius in psalmos a Lĭ. usque ad C.
  Mit Initialen.

B 28 fol.
  Augustini commentarius in evang. Johannis, tract. LXX.

B 29 fol. = **Darmstadt 900** saec. XIV. *1630. Imperiali Bibliothecae Lutetiis Thiebault Fuldensis Regionis Gubernator 1807.* Auf dem letzten Blatt: *finitus et perlectus per h. dappiferum doctorem decretorum anno LIII°.*
  Augustini commentarius in psalmos a C. usque ad CL.

B 30 fol. = **Darmstadt 892** saec. XII. *1628. Imperiali Bibliothecae Lutetiis Thiebault Fuldensis Regionis Gubernator 1807.*
  Paterii, discipuli Gregorii, commentarius in varios Scripturae libros de, diversis libris Gregorii Papae concinnatus.
  Erwähnt von F. W. E. Roth, Romanische Forschungen VI, 1891, p. 25.

B 31 fol.
  Glossa ordinaria in quinquagenas III. psal.

B 32 fol. = **Stuttg. H. B. VII, 8** saec. X—XI. *1630.* Unten auf der 1. Seite:[1)]
    Presul eberhardus christi famulamine tardus
       Hunc tribuit librum christi genetricis ad usum.
  Hieronymi commentarius in Esaiam, lib. XIV.—XVIII.
  Hat Italafragmente.

B 33 fol. = **Fulda A a 37** saec. XIII./XIV. *1630.*
  Glossa ordinaria in Numeros.
  Mit Initialen.

B 34 fol.
  Glossa in prophetas majores.

B 35 fol. = **Stuttg. H. B. II, 15** saec. XIII. *1630.* Die Handschrift erhielt seiner Zeit in der Hofbibliothek einen neuen Einband. Aber zufälligerweise ist der vordere Deckel des alten Einbands erhalten geblieben, auf

---

1) Vergl. B 20 und 33.

dem folgender Eintrag steht: *liber iste ecclesie constanciensis accomodatus domino h.[ainrico da]pifero de diessenhoffen canonico constanciensi anno domini MᵒCCCᵒLXVIIᵒ VI. Kal. marcii.*

Glossa in Leviticum.

Mit Initialen.

B 36 fol. = **Fulda A a 5** saec. XII. *1628.* Am Schluß der Moralia und auf dem letzten Blatt: *liber sancti martini in Winigartin* (resp. *wingarten*).

Gregorii Moralium pars IV.; Gelasii II. epistola ad Chononem episcopum Praenestinum.

Mit Initialen.

B 37 fol. = **Fulda A a 61** saec. XIII. *1628.* Am Schluß: *liber sancti martini in wingartin.*

[Petri Lombardi] commentarius in psalmos.

B 38 fol. = **Darmstadt 905** saec. XIII. *1630. Imperiali Bibliothecae Lutetiis Thiebault Fuldensis Regionis . Gubernator 1807.* Auf der 1. Seite: *Iste liber est ecclesiae Constanciensis.*

Glossa in Exodum.

B 39 fol. = **Stuttg. H. B. VII, 6** saec. X. an XI. *1630.* Schließt mit den Versen:

  Omnibus expletis arcem. subit ille quietis.
  Gloria sit Christo; pax et qui scripserat isto.
  Haec qui scribebat herimannus nomen habebat.

Hieronymi commentarius in Esaiam l. V.

B 40 fol. = **Darmstadt 901** saec. XIII. *1630. Imperiali Bibliothecae Lutetiis Thiebault Fuldensis Regionis Gubernator.* Auf der 1. Seite: *Iste liber est ecclesiae constanciensis.*

Glossa ordinaria in actus apostolorum et epistolas canonicas.

B 41 4ᵒ = **Fulda B 4**[1]) saec. XIII./XIV. [*1*]6.. Von Konstanz. Vorn im Deckel: *Ista scolastica est ecclesie constanciensis acomodatus autem Domino hainrico dapifero de diessenhoffen canonico constanciensi et decretorum doctori* und darunter: *Item Ista scolastica est ecclesie constanciensis et proprium capitulo a quo acomodatus est magistro alberto de Bûtelspach canonico constanciensi et rectore ecclesie in Rotvil hodierna die videlicet Marcellini et Petri que fuit secunda dies mensis junii Anno incarnacionis domini MᵒCCCᵒLXXXIIIIᵒ.* (nach Lehmann).

Petri Comestoris commentarius, seu historia ecclesiastica scolastica.

Mit Initialen.

B 42 fol.[2]) = **Darmstadt 903** saec. XIII. *1630. Imperiali Bibliothecae Lutetiis Thiebault Fuldensis Regionis Gubernator 1807.*

Glossa in prophetas minores.

B 43 fol.

Thomae Aquinatis catena aurea, sive commentarius in evang. Matthaei.

---

1) Fulda B 4 könnte aber auch = B 46 sein; Signatur ist nicht erhalten.
2) Nach Bommers Katalog wäre in der Handschrift weiterhin zu erwarten: glossa in psalmos. Signatur ist nicht erhalten.

B 44 fol. = Stuttg. H. B. VII, 44 saec. X. *1630.*
Rhabani Mauri commentariorum in volumen paralipomenon libri IV.
Mit einer Initiale.

B 45 fol.
Glossa ordinaria in Leviticum et Numeros.

B 46 4°.[1])
Petri Comestoris commentarius, seu historia ecclesiastica scolastica.

B 47 fol. = Fulda A a 75 saec. XIV. *1630.*
Commentarius in parabolas Salomonis, cantica canticorum, librum
sapientiae et ecclesiasticum.
Mit Initialen.

B 48 fol. = Stuttg. H. B. VIII, 4 saec. XV. *1630.*
Glossa in speculum grammaticae Hugonis capellani de Rütlinga.

B 49 fol. = Stuttg. H. B. VII, 61 saec. X. *1628.*
Veterum Patrum commentarii in varias epistolas et in evangelia. Kyrie
eleison et Gloria cum notis musicis antiquis.

B 50 fol. = Fulda A a 66 saec. XIII./XIV. *1630.* Im Vorderdeckel: *Iste
liber est ecclesiae constanciensis.*
Liber Tobiae cum prologo Hieronymi et glossis Bedae; liber Judith
cum prologo Hieronymi et glossis Rabani; liber Esther cum prologo et
glossis Rabani.
Mit Initialen.

B 51 fol. = Stuttg. H. B. II, 18 saec. XIII. *1630.*
Glossa ordinaria in libros Josuae, Judicum et Ruth.

B 52 fol. = Fulda A a 3 saec. IX./X. *1630.*
Augustini commentarii in evangelium Joannis homiliae XXII.—LIV.
Über den Eintrag auf der letzten Seite s. Archiv d. Ges. f. ä. d. Geschichts-
kunde, 8, S. 625.
Mit Initialen.

B 53 fol. = Stuttg. H. B. VII, 38 saec. IX. an X. *1630.*
Bedae commentarius in proverbia Salomonis et in librum Tobiae.

B 54 fol. = Stuttg. H. B. IV, 25 saec. XV. *1628.*
Simonis de Cremona commentarius in epistolas Pauli.

B 55 fol. = Fulda A a 2 saec. IX./X. *1630.*
Augustini de definitionibus ecclesiasticorum dogmatum; excerpta ex
voluminibus virorum eruditorum (de catholica ecclesia, de natale Domini etc.); Alcuini de orthographia; glossa super Albinum; Hieronymi
epistola ad Marcellum de elementis Ebraeorum; glossae; Geronimi
epistola ad Dardanum de generibus musicorum; de literis latinis; de
tropis; de orthographia; Rabani de institutione clericorum l. I.; glossae;
fides catholica Athanasii; altercatio Athanasii contra Arrium, Sabellium
vel Fotinum haereticos.

---

1) S. oben Anmerkung zu B 41.

Beschrieben mit genauerer Inhaltsangabe in den Althochdeutschen Glossen gesammelt von E. Steinmeyer und E. Sievers, Bd 4, 1898, p. 435 ff.; daselbst sind auch die Glossen abgedruckt.

B 56 fol. = Stuttg. H. B. II, 17 saec. XIII. *1630.*
Glossa ordinaria in Deuteronomium.
Mit Initialen.

B 57 fol. = Stuttg. H. B. VII, 39 saec. IX. *1630.* Schließt mit den Versen:
Vuolfleoz[1]) venerandus episcopus me ac multos meliores fieri jussit.
Cui Christus tribuat per saecula regna polorum.
Cuius amore laborat pro vita populorum.
Omnipotens enim sua supra notatum patrem protectione custodiat.
Honoremque; perceptum conservare dignetur AMHN.
Nec lateat nomen scriptoris. Engilhartus me penna coloravit illiusque factis gero verborum elementa.
Am Rand steht daneben von anderer Hand: *Wolfleos episcopus constanciensis hunc librum et alios ordinavit.*
Bedae commentarii in Salomonis proverbia libri III.
Hat Ialafragmente.

B 58 fol. = Stuttg. H. B. II, 37 saec. XIII. *1630.* Schließt mit den Worten:
Sufficiant haec ad expositionem lamentationum ieremiae quae de patrum fontibus hausi ego gillibertus alusiodorensis ecclesiae diaconus.
Glossa ordinaria in Jeremiam.
Mit Initialen.

B 59 fol.
Gregorii commentarius in Job Moral. pars V.

B 60 fol.
Augustini commentarius de consensu evangelistarum.

B 61 fol.
Henrici Better[2]) rectoris Ulmensis commentarius in evangelia IV.

B 62 fol. = Stuttg. H. B. VII, 40 saec. XV. *1630.* Der 1. Teil der Handschrift schließt mit den Versen von Beda: Exul ab humano etc., darauf folgt: *Anno domini 1437 die Beati Anthonii confessoris ego Jacobus Grimm hos versus ex volumine exemplari scripsi et fuit exemplar de antiqua scriptura. illa die habui plagellum in stuba purgatorii.* Am Schluß der Handschrift steht: *finitus est liber per me syfridum penesticum.*
Bedae commentarius in VII epistolas canonicas et in Apocalypsin.

B 63 fol. = Stuttg. H. B. IV, 14 saec. XV. *1630.*
Glossa ordinaria in cantica et psalmos.

B 64 fol. = Stuttg. H. B. VI, 24 saec. XV. *1630.*
Nicolai de Lyra psalterium germanice cum commentario; cantica, lytaniae cum orationibus.

---

1) Vergl. auch B 11.
2) Von Bommer als Verfasser angegeben, jedenfalls als Schreiber anzusehen.

B 65 fol. = **Fulda A a 41** saec. XII. *1630.* Im vorderen Deckel: *Iste liber est ecclesie constanciensis.*
Glossa ordinaria in Ruth et Regum IV libros.
Mit Initialen.

B 66 fol. = **Stuttg. H. B. IV, 33** saec. XV.
Nicolai de Lyra commentarius in IV evangelia; eiusdem breviarium evangeliorum; fragmentum sermonis Joannis Gersonis de mendicitate.

B 67 fol. = **Stuttg. H. B. VII, 9** saec. IX. *1630.*
Hieronymi commentariorum in evangelium Matthaei libri IV.

B 68 fol. = **Stuttg. H. B. VII, 11** saec. XII. *1628.* Am Schluß: *liber sancti martini episcopi in wingartin.*
Hieronymi commentariorum in evangelium Matthaei libri IV; eiusdem commentarius in evangelium Marci.

B 69 fol. = **Fulda A a 19** saec. X./XI. *1621.*
Bedae commentariorum in evangelium Matthaei libri IV.

B 70 fol. = **Stuttg. H. B. II, 14** saec. XII. *1630.*
Genesis cum glossa ordinaria Walafridi Strabonis et interlineari Anselmi Laudunensis.
Mit einer Initiale.

B 71 fol. = **Stuttg. H. B. IV, 8** saec. IX. *1630.*
Glossa in Exodum et Leviticum.

B 72 fol. = **Fulda A a 22 a** saec. XI./XII. *1628.* Am Schluß: *liber sancti martini in wingarten.*
Ambrosii commentarius in evangelium Lucae; homiliae variae.
Mit Initialen.

B 73 fol. = **Stuttg. H. B. VII, 14 a** saec. XIV. *1630.*
Commentarius in prologos Hieronymi.

B 74 fol. = **Stuttg. H. B. IV, 6** saec. XIV. *MDCXXVIII.*
Commentarii in Pentateuchum, libros Josuae, Judicum, Regum, XII prophetas minores, Jesaiam, Jeremiam et Danielem; Hieronymi Stridonensis liber de viris illustribus; eiusdem catalogus veterum haereticorum; notae in prima Danielis capita; Pseudo-Augustini libellus contra quinque haereses sive contra quinque hostium genera; commentarius in evangelium Johannis praenotatus: Glosae super Johannem.

B 75 fol. = **Stuttg. H. B. IV, 23** saec. XIV. *1630.*
Innocentii V. commentarius in epistolas Pauli.

B 76 fol. = **Fulda A a 15** saec. IX./X. *1630.* Auf der 1. Seite: *addideram quartum tribus his ego stelio librum ...* Am Schluß: *hec heremannus scripsit non scriptor ineptus;* beides von einer Hand des 12./13. Jahrhunderts, die Nachträge eingetragen hat.
Joannis Chrysostomi commentarius in evangelia; Ambrosii commentarius in epistolas Pauli.
. Hat Italafragmente.

B 77 fol. = **Stuttg. H. B. II, 39** saec. XIII. *1630.*
Glóssa ordinaria in Danielem.

B 78 fol. = **Stuttg. H. B. VII, 17** saec. IX. *1630.*
Augustini commentarii in evangelium Johannis tr. II.—XXI.
Mit Initialen.

B 79 fol. = **Stuttg. H. B. II, 47** saec. XII. *1628.*
Glossa ordinaria in evangelium Matthaei.
Mit Initialen.

B 80 fol. = **Stuttg. H. B. VII, 45** saec. X. *1630.*
Rabani Mauri commentarius in librum sapientiae.
Hat Italafragmente, die zum Teil noch in der Hofbibliothek sind.

B 81 fol. = **Stuttg. H. B. VII, 26** saec. IX. *1630.*
Orationes de translatione et depositione S. Benedicti. Gregorii commentarii in Job pars IV.
Mit Initialen.

B 82 fol. = **Stuttg. H. B. VII, 28** saec. IX. *1630.*
Gregorii commentarius in Ezechielem.
Mit Initialen.
Hat Italafragmente.

B 83 fol. = **Stuttg. H. B. VII, 29** saec. XI. *1630.* Am Schluß der Vers[1]):
Presul eberhardus christi famulamine tardus
Hunc tribuit librum christi genitricis ad usum.
Gregorii commentarius in Ezechielem; fragmenta canonum.
Mit einer Initiale.
Hat Italafragmente.

B 84 fol. = **Stuttg. H. B. II, 48** saec. XII. *1628.* Am Schluß: *liber sancti martini in Winigartin.*
Glossa ordinaria in evangelium Matthaei.

B 85 fol. = **Stuttg. H. B. II, 50** saec. XII. *1628.*
Glossa ordinaria in evangelium Lucae.

B 86 fol. = **Fulda A a 17** saec. X. *1630.*
Augustini commentarius in psalmos graduum.

B 87 fol. = **Stuttg. H. B. II, 57** saec. XIII. *1630.*
Glossa ordinaria in apocalypsin et evangelium Johannis.

B 88 fol. (4°?).
Gregorii commentarii in Job Moral. pars I.; excerpta ex Augustino; canones concilii Moguntini sub Aribone archiepiscopo.

B 89 fol. = **Fulda A a 22 b** saec. XI./XII. *1625* (oder *1628?*). Am Schluß: *liber sancti martini in Wingarten.*
Ambrosii commentarius in Genesin, sive Hexameron.
Mit einer Initiale.

---

1) Vergl. B 20 und 32.

B 90 fol. = Fulda A a 30 saec. XI./XII. *1625* (?). Auf Blatt 113 v.: *liber sancti martini episcopi in wingartin.*
Sedulii Scoti collectanea in epistolas Pauli; fragmentum epistolae Caroli regis Galliae ad Alcuinum; excerpta ex epistolis Hieronymi.
Vergl. Sedulius Scotus von Hollmann (= Quellen und Untersuchungen zur lat. Philol. des Mittelalters Bd I, 1) 1906, S. 191 f.

B 91 fol. = Stuttg. H. B. VII, 10 saec. X. *1630.*
Hieronymi commentariorum in evangelium Matthaei libri IV.

B 92 fol. = Stuttg. H. B. VII, 24 saec. XII. Am Anfang [und Schluß]: *liber sanctorum martini [et oswaldi] in wingarten.*
Gregorii commentarii in librum Job Moralium pars I.

B 93 fol. = Fulda A a 38 saec. XII. *1628.*
Gregorii commentarii in Job Moral. pars III.
Mit Initialen.

B 94 fol. = Fulda A a 13 saec. X. *1630.*
Josephi Scoti [Hieronymi] commentarius in Esaiam; Bedae commentarius in evangelium Lucae.
Hat Italafragmente.

B 95 4° = Stuttg. H. B. VII, 25 saec. IX. *1630.* Auf der 1. Seite: *Iste liber est ecclesiae constanciensis.* Am Schluß: *perlecta per hainrıchum dappiferum canonicum constanciensem anno M°CCC°LIII° prima die Iulii quae fuit lunae incensio et ultima similiter.*
Gregorii commentarii in Job Moralium pars III.
Mit Initialen.
Hat Italafragmente.

B 96 4° = Stuttg. H. B. VII, 41 saec. IX. *1630.*
Bedae commentarius in Apocalypsin et actus apostolorum.

B 97 4° = Stuttg. H. B. VII, 27 saec. XII. *1628.* Am Schluß: *liber sancti martini in winigartin.*
Gregorii commentariorum in Job Moralium pars VI.
Mit Initialen.

B 98 4° = Stuttg. H. B. IV, 11 saec. XII. *1628.*
Glossa ordinaria in psalmos.

B 99 4° = Stuttg. H. B. VII, 24a saec. XII. *1628.* Am Anfang: *liber sancti martini in wingartin.*
Gregorii commentariorum in Job Moral. pars II.

B 100 fol. min. = Stuttg. H. B. IV, 7 saec. XIV. *1628.* Schließt mit den Worten: *Explicit postilla super genesin. edita a fratre nicolao de lyra de ordine fratrum minorum. Hermannus scripsit.*
Nicolai de Lyra commentarius in Genesin.

B 101 4° = Stuttg. H. B. II, 55 saec. XII. *1628.*
Biblia, N. T. epistolae Pauli cum glossis.

B 102 4⁰ = **Stuttg. H. B. II, 19** saec. XII. *1628.* Am Schluß: *liber sancti martini in wingarten.*
Glossa ordinaria in librum Josuae et Judicum.
Mit Initialen.

B 103 4⁰ = **Stuttg. H. B. VII, 49 a** saec. XIV. *1628.*
Honorii Augustodunensis commentarius in cantica canticorum.

B 104 4⁰ = **Stuttg. H. B. VII, 30** saec. XI. *1630.*
Gregorii commentarius in Ezechielem.
Hat Italafragmente.

B 105 4⁰ = **Stuttg. H. B. II, 34** saec. XII. *1628.* Am Schluß: *liber sancti martini in wingarten.*
Commentarius in proverbia Salomonis, Ecclesiasten et librum sapientiae.
Mit Initialen.

B 106 4⁰ = **Stuttg. H. B. II, 49** saec. XII. *1628.*
Glossa ordinaria in evangelium Marci.
Mit Initialen.

B 107 4⁰ = **Stuttg. H. B. II, 56** saec. XIII. *1628.* Auf dem letzten Blatt: *Liber sancti martini episcopi in winigartin.*
Glossa ordinaria in epistolas canonicas et apocalypsin.

B 108 4⁰ = **Stuttg. H. B. II, 53** saec. XIII. *1630.*
Glossa ordinaria in actus apostolorum.

B 109 4⁰ = **Stuttg. H. B. II, 51** saec. XII. *1628.* Auf der letzten Seite: *liber sancti martini episcopi in winigartin.*
Glossa ordinaria in evangelium Johannis.
Mit Initialen.

B 110 4⁰ = **Stuttg. H. B. IV, 26** saec. XII. *1628.* Am Schluß ist ausradiert: *liber sancti martini in wingarten.*
Glossarium in varia s. scripturae nomina; Boetii liber de sanctissima trinitate; eiusdem liber ad Joannem diaconum de duplici natura Christi.
Benützt in Graff, Diutisca, Bd 2, und Steinmeyer und Sievers, Die althochdeutschen Glossen (vergl. Bd 4, 1898, S. 618 f.).

B 111 4⁰ = **Stuttg. H. B. VII, 34** saec. XV. *1630.*
Isidorii Hispalensis episcopi liber prooemiorum de libris V. et N. T.; eiusdem liber de ortu et obitu sanctorum N. et V. T.; eiusdem liber allegoriarum s. scripturae; breviarium evangeliorum.

B 112 4⁰ = **Stuttg. H. B. VII, 35** saec. XIII. *1628.* Am Schluß: *liber sancti martini in winigartin.*
Isidori Hispalensis commentarius in Pentateuchum, librum Josuae, Judicum, Ruth et IV libros regum.

B 113 8⁰ = **Stuttg. H. B. IV, 12** saec. XIII. *1628.*
Gregorii expositio moralis quorundam psalmorum, quarundam vocum N et V. T.

B 114 8° = **Stuttg. H. B. VII, 18** saec. XII. *1628.* Am Schluß: *liber sancti martini in winigartin.*
Augustini homiliae X super epistolam I. Joannis.

B 115 8° = **Stuttg. H. B. IV, 27** saec. XVI. *.1630.* Über Inhalt und Schreiber der Handschrift berichtet der Eintrag auf der ersten Seite: *Conradus monachus Hirsaugiensis cenobii in confinibus Sueviae ordinis sancti Benedicti: natione Teutonicus: Spirensis diöcesis: vir divinis scripturis eruditissimus: et in secularibus litteris valde peritus: philosophus: rhetor: musicus: et poeta insignis: sub nomine peregrini multa praeclara composuit opuscula: in quibus ornata summarum dispositio: et venusti sermonis cultura, nulli veterum inferiorem declarant auctorem. Ex his ego Joannes rotensis cognomento Rapolt cum labore extremio: codicem (qui ab eo intitulatur matricularius) revisendo perlegi ubi mira elegantia in pentateucum Gamalielis et pauli Altercationem diserit* etc. Der 1. Teil der Handschrift schließt mit den Worten: *finita in hirsaw duodecimo martio per fratrem Joannes Rapolt peregrinum in terra sua 1511;* der 2. Teil: *Explicit glossa utriusque testamenti per me fratrem Rapolt in hirsaw descriptam* (sic!) *1511.*
Commentarius in omnes ss. scripturae libros; altercatio de nova et veteri lege (Conradi Hirsaugiensis matricularius).

Littera C, Abteilung der Canones conciliorum,
mit 6 Nummern; dazu von der älteren **C c** 5 Nummern.

C 1 fol. = **Stuttg. H. B. VI, 108** saec. XI. Auf der 1. Seite: *liber sanctorum martini et oswaldi in wingarten.*
Reginonis Prumiensis libri duo de causis synodalibus et disciplinis ecclesiasticis: index canonum ex CC. Meldensi, Toletano, Calcedonensi et synodalibus Caroli junioris et capitulis Ludovici; index canonum CCCCXL; canon de homicidis et epistola Rabani ad Heribaldum episcopum; fragmenta ex epistola Rabani ad Humbertum episcopum, ad Reginbaldum, et alia excerpta vel canones ex Rabano. Ordo missae et rationum quae in ea continentur ex libro officiorum Isidori; epistola ad Augustum a Deo coronatum Carolum de ceremoniis baptismi; poenitentiale mutilum; de modo celebrandi missam.
Kurz beschrieben von Schulte in den Sitzungsberichten der Akademie der Wissenschaften in Wien, philos.-hist. Klasse, Bd 117, 11, p. 29 f.

C 2 fol. = **Stuttg. H. B. VI, 114** saec. X. *1630.*
Reginonis Prumiensis libri duo de causis synodalibus et disciplinis ecclesiasticis cum appendicibus: index canonum confirmatus a concilio Meldensi temporibus Caroli junioris anno 843; canones ex capitulis synodalibus Caroli imperatoris; ordo ad dandam· poenitentiam cum interrogationibus; canones ex concilio Triburensi et concilio Adrispach; exemplar litterarum fermatarum in concilio Nicoeno; epistolae ex anno 906; liber secundus canonum saeculares et laicos concernentium; fragmentum epistolae Rabani ad Heribaldum de his qui pro nihilo ducunt

homicidium in bello perpetratum; canones poenitentiales; modus ex-
communicandi, et reconciliandi; canones et catalogus episcoporum in
concilio Engisheimensi 948; canones et catalogus episcoporum in
Augustano concilio 952 congregatorum.
Beschrieben von Weiland in der Zeitschrift für Kirchenrecht XX (N. F. V.),
4, p. 455 ff.
Akten der Synoden von Ingelheim und Augsburg aus dieser Handschrift
herausgegeben von Canisius, Antiquae lectiones V, 2, S. 1057 und 1053 und
von Pertz, Leges II.

C 3 4° = **Stuttg. H. B. VI, 113** saec. VIII. *1606.*
Canones conciliorum Nicaeni, Ancyrani, Neocaesariensis, Gangrensis,
Antiocheni, Laodicensis, Carthaginensis; Siricii papae capitula canonica;
Innocentii papae decretum de celebratione mysteriorum et epistola de
clericis incontentibus; canones conciliorum Calcedonensis et Sardicensis;
Gelasii papae statuta. Secundi servi Christi computus ab O. C. Fides
catholica auctore incerto. Breviarium canonum ex multis conciliis,
quibus praemittitur symbolum Athanasii, cum epistolis diversorum
paparum („Sammlung von Angers“). Hieronymi epistola de vita clericorum; Gennadii definitio ecclesiasticorum dogmatum. Canones poenitentiales.
Beschrieben von Schulte in den Sitzungsberichten der Wiener Akademie,
philos.-hist. Klasse, 117, 11, pag. 1 ff.
Stücke davon veröffentlicht u. a. in Monum. Germ. hist. Script. rer. langob.
et ital. s. VI.—IX., Hannover 1878, 4, p. 25, n. 3.

C 4 4° = **Stuttg. H. B. VI, 112** saec. XI. *1604.* Am Anfang [und Schluß]:
liber sanctorum martini [et oswaldi] in winigarten.
Dicta Ambrosii sancti episcopi. Capitula excerpta de libro canonum:
Canones Carthaginienses, Calcedonenses, Antiocheni, Nicaeni, Apostolorum („Sammlung von Angers“). Capitula concilii Nicaeni. Capitula
de poenitentia vel canones. Collectio capitularium Ansegis abbatis.
Hieronymi expositio IV evangeliorum. Capitula sive canones poenitentiales Nicolai papae.
Beschrieben von Schulte in den Sitzungsberichten der Wiener Akademie,
philos.-hist. Klasse, 117, 11, pag. 15 ff.

C 5 4° = **Stuttg. H. B. VI, 109** saec. IX.—X. *1630.*
Capitula et canones Conciliorum Nicaeni, Arelatensis, Matisconensis,
Epaoni, Carthaginensis; epistola Innocentii ubi agit de praerogativa
ecclesiae Romanae; continuatio capitulorum et canonum; canones et
regulae Sylvestri papae; continuatio capitulorum et canonum; Isidori
liber officiorum de clericis; interrogationes et responsiones variae;
Augustini tractatus de poenitentia et de eadem canones; catalogus
episcoporum qui canones in hoc codice dispersim contentos confirmarunt;
Siricii epistola ad Herium; canones et capitula ex synodo Patricii
(: „Sammlung von Angers“). Gregorii papae expositio diversarum rerum.
Quaedam ex epistola Gregorii papae ad Etherium et ad Brunichildim.
Theodori poenitentiale. Ex regula Fructuosi. Althochdeutsche Glossen.

Beschrieben von Schulte in den Sitzungsberichten der Wiener Akademie, philos.-histor. Klasse, 117, 11, pag. 22 f.

Benützt Steinmeyer und Sievers, Althochdeutsche Glossen. (Vergl. Bd 4, 1898, S. 619 f.)

C 6 4⁰ = Stuttg. H. B. VI, 107 saec. XI.—XII. *1603.* Auf Seite 111 unten: *hoc est liber sancti martini.*

Regulae ecclesiasticae in Gallias deportatae numero CCCXXX; Gelasii I. decretum de apocryphis scripturis; de ecclesiis; brevis denotatio VI principalium synodorum; fides concilii Nicaeni; canones concilii Constantinopolitani I.; epistola Cyrilli ad Nestorium;. anathematismi concilii Ephesini; canones concilii Calcedonensis II.; excerpta quaedam ex variis conciliis et epistolis pontificum; canones conciliorum Neocaesarensis, Gangrensis, Antiocheni, Laodiceni, Sardicensis, variorum conciliorum Africorum; ordo romanus antiquus de anni totius officiis divinis; epistola Adalberti et Bernaldi ad Bernardum de damnatione; epistola Bernardi et Adalberti ad Bernaldum; epistola Adalberti et Bernaldi ad eundem Bernardum; Bernaldi apologeticus supra decreta Gregorii VII. contra simoniacos; statuta canonum de officiis sacerdotum; poenitentiale Rabani Mauri; varii variorum conciliorum canones; poenitentiale romanum.

Beschrieben von Schulte in den Sitzungsberichten der Wiener Akademie, philos.-histor. Klasse, 117, 11, pag. 23 ff.

Benutzt von Georg Waitz für die Zwecke der Monumenta Germaniae historica.

Von einer Abteilung, bezeichnet durch die **Littera C c,** die wohl auf eine frühere Katalogisierung zurückgeht, finden sich noch einige Spuren, teils in Bommers Katalog, teils durch die erhaltene Signatur:

C c 4 fol = Stuttg. H. B. V, 55 saec. XVI.—XVII. *1650.* Der 1. Teil der Handschrift schließt mit den Worten: *bisshier geht diese Chronikh, so noch uff heutigen Tag in der Reychenaw zue finden ist und ich Georg Han, bürger und der raths zue Überlingen sie mit meiner aignen Handt daraus abgeschriben und mit sampt den Wappen darauss verzaychnet. und fertig worden . . . 1590* [resp. einige Seiten später am Schluß einer ähnlichen Notiz] *1612.*

Chronik der Reichenau, von Gallus Ohaimb mit den Wappen der Äbte und Kapitelherrn; Einsiedler Abtskatalog; Historia von St. Meinrad; und Einsiedler Wappenbuch.

Über das Verhältnis dieser Handschrift der Chronik des Gallus Öhem zu den andern s. Quellen und Forschungen zur Geschichte der Abtei Reichenau, herausgeg. von d. bad. hist. Kommission, II, 1893, pag. XXIV sq.

Bommers Katalog führt unsere Handschrift nicht auf, obgleich die inhaltlich übereinstimmende Handschrift G 16 verzeichnet ist.

C c 20 fol. = Fulda A a 33 ᵃ¹⁾ saec. XV. *1630.*

Henrici de Hassia consilium pacis (angebunden zwei Inkunabeln).

---

1) Der Rückenschild der Fuldaer Handschrift trägt allerdings die ebenfalls ungewöhnliche Signatur B b 38; bei Bommer ist C c 20 angegeben.

C c 23 8° = Stuttg. H. B. I, 192.
   Nicolai Cabasilae jun. expositio divinae liturgiae, graece.
   Bei Bommer nicht aufgeführt, auch ohne Eigentumsvermerk, aber mit
   ganz gleicher Etikette wie die folgende.

C c 30 8° = Stuttg. H. B. I, 120 saec. XVI. *1623*.
   Eine slavische Handschrift.
   Bei Bommer nicht aufgeführt.

C c 76 fol.
   Catalogus nobilium in arce Tubingensi cum a Suevis Confoed. occupata
   Württembergia; catalogus rectorum universitatis Tubingensis 1477—
   1607; de electione imperatoris et membris imperii; in osores religionis
   verae et antiquae.
   Sämtliche Stücke dieser Handschrift sind in Bommers Katalog mit andrer
   Tinte nachgetragen.

Littera D, Abteilung der Homiletik,
mit 83 Stücken (dazu D e 25).

D 1 fol. = Fulda A a 39 saec. XII. *1628*. Am Schluß: *liber sancti martini
   in wingarten.* Nach Hess (S. 58 f.) von einem Counradus begonnen und
   von Abt Meingoz beendet.
      Registrum epistolarum S. Gregorii papae; Johannis papae VIII. epistola
      de donatione pallii ad Wallonem episcopum Mettensem; Gregorii liber
      curae pastoralis.
   Mit Miniaturen und Initialen.

D 2 fol. = Stuttg. H. B. VII, 33 saec. XV. *1630*. Am Schluß die Jahreszahl *1465*.
      Gregorii libri IV dialogorum sive de vita et miraculis patrum Italicorum
      et de aeternitate animarum.

D 3 fol. = Stuttg. H. B. VII, 53 saec. XV. *1630*. Die Schlußnotizen über
   den Schreiber der Handschrift sind radiert resp. überstrichen mit Ausnahme der Bemerkung nach dem Abschnitt „de ortu ordinis Cisterciensis“:
   *Expliciunt hec per me Jodocum de phullendorf magistrum in artibus ac
   curie regalis et civitatis in Rotwila prothonotarium ... conscripta ...
   anno 1425 die solis post dyonisii et sociorum eius.* Der gleiche Name
   des Schreibers ist auch aus den überstrichenen Stellen teilweise noch
   ersichtlich.
      Bernardi tractatus de moribus adolescentium et sermones in cantica
      canticorum; eiusdem sermo super „missus est angelus“; eiusdem liber
      de praecepto et dispensatione; eiusdem epistola ad Haimericum de
      amando Deo, cum tractatu de conscientia; eiusdem de militia spirituali,
      de ortu ordinis Cisterciensis, meditationes de cognitione humanae con-
      ditionis.

D 4 fol. = Stuttg. H. B. I, 25 saec. XV. *1630*.
   Richardi a S. Laurentio de laudibus B. Mariae libri XII.

D 5 fol. = **Fulda A a 25** saec. XI. *1628.* Am Schluß: *liber sancti Martini in Wingarten.*
Augustini libri XXII de civitate Dei cum prologo.
Mit Initialen.

D 6 fol. = **Fulda A a 12** saec. IX./X. *1630.* Auf der 1. Seite: *Tertius haec Salomon*[1]*) sanctae dat dona Marie.* Auf Blatt 2 r.: *Iste liber est ecclesie constanciensis acomodatus domino h. de diessenhoffen sed antea per quendam vitiatus qui volebat eum corrigere.*
Augustini enchiridion. Homiliae et sermones varii; antiphona.

D 7 fol. = **Stuttg. H. B. VII, 19** saec. XII. Auf drittletzter Seite: *liber sancti martini in wingarten.*
Augustini sermones de verbis evangel. Matthaei, Lucae et Johannis.

D 8 fol. = **Darmstadt 328** saec. XII./XIII. *1628.* — *Imperiali Bibliothecae Lutetiis Thiebault Fuldensis Regionis Gubernator 1807.*
Alani de Insulis summa de arte praedicandi; eiusdem liber poenitentialis; excerpta ex compilatione magistri Pauli praedicatoris de S. Nicolao prope Passaviam de poenitentia et de confessione; sermones; dialogus inter Gregorium et Petrum de variis rebus.

D 9 fol.[2]*) = **Darmstadt 906** saec. XIII. *1628.* Auf der 2. und auf der letzten Seite: *liber sanctorum martini et oswaldi in wingarten.* — *Imperiali Bibliothecae Lutetiis Thiebault Fuldensis Regionis Gubernator 1807.*
Bernardi Clarevallensis homilia in cantica canticorum; eiusdem epithalamium.

D 10 fol. = **Fulda A a 73** saec. XIII.
Hieronymi ortus et obitus sanctorum N. et V. T.; eiusdem de viris illustribus; Augustini libri IV de doctrina Christi; eiusdem enchiridion ad Laurentium; eiusdem de fide et operibus; eiusdem tractatus de opere monachorum ad Aurelium; eiusdem de resurrectione, de orando, de agone Christiano, de moribus clericorum, de bono conjugali, de professione s. viduitatis, de s. virginitate ad religiosas quasdam mulieres, de nuptiis et concupiscentia l. 1—2, epistola ad Claudium, liber contra Julianum Pelagianum, de praesentia Dei ad Dardanum.
Im Einband Fragmente einer Handschrift saec. XIV. von Rudolfs von Ems Barlaam und Josaphat, entdeckt von Dr. Scherer.

D 11 fol. = **Fulda A a 47** saec. XIII. *1628.* Vorn im Deckel von einer Hand des 18. Jahrhunderts: *Hunc librum ... scribit curavit R. P. Bertholdus Abbas huius Monasterii qui fuit electus in Abbatem Anno 1200.*
Bernardi homiliae XXXII super cantica et super „missus est" IV;

---

1) Salomo III. Bischof von Konstanz 890—919.
2) Identifikation nicht ganz sicher. Nach Bommer müßten noch weitere Stücke in der Handschrift sein, z. B. liber de natura divinitatis, Gregorii liber pastoralis. Die Darmstädter Handschrift, deren alte Signatur nicht erhalten ist, hat zwar noch weitere kleine Bruchstücke, aber offenbar anderen Inhalts.

eiusdem liber de consideratione ad Eugenium Papam; ex decretis
Gregorii Papae ad Marianum archiepiscopum Ravennae.
Mit Initialen.

D 12 fol. = **Stuttg. H. B. VII, 12** saec. X. in. *1630.* Auf der letzten Seite
oben: *liber monasterii augie maioris.*
Hieronymie epistolae variae.
Hat Italafragmente.

D 13 fol. = **Stuttg. H. B. I, 187** saec. XV. *1630.*
Bonaventurae sermones: de septem itineribus aeternitatis, de nobilitate
creaturarum, itinerarium mentis in Deum, liber vitae, arbor vitae;
Bernardi meditationes; sermones diversi, de plantatione arboris etc.;
auctores Senecae secundum ordinem alphabeticum; Senecae liber de
copia verborum; figurae rhetoricae; synonima.

D 14 fol.
Augustini libri VII de natura divinitatis; eiusdem de XII consiliis
evangelicis; Nicolai de Dinkelsbühl tractatus de indulgentiis, de VIII
beatitudinibus, de donis Spiritus Sancti, de tribus partibus poenitentiae;
Anselmi Cantuar. epistola de sacrificio Azymi et Fermentati ad Wale-
ramnum episc. Neuburgensem; eiusdem tractatus de casu diaboli;
Anselmi Canthuar. libri duo: cur Deus homo?; Gregorii liber curae
pastoralis ad Ravenat. episc.; Isidori libri III de summo bono ad
Jasonem episc.; Anselmi Cantuar. dialogus de veritate, libertate et
sacramentis ecclesiae; eiusdem liber de conceptu virginali; Isidori
Hispalensis libri duo synonymorum seu soliloquiorum.

D 15 fol. = **Fulda A a 23** saec. XII. *1628.* Auf dem Vorsatzblatt: *liber
sancti Martini in Winigartin.*
Augustini opera: de fide et operibus, altercatio Augustini et Feliciani,
retractatio quarundam propositionum ex epistolis Pauli ad Romanos,
retractatio expositionis epistolae ad Galathas, expositio epistolae ad
Galathas, de pastoribus, de oribus, de psalmo contra Donatistas canti-
lena, libri epistolae ad Romanos inchoata expositio, eiusdem libri
retractatio, retractatio de duobus libris ad Simplicianum, epistola ad
Simplicianum, ad eundem expositio quarundam questionum ex epistola
ad Romanos, de libro Regum, de VII questionibus Dulcitii, disputatio
ypomnisticon, ad Bonifatium, ad eundem de reparatione lapsi, ad
Demetrium, ad Donatistas, ad Glorium et Culesium, de blasphemia
spiritus; altercatio clericorum et monachorum de divinis officiis.

D 16 fol.
Bernardi sermones varii.

D 17* fol. = **Stuttg. H. B. III, 37** saec. XV. *1630.*
Compendium theologiae; summa psalterii Bartholomaei monachi Cisterciensis; tractatus de avibus crdine alphabetico; de quadrupedibus
historia ordine alphabetico; de officio ecclesiastico in hebdomada sacra.

D 18 fol. = Fulda A a 94ᵃ saec. XIV./XV. *1630.*

Isidori libri III de summo bono ad Jasonem episcopum; Cypriani de duodecim abusibus seculi; Hieronymi epistola ad Rusticum; Anselmi monologion et prosologion; eiusdem liber de fide trinitatis et de incarnatione verbi; eiusdem libri duo: cur Deus homo?; eiusdem meditatio humanae redemptionis; eiusdem de processione spiritus s. contra Graecos.

D 19 fol. = Stuttg. H. B. VII, 65 saec. XII./XIII. *1628.*

Innocentii sermones III de tempore, de festis sanctorum etc. cum prologo ad Arnoldum abbatem Cisterciensem; eiusdem sermo sub concilio Lateranensi habitus cum IV sermonibus in consecratione summi pontificis; quaedam excerpta ex dialogorum libris Gregorii.

D 20 fol. = Stuttg. H. B. I, 213 saec. XV. Das Titelblatt, auf dem wohl der Eintrag mit der Jahreszahl stand, ist ausgerissen.

Sermones varii.

D 21 fol. = Stuttg. H. B. I, 226 saec. XV. *1630.* Auf der vorletzten Seite: *Conceptum per ûdabricum wachterum presbyterum constanciensis dioecesis . . . anno 1461.*

Sermones discipuli in dominicis et aliis festivitatibus.

D 22 fol.

Augustini liber de fide ad Petrum; Boethii de causis; Joannis Gersonis libri II de consolatione; Augustini sermones de agone Christiano et de orando Deo; symboli Athanasii expositio; Hugonis soliloquia (typis expressa); de attributis divinis; Augustini soliloquia et suspiria; Bonaventurae breviloquium (typis expressum); eiusdem soliloquium (typis expressum); Anselmi praefatio in libros: cur Deus homo? (typis expressum); Augustini de duodecim abusibus saeculi (typis expressum); patris Feliciani de divina praedestinatione (typus expressum); Joannis Domasceni de fide orthodoxa.

D 23 fol. = Stuttg. H. B. I, 22 saec. XV. *1628.* Am Schluß: *Explicit tractatus de superstitionibus editus anno domini 1405 per magistrum Nicolaum magnum gaer rectorem universitatis haidelbergensis studii. Finitus per me Jo. Wach in praevigilia nativitatis domini aᵒ 1421.*

Jacobi de Voragine mariale aureum; Cziberti speculum B. V. Mariae; miracula Mariae; libellus de sacrificio missae et de communione sub una specie contra Hussitas; sermones de corpore Christi; Francisci de Mayronis libellus de indulgentiis; Matthaei de Cracovia rationale operum divinorum; eiusdem conflictus rationis et conscientiae de sumendo vel abstinendo corpore Christi; Nicolai Magni de Gauer tractatus de superstitionibus.

D 24 fol. = Fulda A a 9 saec. IX. *1630.*

Augustini confessionum libri XI. et XII.; eiusdem civitatis XX. et ultimus liber; Hieronymi regula fidei catholicae; Hilarii libellum fidei; Ambrosii dictatus de sacramentis; eiusdem epistola de pudicitia et

castitate; liber de libero arbitrio; Augustini altercatio contra Faustum; capitulatio.
Mit Initialen.

D 25 fol. = **Stuttg. H. B. VII, 14** saec. XII. Auf der 2. Seite: *liber sanctorum martini et oswaldi;* auf der vorletzten Seite: *liber sancti martini in wingarten.*

Hieronymi sermo in festo assumptionis ad Paulum et Eustachium; varii sermones Augustini et Ambrosii; II antiphonae de S. Georgio mart. cum notis antiquis choralibus.

D e 25 s. am Schluß der Littera D.

D 26 fol. = **Stuttg. H. B. I, 107** saec. XV. *1630.* Oben auf dem vorderen Deckel ein Pergamentstreifen aufgeklebt mit der Inschrift: *Sermones hugonis de bratis dedit doctor vest canonicus.*

Sermones super evangelia; fratris Maximi de Rotenburg sermo de facilitate viae quae ducit ad vitam aeternam; sermo de justitia etc.; catalogus antiquorum patrum, prophetarum apostolorum et scriptorum ecclesiasticorum; sermo in dedicatione; postilla super evangelia et prooemium de arte bene moriendi. .

D 27 fol. = **Stuttg. H. B. V, 19** saec. XV. *1630.*

Pauli Orosii historiarum adversus paganos libri VI ad Augustinum; Caecilii Cypriani Carthaginensis episcopi et martyris liber de disciplina virginum, de mortalitate non formidanda, de opere et eleemosynis, de catholicae ecclesiae unitate, de oratione dominica, epistola ad Metrianum, de bono patientiae, de zelo et livore, epistolae ad Fortunatum de exhortatione martyrii et ad Thibaritanos.

D 28 fol. = **Stuttg. H. B. VII, 36** saec. XV. *1628.* Der Abschnitt von Isidor schließt mit der Notiz: *... per me johannem frölich capellanum in Sultzberg 1444;* das Stück de poenis inferni: *... anno 1462 in ymenstautt;* de contractibus: *... per me fridericum härtz tunc temporis capellanus in ymenstatt;* quaestiones breves: *... per fr. härtz tunc temporis capellanus in ymenstatt ... 1453;* Albertani tractatus: *... per me fridricum tunc temporis alterista in ymenstatt anno 1464.*

Isidori Hispalensis de summo bono libri tres cum epistola ad Jasonem; tractatus de poenis inferni; tractatus de contractibus; Nicolai de Dünckelspiel tractatus de corpore Christi; libellus de variis vitae sanctae praesidiis; quaestiones breves super IV libris sententiarum; Nicolai de Dunckelspiel tractatus de tribus partibus poenitentiae; tractatus de spiritibus; Albertani tractatus de modo cauta loquendi ad Stephanum filium; Henrici de Frimaria de instinctibus tractatus.

D 29 fol. = **Stuttg. H. B. I, 7** saec. XV. *1630.*

Bonaventurae liber meditationum; Anselmi meditatio super „Miserere mei Deus“; Bernardi abbatis et Alberti Magni meditationes super Magnificat; Richardi a. S. Victore de studio sapientiae et de gratia contemplationis; Hieronymi ad quaestiones XII Hedibiae responsum; eiusdem ad Algasiae quaestiones XII responsum.

D 30 fol. = Stuttg. H. B. VII, 51 saec. XV. *1630.*
Hugonis de S. Victore libri IV de claustro animae; Joannis de Pizano, archiepiscopi Cantuariensis, canticum pauperis pro dilecto.

D 31 fol. = Darmstadt 514 saec. XV. *1628.* — *Imperiali Bibliothecae Lutetiis Thiebault Fuldensis Regionis Gubernator.*
Wilhelmi Parisiensis sermones de passione Domini cum indice.

D 32 fol.
Francisci Astensis postilla.

D 33 fol. = Fulda A a 31 saec. XII. *1628.*
Gregorii liber curae pastoralis; Ambrosii sermo ad pastores; de gaudiis sanctorum.
Mit einer Initiale.

D 34 fol. = Stuttg. H. B. I, 227 saec. XIV. *1628.*
Orationes aliquot, inter quas duae Anselmi Cantuariensis ad Deum et ad Christum; fragmentum textus evangelii Matthaei; homiliae super diversa evangelia; sermones de B. Virgine; versus germanici de „Ave Maria“.
Die Verse über Ave Maria sind abgedruckt in den Beiträgen zur Geschichte der deutschen Sprache und Literatur, Bd 37, S. 544 ff.

D 35 fol. = Stuttg. H. B. VII, 62 saec. X. *1630.*
Libri IV de vita sacerdotum: de qualitate vitae seu qualis debeat esse vita sacerdotum, de potestate remittendi peccata, de mortalibus peccatis, canones poenitentiales.
Mit Initialen.

D 36 fol. = Stuttg. H. B. I, 84 saec. XV. *1630.*
Tractatus de philosophia naturali; Augustini liber de vita animae; Bedae sermo; Bonaventurae tractatus de praeparatione ad eucharistiam; horologium sapientiae divinae; Henrici de Hassia sermones; processus Luciferi contra Jesum coram judice Salomone; tractatus de summa trinitate et fide catholica; tractatus de Davide et Salomone; index summae Pisanae cum resolutione quaestionum.

D 37 fol. = Stuttg. H. B. I, 153 saec. XIII. *1628.*
Honorii Augustodunensis, Solitarii dicti, speculum ecclesiae, varios sermones tam de tempore quam de sanctis complectens, ad fratres ecclesiae Carthaginensis directum.

D 38 fol. = Stuttg. cod. theol. et philos. fol. 257 saec. XV. *1630.*
Jacobi de Voragine sermones super evangelia dominicalia.

D 38 4° (?).
Bernardi tractatus de libero arbitrio; Augustini tractatus de honestate mulierum.

D 39 fol.
Jacobi de Voragine sermones super evangelia dominicalia.

D 40 fol. im Besitz der Kgl. Hofbibliothek in Stuttgart (1) saec. XV. *1628.*
Sermones super evangelia, de dedicatione et passione; remedium contra pestem; expositio ceremoniarum missae.

D 41 fol. = Stuttg. H. B. III, 38 saec. XV. *1630.*
Tractatus de immaculata conceptione; Alberti Magni expositio super orationem Domini; expositio salutationis angelicae; expositio symboli apostolorum; expositio de octo beatitudinibus; de laude B. Virginis; Alberti Magni tractatus super missam.

D 42 fol. = Stuttg. H. B. I, 83 saec. XV. *1630.*
Udalrici abbatis Campilyliorum concordantia charitatis; sermones de fidelibus defunctis, Johanne Bàptista, dedicatione ecclesiae, eucharistia, confessione sacramentali.

D 43 fol. = Fulda D 20 saec. XIV.
Joannis Cassiani collationes sive exhortationes patrum.
Mit Initialen.

D 44 fol.
Hieronymi collationes seu adhortationes patrum; homiliae super varia evangelia.

D 45 fol. = Stuttg. H. B. VII, 16 saec. XII. *1628.* Am Schluß: *liber sancti martini in uuinigartin.*
Augustini duo tractatus super sermonem Domini in monte habitum teste Matthaeo; eiusdem libri de bono conjugali, de virginitate, de viduitate; eiusdem epistola ad Probam; eiusdem de agone christiano et de opere monachorum.
Mit Initialen.

D 46 fol. = Stuttg. H. B. VII, 59 saec. XII. *1628.*
Versus de Friderico Barbarossa; Leonis sermones de nativitate Dei; sermones Augustini et a.; hymnus cum notis musicis de sancto Georgio; Petri Damiani sermones de Bonifacio, Anastasio, de ss. Flora et Lucilla, de passione Antimi martyris.
Die Verse auf Kaiser Friedrich, die schon Gerbert abgedruckt hatte, sind weiterhin veröffentlicht von L. Weiland im Neuen Archiv der Gesellschaft für ältere Geschichtskunde, Bd 15, S. 394 f.

D 47 fol. = Stuttg. H. B. I, 61 saec. XIV. *1630.*
Jacobi de Losanna sermones pro singulis diebus dominicis et festivis.

D 48 fol. = Fulda C 2 saec. XIII./XIV. *1628.* Auf dem 1. Blatt: *libellus sanctorum martini et oswaldi in wingarten.*
Libri Aristotelis parvorum naturalium; liber de causis; [Pseudo] Boethii de persona et duabus naturis.

D 49 fol. = Stuttg. H. B. VII, 58 saec. XI. *1628.*
Sermones Augustini, Originis, Isidori, Leonis, Bedae, Fulgentii, Maximi, Ambrosii et a., tam in diebus dominicis, quam in aliis festis per annum.

D 50 fol. = Stuttg. H. B. VII, 4 saec. IX. *1630.*
Johannis Chrysostomi homiliae in Matthaei et Lucae evangelia.

D 51 fol. = **Stuttg. H. B. VII, 15** saec. X. *1628.*
Augustini confessionum libri XIII cum praefatione.

D 52 fol. = **Stuttg. H. B. VII, 21** saec. IX. *1630.*
Augustini quaestiones diversae numero LXXXII; eiusdem libri II contra
adversarium legis et prophetarum.

D 53 fol. = **Fulda A a 76** saec. XIV. *1625.*
Fr. Thomae Anchimi liber contra Magistrum Wilhelmum.
Mit Initialen.

D 54 fol. = **Stuttg. H. B. VII, 31** saec. XII. *16ε9.*
Gregorii regulae sive curae pastoralis liber.
Mit einer Miniatur.

D 55 fol. = **Fulda A a 45** saec. XII. *1628.* Am Schluß: *liber sancti martini
episcopi in winigartin.*
Augustini liber contra Manichaeum Faustum.

D 56 4°.
Sermones varii de sanctis; tractatus de Antichristo; Joannis Andreae
summa super l. IV. decretalium; summa casuùm in quibus poenitentiarii
papae possunt dispensare; meditationes de passione Domini; de modo
dicendi horas canonicas.

D 57 fol.
Bonaventurae breviloquium pauperis; Joannis Michaëlis postilla in
Danielem; Sallustii coniuratio Catilinaria.

D 58 4° = **Fulda A a 1** saec. IX. *1630.*
Augustini de decem cordis; eiusdem de bono virginitatis; eiusdem de
adulescente qui dixit ad Dominum quid faciam ut habeam vitam
aeternam; eiusdem de eo quod Dominus dicit si peccaverit in te frater
tuus corripe eum inter te et ipsum solum et in Salomone: annuens
oculis cum dolo congregat hominibus mestitiam qui autem arguit
palam pacem facit.
Hat Italafragmente.

D 59 4° = **Stuttg. H. B. VII, 5** saec. XII. *1628.* Im vorderen Deckel [und
auf der letzten Seite]: *liber sancti martini [et oswaldi] in wingarten.*
Ephraemi Diaconi Syri libelli de judicio Dei et resurrectione et regno
coelorum, de beatitudine animae, de poenitentia, de luctaminibus, de
die judicii, monita.

D 60 4° = **Stuttg. H. B. VII, 3** saec. XV. *1674.*
Pseudo Chrysostomi sermones de patientia et poenitentia cum elencho
et prologo Laelii Tifernatis.
Mit Initialen.

D 61 4° = **Stuttg. H. B. VII, 54** saec. XV. *1630.*
Bernardi liber de caritate; eiusdem de gratia et libero arbitrio;
[Pseudo-]Augustini liber de vita Christiana.

D 62 4° = **Stuttg. H. B. VII, 20** saec. XII. *1628.*
Augustini sermones super evangelia Matthaei, Lucae et Johannis cum
indice.
Mit Initialen.
Diese Handschrift ist in Bommers Katalog nicht aufgeführt.

D 63 4° = **Stuttg. H. B. VII, 57** saec. X. *1630.*
Homiliae sanctorum patrum in diebus dominicis et aliis festivitatibus
per annum.
Mit Initialen.

D 64 4° = **Stuttg. H. B. III, 41** saec. XI. *1628.* ' Im vorderen Deckel [und
auf der 1. Seite]: *liber sanct[orum] martini [et oswaldi] in wingarten.*
Tractatus de conditione humana huius et alterius vitae.

D 65 4° ist in Bommers Katalog nicht aufgeführt.

D 66 4° = **Stuttg. H. B. VII, 48** saec. XII. *1628.* Auf dem 9. Blatt von
rückwärts: *liber sancti martini in wingarten.*
Anselmi episcopi Lucensis epistola, seu liber I. contra Guibertum et
sequaces eius; Augustini enchiridion ad Laurentium de fide, spe et
charitate; Augustini libellus luctaminis virtutum contra vitia; libellus
seu sermo de disciplina christiana et de creatione hominis; libellus de
creatione primi hominis; Martini libellus de quatuor virtutibus cum
praefatione ad Mironem regem; Urbani epistola ad Gebehardum episcopum Constantiensem.

D 67 4° = **Stuttg. H. B. XI, 30** saec. X. *1630.*
Bedae liber de temporum ratione.
Hat Italafragmente, die z. T. noch in der Hofbibliothek sind.
Ist in Bommers Katalog nicht aufgeführt.

D 68 4° = **Stuttg. H. B. VII, 32** saec. X./XI. *1628.* Am Schluß, nur teil-
weise noch leserlich: *liber sancti martini in wingarten.* Auf dem letzten
Blatt: *Iste liber est sancti martini in wingarten patroni constantiensis
dioecesis ordinis sancti benedicti pii fundatores Welfenes duces.*
Qui me furetur requies numquam sibi habetur.
Am Schluß des 3. Buches die Schreibernotiz: *explicit . liber . tertius dialogorum . dáz chît sermo duorum . vuánda zûenô chóson díz . ih méino .
einer fráget . ánderer ántuuírtit.*
Gregorii libri IV dialogorum.
Die ahd. Schreibernotiz ist mitgeteilt von Weiland in Steinmeyers Zeit-
schrift für deutsches Altertum, Bd 34, S. 80.

D 69 4°.
Gregorii I. pastorale.

D 70 4° = **Stuttg. H. B. I, 70** saec. XIII. Auf dem Vorsatzblatt: *liber sanctorum martini et oswaldi in wingarten.*
Instructio poenitentiae a Richardo quodam sacerdotibus datae; sermo
ad vitam bene instruendam; homiliae variae super varia evangelia; in
fine aliqua de contemtu mundi.

D 71 4° = **Stuttg. H. B. VII, 56** saec. XII./XIII. *1628.*

Richardi Scoti, canon. reg. S. Victoris prope muros Paris., de praeparatione ad contemplationem liber dictus Benjamin minor; compendium
philosophiae naturalis per interrogationes et responsiones, cum praefatione ad quendam Normannorum ducem et Andegavensium comitem;
flores in honorem B. Virginis Mariae ex utriusque testamenti libris
decerpti.

Mit Initialen.

D 72 4° = **Stuttg. H. B. VI, 106** saec. XIV. *1630.*

Magistri Conradi canonici Tuciensis argumenta pro concionibus for-
mandis; excerpta ex fabulis et historiis antiquis; expositio terminorum
juris fratris Hermanni de Soldam, Erem. S. Aug.

Benützt in Seckel, Beiträge zur Geschichte beider Rechte im Mittelalter,
Bd 1, 1898.

D 73 4° ist in Bommers Katalog nicht aufgeführt.

D 74 4° = **Stuttg. H. B. I, 68** saec. XIII. Auf der 1. Seite: *liber sanctorum
martini et oswaldi in winigartin.*

Sermones varii christianorum solemnibus accommodati, quorum plures
inscribuntur populares.

D 75 4° = **Stuttg. H. B. III, 34** saec. XII. *1628.*

Tractatus de eucharistia, fides Berengarii de corpore Domini; quaestiones
de corpore Domini; tractatus de conjugio; tractatus de creatione;
tractatus de creatione et origine animae; sermo de VII donis spiritus;
epistola Bernaldi ad Gebhardum episcopum Constantiensem de excommunicatione; exceptiones ecclesiasticarum regularum.

D 76 8° = **Stuttg. H. B. I, 186** saec. XIV.

Funerandi modus mortuos fratres.

Ist in Bommers Katalog nicht aufgeführt.

D 77 8° fehlt in Bommers Katalog.

D 78 8° = **Stuttg. H. B. VII, 22** saec. XII. *1628.* Am Schluß: *liber sancti
martini in wingarten.*

Augustini enchiridion ad Laurentium.

Ist in Bommers Katalog nicht aufgeführt.

D 79 8° = **Stuttg. H. B. I, 72** saec. XIV. *1628.*

Sermones varii.

Ist in Bommers Katalog nicht aufgeführt.

D 80 8° = **Stuttg. H. B. VII, 23** saec. XII. *1628.*

Augustini sermo de vita christiana; eiusdem sermo de persecutione
Christianorum; de poenitentiae modo; quaestio Macedonii ad Augustinum
de secundo loco poenitentiae; libellus de poenitentia; Augustini liber
exhortationis ad quendam comitem sibi carissimum.

D 81 8° = **Stuttg. H. B. III, 43** saec. XIV. *1630.*

Anselmi Cantuariensis scripta varia; et alia.

Ist in Bommers Katalog nicht aufgeführt.

D 82 8° = **Stuttg. H. B. I, 73** saec. XIV. *1628.*
     Sermones super evangelia.
Ist in Bommers Katalog nicht aufgeführt.

D 83 8° = **Stuttg. H. B. I, 74** saec. XIV. *1604.*
     Sermones super epistolas totius anni, et de communi sanctorum etc.
Ist in Bommers Katalog nicht aufgeführt.

D 84 8° = **Stuttg. H. B. I, 71** saec. XIV. *1628.*
     Sermones super evangelia et epistolas totius anni.
Ist in Bommers Katalog nicht aufgeführt.

D 85 8° ist in Bommers Katalog nicht aufgeführt.

D 86 8° = **Stuttg. H. B. I, 90** saec. XIV. *1628.*
     Sermones per anni circulum.
Ist in Bommers Katalog nicht aufgeführt.

     Eine etwas abweichende Signatur hat

D e 25 = **Stuttgarter Handschrift** am Schluß der cod. misc. saec. XIV.
     Albrecht von Eybes Ehestandschriften; Buch von der Zerstörung Trojas.
     [Zusammengebunden mit 2 Inkunabeln].
Weingartener Provenienzmerkmale sind keine vorhanden. Doch ist die
Schlußwendung des zweiten handschriftlichen Stücks von einer Hand ab-
geschrieben, die derjenigen von Bommer ganz gleich ist, und unterschrieben
ist die Abschrift mit J. G. B. 1783, was zweifellos zu Johannes Gualbertus
Bommer zu ergänzen ist.
In Bommers Katalog sind die beiden Stücke mit der etwas abweichenden,
aber gleichfalls ungewöhnlichen Signatur statio 25 D 30 aufgeführt.

Littera E, Abteilung der Dogmatik,
mit 60 Nummern.

E 1 fol. = **[Stuttg. H. B. III, 17]** saec. XV. Am Schluß: *gratia Dei est hec*
secunda secunde Sancti Thome de Aquino XIIII. Kal. Augusti per me
fratrem Helmoldum Helmoldi de Salinis ordinis Sancti Benedicti Anno
Dni subtaxato.[1])
Die Handschrift wurde von der Hofbibliothek 1820 nach Schussenried
zurückgegeben und von dort in den dreißiger Jahren an einen Antiquar
verkauft.
     Thomae summae pars II, II.

E 2 fol. = **Stuttg. H. B. I, 3** saec. XV. *1630.* Im vorderen Deckel: *collectus*
per Conradum Manopp.
     Liber scintillarum magistri Conradi [Manopp], pars I.

E 3 fol. = **Stuttg. H. B. I, 4** saec. XV. *1630.* Schließt mit den Worten:
Explicit 2ª pars scintillarum per Andream dictum Frey Baccalaureum

---

1) Vergl. Hess, Prodromus ... p. 174.

libsensem de Monaco in vigilia Philippi et Jacobi Apostolorum anno domini M⁰CCCCLXXI⁰. laudetur Deus.

Liber scintillarum magistri Conradi, pars II., cum indice.

E 4 fol. = Fulda D 33 saec. XIV. *1630.* Am Schluß: *scripta per me Conradum ungmůt.*

Lectura super Petri Lombardi libros sententiarum et libri ipsi; Jodoci Gartner quaestiones excerptae ex diversis.

Mit Initialen.

E 5 fol.[1]) = Stuttg. H. B. III, 31 saec. XV. *1630.* Schließt folgendermaßen: *Anno domini MCCCCXXXXI⁰ durante neutralitate principum electorum sacri Imperij. Inter generale concilium Basiliense, et Felicem papam per ipsum concilium electum, ex una, et dominum Eugenium quartum quem ipsum concilium ut praetendebat se posse deposuit per suam sententiam ex altera partibus In Mense octobris. finitus fuit iste liber.*

Et est Jacobi Grymm de Thurego licentiati in decretis praepositi sancti Johannis constantiensis.

Thomae Aquinatis summae contra gentes libri IV cum indicibus.

E 6 fol. = Stuttg. H. B. III, 10 saec. XV. *1630.* Schließt mit der Notiz: *Finitum per scriptorem meum heinricum constantiensem anno domini MCCCCXLIII in mense junii.*

Jacobus Grimm praepositus sancti Johannis constantiensis licentiatus in decretis. orate pro me et scriptore.

Commentarius in libros III. et IV. sententiarum Petri Lombardi; libri III. et IV. sententiarum Petri Lombardi.

E 7 fol. = Stuttg. H. B. III, 16 saec. XV. *1630.* Schlußnotiz: *Explicit secunda pars secundae partis sancti Thome d'aquino.*

Anno MCCCCXLIII ante festum sancti Thome apostoli forte ad VIII dies per conradum hepp scolarem meum. In oppido winterthur constantiensis diocesis Jacobus Grim licentiatus in decretis etc.

Thomae Aquinatis summae theologicae secunda secundae.

E 8 fol. = Darmstadt 899 saec. XIII. Auf dem zweiten Blatt oben und unten und auf dem Schlußblatt: *liber sancti Martini in wingarten. — Imperiali Bibliothecae Lutetiis Thiebault Fuldensis Regionis Gubernator 1807.*

Petri Pictaviensis summa super disputabilibus sacri eloquii quaestionibus.

E 8 fol.* = Stuttg. H. B. III, 15 saec. XV. *1630.*

Thomae Aquinatis summae theologicae secunda secundae, tertia pars et additiones ad tertiam partem.

E 9 fol. = Darmstadt 902 saec. XIII. *1628. — Imperiali Bibliothecae Lutetiis Thiebault Fuldensis Regionis Gubernator 1807.*

---

1) Ein zweite Stuttgarter Handschrift, H. B. III, 21, saec. XV., concordantia in Thomae Aquinatis summae theologicae partes III, 1820 nach Schussenried abgegeben, soll nach einer offenbar irrtümlichen Angabe des Stuttgarter Katalogs auch die Signatur E 5 gehabt haben.

Raymundi ·de Pennafort summa I. et II. partis super quaestiones theologico morales de religione, poenitentia, ordine et matrimonio; expositio super summam Raymundi.

E 10 fol. = Stuttg. H. B. III, 29 saec. XV. *1630.*
Alberti Magni summae theologiae pars I., sive de Deo.

E 11 fol. = Fulda A a 50 saec. XIV. *1630.* Nach dem Titelstreifen des Einbands von einem magister Guld.
Petri Lombardi sententiarum IV libri.

E 12 fol. = Stuttg. H. B. III, 1 saec. XV. *1630.* Am Schluß von liber IV. des Petrus Lombardus: *Anno domini MCCCCLXV⁰ in studio praevalido erfurdensi-terminatus est liber iste.*

Epitheton doctorum (veterum doctorum nomina et cognomina); Petri Lombardi libri IV sententiarum; concordantiae super quatuor libros sententiarum quos composuit venerandus pater frater mattheus de aqua sparta magister theologiae et generalis magister et hoc secundum alphabetum.

E 13 fol. = Stuttg. H. B. VII, 66 saec. XIV. *1630.* Auf dem vorderen Deckel ein Pergamentstreifen mit der Inschrift: *Wilhelmus parisiensis super tertio dedit doctor vest canonicus.*
Wilhelmi Parisiensis libri III cum indice.

E 14 fol. = Stuttg. H. B. VII, 37 saec. XI. *1630.* Am Schluß zwei Zeilen: *Ave sancte egregie Christi martyr pelagi a ... nunc celestis aulae miles invictus quem carnia genuit urbs praeclara constancia.*

Tajonis, cognomento Samuelis, episcopi urbis Caesar-Augustanae, ad Quiricum episcopum libri V sententiarum e Gregorii Magni operibus collecti.

E 15 fol.
Alberti Magni de mysterio missae.

E 16 fol. = Stuttg. H. B. III, 7 saec. XV. *1630.* Aus einem Eintrag im hinteren Deckel ist noch zu lesen: *est magistri johannis creutzlinger.*
In Petri Lombardi librum II. sententiarum commentarius.

E 17 fol. = Stuttg. H. B. III, 13 saec. XV. *1630.* Schließt mit den Worten: *·finis primae partis summae sancti Thomae d'aquino ordinis praedicatorum. Jacobus Grymm.*
Thomae Aquinatis summae theologiae pars I.

E 18 fol. = Stuttg. H. B. III, 14 saec. XV.· *1630.* Das am Anfang der Handschrift stehende Kapitelverzeichnis schließt folgendermaßen: *iste liber est mei Jacobi Grimm praepositi sancti Johannis constantiensis in decretis licentiati.*
Thomae Aquinatis summae theologiae pars II., praefixo quaestionum et articulorum elencho.

E 19 fol. = Stuttg. H. B. III, 18 saec. XV. *1630.* Am Schluß: *finitum post assensionem domini 1444. inceptum vero tercia post Agnetis virginis anno praedicto. per Conradum scolarem meum. Ja. Grimm licentiatus in decretis.*
Thomae Aquinatis summae theologiae pars III., praecedit elenchus.

E 20 fol. = Stuttg. H. B. X, 7 saec. XIV. *1630.*
Thomae Aquinatis commentarius seu summa in tres libros Aristotelis de anima.

E 21 fol. = Stuttg. cod. theol. et philos. fol. 258 saec. XV. *1630.* Schließt mit der Notiz: *Expliciunt quatuor novissima per me hainricum wyhs anno domini 1461.*
Raymundi de Pennafort summa de summula et quattuor novissima.

E 22 fol. saec. XIV. *...anno...MCCCIX. inchoatus est liber iste feria V. ante Johannis ante portam latinam, consumatus ad Vincula Petri IIII. Nonas Augusti Indictione VII. procurante Counrado de Ibach Domino et Monacho Weingartensis Monasterii scribente Johanne de Berngartruiti..* (Vergl. Hess, Prodromus, p. 97.)
Joannis ord. praedicat. casuales quaestiones, libri IV; Henrici de Hassia speculum animae.

E 23 fol. = Stuttg. H. B. I, 31 saec. XV. *1628.* Am Schlusse des Abschnitts formula examinandi conscientiam: *hoc compendium compilatum est per Reverendum in Christo patrem dominum Nicolaum episcopum cereten-tensem (?) sacrae paginae doctorem cognomine Venatorem Nacione de Ungaria ad petitionem Magnifici principis domini Nicolai de cara ipsius regni Ungariae comitis palatini et vicarii generalis.*
Nicolai de Dinkelsbühl tractatus de septem viciis; tractatus de luxuria etc.; tractatus ex Simone de Cremone de quadragesima; Henrici de Hassia speculum animae; speculum amatorum mundi immundi; praeparatio ad missam ex Bonaventura; Nicolai de Dinkelsbühl tractatus de octo beatitudinibus; epistola Mariae ad Ignatium; tractatus de septem donis Spiritus S.; Isidori Hispalensis libri III de summo bono, praecedente epistola ad Jasonem episcopum; quaestiones quaedam Nicolai de Dinkelsbühl, Simonis de Cremona, Jacobi de Voragine etc.; tractatus de oratione cottidiana; formula examinandi conscientiam; registrum.

E 24 fol. = Stuttg. H. B. I, 48 saec. XV. *1690.* Am Schluß vom 2., 3. und 5. Stück: *...finitus per me Johannes fürbaß...1432* resp. *1433* und *1434.*
Tractatus elucidarius seu lilium missae Bernardi de Parentinis praemissa epistola ad episcopum Albiensem; Bonaventurae tractatus de officio missae; dialogus latino-germanicus de officio missae; tractatus de reparatione hominis lapsi (auctore Marquardi ord. fratr. Minor. provincialis Alamanniae); tractatus de indulgentiis; lectura bona magistri Conradi de Solto de summa trinitate et fide catholica.

E 25 fol. = Stuttg. H. B. III, 4 saec. XV. *1630.*
Quaestiones abbreviatae in IV libros sententiarum Petri Lombardi et conclusiones Joannis de Fonte O. Min. super libros sententiarum

E 26 fol. = Stuttg. H. B. I, 170 saec. XIV. *1630.*
Jacobi Magni Parisiensis ex ordine fratrum S. Augustini sophiloquium cum epistola ad Michaelem Archiepiscopum Antisiodorensem; tractatus de successione; Cyrilli episcopi apologeticus quadripartitus.

E 27 fol. = Stuttg. H. B. III, 22 ˌsaec. XIV. *1628.* Am Schluß des am Anfang stehenden Inhaltsverzeichnisses: *Anno domini MCCCXIX scriptus est iste liber quem fecit scribi Cûnradus abbas dictus de Ibach.*

Compendium theologicae veritatis.

E 28 fol.＝ Stuttg. H. B. I, 30 saec. XIV. *1628.* Am Schluß die teilweise ausradierte Notiz: *iste liber est johannis dermerspurch ⋮⋮⋮ wingarten* (?).

Summa vitiorum et virtutum; incitamenta ad virtutes ex evangeliis desumpta; flores ex diversis auctoribus excerpti; tractatus de confessione; carmen leoninum quo inducuntur virtutum et viciorum personae alternis inter se versibus pugnantes.

E 29 fol. = Stuttg. H. B. III, 36 saec. XV. *1630.*

Concordantia Thomae super totam summam et contra gentiles ordine alphabetico.

E 30 fol. = Stuttg. H. B. VII, 50 b saec. XV. *1630.*

Hugonis de S. Victore de sacramentis christianae fidei libri II.

E 31 fol. = Stuttg. H. B. VII, 67 saec. XV. *1630.*

Alberti Magni tractatus super missam et speculum virtutum cum indice; lectanea de sanctis et de tempore.

E 32 fol. = Stuttg. H. B. VI, 92 saec. XV. *1628.* Vorn in der Handschrift die Notiz: *Ego frater johannes wittrollf comparavi hoc volumen tempore peregrinationis in ... veldkirch anno MCCCCLXXXVI°. Et sequenti anno vid. LXXXVII° in caplania protectione divi archiducis Austriae Sigismundi comitis tyrolii favorabile confirmatus in vigilia sancti Anthonii in insprüg finii.*

Barthomaei de S. Concordio Pisani O. Pr. summa de casibus conscientiae; Joannis Andreae summa in l. IV. Decr. de sponsalibus et matrimonio; eiusdem lectura super arbore consanguinitatis et affinitatis.

Benützt in Seckel, Beiträge zur Geschichte beider Rechte im Mittelalter, I, 1898.

E 33 fol. = Stuttg. H. B. III, 33 saec. XV. *1630.*

Pauli de S. Maria episcopi Burgensis scrutinium scripturarum; tractatus de squaloribus romanae curiae vulgariter Portugal antiquus intitulatus; tractatus de auctoritate mendicantium audiendi confessiones.

E 34 fol. ist in Bommers Katalog nicht aufgeführt.

E 35 fol. = Stuttg. H. B. III, 20 saec. XV. *1630.*

Thomae summae theologicae pars III.

E 36 fol.

Fratris Bartholomaei expositio psalmorum; theologiae compendium in VII partes distributum; officium tridui sacri ante pascha.

E 37 fol.

Commentarii super libros sententiarum.

E 38 fol. = Stuttg. cod. theol. et philos. fol. 256 [1]) saec. XV. *1630*.
Thomae tractatus de veritate catholica contra gentiles.

E 39 fol. = Stuttg. H. B. III, 8 saec. XV. *1630*.
Thomae Aquinatis scriptum in librum II. sententiarum Petri Lombardi.

E 40 fol. = Stuttg. H. B. III, 19 saec. XV. *1630*.
Thomae Aquinatis summae theologicae pars III.

E 41 fol. = Stuttg. H. B. III, 11 saec. XIV. *1630*.
Thomae Aquinatis scriptum in librum III. sententiarum.

E 42 fol. = Stuttg. H. B. III, 23 saec. XIV. *1628*. Auf der vierten Seite
von rückwärts: *Qui me scribebat hainricus nomen habebat.*
Compendium theologicae veritatis in libros VII divisum; Bonaventurae
formula vitae honestae; libellus fratris Davidis de ordine fratrum
Minorum de septem profectibus religiosi; veterum patrum sententiae
aliquot de gratia; sermo in die paschae.

E 43 fol. = Fulda Aa 36 saec. XII. Auf dem Vorsatzblatt: *liber sanctorum
martini et oswaldi in wingarten.*
Theologiae compendium; tractatus de tabernaculo; ordinum sacrorum
excellentia; de poenitentia Salomonis; Hieronymi signa judicii extremi.

E 44 fol. = Stuttg. H. B. I, 29 saec. XIV. *1628*.
Johannis de Rupella summa de viciis; eiusdem summa de anima.

E 45 4° = Stuttg. H. B. III, 3 saec. XIII. *1630*.
Petri Lombardi libri III. et IV. sententiarum; benedictio cerei paschalis.
Fehlt in Bommers Katalog.

E 45* 4° = Stuttg. H. B. I, 1 saec. XII. *1628*.
Liber scintillarum de diversis voluminibus.

E 46 4° = Stuttg. H. B. I, 32 saec. XIII. in. *1628*. Oben im vorderen
Deckel: *liber sanctorum martini et oswaldi in wingarten.*
Expositio orationis dominicae; liber de divinis officiis; Hugonis a
S. Victore summa sententiarum, septem tractatibus comprehensa; tractatus de diversa nominum divinorum acceptione; tractatus de septem
sacramentis; de virtutibus theologicis; de attributis divinis et de
creatione hominis eiusque proprietatibus.

E 47 4° = Stuttg. H. B. I, 60 saec. XIII./XIV. *1628*.
Tractatus de instructione confessorum.
Die Anrufung der Maria am Schluß der Handschrift ist abgedruckt in den
Beiträgen zur Geschichte der deutschen Sprache und Literatur, Bd 37,
S. 552.

E 48 4° = Stuttg. H. B. I, 62 saec. XV. *1674*. Am Schluß des 1. Stücks:
Explicit summa ... de confessione. Per me Christoferum Bettinger 1465.

---

1) Die noch erhaltene Etikette trägt die Signatur E 35, jedenfalls versehentlich; nach Bommers Katalog muß es E 38 sein.

Libellus de confessione; sermones de B. Virgine, passione Domini et dedicatione; liber scintillarum; flores sermonum in Insula Augustini majore; tractatus de corpore Christi; de decem praeceptis; explicatio orationis dominicae; de s. Dionysio et sociorum (sic!) eius.

E 49 4°.
Tractatus de viciis et virtutibus.

E 50 4° = Stuttg. H. B. III, 48 saec. XV.
Anonymi lectura super IV libros sententiarum.

E 51 4° = Stuttg. H. B. I, 56 saec. XV. *1628*. Am Schluß von regimen wider pestilentz: *Anno domini* (14)67 ... *Andreas richlin.* Am Schluß von stella clericorum: *Et hic est finis huius libri ... Scriptum per me Jodocum Buschglin prespiterum eo tempore in Ravenspurg et finitum ... anno 1460.*
Tractatus de cura infirmorum; ain regimen wider pestilentz; speculum clericorum P. Alberti. Can. in Diessen; stella clericorum; tractatus de modo observandi interdictum et cantandi lytanias maiores et minores; casus reservati ab Ottone episcopo constantiensi; collatio magistri Rudolphi de Medicis de benedictione aëris.

E 52 4° = Stuttg. H. B. VI, 90 saec. XIV. *1628*.
Raymundi de Pennaforti summa de poenitentia et matrimonio cum notis aliorum.

E 53 4° = Stuttg. H. B. I, 108 saec. XV. Am Schluß von dem tractatus de indulgentiis: *Explicit tractatus de indulgentiis magistri Nicolai dinkelspühel finitus per me Jodocum wusserlin ... anno 1445.*
Sermones varii; de officio mortuorum; Nicolai de Dunkelspiel tractatus de indulgentiis; Bonaventurae tractatus de confessione.

E 54 4° = Stuttg. H. B. VI, 88 saec. XIV. *1628.*.
Raymundi de Pennaforti summae de poenitentia et matrimonio libri IV cum notis et tabula.

E 55 8° = Stuttg. H. B. I, 103 saec. XIV.
Lucerna simplicium; revelatio passionis dominicae S. Anselmo a B. Vírgine facta; sermones de passione Domini.

E 56 8° = Stuttg. H. B. III, 32 saec. XIV. *1659*.
Daz bůch das sanctus thomas mahte der bredier heilige das ist ze tůsche gemaht diz selbe bůch maht er wider die ungelöbigen und wider die kezzer.
Ist in Bommers Katalog nicht aufgeführt.

E 57 8° = Stuttg. H. B. III, 27 saec. XIV. *1628*.
Breviloquium pauperum; Raymundi de Pennaforti summae de poenitentia et matrimonio libri IV; capita nonnulla e Gregorii IX. decretalium libris V lecta; commentarius in symbolum fidei; interrogationes, quae de scripturis sanctis et canonibus sacris in foro poenitentiae ad utilitatem confitentium fieri possunt de peccatis et circumstanciis eorundem;

libellus de virtutibus et viciis; arbor adfinitatis et consanguinitatis cum brevi expositione.
Mit Initialen.

E 58¹) 8° = Stuttg. H. B. III, 35 saec. XIV.

Historiae sacrae; ethica seu theologia moralis; epistolae dominicae per circulum anni; Alberti liber de intellectu; diffiniciones rerum; tabula super summam Raymundi.

Benützt in Seckel, Beiträge zur Geschichte beider Rechte im Mittelalter, I, Tübingen 1898.

Littera ·F, Abteilung der Liturgik,
mit 110 Nummern.

F 1 fol. = Fulda A a 102 saec. XV. Am Schluß des officiums: *Et sic est finis per me Johannem Kräller de campidona Anno domini MCCCCLXXXIII.*
Missale de tempore et sanctis; officium pro vitanda peste

F 2 fol. = Fulda A a 56 saec. XIV.
Breviarium cum calendario, orationibus, symbolis fidei, litaniis et hymnis.
Mit Miniaturen.

F 3 fol. = Stuttg. H. B. XVII, 19 saec. XIII.
Breviarium de sanctis et de communi sanctorum; responsoria, antiphonae, invitatoria cum notis antiquis choralibus posita.

F 4 fol.
Missale de tempore et sanctis.
Conf. Hess, Prodromus ... pag. 214.

F 5 fol. = Fulda A a 67 saec. XIV.
Missale de tempore et sanctis.
Mit Initialen.

F 6 fol. = Fulda A a 101ᵃ saec. XV. Am Schluß der Regula: *finit regula S. Benedicti per fratrem Symonem Roesch de Marchdorff, Conventualem in Wiblingen. Anno Domini MCCCCLXXXIII.*
Martyrologium; regula S. Benedicti; necrologium.
Mit Miniaturen.
Conf. Hess, monumentorum Guelficorum pars historica, 1784, S. 133 und Monumenta Germ. historica, Necrologia, I, p. 222.

F 7 fol.
Missale de tempore et sanctis.

---

1) Nach Bommers Katalog enthielt eine Handschrift E 58 auch: tractatus de fide et decem praeceptis, womit vielleicht versehentlich eine andere Handschrift gemeint war, Stuttg. H. B. I, 217 saec. XV. Sie hat zwar den Eintrag *Monasterii Blaupurensis 1631* und trägt keinen Beweis für Weingartener Herkunft, wird aber doch, wie ja manche andere Blaubeurer Handschrift, über Weingarten nach Stuttgart gekommen sein.

F 8 fol. = **Fulda A a 104** saec. XV.
Missale quorundam festorum Domini, B. V. Mariae et aliorum sanctorum.

F 9 fol. = **Fulda A a 49** saec. XII./XIII. *1628.*
Innocentii papae III. de sacrificio missae; eiusdem tractatus de miseria conditionis humanae s. de contemptu mundi; eiusdem sermo XI.; expositio missae; summa magistri Johannis Belethi de officiis divinis; libellus de moribus disciplinatis; sermo; Innocentii III. sermones; sermo.
Mit Miniaturen und Initialen.

F 10 fol. = **Fulda A a 59** saec. XIV. Auf Blatt 350 v.: *Anno domini MCCCXX° scriptus est iste liber quem fecit scribi Abbas Cûnradus mon. in wingarten dictus de Ibach.*
Epistolae et evangelia.
Mit Initialen.

F 11 fol. = **Fulda A a 69** saec. XIV. *1628.* Auf dem 1. Blatt des Kanon: *Anno domini MCCCXXII° scriptus est iste liber quem fecit scribi Cûnradus Abbas monasterii in wingarten dictus de Ibach.*
Missale de tempore et sanctis.
Mit Initialen und einer Miniatur.

F 12 fol.
Missale de tempore et sanctis; Kalendarium ecclesiasticum.

F 13 fol. = **Stuttg. H. B. I, 52** saec. XIV. *1628.*
Breviarium tam de tempore quam de sanctis; Kalendarium ecclesiasticum.

F 14 fol. = **Fulda B 25** saec. XVI. *Monasterii Blaupurensis 1631.* Am Ende des Martyrologiums: *Scriptum est per me ulricum Strebel blaubürensem tum temporis subdiaconum 1556.* Am Schluß der Regula drei Distichen, in denen sich als Schreiber *Johannes Bommer templi Blavi fontis alumnus* nennt.
Martyrologium; Kalendarium ecclesiasticum; regula s. Benedicti.

F 15 fol. = **Fulda B 5** saec. XIII. *1625 (1628?).* Auf dem letzten Blatt: *liber sancti martini in wingarten.*
Epistolae et evangelia.
Mit Initialen.
Die Einträge auf den Vorsatzblättern über den Zug Conradins und die Wahl König Rudolfs, bezeichnet als notae Weingartenses, s. Monumenta Germ. histor. SS. XXIV, 830—31.

F 16 fol. = **Fulda A a 72** saec. XIV. Vorn: *liber sanctorum martini et oswaldi in wingarten.* Am Schluß: *Qui scripsit scripta manus eius sit benedicta. Qui me scribebat Hainricus nomen habebat.* Weiterhin: *Anno domini MCCCXIX° scriptus est liber iste quem fecit scribi Cûnradus Abbas huius monasterii dictus de Ibach.*
Ordo monasticus circa officium divinum (Weingarten), cum calendario.

F 17 [a] fol. = **Fulda A a 64** saec. XIV. *1628.*
Lectionarius; translatio corporis S. Benedicti.

Eine zweite Handschrift, die sowohl nach dem gleichfalls erhaltenen Schildchen als auch nach Bommers Katalog nochmals diese Signatur hätte, ist

F 17 [b] fol. im Besitz der Kgl. Hofbibliothek in Stuttgart (2) saec. XIV/XV.
Kalendarium ecclesiasticum cum necrologio[1]) benefactorum monasterii Weingartensis.
S. Hess, monumentorum Guelficorum pars historica, 1784, S. 133, und, darnach abgedruckt, Monumenta Germaniae historica, Necrologia, I, p. 222.

F 18 fol. = Fulda A a 43 saec. XII. *1628.*
Ruperti Tuitiensis abbatis libri XII de officiis divinis.

F 18* fol. saec. XII.
Necrologium [necrologíum Hofense minus]; missale de tempore et sanctis. Conf. Hess, monumentorum Guelficorum pars historica, 1784, p. 158 seqq.[2]) und Monumenta Germaniae historica, Necrologia, I, p. 173 sqq.

F 19 fol. = Stuttg. H. B. I, 53 saec. XV. *1628.*
Expositio Vincentii super missam in tres libros divisa pro felici incremento almae universitatis Lipsiensis, ut ex praefatione patet.

F 20 fol. = Stuttg. H. B. I, 51 saec. XV. Der erste Teil der Handschrift schließt: *Explicit Tractatus super missas eximii doctoris vincentii per fratres petrum completus de planckstein finitusque ... anno MCCCCLX in monasterio Hofen.* Am Schluß des zweiten Teiles: *istos duos Tractatus praecedentes comparavit et scribi fecit venerabilis vir dominus Jodocus Dyettenhaimer*[3]*) prepositus Monasterii in Hofen anno 1460.* Diese Notiz wird auch bestätigt durch den Eintrag auf dem ersten Blatt: *Jodocus Diettenhaimer praepositus in Hofen describi curavit 1460.*
Vincentii expositio super missam in tres libros divisa; tractatus de arte moriendi.

F 21 fol. = Stuttg. H. B. I, 50 saec. XV. *1630.*
Vincentii expositio super missam in tres libros divisa; tractatus de arte moriendi; liber qui dicitur biblia aurea.

F 22 fol. fehlt in Bommers Katalog, es könnte sein **= Fulda A a 137** saec. XV. *1613.* Vorn im Einbanddeckel: *Jo. Jac. Haug Lutetia Parisiorum hunc librum dono transmisit Carolo Künig. V. J. D. An. sal. MDCVI.*
Kalendarium ecclesiasticum; evangelia, psalmi, officia defunctorum et oratio de S. Christophoro.
Mit Miniaturen.

F 23 fol.
Augustini Marii tractatus de sacrificio missae.

---

1) Für den Nekrolog gibt Bommer die Signatur F 17* an, vielleicht aus Versehen; vielleicht ist aber damit auch eine andere noch nicht aufgefundene Handschrift gemeint. Bei Hess ist als Quelle des Nekrologs auch F 17 angegeben.
2) Bei Hess ist als Signatur versehentlich F 18 statt F 18* angegeben.
3) Conf. Lindner, Fünf Profeßbücher, II., 1909, pag. 24, woselbst auch die gleiche Notiz über unsere Handschrift.

F 24 fol. = Stuttg. H. B. I, 185 saec. XI. *1628.*
Liber epistolarum et evangeliorum per annum.
Mit Initialen.

F 25 fol. = Stuttg. H. B. I, 49 saec. XV. *1628.*
Rationale divinorum officiorum Guilelmi Durandi, qui communiter
Speculator dicitur.

F 26 fol. = Fulda A a 6 saec. XII. *1628.*
Hymni varii; missale cum Kalendario ecclesiastico; necrologium.
S. Monumenta Germaniae historica, Scriptores, XXIV, 830 et 832; und —
Necrologia I, 222.
Mit Miniaturen und Initialen.

F 27 fol. = Fulda A a 7 saec. IX./X. *1630.*
Lectiones per anni circulum.
Über den Eintrag auf dem Vorsatzblatt s. Archiv d. Ges. f. ä. d. Geschichts-
kunde, 8, 626.
Mit Initialen.

F 28 fol. = Stuttg. H. B. I, 47 saec. XIV. *1628.*
Liber epistolarum per annum in missa legendarum.

F 29 fol. = Fulda A a 32 saec. XIII. *1628.*
Missale de tempore et sanctis cum Kalendario ecclesiastico.
Mit Initialen und einer Miniatur.

F 29* fol. = Fulda A a 70 saec. XIV. *1628.* Am Schluß des Kalenders:
*Anno Dni MCCCXIX scriptus est iste liber, quem scribi fecit Counradus
abbas mon. in wingarten dictus de Ibach.*
Kalendarium ecclesiasticum; missale de tempore cum missa defunctorum
et variis sequentiis.
Mit einer Miniatur und Initialen.

F 30 fol. = Fulda A a 40 saec. XII. *1628.* Am Schluß: *liber sancti martini
in wingarten.*
Liber epistolarum de tempore et sanctis.
Mit einer Miniatur und Initialen.

F 31 fol. = Stuttg. H. B. XII, 7 saec. XV.
Ivonis episcopi summa sacrificiorum; expositio canonis missae.

F 32 fol.
Sequentiae et hymni cum expositione.

F 33 fol. = Stuttg. H. B. I, 59 saec. XV.
Epistolae per cursum anni in missa legendae; catalogus librorum N. et
V. T.; registrum epistolarum; hymni in praecipuis festivitatibus, hymni
de SS. Udalrico, Othmaro, Conrado, cum registro hymnorum; sequentiae
de B. Virgine.

F 34 fol.
Kalendarium ecclesiasticum; diurnale per anni circulum.

F 34* fol. = **Stuttg. H. B. I, 236** saec. XII.
Missale cum Kalendario et cyclo pascali.
Mit Initialen.

F 35 fol.
Kalendarium ecclesiasticum.

F 36 fol.
Kalendarium ecclesiasticum; lectionarius.

F 37 fol. saec. XVI. Am Anfang: *Frater Georius Vetter* [1] *Monasterii Wingarten Prior hunc librum conscribere fecit año Dñi 1504. quem ob salutem aīe sue ordinavit et dedit per obitum suum praeclaere fraternitati praetiosi martiris sebastiani supra montem Mñrii Wingarten actum in die Brigide Virginis anno Dñi 1513.* (Vergl. Hess p. 219.)
Missale.

F 38 fol.
Caspari Schiegg [2] Campana major fusa; ordo monasticus circa officium divinum (Weingarten).

F 39 fol. = **Fulda A a 22** saec. XI./XII.
Amalarici abbatis de ordine officiorum libri IV Ludovico Pio dedicati.
Mit Initialen.

F 39* fol. [3]) = **Stuttg. H. B. I, 184** saec. XII. *1630.*
Epistolae et evangelia praecipuorum in anno festorum; passio Domini et prophetiae; epistolae et evangelia in missis defunctorum.

F 40 fol. = **Fulda A a 57** saec. XII.—XIV. *1628.* Aus Hofen.
Calendarium; psalterium; breviarium; cantica.
Mit Miniaturen und Initialen.

F 41 fol. [4]) = **Fulda B 2** saec. XII. *1628.* Am Schluß: *liber sancti martini in wingarten.*
Idiotae compotus; Augustini sermo superstitius 241; officium missae.

F 42 fol. = **Stuttg. H. B. VII, 43** saec. X. *1630.* Am Schluß die Verse:
Est a uuoluerado! semper mundana secuto.
Quarta remissa prius! pars scripta voluminis huius.
Addideram quartum tribus his! ego stelio librum.
Amalarici Symphosii Chorepiscopi Metensis de officiis divinis libri IV.
Fehlt in Bommers Katalog.

F 43 fol. = **Stuttg. H. B. I, 55** saec. XII. *1628.*
Antiphonae et responsoria de tempore et sanctis cum notis musicis.
Mit einer Miniatur und Initialen.

---

1) Conf. Lindner, Fünf Profeßbücher, II, 1909, pag. 23.
2) Offenbar Beschreibung der unter diesem Abt gegossenen Glocke, conf. Lindner a. a. O. p. 8.
3) Die Signatur F 39* trägt der Rücken der Handschrift. Dagegen steht die Signatur F 44 über dem im vorderen Deckel eingeklebten Inhaltsverzeichnis und stimmt mit der in Bommers Katalog für eine Handschrift des Inhalts von Stuttg. H. B. I, 184 angegebenen überein.
4) Identifikation nicht ganz sicher; die alte Signatur der Fuldaer Handschrift ist nicht erhalten.

F 44 fol. s. oben **F 39*** Anmerkung.

F 45 fol. = Stuttg. H. B. XV, 66 saec. XIII. *1628*. Am Schluß: *liber sancti* · *Martini in Wingarten.* Im vorderen Deckel: *Christannus hepp me possidet anno salutis 1566 ex dono L. P.*

Kalendarium ecclesiasticum cum necrologio sanctimonialum Weingartensium; liber evangeliorum de tempore.

Mit Initialen.

S. Monumenta Germaniae historica, Necrologia I, p. 232—238; und Hess, Monumentorum Guelficorum pars historica, p. 133 sqq.

F 45* fol.

Evangelia de tempore.

F 46 fol. = Fulda A a 116 saec. XV. Am Anfang: *Ego Jeorius Vetter*[1]) *huius Monasterii Wingarten Prior hos libros meis ppriis expensis comparavi quos Monasterio pye offero ut memoria mea apud successores non deleatur anno Domini 1510.*

Kalendarium ecclesiasticum; Breviarium.

F 47 fol. = Fulda A a 65 saec. XV. *1615*.

Kalendarium ecclesiasticum; missa de B. V. M.; horae de s. cruce, de spiritu s.; cursus Marianus; psalmi poenitentiales; vigiliae mortuorum; antiphonae de sanctis.

Mit Miniaturen.

F 48 fol.[2]) saec. XII. (Vergl. Zapf, Reisen, 1786, S. 15.)

Hymnus de nativitate Christi cum et sine notis.

F 49 fol.[3]) **= Stuttg. H. B. I, 58** saec. XVI.

Kalendarium ecclesiasticum; lectiones, antiphonae et responsoria .de sanctis.

Mit Initialen.

F 50 fol. = Stuttg. H. B. I, 106 saec. XVI. *1628*.

Kalendarium ecclesiasticum; breviarium de tempore et sanctis; officium defunctorum.

Mit Initialen wie F 49.

F 51 fol. = Stuttg. H. B. I, 113 saec. XVI.

Kalendarium ecclesiasticum; breviarium.

Mit Initialen wie F 49 und 50.

---

1) Vergl. oben F 37.

2) Mit diesem aus Bommers Katalog für F 48 entnommenen Inhalt stimmt derjenige von Stuttg. H. B. I, 235 saec. XII. (*1630*): E pistolae per anni circulum legendae in missa nicht überein, in welcher mit Initialen geschmückten Handschrift über dem eingeklebten Inhaltsverzeichnis F 48 steht, während die Signatur auf dem Rücken zugeklebt ist.

3) Eine seit lange vermißte Fuldaer Handschrift aus Weingarten A a 51ᵃ saec. XIII: antiphonae et orationes per annum cum Calendario, hatte nach dem Fuldaer Handschriftenkatalog auch die Signatur .F 49. Diese Angabe muß aber wohl auf einem Irrtum beruhen, denn die Signatur F 49 ist in .H. B. I, 58 erhalten; nach Bommer ist die Fuldaer Handschrift nicht zu identifizieren.

F 52 4⁰ = Stuttg. H. B. I, 81 saec. XIII./XIV. *1628.*
Rituale.

F 53 4⁰. .
Hymni de sanctis et tempore.

F 54 4⁰.
Kalendarium ecclesiasticum.

F 55 4⁰ = Stuttg. H. B. I, 86 saec. XIV. *1606·*
Sermones germanici de tempore cum themate latino; significatio signo-
rum in missa germanice; vocabularium de VII peccatis capitalibus;
sermones de tempore et sanctis.
Die deutschen Predigten dieser Handschrift s. Mones Anzeiger für die
Kunde der deutschen Vorzeit, 7, 393 ff.; Pfeiffer, Altdeutsches Übungsbuch,
p. 182 ff.; Wackernagel, Altdeutsche Predigten und Gebete, No XXXVI—
XL; Schönbachs Zeitschrift für deutsches Altertum, 28, p. 1—20.

F 56 4⁰ = Stuttg. H. B. I, 109 saec. XIV. Auf dem ersten Blatt teilweise
weggeschnitten: *G. Christ. Klöckhler Altd: breviarium hoc donat bibliothecae Weingartensi,* was bestätigt wird durch den Eintrag vor dem
letzten Teil der Handschrift: *Georg Christoph: Klöckhler Altorff: Monasterio Weingartensi donavit 13 novemb: 1628.* ·
Breviarium.

F 56* 4⁰ = Stuttg. H. B. I, 180 saec. XIV. Am Schluß des Abschnitts de
Benedictione capsarum pro reliquiis..: *fr. Michael Krislin scripsit anno 79.*
Rituale consecrandi monachos aliarumque benedictionum.

F 57 4⁰ = Stuttg. H. B. I, 63 saec. XVI. *Monasterii Blaupurensis 1631.*
Auf Seite 273 v.: *finit breviarium in cenobium borense anno domini 1500
in die sancti andreae apostoli. Per fratrem David huster pro tunc priorem
eiusdem cenobii.* Die Wendung in dem vorderen Teil der Handschrift,
vor dem Verzeichnis der kirchlichen Feste: *in nostro monasterio blaubüren*
weist auf die gleiche Heimat wie der Eigentumsvermerk auf der ersten
Seite.
Kalendarium ecclesiasticum; ordinarium seu ordo officii divini.

F 58 4⁰ = Stuttg. H. B. II, 25 saec. XIII.
Psalterium cum Kalendario ecclesiastico, officio B. Virginis, variis
canticis et lytaniis sanctorum. ·
Mit Initialen. .
Den Reisesegen am Schlusse der Handschrift s. Denkmäler deutscher Poesie
und Prosa, herausg. von Müllenhoff und Scherer, Berlin 1864, p. 9.

F 59 4⁰ = Fulda A a 20 saec. X./XI. *1628.* Am Schluß: *liber sancti martini
et oswaldi in wingarten.*
Amalarici Fortunati libri III priores de officiis divinis; Hieronymi
epistola de studio scripturarum ad Paulinum; Agobardi episcopi Lugdu-
nensis tractatus de veteri ritu psalmos canendi in ecclesia.
Mit einer Federzeichnung und einem Initial.

F 60 4⁰.
· · Rituale.

F 61 4° = Stuttg. H. B. I, 77 saec. XV. *Monasterii Blaupurani 1635.*
Rituale cum Kalendario ecclesiastico et notis musicis.

F 62 4°.
Kalendarium ecclesiasticum; epistolae et evangelia; Innocentii oratio
cum indulgentiis; missae in sacrificio defunctorum obcurrentes; ex-
orcismi aquae et salis; officium de S. Benedicta; vita Benedictae;
sepulcri S. Benedictae apertio; virgines consecrandi ordo.

F 63 4°.
Kalendarium ecclesiasticum; rubricae ecclesiae Parisiensis.

F 64 4° = Stuttg. H. B. I, 85 saec. XI—XV.
Missale de tempore et sanctis; introitus, gradualia, offertoria, com-
muniones cum notis antiquis. In fine recentiori manu adscriptae sunt
missae rotivae de B. V. et missa defunctorum.
Mit Miniaturen und Initialen.

F 65 4° = Stuttg. H. B. I, 65 saec. XIV. *1628.*
Missale cum notis musicis.

F 65* 4° = Stuttg. H. B. I, 66 saec. XVI. Am Schluß des Rituale Bursfeldense: *Explicit ordinarius divinorum nigrorum Monachorum de ob-
servantia Bursfelden. Absolutum et scriptum ad dei omnipotentis laudem
et congregationis Petrinae integritatem aequalitatemque ceremoniarum; per
humilem et indignum fratrem Jo: Jacobum Fistulatorem Priorem eiusdem
Monasterii, sub Reverendo praesule ac Domino domino Gallo Abbatis* (sic!)
tunc temporis regnantis. Actum die 30. Martii Anno salutis 1595. Damit
stimmt überein der Eintrag auf der ersten Seite: *Fr. Jo. Jacobus Pfeiffer.*

Fundatio monasterii S. Petri [in Weilheim u. Teck]; vita B. Udalrici
confessoris in sylva nigra; rituale Bursfeldense; regula S. Benedicti
germanice scripta.

F 66 4° ist in Bommers Katalog nicht aufgeführt.

F 67 4° [1]) = Fulda A a 123 saec. XIV./XV. *1628.*
Diurnale, pars aestivalis de tempore et sanctis.
Mit Initialen.

F 68 4° [1]) = Fulda A a 122 saec. XIV. *1668.*
Breviarium cum Kalendario ecclesiastico.
Mit Initialen.

F 69 8°.
Kalendarium ecclesiasticum; Amalarici Fortunati de officiis divinis;
evangelia; officium defunctorum.

F 70 8° = Stuttg. H. B. I, 111 saec. XIV./XV.
Breviarium pro monasterio S. Johannis Baptistae in Blaubüren cum
praefixo Kalendario ecclesiastico.

---

1) Identifikation nicht ganz sicher, bei Bommer fehlt F 67 und 68, wie 66.

F 71 8° = **Stuttg. H. B. I, 112** saec. XIV. *1628.*
Hymni cum notis musicis et diversae orationes de altaris sacramento
in festo corporis Christi.

F 72 8°.
Kalendarium ecclesiásticum; psalmi poenitentiales; officium defunctorum;
officia de s. spiritu, de s. cruce et de B. Virgine.

F 73 8° = **Stuttg. H. B. I, 75** saec. XV. *1628.*
Kalendarium ecclesiasticum; breviarium de tempore et sanctis.

F 74 8°.
Ordo missae; rituale sepeliendi mortuos.

F 75 8° = **Stuttg. H. B. I, 76** saec. XIV.
Breviarium de tempore et sanctis.

F 76 8° = **Stuttg. H. B. I, 110** saec. XIV. Das Breviarium schließt mit der
Notiz: *Anno domini MCCC? scriptus est iste liber quem fecit scribi do-
minus Cûnrad dictus pfister prior in wingarten.*
Breviarium de sanctis et de tempore.

F 77 8°.
Kalendarium ecclesiasticum; lytaniae maiores; symbolum Athanasii.

F 78 8°.
Lytaniae maiores.

F 79 8° = **Stuttg. H. B. I, 185** saec. XVI. *1628.* Auf dem Umschlagblatt:
Nicolaus Entringerus, von dessen Hand wohl auch: *in festo S. Matthia
Apostoli electus fui in Priorem Anno —48.*
Rituale inungendi infirmos et IV exhortationes Gersonis ad morientes.

F 80 8°.
Vigiliae defunctorum.

F 81 8°.[1]
Officia lanceae, clavorum, et de S. Monica et Augustino.

F 82 8° = **Stuttg. H. B. I, 98** saec. XIII.
Breviarium de tempore et sanctis; hymnus et oratio de S. Oswaldo.

F 83 8° = **Stuttg. H. B. I, 92** saec. XIV.
Liber ritualis de baptismo et de modo orandi pro defunctis.

F 84 8° = **Stuttg. H. B. I, 79** saec. XV.
Kalendarium ecclesiasticum; antiphonae de S. Benedicto; breviarium et
cursus Marianus.

---

1) Mit diesem von Bommer angegebenen Inhalt stimmt derjenige der
Weingartener Handschrift Stuttg. H. B. I, 218 saec. XVI. nicht überein, auf
deren erstem Blatt auch eine Signatur F 81 steht und die ebenda folgende
Besitzvermerke trägt, oben: *Ex libris Martini Schley* (übereinstimmend
damit am Schluß der Handschrift: *Martinus Schley est verus possessor huius
libri anno 1599)* und unten: *Dono dedit mihi hunc librum D. Mattheus
Wiest anno 1507.* Inhalt: Cursus Marianus; vigiliae defunctorum; psalmi
graduales et poenitentiales.

F 85 8° fehlt in Bommers Katalog.

F 86 8° = Stuttg.'H. B. I, 89 saec. XIV. Im vorderen Deckel oben: *Fr. Joachimus Stehelin*[1]) *me tenet.*

Psalmi graduales; cursus Marianus; psalmi ad horas minores; vigiliae defunctorum; psalmi de passione domini.

F 87 8° = Stuttg. H. B. I, 104 saec. XIV. *1628.* Auf der ersten Textseite: *Liber ist est legatus ecclesiae in Kinggenwiler.*

Rituale ungendi infirmos cum oratione Gersonis; rituale sepeliendi mortnos; benedictiones mulierum post partum.

F 88 8° = Stuttg. H. B. I, 178 saec. XIV. *Monasterii Blaubürani 1636.*

Officium de S. Spiritu; cursus Marianus; vigiliae defunctorum.

F 89 8° = Stuttg. H. B. I, 99 saec. XIV. *Monasterii Blaubürani 1636.*

Cursus Marianus; psalmi ad horas minores; vigiliae defunctorum.

F 90 8° = Stuttg. H. B. I, 149 saec. XV.

Ordo missae; antiphonae quaedam; cursus Marianus; psalmi de passione Domini; capitula et orationes de communi sanctorum.

F 91 8°²) = Stuttg. H. B. I, 97 saec. XIV.

Breviarium de sanctis quod incipit a festo S. Andreae apostoli. Mit Initialen. ·

F 92 8° = Stuttg. H. B. I, 172 saec. XVI. Im vorderen Deckel, offenbar als Name des zeitweiligen Besitzers: *Nicolaus Entringerus,* von anderer Hand beigefügt: *obiit 3 die Aprilis a° 1572.*

Accessus ad missam et recessus. Mit Miniaturen.

F 93 8° = Stuttg. H. B. I, 173 saec. XV. *1613.*

Kalendarium ecclesiasticum; officium de B. Virgine, de spiritu sancto, vigiliae defunctorum, antiphonae et capitula de communi sanctorum. Mit Miniaturen.

F 94 8°.

Hymni varii.

F 95 8°³) = Stuttg. H. B. I, 94 saec. XV. *1628.*

Lytania; cantica in adventum ad matutinam; hymni ad horas minores;

---

1) S. Lindner, Fünf Profeßbücher, II, 1909, S. 27 (500).

2) Eine andere Weingartner Handschrift, Stuttg. H. B. I, 95 saec. XIII., hat eine alte kaum mehr leserliche Signatur, die auch als F 91 gelesen werden könnte. Inhalt: Diversi hymni cum notis musicis; lib. V. moralium Gregorii de vita contemplativa. Der erste Teil dieser Handschrift ist benützt in Analecta hymnica medii aevi, herausg. von Blume und Dreves, XLVII, Tropi graduales. Tropen des Missale im Mittelalter. I. Tropen zum Ordinarium Missae. Leipzig 1905. Noch genauer beschrieben in Repertorium organorum· recentioris et motetorum vetustissimi stili, herausg. von Fr. Ludwig, I, 1. 1910, S. 319 ff. In Bommers Katalog scheint die Handschrift zu fehlen.

3) Die Inhaltsangabe von F 95 ist gemacht nach dem Inhalt der Handschrift Stuttg. H. B. I, 94, die auf dem Rücken die Signatur F 95 noch trägt; nach dem Bommerschen Katalog wäre sie eher für F 102 passend, conf. aber unten.

vigiliae mortuorum; cursus Marianus; ordo missae; diurnale juxta rubricum monasterii SS. Afrae et Udalrici; commune de sanctis.

F 96 8°.
Psalmi poenitentiales; vigiliae defunctorum.

F 97 12° = Stuttg. H. B. 1, 93 saec. XIV.
Psalmi graduales et poenitentiales; vigiliae defunctorum; psalmi ad completorum.

F 98 12°.
Accessus et recessus ad missam; officium de sapientia aeterna.

F 99 12° = Stuttg. H. B. I, 100 saec. XVI. Am Schluß: *hec excripta et expleta sunt in Wineis per me Conradium Lanng . . 1542.*
Modus confitendi; praeparatio ad missam; preces.

F 100 12°.
Accessus et recessus ad missam; vigiliae defunctorum; psalterium.

F 101 12°.
Vigiliae defunctorum.

F 102 12° 1) = Stuttg. H. B. I, 96 saec. XV.
Commune sanctorum; accessus altaris maior (impressus); hymnus.

F 103 12° = Stuttg. H. B. I, 171 saec. XVI. 1628.
Kalendarium ecclesiasticum; hymni ad horas canonicas; antiphonae; lectiones et homiliae de sanctis.

F 104 12°.
Kalendarium ecclesiasticum.

F 105 12°.
Kalendarium ecclesiasticum; evangelia IV; officia de b. virgine, s. cruce et spiritu s. .

Littera G, Abteilung der Geschichte,

mit 53 Stücken (dazu Anhang III, 1 und 2).

G 1 fol.2) = Fulda C 1 saec. XII. 1628. Auf dem ersten Blatt: *liber sancti martini in wingarten.* Nach Hess (S. 58 f.) unter den Äbten Wernher und Meingoz von einem Counradus geschrieben.
Flavii Josephi antiquitatum Judaeorum libri I.—XIII.
Mit einer Miniatur und Initialen.

G 2 fol. = Stuttg. H. B. V, 86 saec. XV. 1659.
Das Buch des Ritters Her hansen von Mandavilla von Engelland des werden ritters; die rede und die materie der hailgen dry küngen;

---

1) Inhaltsangabe von F 102 nach Bommer s. o. bei F 95.
2) Stuttg. H. B. V, 28 saec. XV., Josephi antiquitatum libri XII et de bello Judaico libri VII, stammt auch aus Weingarten. Beim Neu-binden ging Signatur und Eigentumsvermerk verloren, aber 1630 ist noch erhalten. Der nach Hess, S. 36, zu erwartende zweite Teil des Josephus kann diese Handschrift nicht sein; bei Bommer ist sie nicht aufgeführt.

historia von Troy; Geschichte des Ritters Tugdalus [Tundalus]; Hermanni S. Wilhelmi Januensis [Aeditui] flores temporum seu chronicon
universale.

G 3 fol. = [Cheltenham, Bibliotheca Phillippica 4182] verkauft 1898[1])
(Sotheby Wilkinson and Hodge, Bibliotheca Phillippica, Catalogue ... 1898,
No 1134) nach Cambridge, Fitz William Museum (?), saec. XII. *liber sancti
martini in wingarten.*

De inventione sanguinis Domini; passionale I: vitae S. Gregorii libri IV,
vita SS. Ambrosii, Sigismundi regis, Walpurgae virginis, Athanasii,
Bonifacii, Alexandrinae Episc., Victoris, Gangolfi, Pudentianae, Bonifacii
Episc., Barnabe, Albani, Gallicani, VII Dormentium, Goaris, Panteleontis,
Christophori, Pelagii, Egidii, Jeronimi, XI milium virginum, Perminii,
Eucharii, Valerii et Materni; summa de divinis officiis; carmen scriptoris;
de translatione sanguinis Christi.

Mit Initialen.

Benützt von Steinmeyer und Sievers, Die althochdeutschen Glossen (vergl.
Bd IV S. 412).

Historia de inventione Sanguinis Domini abgedruckt in Hess, Pars historica,
p. 111 seqq. und in Monumenta Germaniae historica, SS. XV, 2, p. 921—23.

G 4 fol. = Fulda B 21 saec. XVI. *1650.*

Hans Haugs Hungernchronik, Augspurg 1536, Abschrift des Drucks;
Thomas Lirers Chronik, desgl.; Lied von König Lasslaw und Seel- und
Hayligen Buech Kayser Maximilians deß Ersten Alttferderen, beides
geschrieben von Georg Han; von demselben eine Abschrift eines Verzeichnisses der Stifter und Wohltäter von Weingarten und einer Historie
des hlg. Blutes; Verzeichnis der Meister und Fürsten des Johanniter-
ordens in deutschen Landen von 1256—1586; wieder von Hans Hand:
wahrhafftige Hystoria wie eine Gräfin 12 Söhne in einer Geburt geboren hat. Von dem wahrhaft. Ursprung und Stamm der Grafen und
Herren zu Altdorf.

G 5 fol. = Fulda A a 96 saec. XV. In der vorderen Decke: *Quocumque
tollatur Blaupürren semper meum fatur.* In der hinteren Decke: *Bartho-
lomeus Krafft scriptor huius libri et aliorum plurimorum obiit 1490.*

Passionale II. continens passiones SS. Benedicti, Matthaei, Euualdorum
presbyterorum, Martinianae virginis, Trudperti; vita Agapiti papae,
Alrunae viduae et monialis, Andoini episcopi et confessoris, Athanasii
episcopi Alexandrini, Basiani episcopi, Bobonis, Burgundiforae virginis,
Clari abbatis, Clodoaldi presbyteri, Cyrilli et Methodii episcoporum,
Dionysii eremitae, Dionysii episcopi Mediolanensis, Donati episcopi et
confessoris, Eberhardi episcopi Ratisponensis, Elisabethae, Erminoldi
abbatis, Eucharii et Valerii martyrum, Eustorgii confessoris, Florentii,
Eugenii et Vindemialis, Germani Capuensis episcopi, Glodefridis virginis,
Gregorii Thaumaturgi, Helenae, Hermanni canonici Praemonstratensis,

---

1) Nach Mitteilung vom Besitzer der Bibliotheca Phillippica, T. Fitz Roy
Fenwecki, der übrigens über den Käufer der Handschrift nicht ganz sicher war.

Hidulfi archiepiscopi, Hiltegardis ordinis Cisterciensis, Hiltegardis uxóris Caroli Magni, Huberti, Innocentii Dertonensis episcopi, Jodoci confessoris, Itae viduae, Judith et Salome inclusarum, Justi episcopi et confessoris, Justi et Clementis confessorum, Juventii episcopi, Kunegundis O. S. B., Leobae virginis, Lucii confessoris, Lupi episcopi, Mamertini, Marcellinae sororis S. Ambrosii, Martiniani episcopi et martyris, Matthiae apostoli, Mauritii episcopi, Petri Coelestini, Philippi confessoris, Procopii abbatis, Prosdocimi episcopi, Prosperi episcopi, Radegundis O. S. B., Samulberti presbyteri, Satiri episcopi fratris S. Ambrosii, Scolasticae virginis, Simpliciani episcopi, Solemnis episcopi et confessoris, Spinuli monachi, Theudarii abbatis, Wetini monachi; cathedra S. Petri; depositio S. Goldihi episcopi et S. Gaudentii episcopi Novariensis; abbatum Hirsaugiensium nomina; fundatio Hirsaugiae; regulae S. Columbani et S. Pachomii; translatio corporis S. Aurelii de Italia in Hirsaugiense monasterium; translatio corporis S. Marci in Augiam Divitem; fundationes monasteriorum Althanhensis et Ottoburi; S. Elisabethae liber viarum Dei.

G 6 fol. = Stuttg. H. B. XIV, 13 saec. X. *1630*.

Passionale III., a Calendis Januarii usque ad Calendas Julii, continens passiones SS. Achillei et Nerei, Agathae, Agnetis, Alexandri papae, Anastasii, Audifacis, Aurelii episcopi et martyris, Bartholomaei apostoli, Basildis, Tripodis etc., Blasii, Basilissae, Bonifacii martyris, Cesarii diaconi, Chrysogoni, Concordii, Cononis, Ss. IV coronatorum, Crescentiae, Viti etc., Cyriaci et Sisini, Domitillae et Euphrosinae, Eleutherii et Anthiae, Erasmi, Feliciani et Primi, Felicis Nolani, Feliculae et Petronillae, Gervasii et Protasii, Gethuli, Gordiani, Jacobi apostoli maioris, Jacobi minoris, Joannis et Pauli, Julianae, Mandalis et Basilissae, Marcelli, Marci, Marci et Marthae, LX martyrum, Matthaei apostoli, Modesti, Viti etc., Pancratii, Philippi apostoli, Pontiani, XL martyrum, Sebastiani, Symphorosae virginis, Theclae virginis, Torpetis, Valentini episcopi et martyris, Vincentii, Vitalis, Protasii etc.

G 7 fol. = Stuttg. H. B. XV, 31 saec. XVII.

Zins- und Gültenverzeichnis von Calw.

In Bommers Katalog nicht aufgeführt; auch ist die Zugehörigkeit zur Weingartner Bibliothek nicht ganz sicher.

G 8 fol. = Stuttg. H. B. XIV, 8 saec. XVI. *1623*. Ein Eintrag im vorderen Deckel, der sich offenbar auf die Herkunft der Handschrift bezog, ist unleserlich gemacht.

Bernonis vita, miracula etc. S. Udalrici cum praefatione; Walafridi Augiensis abbatis praefatio in vitam et miracula S. Galli cum indice et hymno de eodem; Walafridi prologus in vitam S. Othmari et opusculum Isonis monachi de miraculis S. Othmari; praefatio in vitam S. Gebhardi II. episcopi Constantiensis; vita et miracula S. Simberti cum prologo; vita Godehardi episcopi Hildesheimensis et miracula; vita alia eiusdem cum hymno de eodem; historia S. Adelphi episcopi Metensis cum prologo.

G 9 fol. = Stuttg. H. B. V, 90 saec. **XV.** *1628.*

Epistola Cromatii et Heliodori ad Hieronymum de martyrologio com-
ponendo; breviarium apostolorum ex nomine et loco ubi praedicaverunt,
et ubi orti vel mortui sunt, autore Usuardo; Godofridi Viterbiensis
versus de origine et dignitate Suevorum, tabulae genealogicae ab Adamo
usque ad Christum; Andreae Ratisponensis chronicon.

G 10 fol. = Stuttg. H. B. XIV, 21 saec. **XVI.** *16..*

Vitae sanctorum et historia de quodam clerico, quo habetur ante
orationem de dedicatione templi.

G 11 fol. = Fulda B 3 saec. **XII./XIII.** *1628.*

Hugonis Novant Normanni historia universalis; eiusdem chronicon
pontificum; Honorii Augustodunensis summa historiarum; de vita Adae
et de pueritia Salvatoris; Methodii Lyciae episcopi prophetia; miracula
VII mundi; de XV signis dierum; Fulgentii fabulae de diis paganis.
Mit Initialen.

Die schon von Hess (mon. Guelf. pars histor. p. 55 seqq.) als chronographus
Weingartensis abgedruckten Stücke s. a. Monumenta Germ. hist. SS. XXI,
473—479.

Benützt auch von Friedrich Zarncke in dem Programm „de epistola quae
sub nomine presbyteri Johannis fertur", 1874, und seiner Abhandlung
über den Priester Johannes (= Abhandlungen der Kgl. Sächs. Gesellschaft
der Wissenschaften, philol.-histor. Klasse, Bd 7, Nr 8) vergl. S. 893.

G 12 fol.[1]) = Fulda D 11 saec. **XII./XIII.** Am Schluß: *Iste liber est sancti
martini in wingartin et sancti Oswaldi et sancti Benedicti abbatis.*

---

1) Die Grundlage von „Anonymus Weingartensis de Guelfis principibus
ex M. S. codice saeculi XII. archivii Weingartensis" bei Hess, Monumentorum
Guelficorum pars historica, 1784, S. 1 ff., wo auch das Bild von Friedrich I.
mit seinen Söhnen zum ersten Mal wiedergegeben ist (seither wieder von
Baumann, Geschichte des Allgäus, I, 246, und Kemmerich in der Zeitschrift
für Bücherfreunde, Jahrg. 1908; vergl. auch den Aufsatz von Bach, Friedrich
Barbarossas Persönlichkeit ... im Staatsanzeiger für Württemberg, 1906,
Besond. Beilage Nr 7/8) und ferner von „Vita S. Conradi ...", ebenda S. 77 ff.,
und neben anderen Quellen vom „Necrologium Weingartense", ebda. S. 133 ff.
Die in Anmerkung a auf Seite 1 von Hess erwähnte Abschrift ist in der
Handschrift Stuttg. H. B. XV, 72 saec. XV. des Inhalts: Anonymus Weingartensis de Guelfis principibus; summula de Guelforum origine
et successione; chronica monasterii S. Nicolai extra muros civitatis Memmingen. Die auf den Rücken dieser letzteren Handschrift auf-
geklebte alte Weingartner Signatur G 20 stimmt nicht mit der Inhaltsangabe
von Bommer für G 20 (s. u.), dagegen mit den Angaben von Hess a. a. O.
S. 104 und 121, der dort die cronica St. Nicolai und Summula de Guelfis aus
dieser Handschrift abdruckt.

Eine deutsche Übersetzung des ersten Teils von Stuttg. H. B. XV, 72
gibt Stuttg. H. B. XV, 96 saec. XVI: cronica von den Gwelfen von
Altorff und Weingarten; Tractat vom h. Blut Christi, die am Anfang ein *hexastichon Burckhardi Azger Praesbyteri,* des Schreibers oder
Übersetzers, datiert *17. Januarii 1570,* enthält. Die Handschrift stammt wohl
auch aus Weingarten, hat aber keinen diesbezüglichen Vermerk und trägt
keine alte Signatur mehr; auch ist sie in Bommers Katalog nicht aufgezählt.
Eine weitere Fassung der Welfengeschichte ist in G 30.

Traditiones duae sub Meingozo abbate a. 1213 factae; relatio quaedam de electione Rudolfi regis; necrologium Weingartense; monachi Weingartensis chronicon [historia Welforum sive Annales Weingartenses Welfici]; enumeratio reliquiarum quarundarum; vita S. Conradi; catalogus pontificum Romanorum usque ad Coelestinum; chronographus Weingartensis brevior; de miraculis mirifici sanguinis Domini; Passionale IV. continens passiones: Petri et Pauli, Andreae, Johannis, Jacobi, Thomae, Bartholomaei, Matthaei, Simonis et Judae, Philippi, Jacobi fratris Domini, Margaretae et vitam Remigii.

Mit Miniaturen und Initialen.

S. Monumenta Germ. histor., SS. XVII, 308—310 und XXI, 454 sqq.; und Necrologia I, 221—232.

G 13 fol.[1]) = Stuttg. H. B. XV, 69 saec. XVII. 1614.
Ortliebi et Bertholdi chronicon Zwifaltense; [W. Speisers] Chronik von Konstanz; Sigm. Meisterlins Chronik von Augsburg; Matth. v. Pappenheims Chronik der Truchsessen von Waldburg.

G 14 fol. = Stuttg. H. B. V, 27 saec. XVI. 1628.
Guidonis de Columna historia de excidio Trojano.

G 15 fol.
Jacobi de Kingeshofen historia de creatione mundi, de origine urbis Romae, regum Francorum et linguae germanicae; eiusdem registrum bullae aureae; Friderici imperatoris decretum ad imperii status.

G 16 fol. = Stuttg. H. B. V, 56 saec. XVII. 1607.
Gallus Öhems Chronik der Reichenau (mit einer späteren Ergänzung aus C c 4); kurze Beschreibung der fünf catholischen Ortten in der Eydtgenossenschaft, Lucern, Ury, Schweyz, Uriderwalden und Zug, Kriegen wider Ihre Eydtgenossen, die fünff Zwinglischen Ortt usw.

G 17 fol. = Stuttg. H. B. V, 52 saec. XV. 1610. Schließt folgendermaßen:
... *hat her Sigmund meisterlin ain pruder des Klosters sant ůlrichs und sant affra zu augspurg gemacht ... durch fleissig gebet willen des erberber (sic!) Sigmund gossenbrot ach ain burger zu augspurg ... am ersten in latein und dar nach in teutzsch ... Und ist vollbracht ... worden als man zalt tausend vierhundert und sechs und fünfftzig iar ... Explicit 4° pars cronographie augustensium 1457. scriptum in augusta per jeorium mülich civem augustensem ...*
Siegmund Meisterlins Chronik der Stadt Augsburg.
Mit Bildern.

G 18 fol.[2]) = Fulda B 12 saec. XV. 163[?].
Resgestae Romanorum; exhortatio quaedam sub forma dialogi inter pontificem et sacerdotem; ars praedicandi; de officio missae.
Benützt in Oesterleys Ausgabe der Gesta Romanorum, 1872 (vergl. S. 116 ff.).

---

1) Nicht ohne Interesse ist der Bleistifteintrag auf der Titelseite, der wohl von Abt Wegelin herrührt: *NB! Haec scripta secreto custodiri precantur Zwifuldenses.* S. Hess, Monumentorum Guelficorum pars historica, 1784. S. 165.
2) Signatur der Fuldaer Handschrift nicht erhalten; aber kaum andere Identifikation möglich, wenn auch Bommers Angaben in einem kleinen Teil nicht ganz dazu stimmen.

G 19 fol.
Salomonis Sweiger itinerarium D. Georgio Kirchenbergen a Kirchberg.

G 20 fol.¹) = Stuttg. H. B. V, 22 saec. XV. *1627.*
Gebhard Dachers von Constanz Chronik der Kaiser und Päbste.
Beschrieben in Ruppert, Die Chroniken der Stadt Konstanz, Konstanz 1891,
S. XXVI, und Zeitschrift für die Geschichte des Oberrheins, 48, 1894, S. 450.

G 21 fol.
Legenda sanctorum; sermones de tempore et sanctis; liturgica.

G 22 fol. = Stuttg. H. B. XlV, 19 saec. XVI. *1630.*
Passionale sanctorum a passione Petri et Pauli usque ad passionem
Florini confessoris.

G 23 fol. = Stuttg. H. B. XIV, 14 saec. IX ex. *1630.*
Passionale SS. Petri et Pauli et aliorum sanctorum.
Hat Italafragmente, die z. T. noch in der Hofbibliothek sind.

G 24 fol. = Fulda B 11 saec. XV. *1628.*
Chronicon imperatorum [= Gesta Romanorum]; fratris Hermanni Aeditui
chronicon seu flores temporum; die sieben weisen Meister.

G 25 fol. ist bei Bommer nicht aufgeführt.

G 26 fol. = Stuttg. H. B. V, 33 saec. XVI. *1623.* Im vorderen Deckel:
Dises ist das fiert buch der materj, von dem Ertzstifft Mentz und des
selben Süfraganeis, welches alles in fünf gleiche bücher begriffen ist, das
erst mit A bezeichnet sagt allein von dem Ertzstifft Mentz ..., So ist
dieses fiert büch bezaichnet mit dem büchstaben D. begreift in im die
bischtümb Cür, Hildeshaim und Paderborn ... Diese fünf bücher hab ich
Wilhelm, wernher grave und her züe Zimbern selber ... zü samen gebrächt
und ob den zwölfen jaren mit umbgegangen ... mit meiner selb aygen
hand geschriben ... als man zelt näch Cristi gebürt thaüsend fünf hundert
und fünftzig jar.
(Wilhelm von Zimberns) Chronik der Bistümer Chur, Hildesheim und
Paderborn.

G 27 fol. = Stuttg. H. B. V, 24 saec. XV.
Joannis Boccacii de Certaldo liber de casibus virorum illustrium; eiusdem liber de mulieribus claris.

G 28 fol. = Stuttg. H. B. XIV, 6 saec. XI. *1628.* Auf dem vorletzten
Blatt: *liber sancti martini in wingarten.*
Severi libri III dialogorum de vita S. Martini adjectis ad finem in
Martini laudem versibus; vita S. Martialis confessoris; vita S. Oswaldi
et lectio in octava.
Mit Miniaturen und Initialen.

---

1) Vergl. auch G 12 Anm.

G 28* fol = Stuttg. H. B. V, 20 saec. X. *1630.*
Computus Grecorum; chronica ab adam usque ad Othonem imperatorem primum. („Annales Weingartenses" nach Mabillon, „Annales Augienses" nach Hess, „Annales San-Gallenses" nach Moser.)
S. Archiv der Gesellschaft für ältere deutsche Geschichtskunde . . ., 5, 1824, S. 519 ff. und Mitteilungen zur vaterländischen Geschichte herausg. vom historischen Verein in St. Gallen, 19, 1884, S. 345 f. Die Annalen sind abgedruckt Hess, monumentorum Guelficorum pars historica, 1784, S. 269 ff. und Monumenta Germaniae historica, Scriptores, tom. 1, S. 60 ff.

G 29 4°= Stuttg. H. B. XIV, 16 saec. XI. *1630.*
Passionale V. conţinens passiones SS. Afrae, Agapiti et Felicissimi, Agnetis, Alexandri, -Augustini, Caeciliae, Clementis papae, Cornelii, Cosmae et Damiani, Crescentiae, Viti ect., Cypriani, Cyriaci et sociorum, Cyrilli episcopi, Dionysii et sociorum, Felicis et Regulae, Gervasii et sociorum, Joannis et Pauli, Laurentii et Romani, Luciae, Marcelli papae, Marci evangelistae, Marci et Marcellini, Michaelis archangeli, Pancratii, Paulini, Sebastiani, Stephani et sociorum, Tiburtii, Vincentii, translationem corporis S. Benedicti, exaltationem et inventionem crucis.

G 30 fol. = Haag Kgl. Bibliothek 129 C 6 saec. XIV./XV. Am Schluß des letzten Stückes der Handschrift, das eine. Beschreibung von Weingarten enthält, steht: P. Josephus Han, pro tempore custos.
Historia Guelfonum cum iconibus; historia ss. sanguinis.
Beschrieben in „Archiv der Gesellschaft für ältere deutsche Geschichtskunde . . .", 3, 1821, pag. 37 seqq. und 384 seqq.

G 31 fol. = Stuttg. H. B. XIV, 15 saec. IX. *1630.*
Passionale VI. continens passiones SS. Abdon et Sennen, Agathae, Agnetis, Bartholomaei apostoli, Caeciliae, Clementis, Gregorii Spoletini, Joannis evangelistae, Joannis et Pauli, Justinae et Cypriani, Laurentii, Luciae, Matthaei apostoli, Paulae, Savini, Sebastiani, Silvestri, Sixti, Viti.
Enthält Italafragmente. Den Text der Poenitentialcanones auf den Palimpsesten mit Italatext s. Zeitschrift für Kirchengeschichte, 10, 439 ff.

G 32 fol. = Stuttg. H. B. I, 26 saec. XVI. in. *1659.* Nach einer Notiz in *Stuttg.* cod. misc. fol. 34 aus dem Besitz von Ochsenbachs Vetter Besold.
Petri di Aliaco Tractat von dem lob und freiheit des allerheiligsten Josephs: ein schöne predig von den 12 tugenden des heiligen Abrahams des patriarchen; das leben und lesen der seligen Kunigin Agnesen von behem; wie die herlich statt Constantinopel von dem türcken gewunnen ward; ein auszug des buchs der bilgerschaft des erwirdigen hern und vaters Felix fabri; von der statt Jherusalem wie alt wie gross sy sy und von den tempeln . . .; ein schöne nuze ler von dem schwigen; von dem löblichen hochzit unser lieben froe in latin genant festum Niuis; ein schön exempel von der Antiphon Alma redemptoris mater; zwu schön geschicht und wunderzeichen die geschehen synd zu ierusalem und uff dem berg synay.

G 33 4° = **Stuttg. H. B. VII, 64** saec. IX. *1630.*
Eusebii ecclesiasticae historiae libri V priores cum · praefatione ad Chromatium.

G 34 4° = **Stuttg. H. B. V, 18** saec. X. an XI. *1630.*
Eusebii chronicon Hieronymo interprete et continuatore; canones aliquot pontificum et conciliorum.

G 35 4° = **Stuttg. H. B. XIV, 2** saec. XI. *1628.* Auf der letzten Seite: *liber sancti martini in wingartin.*
Bernonis vita S. Udalrici episcopi Augustae Vindelicorum; varii sermones; Walafridi Strabonis vita S. Galli confessoris; vita S. Othmari confessoris.
Mit Initialen.

G 36 4° = **Stuttg. H. B. XIV, 3** saec. X. *1630.*
Joannis diaconi ecclesiae Romanae libri IV de vita S. Gregorii papae cum versibus et praefatione ad Joannem papam.

G 37 4° = **Stuttg. H. B. XIV, 7** saec. X. an XI. *1630.*
Vita Anskarii, Nordalbingorum Archiepiscopi et legati ad Danos et Slavos.
Benutzt in Monumenta Germaniae historica, scriptorum tom. II, S. 683 ff. und in Vita Anskari auctore Rimberto rec. Waitz 1884.

G 38 4° ist in Bommers Katalog nicht aufgeführt.

G 39 4° = **Stuttg. H. B. Vl, 103** saec. XV. *1659.*
Statuta camerae Gymnasii Ingolstadiensis.

G 40 4° = **Stuttg. H. B. V, 21** saec. XV. *1659.* Auf dem ersten Blatt oben: *Gebhardi Grastpergeri sum.* Darunter von anderer Hand: *1470 ... ward diese cronick ingebonden ...*
Chronik der Kaiser und Päpste bis 1404.

G 41 4° = **Stuttg. H. B. XIV, 17** saec. XIII. *1628.*
Passionale VII. continens passiones SS. Abdon et Sennen, Afrae, Agapiti, Agathae, Agnetis, Albani, Alexandri et sociorum, Alexii, Ambrosii episcopi, Andreae apostoli, Apollinaris martyris, Augustini episcopi, Bartholomaei apostoli, Blosii, Bricii episcopi, Brigidae, Caeciliae, Chiliani, Chrysogoni, Claudii .cum sociis, Clementis, Cornelii, Cosmae et Damiani, Crispi et Crispiniani, Cyriaci, Dionysii et sociorum, VII dormientium, Egidii, Eustachii, Felicitatis cum filiis, Galli, Georgii, Gereonis et sociorum, Gordiani et Epimachi,. Gregorii, Hieronymi, Hilarii episcopi, Hilarii et sociorum, Hypoliti, Jacobi maioris, Jacobi minoris, Joannis apostoli, Joannis Baptistae, Joannis et Pauli, Julianae, Lamberti, Laurentii, Luciae, Marcelli, Petri etc.; Marci evangelistae, Margarithae, Mariae Aegyptiacae,˙ Martini episcopi, Pancratii, Philippi apostoli, Polycarpi presbyteri, Primi et Feliciani, Proti et Hyacinthi, Quiriaci, Remigii, Sebastiani, Servatii, Silvestri papae, Simonis et Judae, Simplicii et sociorum, Sixti, Symphorosae cum filiis, Theodori martyris,

Thomae apostoli, Tiburtii, Valentini, Verenae, Vincentii, Viti, Crescentiae
ect., inventionem S. crucis, dedicationem S. Michaelis, purificationem
Beatae Virginis et inventionem S. Stephani.

G 42 4⁰ = Stuttg. H. B. XIV, 1 saec. IX. *1630*.
Alcuini libri II de vita S. Willibrordi cum praefatione ad Beornradum
archiepiscopum.
Mit Initialen.
Beschrieben im „Archiv der Gesellschaft für ältere deutsche Geschichts-
kunde", 4, S. 334 ff.
Benutzt von Wattenbach in Jaffés Bibliotheca rerum Germanicarum, 6,
1873, S. 37 p.
Eine zweite Handschrift, **Stuttg. H. B. XIV, 5** saec. XVI. *1631*, nach
Bommers Katalog und nach der, ebenso wie bei der vorhergehenden Hand-
schrift, erhaltenen Signatur auch G 42:
Meginfridi vita et passio S. Emerani; vita et translatio S. Dionysii
Parisiensis cum bulla Leonis papae IX. ad Gallos; vita S. Wolfgangi
episcopi.

G 43 4⁰ = Stuttg. H. B. V, 34 saec. XVI. *1659*.
Anfang, Ursprung und Herkommen deß Thurnierß zur Teutschen Nation,
nemblichenn von Anno Salutis 938 zuo Magdenburg in Sachsen dem
Ersten, biß uff anno 1457 zuo Wormbtz am Rhein den letzten Turnier ...
(Georg Rüxners Thurnierbuch. 1. bis 13. Thurnier).

G 44 4⁰ = Stuttg. H. B. I, 82 saec. XV.
Duae epistolae Hieronymi contra Jovinianum; sermones ascetici; norma
visitandi monasteria cum catalogo monasteriorum O. S. B. archidioecesi
Moguntina et cum relatione germanica Johannis et Pauli monasteriorum
Werdensis et Elchingensis abbatum, de anno 1474, de peracta visitatione
coenobii sacrarum virginum Neobûrgensis; sermones ascetici; de visitatione monasteriorum.

G 45 4⁰ = Stuttg. H. B. XIV, 23 saec. XIV. *1630*.
Legenda et sermones de Sanctis.

G 46 8⁰ = Stuttg. H. B. I, 18 saec. XIV. *1613*.
Distinctiones de virtutibus et viciis; Jacobi de Voragine historia Lom-
bardica s. legendae aureae de vitis sanctorum; aliae vitae sanctorum;
sermones de tempore per anni circulum.

G 47 8⁰ = Stuttg. H. B. X, 1 saec. XV. Der Eintrag mit der Jahreszahl ist
bis auf einen kleinen Rest weggeschnitten; wahrscheinlich *1659*. Nach
einem Eintrag auf einem der vorderen Blätter gehörte die Handschrift
früher dem *Johannes de Cattaneis*,[1] über dessen Familie sich genealogische
Notizen auf den letzten Blättern finden.
Gualtheri Burley de moribus et operibus veterum philosophorum et
poetarum liber, incipiens a Thalete et desinens in Prisciano Grammatico.
Mit Initialen.

---

1) Professor in Mantua 1500.

G 48 8° = Stuttg. H. B. I, 20 saec. XIV.

De dilectione Dei in statu viae et in patria libellus bipartitus; Marsilii Patavini tractatus de translatione imperii a Graecis ad Romanos; inquisitio an ex scriptura possit probari, salvatorem nostrum fuisse deum et hominem; tractatus Samuelis Israelitae in quo probat adventum Messiae; fratris Odorici de Portu Naonis itinerarium 16 annorum per regiones infidelium seu historia mirabilium Indiae; Clementis papae sermo de conceptione beatae virginis Mariae anno 1344 habitus; historia de Mago et Judaeo una peregrinantibus.

G 49 8° = Stuttg. H. B. V, 29 saec. XVI. *1659.*

Kaiserchronik von Dieterich Reisach von Bruchsal dem Herzog Albrecht von Bayern dediciert.

G 50 8° = Stuttg. H. B. XIV, 18 saec. XIV. *1620 oder 1628.*

Passioale VIII. continens passiones SS. Abdon et Sennen, Afrae, Agapiti, Agathae, Agnetis, Albani, Alexandri et sociorum, Alexii, Anacleti, Andreae, Antonii Eremitae, Apollinaris, Augustini, Barnabae apostoli, Bartholomaei apostoli, Basilii martyris, Benedicti abbatis, Blasii martyris, Bonifacii martyris, Bricii episcopi, Brigidae, Caeciliae, Chiliani, Christinae, Chrysanti et Dariae, Chrysogoni, Chrystophori, Clementis, Conradi, Cornelii et Cypriani, IV Coronatorum, Cosmae et Damiani, Cyriaci et sociorum, Dionysii, VII Dormientium, Erasmi, Euphemiae, Eustathii, Felicis papae, Felicis et Adaneti, Felicis et Fortunati, Felicis et Regulae, Felicitatis cum filiis, Fidis, Galli, Georgii, Gertrudae, Gervasii et Rotasii, Gordiani et Epimachi, Gregorii Magni, Hieronymi, Hilarii, Hypoliti, Jacobi apostoli, Januarii, Joannis ante portam., Joannis Baptistae, Joannis evangelistae, Joannis et Pauli, Julianae, Justinae et Cypriani, Laurentii, Leodegardii, Leonardi, Leonis, Luciae, Machabaeorum VII, Magdalenae, Marcelli, Marcelli et Petri, Marci evangelistae, Marci et Marcelliani, Margarithae, Martini episcopi, Matthaei apostoli, Matthiae apostoli, Nazarii, Nerei et Achillei, Nicolai episcopi, omnium sanctorum, Onuphrii, Oswaldi, Othmari, Pancratii, Pantaleonis, Pauli Eremitae, Pauli, Paulini, Pelagii, Petri ad vincula, Philippi et Jacobi, Praxedis, Primi et Feliciani, Proti et Hyacinthi, Quiriaci, Remigii, Saturnini, Sancini, Sebastiani, Sergii et Bachi, Servatii, Silvestri, Simonis et Judae, Sixti episcopi et martyris, Symphorianae virginis, Tiburtii, Tiburtii et Valeriani, Timothei apostoli, Thomae apostoli, Thomae Cantuariensis, Valentini, Valeriani, Udalrici, Verenae, Victoris episcopi, Victoris et Coronae, Vitalis, Virginum XI millium, Viti, Modesti et Crescentiae, Walburgae, Zenonis, assumptionem beatae virginis Mariae, commemorationem omnium fidelium, crucis inventionem et exaltationem, decollationem Joannis Baptistae, nativitatem beatae virginis Mariae et Joannis Baptistae, Pauli conversionem, cathedram Petri, purificationem beatae virginis Mariae, inventionem Stephani. Tractatus de septem sacramentis.

G 51 8° = Stuttg. H. B. XV, 99 saec. XVI.

Diarium Nicolaus Ochsenbachs über seinen Feldzug in Frankreich 1588—1596.

Ist in Bommers Katalog nicht aufgeführt; vgl. auch die Bemerkung zu K 115.

·Littera H, Abteilung der Juridica,
mit 78 Nummern.

H 1 fol.[1]) = Fulda D 19 saec. XIV. et XV. *1630.*
Bernardi Papiensis textus VI. libri decretalium cum apparatu Joannis Andreae; Joannis Andreae lectura super arbore consanguinitatis et affinitatis; eiusdem summa super IV. libro decretalium.
Mit einer Miniatur und Initialen.

H 2 fol. = Fulda D 23 saec. XIV. *1630.*
Codex Justinianeus complectens 24 libros Digestorum seu Pandectarum cum praefatione et glossis.
Mit Miniaturen.
Fehlt bei Bommer.

H 3 fol. = Fulda D 18 saec. XIV./XV. *1630.*
Joannis Andreae additiones super decretalium libros V.
Mit Initialen.

H 4 fol. = Fulda D 16 saec. XIV. *1630.* Die Abschrift einer Münzbulle am Schluß weist nach Frankreich.
Clementinae cum glossa Joannis Andreae Bononiensis.
Mit Initialen.
Benützt in E. Friedbergs Ausgabe des Corpus juris canonici, Bd 2, 1881, (vergl. Praef. p. LXIV).

H 5 fol. = Fulda D 17 saec. XIV./XV. *1630.*
Joannis Andreae Bononiensis apparatus super Clementinas; Francisci Dyni apparatus de regulis juris.
Mit Initialen.
Benützt wie H 4 (vergl. Praef. p. LXIV).

H 6 fol. = Stuttg. H. B. VI, 77 et 78 saec. XV. *1630.* Am Schluß: *Martinus de cast[o] xerit* [resp. *de castro xored*] *scripsit.* Auf dem ersten Blatt: *Iste liber est meus Joh. zeller decretorum doctoris Officialis Curiae Constantiensis, quem emi a magistro Jacobo Grim praeposito ecclesiae sancti Johannis Constantiae anno 1450.*
Johannis Andreae Bononiensis novella super librum II. decretalium.

H 7 fol. = Fulda D 23a. *1630.*
Codex Justinianeus complectens Digestorum seu Pandectarum libros 24 cum glossis etc.
Ist in Bommers Katalog nicht aufgeführt.

---

1) Hess, Prodromus ... p. 174, gibt für H 1 an: Catholicon Johannis Januensis saec. XV., geschrieben unter Abt Eberhard, wofür Bommers Katalog die Signatur fol. m. J., ohne Zahl, angibt, aber nicht von Johannis Januensis, sondern von Jacobus Januensis.

H 8 fol. = Stuttg. H. B. VI, 75 saec. XV. *1630.* Oben auf der ersten Seite:
Iste liber est ludovici poling.
Baldi de Ubaldis de Perusio repertorium super Innocentii P. IV. apparatum in decretales.

H 9 fol. = Stuttg. H. B. VI, 6 saec. XV. *1630.*
Ludovici Pontani de Roma consilia juris.

H 10 fol. = Fulda D 29 saec. XIV. *1630.*
Joannis Andreae Bononiensis novellae in Sextum.

Vergl. Schulte, Geschichte der Quellen und Literatur des Canonischen Rechts, Bd 2, 1877, S. 219, Anm. 70.

H 11 fol. fehlt bei Bommer.

H 12 fol. = Fulda D 22 saec. XIV. *1628.* Im hinteren Deckel: *liber sancti martini in wingarten.* Vorn im Einband: *hic liber est monasterii in wingarten quem reverendus pater dominus Johannes Blarer abbas eiusdem monasterii concessit ... Conrado lullin decretorum doctori et Rectori ecclesie in Sulgen ...*
Commentarius in decretum Gratiani.
Mit Initialen.

H 13 fol. = Stuttg. H. B. VI, 82 et 83 saec. XV. *1630.*
Dominici de Sancto Geminiano commentaria in librum VI. decretalium Bonifacii VIII.
Benützt in Seckel, Beiträge zur Geschichte beider Rechte im Mittelalter, I., 1898.

H 14 fol. = Fulda D 15 saec. XIV./XV. *1630.*
Clementinae cum apparatu Joannis Andreae Bononiensis; extravagantes Johannis XXII. cum apparatu Guilielmi de Monte Lauduno; Bonifacii VIII. constitutio.
Mit Initialen.
Benützt in E. Friedbergs Ausgabe des Corpus juris Canonici, Bd 2, 1881, (vergl. Praef. p. LXVII).

H 15 fol. = Fulda D 21 saec. XIII. et XIV. *1628.* Am Schluß der decretales: *fuit liber iste 1246 a rufino clerico sancti abrahe miniatus. Habitat cum Christo qui libro legerit isto.*
Decretales Gregorii IX. cum commentario; constitutiones novae Innocentii IV.; arbor affinitatis.

H 16 fol. = Stuttg. H. B. VI, 33 saec. XV. *1630.*
Petri de Ferrariis practica nova juris.

H 17 oder 18 fol. = Stuttg. H. B. VI, 81 saec. XV. *1630.*
Antonii de Butrio commentarius in librum III. decretalium de vita et honestate clericorum.

H 17 und 18 fehlen bei Bommer; nach den Maßen ist H. B. VI, 81 hier einzureihen.

H 19 fol. = Darmstadt 907 saec. XIII. *1628. — Imperiali Bibliothecae Lutetiis Thiebault Fuldensis Regionis Gubernator 1807.*

Concordantia discordantium canonum seu decretum Gratiani cum appendice; versus de successione pontificum Romanorum a Petro usque ad Johannem XIX. (95 Hexameter).

Mit Initialen.

S. Schulte, Geschichte der Quellen und Literatur des canonischen Rechts, 1875, I, p. 76 Anm. 2.

H 20 fol. = Stuttg. H. B. VI, 45 saec. XV. *1630.* Am Schluß vom tractatus alimentorum: *Explicit tractatus alimentorum ... scriptus per me jo gerhart de thurego ... anno 1436.*

Antonii Mericutii a Prato veteri de fendis libri VI cum glossis Jacobi Columbini Bononiensis; variorum decisiones et controversiae juris; Angeli de Ubaldis de Perusio consilia; distinctio aurea de successionibus ab intestato; Johannis Andreae lectura in arborem consanguinitatis et affinitatis cum glossa Jacobi de Zochzis; Bartoli de Saxoferrato tractatus repressalium; vocabularium terminorum utriusque juris; Bartoli de Saxoferrato tractatus alimentorum; tractatus de actionibus et interdictis; Bartoli de Saxoferrato tractatus de praesumtionibus juris; concordantiae titulorum librorum V decretalium; Bartoli de Saxoferrato tractatus judiciorum; eiusdem tractatus de insignibus et armis; Aegidii de Foscariis ordo judiciarius.

Benützt in Seckel, Beiträge zur Geschichte beider Rechte im Mittelalter, I, 1898.

H 21 fol. = Stuttg. H. B. VI, 68 saec. XV. *1630.*
Heinrici Bohit commentarius in librum V. decretalium Gregorii IX.

H 22 fol. = Stuttg. H. B. VI, 67 saec. XV. *1630.*
Heinrici Bohit commentarius in libros III. et IV. decretalium Gregorii IX.

H 23 fol. = Stuttg. H. B. VI, 66 saec. XV. *1630.*
Heinrici Bohit commentarius in libros I. et II. decretalium Gregorii IX.

H 24 fol. = Fulda D 5 saec. XIII./XIV. *1628.* Vorn im Einbanddeckel: *Anno Domini MCCCXXXVIII° ligatus est iste liber quem fecit ligari Dominus Johannes de Merspurg ordinis S. Benedicti Custos in Wingarten.* Hinten im Deckel: *liber sancti martini in wingarten.*

Decretalium compilatio prima cum Bernardi Pariensis summa casibusque et Alani apparatu; collectio Gilberti; collectio Alani; compilatio tertia.

Mit Initialen.

Benützt und beschrieben von Joh. Friedr. v. Schulte in den Abhandlungen, Die Kompilationen Gilberts und Alanus (Sitzungsberichte der Wiener Akademie, philos.-histor. Klasse, Bd 65, S. 595 ff.) und Literaturgeschichte der Compilationes antiquae, besonders der drei ersten (ebenda Bd 66, S. 51 ff.); ebenso von Emil Friedberg in seiner Ausgabe des Corpus juris canonici, Leipzig 1879—81, (s. besonders Bd 2, Proleg. XLVII seq.).

H 25 fol. = Fulda D 30ª saec. XIV./XV. *1630*. Einträge nennen, wohl als
Besitzer, *Johañes Ganagetus* und *magister Arnoldus Faber*.
De jure naturali gentium et civili.
Mit Initialen.
Die alte Signatur ist erhalten; Bommers Angaben stimmen nicht ganz
damit überein.

H 26 fol. = Fulda D 24 saec. XIII./XIV. *1630*.
Gregorii IX. decretales cum glossa; compilatio Innocentii IV.
Mit Initialen.
Benützt in Friedbergs Ausgabe des Corpus juris canonici (vergl. Bd 2,
praef. p. XLIII).

H 27 fol. = Fulda D 25 saec. XIV. *1630*.
Apparatus Innocentii Papae IV. in V libros decretalium.
Mit Initialen.

H 28 fol. = Fulda D 6 saec. XIII./XIV. *1630*.
Decretales cum glossis: compilatio prima Bernardi Papiensis, compilatio
secunda Johannis Galensis, compilatio tertia Petri Beneventani jussu
Innocentii III., compilatio quarta cum glossa Johannis Teutonici.
Mit Initialen.
Benützt in Joh. Friedr. v. Schultes „Literaturgeschichte der Compilationes
antiquae, besonders der drei ersten" (= Sitzungsberichte der Wiener
Akademie, philos.-histor. Klasse, Bd 66, S. 51 ff.).

H 29 fol. = Fulda D 13 saec. XIII./XIV. *1630*. Im vorderen Deckel: *Iste*
liber est fabrice beate marie constanciensis ecclesie.
Tancredi Beneventani libellus de ordine judiciorum; quaestiones Bartholomaei Brixiensis.
Mit Initialen.

H 30 fol. = Fulda D 10 saec. XIII./XIV. *1628*. Nach der p. 119 und 120
am Rand eingetragenen Kopie eines nach Konstanz gerichteten Schreibens
aus Konstanz.
Innocentii IV. de rescriptis; summa Bernardi Papiensis (erwähnt Schulte,
Literaturgeschichte . . ., Bd 1, S. 180, Anm. 23); quaestiones; brocarda
Damasi; summae metricae; casus ad compilationes I.—IV.; Tancredi
ordo judiciarius.
Mit Initialen.

H 31 fol. = Fulda D 34 saec. XV. Scheint aus Konstanz zu stammen.
Antonii Mincucii decima collatio sexpartita de jure feudorum; Petri
Baldi de Ubaldis tractatus de usu feudorum.
Mit Initialen.

H 32 fol. = Stuttg. H. B. VI, 80 saec. XV. *1630*.
Philippi de Perusio, ordinarii studii Papiensis, recollectae super librum I.
decretalium.

H 33 fol. = Fulda D 9 saec. XIV. *1630*. Verschiedene Besitzereinträge vorn

nennen: *Hugo de urthendal canonicus thuricensis; Jacobus Grim* (auch sonst in Konstanzer MSS. oft genannt); *Johannes Zeller de Rotwila.*
Epitaphium Guilielmi Durandi; Guilielmi Durandi judiciale speculum.
Mit Initialen.

H 34 fol. = Fulda D 3 a saec. XIII. *1628.*
Decretalium libri VI [Sammlung zusammengesetzt aus der Compilation des Gilbertus und Alanus, vermehrt durch einige andere Stücke].
Mit Initialen.
S. Schulte, Joh. Friedr., Die Compilationen Gilberts und Alanus, in den Sitzungsberichten der Wiener Akademie, philos.-histor. Klasse, Bd 65, S. 622—25.

H 35 et 36 fol. = Stuttg. H. B. VI, 93 a et b saec. XV. *1630.*
Nicolai de Collecorbino lectoris s. Dominici de Neapoli O. Praed. repertorium decretorum, jussu Roberti, Neapolis, Hierosolymorum et Siciliae regis, conscriptum. Pars I. et II.

H 37 et 38 fol. = Stuttg. H. B. VI, 38 et 39 saec. XVI.
Nicolai Eberhardi Senioris collectanea super jure civili. Pars I. et II.
Die beiden Handschriften sind in Bommers Katalog nicht aufgeführt.

H 39 fol.
Nicolai Eberhardi registrum juris civilis.

H 40 fol. = Stuttg. H. B. VI, 36 saec. XV. *1630.*
Omnium librorum juris civilis epitome; expositio titulorum juris civilis.
Ist in Bommers Katalog nicht aufgeführt.
Benützt in Seckel, Beiträge zur Geschichte beider Rechte im Mittelalter, I, 1898.

H 41 fol. = Stuttg. H. B. VI, 48 saec. XV. *1628.*
Schwabenspiegel.
S. Schwabenspiegel, herausgegeben von Laßberg, 1840, Einleitung No 149; Homeyer, Die deutschen Rechtsbücher des Mittelalters, 1856, No 647; Sitzungsberichte der Wiener Akademie, philos.-histor. Klasse, 121, S. 48, No 377.

H 42 fol. = Stuttg. H. B. VII, 1 saec. X. *1630.* Oben auf der ersten Seite: *accomodatus autem heinrico dapifero de diessenhoffen canonico constanciensi anno domini MCCCXLII°.*
Clementis I. recognitionum libri X (Clementis liber qui dicitur itinerarius beati Petri apostoli); eiusdem epistola supposititia ad Jacobum Domini fratrem; exemplaria venerabilium patrum de ammonitione pastorum.
Hat Italafragmente.

H 43 fol. = Stuttg. H. B. III, 45 saec. XV. *1628.*
Tractatus de contractibus magistri Joannis de Francofordia; tractatus de benedictione aeris cum corpore Christi; speculum beatae Virginis; „Salve Regina" unde originem habeat; excerpta ex S. Thoma; Conradi Soltor tractatus de symbolo apostolorum; tractatus de charitate dei;

Bonaventurae stimulus divini amoris; tractatus de quinque sensibus; Alberti Magni sermones de corpore Domini; tractatus de coena Domini; Bonaventurae tractatus de corpore Domini; Hugonis de S. Victore soliloquium; Augustini liber de conflictu vitiorum et virtutum; S. Bernardi formula vitae honestae; Heinrici de Hassia tractatus de clavibus; Innocentii tractatus de miseria conditionis humanae.

H 44 fol. = Stuttg. .H. B. VI, 91 saec. XV. *1630.*

Joannis Friburgensis summa confessorum cum tabula.

H 45 fol. = Stuttg. H. B. VI, 105 saec. XI. *1630.*

Decretales. epistolae pontificum variorum: Clementis papae ad ecclesiam universam, Euaristi ad episcopos Aegypti, Anacleti papae ad ecclesiam universam; Euaristi papae ad episcopos Italos, Alexandri papae ad ecclesiam universam; Dionysii papae ad Urbanum presbyterum, Sixti papae ad omnes episcopos, Cornelii papae ad Rufum episcopum, Higini papae et Pii papae ad ecclesiam universam, Aniceti papae ad episcopos Africanos, Campanos, Eusebii ad episcopos Campaniae, Fabiani papae ad Hilarium episcopum, Victoris papae ad Theophilum, Callixti papae ad Benedictum, ad episcopos Gallicanos, Zepherini papae ad Sicilianos, Antheri papae, Pontiani papae, Urbani papae, Fabiani papae et Cornelii papae ad ecclesiam universam, Stephani papae ad omnes episcopos et Rufum episcopum, Felicis papae ad Benignum, episcopos Gallicanos et Hispanos, Sixti papae ad Gratocum episcopum, Felicis papae ad Paternum episcopum, Dionysii papae ad Severum episcopum, Caji papae ad Felicem episcopum, Marcelli ad episcopos Antiochenae, Marcellini papae ad orientales episcopos, ad Salomoniacum episcopum, Aniceti ad episcopos Campaniae et Tusciae, Eusebii ad episcopos Alexandriae et episcopos Gallicanos, Melchiadis papae ad Maximinum episcopum, Constantini imperatoris ad Silvestrum papam, Marci papae ad Athanasium, Eusebii etc. episcoporum ad Julium papam, Athanasii ad Marcum papam, Julii papae ad orientales episcopos, Felicis papae ad Athanasium, Marci papae ad eundem, Athanasii ad Liberium papam, Gregorii I. papae ad Joannem Ravennatem episcopum II., ad Joannem Billitranum episcopum, ad Joannem Constantinopolitanum episcopum, Stephani in con. Maurit. ad Damasum papam, Gregorii I. papae ad episcopos Corinthios, Liberii papae ad omnes episcopos, Damasi papae ad Stephanum, Gregorii I. papae ad Antonium subdiaconum, Anthemium subdiaconum, Eulogium, Alexandrum et alios episcopos, Bacandam episcopum, clerum et nobiles Corsicae, Felicem episcopum Sipontinum, Mauritium episcopum Augustanum, Mauricium Petrum, Helpidium, Sabianum diaconum Constantinopolitanum, Syagrium, Heterium et alios; Damasi ad Hieronymum.

H 46 = Fulda D 4 saec. XII./XIII. *1628.*

Codicis Justiniani lib. 2—4 cum glossa.

Ist in Bommers Katalog nicht aufgeführt.

H 47 fol. = Fulda D 12 saec. XIII./XIV. *1628.*

Tancredi judicii ordo cum glossa; summa de matrimonio cum glossa. Mit Initialen.

H 48 fol. = Fulda D 39 a saec. XVI. *163[0].*

Lapi de Castello tractatus de permutatione beneficiorum; Joannis de Lignano tractatus de pluralitate beneficiorum; Aegidii de Bellamera tractatus permutationum beneficiorum ecclesiasticorum; [außerdem zwei Inkunabeln].

H 49 fol. = Fulda A a 109 saec. XV. et XVI. *1628.* Auf dem letzten Blatt: *Wilhalm vetzer von vchenhwssen* und unten *Johannes Truchsaesz zu waltpurg.*

[Joannis de Fonte compendium librorum sententiarum; quadragesimale Victoris (impressa)]; sermones diversi; tractatus de unitate, fide et VII vitiis capitalibus; Matthaei Vindocinensis Tobias dedicata Bartholomaeo Turonensi archiepiscopo; Horatii de arte poetica; Pindari Thebani Ilias latina; Streitschrift im Kampf zwischen Sigismund und Papst, von ersterem veranlaßt; elegia ad Bartholomaeum episcopum Turonensem; Horatii de arte poetica; casus breves in V libros decretalium; tractatus de horis canonicis; tractatus de imperatoribus et electoribus; constitutio Sigismundi ducis Austriae de convocatione concilii.

S. Zeitschrift der Savigny-Stiftung für R. G., Germ. Abt. 24, 1903, S. 380 ff. für den tractatus de imperatoribus.

H 50 fol. = Stuttg. H. B. VI, 2 saec. XVI. *1630.*

Ambrosii de Vignate scripta juridica.

H 51 fol. = Fulda D 36. Über Herkunft und Schreiber s. die angegebene Literatur.

Landrecht des Sachsenspiegels oberdeutsch mit Glosse.

Beschrieben von Steffenhagen in der Abhandlung „Die Entwicklung der Landrechtsglosse des Sachsenspiegels. VI. (= Sitzungsberichte der Wiener Akad., phil.-histor. Cl., Bd 111, S. 603 ff.

H 52 fol. = Stuttg. H. B. VI, 69 saec. XIV. *1630.* Am Schluß: *completus est iste liber per me Hainricum Stolli de Sultz constanciensis diocesis Anno domini MCCCLXXXII.* Im vorderen Deckel: *Liber magistri Jacobi Grimm decretorum Licenciati praepositi canonici sancti Johannis constantiensis ecclesiae.*

Henrici Bohit commentarius sive distinctiones in librum I. decretalium.

H 53 fol. = Stuttg. H. B. VI, 85 saec. XV. *1630.*

Stephani et Pauli de Liozariis commmentarii in constitutiones clementinas.

Ist in Bommers Katalog nicht aufgeführt.

H 54 fol. = Stuttg. H. B. VI, 84 saec. XV. Am Schluß: *liber magistri Jacobi grimm decretorum licenciati.*

Joannis de Lignano commentarius in constitutiones clementinas; Bartoli de Saxoferrato in Sexti Decretal. Bonif. VIII. l. V. tit. XII. c. 3., num bona saecularia virtute testamenti ad Minores pervenire possint; Guilielmi de Monte Laudano apparatus super constitutiones legum in glossis ordinariis clementinarum allegatarum per magistrum Remboldum Vener collecta.

Ist in Bommers Katalog nicht aufgeführt.

H 55 fol. = Stuttg. H. B. VI, 71 saec. XV. *1630.*
Henrici Bohit commentarius in librum III. decretalium.

H 56 fol. = Stuttg. H. B. VI, 73 saec. XIV. *1630.* Am Schluß: *Scriptum
et completum pro Conr. Burg cive constantiense per Hainricum Stölli de
Sultz Anno domini MLCCCLXXXII.* Darunter, aber durchgestrichen: *Sum
Ruodolfi spitzli decretorum.* Im vorderen Deckel unter· einem Wappen:
Jacobus grimm decretorum licentiatus.
Henrici Bohit commentarius super librum V. decretalium.

H 57 fol. = Stuttg. H. B. VI, 86 saec. XV. *1630.* Unten auf der ersten
Textseite: *liber iste est Jacobi Grimm* . . .
Decisiones rotae romanae usque ad annum 1382, cum indice; bulla
Eugenii IV. papae data Bononiae anno 1437; aliae eiusdem papae con-
stitutiones, annis 1431 et 1432 editae.

H 58 fol. = Stuttg. H. B. VI, 61 saec. XV. *1630.* Im vorderen Deckel, über
dem gleichen Wappen wie in H 56: *Jacobus Grym* . . . Am Schluß: *liber
magistri Jacobi Grimm decretorum licentiati.*
Lapi abbatis s. Miniatis ad Montem Florentinum commentaria scripta
per modum additionum super librum VI. decretalium et super Clementinas;
dicta Joannis monachi super constitutiones Bonifacii VIII.; constitutiones
Joannis XXII. cum apparatu magistri Jesselini de Cassanhis; Guilielmi
de Monte Laudano commentarius super III constitutionibus Joannis XXII.;
constitutiones Friderici imperatoris, paparum Honorii, Joannis XXII.,
Benedicti XII., Clementis VI., Urbani V., Gregorii XI., Urbani VI.,
Bonifacii IX. et Innocentii VI.

H 59 fol. = Fulda D 32 saec. XV. *1628.* Am Schluß: *. . . 1429 hat ge-
schriben Paulus Behem von Hilpurg.*
Die Recht der Patriarchen; das Puch von den Lantrechten [= einige
Kapitel aus dem Schwabenspiegel]; Schwabenspiegel; Die Keiserl. Recht
als sie geschrieben hat Keiser Karl der gross [kein „Kaiserrecht" nach
Endemanns Keyserrecht, 1846, p. XLIX.]; Payrische Recht und deren
Lehen Recht [= Das schwäbische Lehensrecht].
Zuerst beschrieben und teilweise abgedruckt in Zapfs Reisen, Erlangen
1786, S. 19 ff.; weitere Literatur und Benutzung s. Rockingers Abhandlung
„Berichte über die Untersuchung von Handschriften des sogenannten
Schwabenspiegels" (= Sitzungsberichte der Wiener Akademie, philos.-hist.
Klasse, Bd 107, S. 28).

H 60 fol. = Stuttg. H. B. VI, 87 saex. XV. *1630.*
Decisiones rotae romanae sub Gregorio IX. collectae a Guil. Horborch,
subnexa tabula.

H 61 fol. = Stuttg. H. B. VI, 72 saec. XV. *1630.* Am Schluß des Kommen-
tars von Bohit: *Nomen scriptoris si tu cognosceris velis
wy tibi sit primum gan medium dusque supremum.*
Henrici Bohit commentarius in librum IV. decretalium; incerti auctoris
commentarius in eundem librum; Henrici Allek registrum super hos
commentarios; Henrici Bohit tabula libri VI. decretalium Bonifacii VIII.
et decreti.

H 62 fol. = Stuttg. H. B. VI, 64 saec. XIV. *1630.*
Gulafridi de Trano summa super rubricas librorum V. decretalium
Gregorii IX.; Johannis de Deo Hispani liber dispensationum.

H 63 fol. = Stuttg. H. B. VI, 4 saec. XV. *1630.*
Jodoci vocabularius utriusque juris.
Benützt in Seckel, Beiträge zur Geschichte beider Rechte im Mittelalter,
I, 1898.

H 64 fol. = Fulda D 27 saec. XV. *Monasterii Blauburani 1636.*
Schwabenspiegel und schwäbisches Lehensrecht.

H 65 fol. = Stuttg. H. B. VI, 5 saec. XV. *1630.*
Dictionarius [Collectio]' terminorum legis; processus ordinis judiciarii;
tituli et rubricae totius juris civilis ordine alphabetico; index praeci-
puorum capitum, dioecesum etc. christiani orbis.
Benützt in Seckel, Beiträge zur Geschichte beider Rechte im Mittelalter,
I, 1898.

H 66 fol. = Stuttg. H. B. VIII, 3 saec. XIV. Am Schluß: *Anno domini*
MCCCLXXXIII feria quarta post assumpsionem beate virginis marie
finitus est iste liber per Johannem rectorem scolarium in Burny (?) natum
de babenhusen . . .
Hugutionis episcopi Ferrariensis dictionarius institutionum.

H 67 fol. = Stuttg. H. B. VI, 70 saec. XV. *1630.*
Henrici Bohit commentarius in librum II. decretalium.

H 68 fol. = Stuttg. H. B. VI, 95 saec. XV. *1630.*
Tractatus de censuris ecclesiasticis; magistri Nepotis de Monte Albano
liber reorum fugitivorum; Henrici Odendorff commentarius super cano-
nem: Omnis utriusque sexus; tractatus de modo confitendi; index legum
iuris canonici.

H 69 fol. = Stuttg. H. B. VI, 94 saec. XIV. *1628.* Am Schluß: *Hainricus*
scripsit.
Indiculus quaestionum, de quibus in decreto Gratiani et libris V. decretalium Gregorii IX. decernitur; ordo judiciorum, illustratus' ficta
quadam rei et actoris de causa ecclesiastica litigantium controversia;
magistri Tancredi de Corneto ordo judiciarius correctus per Bartoldum
Brixinensem; tituli cardinalium et catalogus episcoporum totius orbis
christiani; Joannis de Deo Hispani de cavillationibus libri VII.

H 70 fol. = Fulda D 8 saec. XIII./XIV. *1628.*
Gregorii IX. decretalium libri V.
Mit Initialen.

H 71 fol. = Stuttg. H. B. VI, 63 saec. XII. *1628.*
Rolandi Bandinelli, postea Alexandri III., summa super Gratiani de-
cretum; excerpta ex summa Paucapaleae super idem; tractatus de
sponsalium et matrimonii jure.
Benützt von Joh. Friedr. v. Schulte in „Die Geschichte der Quellen und
Literatur des canonischen Rechts von Gratian bis auf die Gegenwart“,
Bd 1, 1875.

H 72 fol. = Stuttg. H. B. VI, 62 saec. XII./XIII. *1628.*

Rolandi Bandinelli, postea Alexandri III., summa super Gratiani decretum; quaestiones de jure canonico; summa Paucapaleae super decretum Gratiani.

Benützt ebenso wie H 71.

H 73 fol. = Fulda D 7 saec. XIII./XIV. *1628.* Auf Blatt 151 v. ein deutsches Lobgedicht auf einen Abt (anscheinend Conrad II. von Ibach). Auf Blatt 158 r.: *liber sancti martini in wingarten et oswaldi.*

Commentarius in canones et variarum quaestionum resolutiones (das erste Stück: ordo judiciarius Richardi Anglici, vergl. Joh. Friedr. v. Schulte, Quellen und Literatur des canonischen Rechts, Bd 1, 1875, S. 183, Anm. 4).

Mit Initialen.

Ist in Bommers Katalog nicht aufgeführt.

H 74 4° = Stuttg. H. B. VIII, 18 saec. XIV. *1628.*

Magistri Guidonis summa epistolarum scribendarum praecepta tradens; tractatus judiciarius super processum valde utilis; summa curialis, continens quatuor cursus litterarum; tractatus judiciarius super processum; summa de processu judicii curialis; Raymundi de Pennaforti summae de matrimonio IV. pars; explicatio quaestionum et vocabulorum aliquot juris canonici; Raymundi de Pennaforti summae de matrimonio IV. pars; variae epistolarum formulae.

Benützt in Seckel, Beiträge zur Geschichte beider Rechte im Mittelalter, Bd 1, 1898.

H 75 4° = Fulda D 14 saec. XIII. *1628.*

Collectio Gilberti; collectio Alani; decretum concilii Lateranensis 1215. Benützt und beschrieben in Schultes Abhandlung „Die Compilationen Gilberts und Alanus" (= Sitzungsberichte der Wiener Akademie, philos.-histor. Klasse, Bd 65, S. 595 ff.) und in E. Friedbergs Ausgabe des Corpus juris Canonici, Bd II, 1881 (vergl. Praef. p. XLVIII).

H 76 8° = Fulda D 1 saec. VIII. [Aus Konstanz.] Von Mabillon in Weingarten entdeckt.

Breviarium Theodosianum; formulae Andegavenses.

Mit Initialen.

S. Lex Romana Visigothorum . . . instruxit Haenel, Lipsiae 1849, praef. p. LXXIII sqq.

Monumenta Germ. historica, Legum Sectio V, Formulae, p. 1 sqq.

Theodosiani libri XVI . . . ed. Mommsen et Meyer, I, 1, Berolini 1905, p. C.

Slijper, De Formularum Andecavensium latinitate disputatio, Amstelod. 1906. (Diss.)

H 77 8° = Stuttg. H. B. VI, 60 saec. XV. *1630.*

Explanatio titulorum et capitum libri VI. decretalium Bonifacii VIII., Clementis V. et Gregorii IX.

H 78 4° = Stuttg. H. B. VI, 89 saec. XIV. *1628.*

Raymundi de Pennaforti summae de poenitentia et matrimonio libri VI.

Littera J, Abteilung der Theologie (?),

mit 65 Nummern.

J 1 fol.[1]) = **Fulda A a 48** saec. XIV. *1628.*

Liber scintillarum; dialogus de parabolis Salomonis; dialogus cur Johannes Evangelista dicatur dilectus domini; generales sententiae de opusculis S. Hieronymi; summa Adae metrice composita; officium S. Scholasticae cum notis musicis; tractatus de sanguine domini; officium de sanguine domini cum notis; historia de inventione S. Sanguinis et de donatione eiusdem monasterio Weingartensi a Juditha facta.

S. Monumenta Germaniae historica, Scriptores, XV, 2, p. 921 seqq.

Mit Initialen.

J 2 fol. = **Stuttg. cod. theol. et phil. fol. 254** saec. XVI.

Constitutiones societatis Jesu cum earum declarationibus et compendium privilegiorum eiusdem societatis, Romae in collegio societatis Jesu cum facultate superiorum anno domini MCLXXXIII.

J 3 fol.

Constitutiones Valesoletanae.

J 4 fol. ist in Bommers Katalog nicht aufgeführt.

J 5 fol. = **Stuttg. H. B. I, 21** saec. XV. *1630.*

Johannis de Capistrano tractatus de cupiditate in partes III distinctus; Antonii Rampegolli biblia aurea; Jacobi de Lausanna compendium moralitatum in plures libros biblicos ordine alphabetico; summula rudium authentica in 40 capita distincta; commentarius in passionem Jesu Christi.

J 6 fol. = **Stuttg. H. B. X, 25** saec. XV. *1628.*

Jacobi de Tessalonia liber de moribus hominum et de officio nobilium super ludo latrunculorum in IV partes distinctus; urbis Romae brevis descriptio; de beato Nemine sermo jocosus; expositio decalogi seu legiloquium; Isidori Hispalensis synonimorum libri II; Joannis de Walleis tractatus de IV virtutibus cardinalibus et breviloquium de virtutibus antiquorum principum et philosophorum; historia naturalis de sideribus, terra, lapidibus etc. cum doctrinis moralibus.

J 7 fol. = **Stuttg. H. B. I, 8** saec. XV. *1630.*

Tractatus de praeparatione cordis; Bernhardi de Parentinis expositionis missae libri III cum elencho.

J 8 fol. ist in Bommers Katalog nicht aufgeführt.

J 9 fol. = **Stuttg. H. B. X, 13** saec. XV. *1630.*

Aristotelis ethicorum ad Nicomachum libri X latine versi.

---

1) S. auch die Anm. zu H 1.

J 10 fol. = **Fulda B 6ᵃ** saec. XIV. *1628.* Am Schluß: *anno Dni MCCCXXXI.*[1]) *scriptus est iste liber, quem fecit scribi Dnus Johanes de Merspurg.*[2])
Visiones S. Hildegardis.
Ist in Bommers Katalog nicht aufgeführt.

J 11 fol.
De arte praedicanti; mensales lectiones et tractatus morales; Joanni Chrysostomi de patientia Job et Thomae Aquinatis postilla in Job (impressum); Alberti Magni tractatus de adhaerendo Deo (impressum).

J 12 fol. = **Fulda A a 33** saec. XV. *1628.*
Alani ab Insulis de planctu naturae; angebunden zwei Inkunabeln.

J 13 fol. = **Stuttg. H. B. I, 43** saec. XV.
Glossa in regulam s. Benedicti.

J 14 fol.
Nicolai de Dünckelspiel tractatus de VIII beatitudinibus.

J 15 fol. = **Fulda A a 94** saec. XV. *1630.*
De claustro animae.

J 16 fol. ist in Bommers Katalog nicht aufgeführt.

J 17 fol.
Joannis Nicolai de Knödling postilla.

J 18 fol. = **Fulda A a 114** saec. XV. *Monasterii Blaupurensis 163[1?].*
De comparatione et excellentia religionum; oratio contra Hussitas nomina contraria apparentia in S. Scriptura et eorum solutiones; collatio in quadragesima ad religiosos; collatio Martini de Walthausen in suscipiendo visitatores; magistri Jodoci de Haylpruna sermo ad fratrem Johannem monachum Melitensem; Cancellarii parisiensis tractatus de discretione spiritus; Petri Damiani disputatio de perfectione religiosorum; instructio cancellarii parisiensis de visitatione clericorum; Nicolai de Dünckelspiel tractatus de VII donis spiritus sancti; epistola Jodoci de Haylsprunnen; exhortatio ad religiosos; tractatus de clerico quodam; Nicolai de Kempf tractatus de proponentibus ingressum in religionem; fratris N. ord. praed. doctrina utilissima pro religiosis; Reisbeschreibung wie König Fridericus in Rom gekrönt wurde; Merksprüche in Reimen; rosarium Mariae; sermo de confessione; tractatus de monachis.

J 19 fol. = **Stuttg. H. B. XIV, 12** saec. XV. *1630.* Am Schluß: *Qui scribebat nomen Johannes habebat. Anno domini MCCCXXIIII.*
Ludolphi de Saxonia vita Christi in evangelio tradita.

J 20 fol. = **Stuttg. H. B. I, 5** saec. XV. *1630.* Nach dem Titelstreifen des Deckels von einem magister Guld.
De vita contemplativa et activa s. Mariae et Magdalene; compendium perfectionis; expositio orationis dominicae; summa perfectionis; Hugonis a S. Victore soliloquium de arrha animae; liber de VII. gradibus amoris;

---

1) Versehen für `MCCCXXXXI`?
2) Siehe Lindner, Profeßbücher, II, Nr 276.

Bernhardi meditationes; libellus de diligendo Deo; liber de praeparatione
cordis ad Deum diligendum; de triplici via ad intelligendam s. scripturam;
sermo sancti Augustini de trinitate et incarnatione; liber Bernhardi de
conscientia; Augustini de salute animae; sententiae piae de Christo,
mundo, etc., Bernhardi salutationes; dialogus de sacramento eucharistiae;
Johannis Lotharii, postea Innocentii III., libri III de contemptu mundi
s. de miseria humanae conditionis; de peccatis mortalibus et venialibus;
de physonomia.

J 21 fol.
Passio IV evangelistarum; Antonii Parisiensis sermones de tempore et
sanctis.

J 22 fol. = Fulda A a 77 saec. XIV./XV.
Bernardi speculum monachorum; eiusdem expositio regulae s. Benedicti;
Humberti mag. ord. praed. epistola de tribus substantialibus.

J 23 fol. = Stuttg. H. B. XV, 70 saec. XI./XII. *1681.*
Consuetudines Cluniacenses in monasterio Hirsaugiensi sub Wilhelmo
abbate receptae cum prologo eiuslem.

J 24 4°.
S. Anselmi liber precatorius.

J 25 4° saec. XVI. (nach Zapf, Reisen . . ., 1786, S. 18 f.).
Johannis abbatis Salemitani de modo lucrandi indulgentias sub Sixto IV;
Pii II. bulla ad Udalricum comitem Wirtenbergensem; eiusdem bulla
contra Dietherum de Isenburg; Sixti IV. bulla ad ecclesiam constantiensem;
Sixti IV. bulla ab Eberhardo comite Wirtenbergense impetrata; catalogus
monachorum in Bebenhusen; Sixti IV. indulgentiae datae Christophoro
Marchioni; Sixti IV. bullae ad abbatem Blauburanum et ad monasterium
in Berg; Eberhardi comitis constitutio ad professores Wirtenbergenses;
catalogus monasteriorum ord. Cisterciensis; epistola ad abbates ord.
Cist. in Heidelberg congregatos; memoriale ad abbates Cistercienses de
caritate; Matthiae Hungriae regis epistola ad Philippum Palatinum
Rheni; Udalrici de Graveneck epistola ad eundem; absolutionis forma
ab excommunicatione; Sixti IV. ad Confoederatos Germaniae superioris;
Johannis abbatis in Salem epistola ad monachos ord. Cist.; Alexandri
jubilaeum ord. Cisterciensis.

J 26 4° = Stuttg. H. B. I, 6 saec. XV. *1628.*
Erbauliche Betrachtungen über Stellen des Alten und Neuen Testaments
von Sterngasse, Egghart und Cleusli.

J 27 4° = Stuttg. H. B. I, 42 saec. XV. *1628.* Im vorderen Deckel: *Iste
liber est fr. Sebastiani in Ebersperg.* Am Schluß des ersten Teiles: *In die
Andree apostoli 1442. Etall.* Am Schluß des zweiten Teiles: *Anno domini
ab incarnatione 1443. 7ma kal. octobris. In Etal.*
Regula S. Benedicti; fratrum Conradi de Geyfenveldt et Johannis Slit-
pacher de Welhaim monast. Mellilensis ord. Bened. avizata in monasterio
B. Mariae in Etal, cum casibus reservatis abbati juxta statuta Melli-
censia; regulae S. Benedicti summula versibus hexametris.

J 28 4⁰ = Stuttg. H. B. I, 38 saec. XV. .1659.

Fromme Betrachtungen auf die 7 Wochentage beim Mittag- und Abend-
essen vorzulesen; „Kunst des Sterbens"; gereimte Sittensprüche; Sprüche
und Sätze zum Nutzen eines gottseligen Lebens; Mit Ablaß versehene
Gebete; gereimte Gebete; Aufzählung der Glieder des römischen Reichs;
fromme Sprüche, u. a. von den „10 halblingen" = 10 Geboten; deutsches
Gedicht von Adams Baume mit der Weissagung der Sybille, von den
7 Hauptkirchen zu Rom; Tractat von dem Leiden Christi Jesu; alle-
gorische Erzählung von der Tochter von Sion [der Seele] und ihrem
himmlischen Bräutigam.

J 29 4⁰ = Stuttg. H. B. I, 54 saec. XV. 1630.
Lavacrum sacerdotum; sermo de S. Ludovico.

J 30 4⁰ Stuttg. H. B. I, 12 saec. XV. 1616.
Thomae a Kempis de imitatione Christi libri IV.

J 31 4⁰.
Epistolae variae ad varios; fr. Johannis de Westphalia modus bapti-
zandi; de vita inchoativa; vitae humanae brevitas.

J 32 4⁰ = Stuttg. H. B. I, 11 saec. XV. 1630.
Thomae a Kempis de imitatione Christi libri IV; expositio regulae
S. Benedicti; cognitio hominis sub forma VIII partium orationis ipsius
Donati edita a magistro Hieronymo olim priore in Mansee; eiusdem
(sub nomine Johannis Werden) compendium rythmicum psalterii ad
notam carminis „Ave'vivens hostia"; brevia psalmorum argumenta.

J 33 4⁰ = Stuttg. H. B. I, 46 saec. XV. Am Schluß des ersten Teiles:
frater Jacobus de wiblingen scripsit hunc libellum pro domino abbate in
hirsaw anno millesimo CCCCXLVI in domo suae habitationis interim
quod ipse fuit in Schonrein instituendo priorem.

Modus visitandi et reformandi monasteria ord. S. Bened.; alia norma
visitandi monasteria cum quaestionum schemate, latine et germanice;
3 Bullen aus Konstanz vom Jahr 1416 betr. das Capitel von Peters-
hausen; interrogatoria in visitandis monasteriis cum carta desideratorum
danda a visitatoribus fratribus et abbati (capituli in Petershusen pro
Alpirsbach); magistri Nicolai de Dünckelspiel quaestio de esu et
abstinentia carnium nigrorum Benedictinorum contre quendam doctorem;
ceremoniae regularis observantiae ord. S. Benedicti; instructio visitatorum
monasterii; Pii II. bulla 1459 Senis data; commendatio III substantialium
religionum.

J 34 4⁰.
Christophori Udalrici am Pach professionis monasticae formula latina
et germanica; modus admittendi in professionem in societate Jesu;
distributio temporis et constitutiones monasteriorum S. Vedasti, Atre-
batensis, Andagiensis, Leodiensis; Gregorii XV. bullae variae de privi-
legiis mendicantium; Christophori Udalrici am Pach privilegia ordinis
Teutonici ad Gregorium Vintler; Jacobi de Paradyso ascetica.

J 35 4° = **Stuttg. H. B. I, 91** saec. XV. *1659.* Oben auf der ersten Seite:
Iste liber attinet monasterio Tegernsee. Unten auf derselben Seite: *Hunc*
librum obtulit domino et sancto Quirino pro remedio et salute animae
suae magister Paulus wannus de kemnat . . . hic obiit . . . 1489.

Innocentii III. expositio missae; Honorii Augustodinensis chronica
scolastica; Jacobi de Vitriaco conquesta terrae sanctae; Raynoldi de
Villa Nova tractatus de vinorum confectione; Palladii liber abbreviatus;
de corpore Christi et de communione ex utraque specii ex concilio Constantiense; Guilerini de Sacro Fonte de periculis mundi futuris; Hildegardis prophetia; scriptum ad obviandum erroribus in ecclesia Dei;
sermo ad clerum factus in concilio constanciensi, decretum eiusdem
concilii contra Hussitas, alius sermo contra haereticos, Jacobi Laudensis
sermo super condemnationem Hieronymi de Praga.

J 36 4°.
Quadragesimale.

J 37 4° = **Fulda A a 120** saec. XV. *1630.*
De triplici amico.

J 38 4° = **Stuttg. H. B. IV, 35** saec. XVI. *1628.*
Deutsche Predigten über den Dekalog, Verehrung der Heiligen und das
Vaterunser.

J 39 4° = **Stuttg. H. B. I, 44** saec. XV. *Monasterii Blaupürensis 1631.*
Am Schlusse der expositio super regulam Benedicti: *explicit manuale super*
regulam sancti benedicti finitum in dominica post festum assumptionis
marie virginis per fratrem david de urach anno domini 1476. Am Schluß
der ganzen Handschrift: *anno domini 1444 m in Göttingen ipso die Ger-*
trudis virginis Ulricus kündig de blaubüren.

Expositio magistri Johannis Schlippacher dicti ordinis sancti Benedicti,
monasterii Mellicensis professi super regulam eiusdem sancti Benedicti,
composita in predicto monasterio anno domini 1447, rescripta autem
pro monasterio S. Johannis Baptistae in Blaubüren a fratre David H.
eiusdem monasterii professi tunc temporis subdiaconi videlicet anno
domini 1476 ordinationis V° domini abbatis anno secundo, cum tabula
et registro; de officiis in conventu; recessus varii capitulorum in pro-
vincia Moguntina celebratorum et bullarum variarum; Eberhardi
Bethuniensis labyrinthus sive de miseriis rectorum scholarum carmen
elegiacum, cum prologo et notis.

J 40 4° = **Stuttg. H. B. I, 17** saec. XV. *1628.*
Gespräche des Meisters und Jüngers von den 10 Geboten; alter Weisen
(z. B. Salomos, Ciceros, Senecas), der Apostel und Kirchenväter ge-
sammelte Aussprüche.

J 41 4° ist in Bommers Katalog nicht aufgeführt.

J 42 4° = **Stuttg. H. B. IV, 4*** saec. XV. *1630.*
Emelrici de Kerpena tabula historialis bibliae; tabula alphabetica
librorum IV. sententiarum Petri Lombardi; sermones de sanctis.

J 43 4° = **Stuttg. H. B. I, 216** saec. XV:
Meditationes de vita Jesu Christi in evangeliis tradita.

J 44 4° = **Stuttg. H. B. I, 15** saec. XV. *1674.* Im vorderen Deckel: *dis bůch ist des conventz an oetenbach gentz dur got wider.* Auf der letzten Seite: *Gedenkent Johannes geps durch got.* Darunter: *Gedenkent durch got Jungkher Diethelms von Klingen von dem hand wir dis bůch.*
Heinrich Senses vier Bücher: das erste vom anfangenden Leben und zunehmendem Menschen; das zweite von Betrachtung unseres Herrn Marter; das dritte das Buch der Wahrheit; das vierte das Briefbuch. Siehe Zeitschrift für deutsches Altertum und deutsche Literatur, Bd 21(9), 1877, Seite 127.

J 45 4° = **Stuttg. H. B. I, 80** sae. XV. *1630.*
Tractatus de S. Virgine Maria; fratris Marquardi tractatus de reparatione hominis lapsi; tractatus de conceptione verbi divini in monasterio S. Galli scriptus; tractatus de Esther; tractatus fratris Johannis de Ramsperg de septem coloribus; fragmenta diversorum sermonum.

J 46 4° = **Stuttg. H. B. VIII, 20** saec. XVI. *1630.*
Vocabularium s. scripturae ordine alphabetico ab A usque ad D; miscellanea.

J 47 4°.
Sermones monachi Weingartensis.

J 48 4° = **Stuttg. H. B. I, 57** saec. XV. *1674.*
Dialogus corporis et animae sive liber de imagine vitae; opus de consolatione theologiae; autoritates sanctorum alphabetico ordine collectae; libellus de poenitentia; libellus de confessione; tractatus contra errores Hussitarum; epistola ad praedicatorem quendam Pragensem; Henrici de Hassia tractatus de modo vincendi se ipsum; liber sapientiae.

J 49 4°.
Nicolai de Dünckelsbühl tractatus de poenitentia; Joannis de Carthusiani tractatus de eucharistia et de profectu spirituale.

J 50 4°.
Constitutiones et ceremoniae Mellicenses; Dominici Cheuveaux expositio in passionem Domini ad P. Maurum Baldung.

J 51 4°.
Julii Priscianensis S. J. meditationes super evangelia.

J 52 4° = **Stuttg. H. B. I, 27** saec. XV. *1628.* Oben auf der 1. und 2. Seite: *Quocumque tollatur Blaubüren semper meum fatur.* Am Schluß der meditationes: *Per manus fratris Johannis A :::::::: scriptus anno domini MCCCCLXXVI in monasterio s. Johannis baptiste in blaubürenn ordinis Sancti Benedicti ad uberiorem dominice passionis recordacionem.* Am Schluß der ganzen Handschrift: *Composita est hec oracio sicut anterior in monasterio nostro Blaubüren Anno domini 1469.*
Meditationes de passione Jesu Christi cum prologo et tabula; cursus de passione Christi abbreviatus; oratio S. Anselmi dicenda ante imaginem

crucifixi vel infra elevationem, oratio devota de sancta trinitate, oratio
de S. Hieronymo.

J 53 4° = **Stuttg. H. B. XII, 14** saec. XIV. *1628.*
Speculum humanae salvationis rythmis latinis, cum argumentis et
prologo rythmico.

J 54 8° = **Stuttg. H. B. I, 19** saec. XIV. *1628.*
Summa viciorum et virtutum; vita Gertrudis filiae Dagoberti, historia
mille militum martyrum, passiones Columbae et Afrae, vita Mauri
abbatis, passiones Pelagii, Barbarae, Euphrosynae, Meinradi, Juliani,
vitae Huberti episcopi, Martialis, Theobaldi, Oswaldi, Galli, Pantaleonis,
Edmundi, Felicis et Regulae, Udalrici; excerpta e libris VI operis de
vitis ss. patrum eremicolarum, quod vulgo inscribitur „in vitas patrum";
sermones de communi sanctorum; tractatus de instructione confessorum;
Bernhardi de Montemirato, presbyteri Compostellani, summa titulorum
librorum V decretalium; expositio arboris consanguinitatis et affinitatis.

J 55 8° fehlt in Bommers Katalog.

J 56 8° = **Stuttg. H. B. I, 87** saec. XVI. *1659.*
Kirchlicher Kalender; Regel der hl. Klara; Gebete.

J 57 8° = **Stuttg. H. B. VII, 42** saec. XV. *Monasterii Blaupürensis 1631.*
Im vorderen Deckel: *Quocumque tollatur Blaubüren semper meum fatur.*
Smaragdi, abbatis S. Michaelis ad Mosam, diadema monachorum, sive
de ecclesiasticorum, et monachorum maxime, virtutibus; Hieronymi
Stridonensis regula monachorum; Johannis episc. Eystettensis epistola
ad virgines sacras in coenobium S. Walpurgis eiusdem civitatis refor-
mandae disciplinae causae translatas, 1457; magistri Conradi Lüllin
ecclesiae parochialis in Sulge rectoris libellus de decimis ad Udalricum
abbatem in Blauburen, 1458.

J 58 8°.
Geistlicher Streit von Ludovicus Capucinus.

J 59 8° saec. XV. Am Schluß: *explicit liber interne consolationis finitus anno
Dni MCCCCXXXIII. secunda feria ante festum assumptionis beate Virginis
Marie per me fratrem Conradum Ebersperg*[1]) *tunc temporis conuentualem*
in Wingarten (vergl. Hess, Prodromus . . ., p. 159).
Thomae a Kempis libri III de imitatione Christi.
J 59 gehörte zu den Handschriften der Imitatio Christi, welche der im
Jahre 1671 niedergesetzten Pariser Prüfungskommission vorgelegen haben
(vergl. Hirsche, Prolegomena zu einer neuen Ausgabe der Imitatio Christi,
Bd 3, 1894, p. 211 seq.).

J 60 8° fehlt in Bommers Katalog.

J 61 8° = **Stuttg. H. B. I, 67** saec. XVI./XVII. *1659.* Im vorderen Deckel
das Wappen des einstmaligen Besitzers der Handschrift, Hermann Ochsen-

---

1) S. Lindner, Profeßbücher . . ., II, S. 24, Nr 445.

bachs, von dessen Hand auch ein geistliches Lied auf einem vorn ein-
gefügten Blatte stammt.
Deutsches Gebetbuch.

J 62 8⁰ = Stuttg. H. B. I, 35 saec. XV. *1628*.

Orationes sive meditationes devotae in VII psalmos poenitentiales, ex
Augustini aliorumque sententiis conflatae; hymni rythmici in B. Virginem
Mariam, quorum seriem ducit „Psalterium Beatae Mariae Virginis"
(diversum ab illo Bonaventurae); rhythmi de SS. Cosmae et Damianae
martyrio, inscripti: „medicinalis chirurgia sumpta ex gestis Cosmae et
Damiani"; hymni rhythmici in Christum; Hildeberti Cenomanensis
episcopi dictaminis de trinitate initium; tabellae indictionum; cisianus
latinus.

J 63 8⁰.

Liber precatorius.

J 64 12⁰.

Rosariorum varia genera Dilingae.

J 65 12⁰.[1])

Liber precatorius.

J 66 12⁰.[1])

Liber precatorius.

J 67 12⁰.[1])

Liber precatorius.

J 68 12⁰ = Stuttg. H. B. I, 101 saec. XVII.

Lytaniae, preces et psalmi tempore belli.

J 69 12⁰.[1])

Liber precatorius.

J 70 12⁰ = Stuttg. H. B. I, 105 saec. XVII.

Deutsche Gebete.

J 71 12⁰.[1])

Liber precatorius.

Littera K, Abteilung der Miscellanea,
mit 116 Nummern.

K 1 fol. fehlt in Bommers Katalog.

K 2 fol. desgl.

K 3 fol. saec. XIII (nach Zapf, Reisen ..., 1786, S. 15).

Senecae tragoediae.

K 4 fol. = Stuttg. H. B. X, 15 saec. XIV. *1628*.

Alberti Magni commentarius in Aristotelis ethicorum ad Nicomachum

---

1) Eine der Nummern 65, 66, 67, 69, 71 wohl identisch mit H. B. I, 134
saec. XVI. *1628*. Liber precum.

libros X.; eiusdem summa super Aristotelis libros IV de meteoris; magistri Jacobi de Duaco reportatio sive sententia super idem; sententiae et quaestiones super librum de longitudine et brevitate vitae sive tractatum II. libri Aristotelis de vita et morte.

K 5 fol. = Stuttg. H. B. XI, 1 saec. XIV. *1628.* Im vorderen Deckel: *Iste liber est sancti martini in wingartun.*

Bartholomaei de Glanvilla Anglici de proprietatibus rerum libri XIX cum tabulis et notis partim latinis partim germanicis, et cum indice latino-germanico.

Mit Initialen.

K 6 fol. = Stuttg. H. B. X, 21 saec. XV. *1628.* Am Schluß: *Scriptus spectabili et potenti viro gerardo de boyardis honorabili potestati ferrariensi. Per me Conradum de constantia de alimania. Et finitus die octava madij MCCCC° octavo.*

Francisci Petrarchae de remediis utriusque fortunae libri II. Praemissa sunt: vita Fr. Petrarchae; VII psalmi poenitentiales ab eodem ad imitationem Davidicorum compositi; lytania; Petrarchae epistolae II; argumenta capitum librorum II de remediis utriusque fortunae.

Vergl. Zapf, Reisen in einige Klöster Schwabens...., Erlangen 1786, S. 14, wobei Zapf das drollige Mißverständnis unterläuft, daß er aus obigem Podestà von Ferrara einen Forstmeister macht, indem er prepositi ferarum liest.

K 7 fol. = Stuttg. H. B. X, 12 saec. XV. *1630.* Am Schluß der ethica: *finii hos libros ... anno 1469 Ego Michael cristan reverendissimorum praepositorum constantiae sancti hermanni et Agathopoli canonicus isque primus capellae in bernrain.*

Aristotelis ethicorum ad Nicomachum libri X interprete Leonardo Aretino; eiusdem oeconomicorum libri II et politicorum libri VIII eodem interprete; M. T. Ciceronis de oratore libri III.

K 8 fol.

Carmina germanica de praeparatione ad mortem.

K 9 fol. = Stuttg. H. B. VIII, 14 saec. XV. *1630.*

M. T. Ciceronis opera.

K 10 fol.[1]) = Fulda C 6 saec. XV. Inventarisierungsvermerk radiert.

Mai und Beaflor [bei Bommer: Minne Sänger].

Benützt in der Ausgabe der „Dichtungen des Deutschen Mittelalters", Bd 7, 1848.

S. auch Von der Hagen und Büsching, Grundriß S. 200.

K 11 fol. = Fulda C 8 saec. XV. *1628.*

Liber magistri Galfridi Anglici de artificio loquendi; Crispi Sallustii

---

1) Die alte Signatur ist nicht erhalten; aber die Einreihung nach Bommers Signatur stimmt mit den Maßen der Handschrift völlig überein.

liber in Càtilinam; Ovidii Heroides epistolae 15; [psalterium, gedruckt, Hain 13470]; γocabularium·psalterii.

Die Lesarten aus Sallust und Ovid s. Dronkes Fuldaer Programm, 1849.

K 12 fol. = Stuttg. H. B. X, 9 saec. XV. *1630.* Am Schluß: ... *magister johannes crutzlingen finem imposuit anno 1451.*
Alberti Magni metaphysicorum libri XIII.; eiusdem liber de causis et processu universitatis a prima causa.

K 13 fol. = Stuttg. H. B. XII, 3 saec. XV.
P. Terentii Afri Andria comoedia cum notis et illitis variis formulis epistolarum.

K 14 fol. = Stuttg. H. B. VIII, 9 saec. XV. *1630.* Am Schluß des Wörterbuchs: *finitus est praesens liber ante carnisprivium sub anno domini milesimo quadringentesimo septuagesimo sexto per me johannes blümenrainer de opido oriundum ravenspurg tunc temporis scolaris ibidem.*
Vocabularium latino-germanicum.
Ist in Bommers Katalog nicht aufgeführt.

K 15 fol.
Chronographia.

K 16 fol. = Stuttg. H. B. XII, 11 saec. XIV. *1628.*
Rudolphi de Lubeck, Constanciensis ecclesiae canonici pastorale novellum sive summa sacramentorum, ritum, vitiorum, versu hexametro.

K 17 fol. = Stuttg. H. B. XI, 28 saec. XV. *1628.*
Von dem Regiment der 7 Planeten und der 12 himmlischen Zeichen; (in Prosa); von dem Erzengel Michael und den andern Engeln, von Johannes dem Täufer, von Maria Magdalena, von der heiligen Katharina (in Versen).
Mit Bildern.

K 18 fol. = Stuttg. H. B. VIII, 10 saec. XV. Im vorderen Deckel: *Gervinus blaurer est possessor huius libri anno 1511.* Am Schluß: *Explicit hic vocabularius per me jacobum Singer (?), tunc temporis caplanus generosi Comitis ŭdalrici de Monteforti anno domini M⁰CCCC⁰LXXVIIII.*
Vocabularium latino-germanicum.
Ist in Bommers Katalog nicht aufgeführt.

K 19 fol. = Stuttg. H. B. VI, 43 saec. XVI.
Commentarius in digestorum librum XXVIII. de testamentis.

K 20 fol. = Stuttg. H. R. VIII, 7 saec. XV. *1630.* Am Schluß des Vocabolariums: *Explicit vocabularius per me Cŭnradum schultetum de Schemberga tn vigilia Nicolay Anno domini M⁰CCCC⁰XXXVI.*
Vocabolarium latino-germanicum; nomenclator latino-germanicus; moralia dogmata philosophorum tetrastichiis latinis rhythmicis comprehensa; vocabula psalterii latino-germanica.
Ist in Bommers Katalog nicht aufgeführt.

K 21 fol. = **Stuttg. H. B. X, 16** saec. XV. *1628.* Am Ende des 5. Buches:
... *per manus Ûlrici dicti Sartoris de Lentzburg.*
Joannis Buridani quaestiones in Aristotelis ethicorum ad Nicomachum
libros X.

K 22 fol.
Alberti Magni liber de anima; eiusdem liber causarum; eiusdem liber
de somno; eiusdem sententia super librum I. ethicorum; Stephani
magistri Parisiensis articuli damnati.

K 23 fol.
Aristotelis ethicae libri X.

K 24 fol. = **Stuttg. H. B. X, 5** saec. XV. *1630.*
Alberti Magni summae de creaturis pars II. quae est de homine.

K 25 fol. = **Stuttg. H. B. XII, 2** saec. XV. *1630.* Am Schluß: *Explicit
feliciter anno domini M°CCCC°LX quinto dominica 2ª adventus per me
hainricum wys. Terencii afri comici poete Echira sexta et ultima commedia
explicit feliciter In oppidio (sic!) zelle Ratolffi anno ut supra.*
P. Terentii Afri commoediae sex, Andria, Eunuchus, Heautonti-
moroumenos, Adelphi, Phormio, Hecyra; de memoriae arte; synonyma
latina.

K 26 fol. = **Stuttg. H. B. VIII, 13** saec. XV. *1628.* Am Schluß vom liber
de inventione ... *explicit per rûdolfum* [an anderer Stelle: *brun*] *de gott-
madingen;* am Schluß von de oratore: *finitus per me Rûdolfum de gott-
madingen anno domini MCCCCLXX paulo post ambrosy festum.*
M. T. Ciceronis artis rhetoricae novae ad Herennium liber; eiusdem de
inventione rhetorica libri II; collatio Caroli et Alcuini de rhetorica et
virtutibus politicis; Ciceronis ad Quintum de oratore dialogi III;
epistolae variae Gasp. Barzizii Bergom., Hieronymi, Poggii, Alani,
Antonii, Panormitae, Nic. Picinini; flosculi ex Ciceronis, Sallustii,
Valerii Maximi, Senecae aliorumque libris descripti; exordia super
novam Ciceronis rhetoricam; Aeneae Sylvii Piccolomini de puerorum
educatione ad Ladislaum regem libellus; oratio funebris cardinalis de
Columna, oratio Poggii in sua reversione, collectanea varia geographica,
historica etc.; orationes variae, Ciceronis, Sallustii, Jordani Ursini,
Geminiani de Brixia etc.; epistolae Poggii Bracciolini Florentini;
Philelphi apologus contra Poggium; flosculi varii autorum latinorum;
tractatulus epistolarum conficiendarum ad Joannem quendam; Marii
Ruffi de compositione libellus.

K 27 fol. = **Stuttg. H. B. VIII, 8** saec. XV. *1630.*
Vocabularium latino-germanicum; nomenclator latino-germanicus, syno-
nyma latino-germanica et alia.
Ist in Bommers Katalog nicht aufgeführt.

K 28 fol. = **Stuttg. H. B. X, 19** saec. XV. *1628.* Am Schluß vor dem
Register: *Scriptus et lectus per me nicolaum artzstein ratisponensem opidi
sancti galli scolas regentem Sub anno domini MCCCCLXXI.*
Anicii Manlii Torquati Severini Boethii de consolatione philosophiae
libri V cum commentario.

K 29 fol.

Tractatus varii cum theologici, tum philosophici; [Alberti Magni tractatus de B. Virginis laudibus. Impressum].

K 30 fol. = Stuttg. H. B. X, 20 saec. XV. *1630.* Gelegentlich findet sich der Name *hainricus wyss* (conf. E 21 u. K 25), auf den sich wohl die eingetragenen biographischen Notizen beziehen.

Boethii de consolatione philosophiae libri V cum commentario; Senecae de IV virtutibus cardinalibus; Henrici Septimellensis Pauperis dicti de diversitate fortunae et philosophiae consolatione libri IV, versibus mille; Boethii libellus: an omne, quod est, bonum sit; eiusdem libellus adversus Eutychen et Nestorium de duabus naturis et una persona Christi; Calendarium.

K 31 fol.

Joannis de Fossato quaestiones super physicorum libros.

K 32 fol. fehlt in Bommers Katalog.

K 33 fol. = Stuttg. H. B. XI, 31 saec. XVI. *1674.*

Von der Kunst Perspectiva, mit vielen federgezeichneten Umrissen.

K 34 fol.

Alberti Magni philosophia.

K 35 = Stuttg. H. B. VI, 99 saec. XV. *1630.* Nach einem Titelstreifen des Deckels von einem magister Guld.

Quaestiones in libros VIII politicorum Aristotelis.

K 36 fol. = Stuttg. H. B. X, 2 saec. XV. *1630.* Am Schluß: ... *per manus clementis de Melnyk Bohemi.* Auch von Guld.

Quaestiones in omnes Aristotelis libros qui ad dialecticum spectant.

K 37 fol. = Fulda C 10 saec. XV. *1630.*

Guarini Veronensis in translationem Plutarchi de liberis educandis; Leonardi Aretini adversus hypocritas invectiva; Guarini Veronensis epithalamium; Francisci Petrarcae ad fr. Gerardum epistola; Guarini Veronensis ad Leonellum epistola; Antonii Barzizii[1]) Cauteraria comoedia; Guiforti Barzizii oratio pro sponsalibus; Pogii Florentini epistolae; Pogii Florentini invectiva contra Philelfum; Baltasaris Rasini orationes, sermo in visitatione cardinalis; Johannis Toffundi de Lusinno oratio funebris pro Alberto rege Roman.; Petri de Castalleto oratio funebris pro Joanne Galeato; versus germanici in Ave Maria; Alexander, Hannibal, Scipio coram Minoe [Lukian]; Poggii liber fabularum; (Zelleri) oratio de laudibus Mariae; controversia de nobilitate; P. Cornelii Scipionis oratio; C. Flaminii oratio; epistolae variae; epistolae Antonii Panormitae; varia; Aeneae Silvii epistolae; epistola senatus Florentini ad Fridericum III. 1443; epitaphia Aeneae Silvii, Ludovici Pontani, Juliani filii Antonii, Sigismundi imperatoris, Johannis Andreae, Johannis de Lignano, Bartholomaei de Saliceto, Alberti (II.) regis; collatio coram Nicolao papa V.

---

1) Sonst auch Buzarius, s. K 69.

pro Friderico imperatore III. per Aeneam episcopum Senensem 1452; Calixti papae encyclica 1456; epistolae Johannis Rockenzani, Johannis Woratini, Capistrani; Ciceronis oratio pro.Deistaro et Marcello, pro lege Manilia; epitaphia Boethii, Baldi, Senecae, Petri Comestoris; liber epistolarum familiarium Ciceronis; Cathonis Sacci jur. cons. Semidei libri 2.

Über die Cicerostücke s. das Fuldaer Programm von Dronke, 1849.

K 38 fol. = Fulda C 3 saec. XIII./XIV. *1630.* Nach einem Titelstreifen des Deckels von einem magister Guld.

Porphyrii Isagoge; Aristotelis categoriae; Sex[ti?] liber principiorum; Boëthii libri de divisione et de differentiis topicis; Aristotelis libri topicorum et liber de sophisticis elenchis; Aristotelis analyticorum libri interprete Boëthii; Aristotelis liber de anima. Mit Initialen.

K 39 fol. = Stuttg. H. B. XII, 5 saec. XV.

Aemilii Macri carmen de virtutibus herbarum cum glossis latinis et germanicis; Theobaldi episcopi Physiologus de natura XII animalium; tractatus parvorum naturalium; tractatulus proverbiorum communium diversis a poetis in nnum reductus, latinus et germanicus; II tractatus parvuli de IV elementis; compendium rhetoricae epistolaris.

K 40 fol.

Nonii Marcelli doctrina compendiosa ad filium; Varronis de lingua latina; Pompeii Festi de verborum significatione.

K 41 fol. = Fulda C 5 saec. XV. *1630.* Nach dem Titelstreifen des Deckels von einem magister Guld.

Aristotelis libri II rhetoricorum; eiusdem libri VIII politicorum.

K 42 fol. = Stuttg. H. B. XI, 9 saec. XIV. *1628.*

Magistri Joannis de S. Amando in Pabula, canonici Fornacensis et praepositi Montensis, aggregationes sive repertorium in Galeni opera; eiusdem revocatio memoriae sive librorum aliquot Galeni . epitome; eiusdem areolae simplicium medicinorum; Magistri Henrici Bache de criticis diebus libellus; tractatus de crisi; Constantini, monachi Cassinensis, libellus de virtutibus medicinarum; mag. Joannis Stephani de Parma tractatus de variis medicamentorum generibus; eiusdem doses; eiusdem libellus de febribus; varia medicamentorum praecepta.

K 43 fol. = Stuttg. H. B. Xl, 4 saec. XV. *1630.*

Nothesilitos sive de notitia hominis liber I. editus per magistrum Conradum Monopp.

K 44 fol. = Stuttg. H. B. X, 17 saec. XIV. *1630.*

Joannis Buridani quaestiones in libros V priores ethicorum Aristotelis.

K 45 fol. = Fulda C 11 saec. XV.

Lauri Quirini in gignasys (?) florentinis ...; Ugolini Parmensis comoedia Philogenia; Aeneae Silvii epistola de miseria curialium; scherzhaftes Aufnahmediplom in den Säuferorden für Andreas Tobler aus München;

Empfehlungsbrief für denselben; Brief des kaiserl. Secretärs Johannes
Roth an den 'Cardinal Franciscus von Siena; Brief von Aeneas Silvius
an Joh. Capistranus; epistola beati Bernardi; Caspari abbatis S. Galli
epistola; Pii II. bulla de expeditione contra Turcos 1463; .Rundschreiben
von zwei Äbten aus den bayerischen Klöstern Leon und Gars; epistolae
variae; varia; vita S. Hugonis Cluniacensis metrice; de lupo; sacerdos
et lupus; Abschriften aus der S. Galler Handschrift 899; libellus
differentiarum Ciceronis; synonymisches Glossar; collatio mag. Walachß;
Samuel von Liechtenbergs Conversationsbuch für den Jugendunterricht;
Stephani Flisci synonyma; Johannis Jaeckleri lexicon; Cornutus; Remigii
expositio Catonis; varia; Commentar zum Cato novus; varia.
Benutzt in Steinmeyer und Sievers, Die Althochdeutschen Glossen; daselbst
genau beschrieben in Bd 4, S. 437 ff., wo auch weitere Literatur angegeben ist.

K 46 fol. = Stuttg. H. B. VI, 32 saec. XV. *1630.* Am Schluß: *Et hic est
finis huius libri per me Theodoricus de berka clericus Coloniensis
dioecesis.*
Berengarii Fredoli repertorium in speculum iudiciale.

K 47 fol. = Stuttg. H. B. X, 8 saec. XIV. *1630.* Am Schluß der logica:
scripta argentine a cŭnrado de hall anno domini 1379. Nach einem Titelstreifen des Deckels von einem magister Guld.
Logica Mag. Alberti Parisiensis; initium carminis germanici; quaestiones
in Aristotelis analyticorum libros.

K 48 fol.
Hieronymi Mercurialis et Antonii Minutii tractatus de febribus; Hiero-
nymi Mercurialis de morbo gallico et de morbis . mulierum; Nicolai
Curtii de morbo gallico.

K 49 fol. = Stuttg. H. B. X, 4 saec. XIV. *1628.*
Guillermi de Albia commentarii in Porphyrii Isagogen in Aristotelis
categorias, in ipsas Aristotelis categorias, in Gilberti Porretani de
VI principiis librum.

K 49* fol. saec. XIII. Auf dem ersten Blatt: *Hunc Terentium pulcherrime
MS Weingartensi Bibliothecae donavit admodum R. P. Martinus Muller ss
Theologiae D. Fiscalis Constantiensis An. 1621* (nach Zapf, Reisen . . . ,
1786, S. 15).
Terentii Afri comoediae.

K 50 fol. = Stuttg. H. B. XI, 5 saec. XIV. *1628.*
Aegidii de Columna Romani, ord. crem. S. Augustini generalis, liber
de formatione corporis humani.
Mit Initialen.

K 51 fol. = Stuttg. H. B. XII, 15 saec. XVI.
De bello scamaldico et saxonico libri II versu heroico.

K 52 4⁰ = Stuttg. H. B. XI, 8 saec. IX. *1630.*
Oribasii libri III de curanda sanitate, de simplicium virtutibus, de

singulis morbis eorumque curatione, e graecis latini facti; eiusdem
synopseos medicae ad Eustathium filium libri IX; Dardani de ponderibus
medicinalibus libellus.

K 53 4° = **Stuttg. H. B. X, 6** saec. XV. · *1630.* Am Schluß des ersten Teils:
Ex ipsius traducentis primario exemplari per eum scripto. hunc testum
(sic!) *libri de Anima Aristotelis exscripsi ego frater gratiadeus cremo-*
nensis. or: pre: dum actu studio operam darem florentie. ipsumque in die
gloriosissime virginis Katerine feliciter consumavi... Am Schluß des
zweiten Teiles: *Ex primario originali ipsius traducentis manu ipsius*
scripto: exemplum ... *exscripsi ego frater gratiadeus crottus cremonensis*
... *illudque explevi die prima Februarii MCCCCLXX°* ...
Aristotelis de anima libri III Joanne Argyrophilo Byzantino interprete
cum epistola nuncupatoria ad Cosmum Medicem Florentinum; eiusdem
de demonstratione sive posteriorum resolutivorum libri II eodem interprete cum epistola ad eundem.

K 54 4° = **Stuttg. H. B. VIII, 17b** saec. XV. *1628.*
L. Annaei Senecae Cordubensis ad Lucilium epistolae 1—88 cum indice;
carmen de mulieribus secundum ordinem alphabeti; magistri Joh.
de Gersona conclusiones de diversis materiis moralibus.

K 55 4° = **Fulda C 14b** saec. XV./XVI. *1630.*
Aristotelis · ethicorum libri X; eiusdem moralium libri II; eiusdem
libri II oeconomicorum cum commentario Alberti de Saxonia.

K 56 4° = **Stuttg. H. B. XII, 8** saec. XIV. *1630.* Nach einem Titelstreifen
des Deckels von einem magister Guld.
Eberhardi Bethuniensis graecismus cum notis.
Benützt nach Mones Abdruck in Steinmeyer und Sievers, Die althochdeutschen Glossen (vergl. Bd 4, 1898, S. 620).

K 57 4° = **London, British Museum, Additional MSS. 30861** saec. XI.
1630. Folio 31: *Presul Eberhardus Christi famulamine parcus*
Hunc tribuit librum Christi genetricis ad usum.
Vom Britischen Museum angekauft aus der Bibliothek von Ambroise Firmin
Didot, 1850.
Decii Junii Juvenalis libri V.

K 58 4° = **Stuttg. H. B. XII, 4** saec. XV. *1628.*
P. Virgilii Maronis moretum; elegia Aldae; Aeneae Sylvii epistola de
miseria curialium; Aemilii Macri carmen de virtutibus herbarum;
praecepta epistolarum conscribendarum cum exemplis; Flavii Aviani
fabulae; vita Malchi monachi captivi auctore Hieronymo; Senecae
epistola ad Lucilium de fuga temporis; M. T. Ciceronis paradoxa ad
Brutum; eiusdem de amicitia; artis bene dicendi praecepta; Jac. Publicii
Florentini libellus de epistolis conficiendis; Marii Ruffi libellus de
compositione; Valerii Maximi epistola ad Ruffinum de non ducenda
uxore; Methodii martyris liber de initio et fine mundi; libellus de
physiognomia; M. T. Ciceronis liber de senectute; responsum datum
Fautino legato et dominis Bohemiae in palatio Pragensi; Guarini

Veronensis oratio super II Hispanorum duello; Aeneae Sylvii epistola de situ Tabor' et de communione sub utraque specie; Ladislai regis oratio ad papam, epistolae Juliani card. ad Aeneam Sylvium, et Aen. Sylvii ad Antonium nepotem; historia Griseldis; Guarini Veronensis oratio pro studio Ferrariensi inchoando, Antonii Piccolominei epistola ad duos fratres religiosos; moralia quaedam excerpta ex Senecae libris; dialogus de morte inter sensum et rationem; Fr. Petrarchae epistola; M. T. Ciceronis somnium Scipionis; vita Malchi Hieronymi auctore; fabulae aesopicae versu elegiaco; Maximiani de incommodis senectutis elegi; antigammoratum sive morum praecepta rhythmis latinis et germanicis expressa; P. Papiniani Statii Achilleidos libri II; Stephani Novariensis pro Rodulpho episcopo Traiectensi oratio Basileae.

K 59 4° = Stuttg. H. B. XI, 2 saec. XV. 1654. Besitzereinträge auf der ersten Seite beim Binden für die Hofbibliothek zum größten Teil weggeschnitten, andere nicht mehr leserlich.

Lucidarius oder Elucidarius von den wunderbaren Dingen der Welt [Anfang und Ende fehlt]; regimen sanitatis deutsch.

K 60 4°.

Urbarium Bainhauphensis monasterii.[1])

K 61 4° = Stuttg. H. B. XI, 11 saec. XV. 1659.

Meister Ortolfs aus Bayern Arzneibuch.

K 62 4° = Stuttg. H. B. XI, 15 saec. XV. 1659.

Deutsche Arzneibücher.

K* 62 4° = Stuttg. H. B. XI, 24 saec. XV. 1630.

Euclidis Megarensis elementorum libri VI priores latine cum conclusionibus J. Campani Novariensis in eosdem.

K 63 4° = Stuttg. H. B. XI, 27 saec. XV. 1600.

Congesta super almanach cum tabulis astronomicis; [calendarium astronomicum, impressum].

K 64 4° = Stuttg. H. B. X, 24 saec. XV. 1628.

Aeneae Sylvii somnium de fortuna forma epistolae ad Procop. Rabensteinum; epistolae variae, libellus de metris latinis; Dominici Sabinensis tractatus de commodis et incommodis mulierum; Aeneae Sylvii epistolae aliquot; M. T. Ciceronis epistolae aliquot; oratio habita, cum nonnulli philosophiae magistri crearentur; Franc. Florii oratio de laudibus rhetoricae; Poggii Bracciolini de laudibus T. Livii epistola; narratio de amore Guiscardi et Sigismundae; oratio Lucretiae; elegia de infelici amore Aldae virginis Ferrariensis; Aeneae Sylvii quaedam; variorum professorum, maxime Lipsiensium, literae invitatoriae ad audiendas ipsorum lectiones, Dietheri elect. mogunt. literae ad universitatem Lipsiensem; orationes et excerpta varia; Gasparini Barzizii Bergomensis exordiorum formulae; arithmetica quaedam de numeris fractis; exhortatio recitata a Sam. Caroch Lipsiae anno 1463; Andreae de Eppingen

---

1) Vielleicht Schreibfehler Bommers und identisch mit Anh. I, 9?

laudationes baccalaureorum; epistola quaedam data „ex Neckari Gamundie"; puncta ex epistolis Aeneae Sylvii; librorum Aristotelicorum compendium; tractatus de generatione animalium; Jo. Capistrani narratio rerum anno 1457 prope Belgradum gestarum; processus papae Pii II. contra Greg. Hemberg; variae epistolarum formulae et artis metricae praecepta quaedam.

K 65 4°.
Petri Hispani summulae.

K 66 4° = Stuttg. H. B. XII, 10 saec. XV. *1630*.
Alani ab Insulis liber de planctu naturae; fabulae Aesopicae versibus elegiacis.

K 67 4°.
Bartholomaei de Ulingen logicae tractatus, manu scriptus [et impressus].

K 68 4°.
Chirurgiae tractatus.

K 69 4° = Stuttg. H. B. VIII, 19 saec. XV. *1628*.
Casparini Barzizii Bergomatis epistolae; epistolarum conscribendarum praecepta et exempla; fragmentum comoediae; Leonardi Bruni Aretini Poliscena comoedia; excerpta varia; Theodoli ecloga cum commentario; Theobaldi episcopi Physiologus de duodecim naturis animalium; Flav. Aviani fabulae aesopicae versibus elegiacis; Ant. Buzarii[1]) cauteraria comoedia.

K 70 4° = Stuttg. H. B. X, 8 saec. XV. *1630*. Unten auf der vorletzten Seite: *Semper theobaldi sis memor ipse tui. 1464.*
Ciceronis de natura deorum ad Brutum libri III; Hieronymi de Vallibus Jesuida siva carmen heroicum de passione Christi.

K 71 4° = Stuttg. H. B. VIII, 15 saec. XV. *1630*.
Ciceronis rhetoricorum sive de inventione rhetorica libri II.

K 72 4° = Stuttg. H. B. XII, 6 saec. XII. *1628*. Auf der ersten [und letzten] Seite: *liber sanctorum martini [et oswaldi] in wingarten.*
Aurelii Prudentii Clementis opera.
Benützt in Steinmeyer und Sievers, Althochdeutsche Glossen (vergl. Bd 4, 1898, S. 620).

K 73 4° = Stuttg. H. B. XI, 83 saec. XII. Auf der ersten Seite: *liber sanctorum martini et oswaldi in wingarten.*
Boethii de musica sive institutionis musicae libri V.

K 74 4° wahrscheinlich[2]) = Fulda C 9 saec. XV. *1628*.
Medicinae liber, praecipue Macri de virtutibus herbarum.

---

1) Bei Bommer: Barzizius; s. a. K 37.
2) Die Zahl der Signatur ist nicht erhalten; Bommer hat drei Handschriften ohne genauere Angaben als liber medicinae: K 74, 99 und 101. Fulda C 9 ist am ehesten K 74; freilich ist die Fuldaer Handschrift in fol.

K 75 4° = **Stuttg. H. B. X, 14** saec. XV. *1630.*
Ciceronis de officiis libri III; versus XII sapientium positi in epitaphio Ciceronis:

K 76 4°.
Aristotelis physicorum libri VIII.

K 77 4° = **Berlin, Kgl. Bibliothek, Cod. lat.** 4° 508 saec. XV. *16 . .*
Von Berlin 1910 aus den Philippshandschriften von Cheltenham (No 9456) erworben, wohin die Handschrift 1836 aus dem Besitz des Antiquars Thorpe (No 1325) gekommen war.
Ciceronis liber de amicitia ad Titum Atticum; Pogii epistolae; Virgilii carmen moretum; invectiva in medicos (Antonii Panormita); invectiva in juristos (Aeneae Sylvii); Plutarchi de liberis educandis transl. per Guarinum; (Poggii) asinus Luciani; carmen de bello Alsatico.

K 78 4° [1]) saec. X.
Ciceronis liber de amicitia ad Titum Atticum; Senecae sententiae [dieser zweite Teil von Bommer übersehen, aber durch Zapf (Reisen, 1786, S. 14) bezeugt].
In Bommers Katalog steht dabei die nachträgliche Bemerkung: *Duci gallico Thomas dono datus et ad eius urgentem Requisitionem Veldkirchium anno 1801 28. Jan. missus.*

K 79 4° = **Stuttg. H. B. VIII, 6** saec. XV. *?6??* Am Schluß: *Finis est vocabularius per manus et non pedes per hermann gese de steynheim sub anno domini M°CCCC undecimo.*
Vocabularium latino-germanicum.

K 80 4° = **Stuttg. H. B. VIII, 2** saec. XIV. *1630.*
Hugutionis episcopi Ferrariensis vocabularium latinum.

K 81 4° = **Stuttg. H. B. XI, 13** saec. XV.
Regimen sanitatis deutsch mit vielen Rezepten.

K 82 4° = **Stuttg. H. B. XI, 16** saec. XV./XVI. *1654.*
Collectanea varia medica, germanica et latina.

K 83 4° = **Stuttg. H. B. X, 10** saec. XV. *1630.* Am Schluß des Abschnittes der universalia ... Augustini: *finita per me fratrem johannem schwitzer studiosus ... ertfordensis ...* (an anderem Orte: *ord. min. convent. constant.*) *anno domini M°CCCC81.*
Antonii Andreae s. de Gaudinio quaestiones in Aristotelis metaphysicorum lib. I.—XII. cum duplici tabula; tractatulus super VIII libros physicorum Aristotelis; formalitates fr. Petri de Castrovol (?); tractatus de latitudinibus formarum, de potentiis animae, in libros VIII physicorum Aristotelis; universalia et praedicamenta Augustini de Ferraria; tractatulus formalitatum; quaestiones de materia prima; grammaticae

---

1) Nach der Vermutung von P. Lehmann (Sitzungsber. d. bayer. Akad., philos.-histor. Klasse, 1908, 4. Abh., S. 62 f. Anm.) = Berlin Lat. 4° 404 (olim Didotianus).

linguae latinae libri II Alexandri de Villa Dei cum explanatione in Nicol. Perottum de epistolis conficiendis; styli exempla; miscellanea philosophica; littera amatoria rhythmis germanicis.

Das Minnelied am Schluß ist abgedruckt in den Beiträgen zur Geschichte der deutschen Sprache und Literatur, Bd 37, S. 550 ff.

K 84 4°.

Prudentii liber hymnorum.

K 85 4° = Stuttg. H. B. XI, 12 saec. XV. *15??* Vor dem Verzeichnis der Arzneimittel: *1434. valentinus swende von werde by rinne.*

„Das Buche von der Heimlichkeitte und Blummen aller Ertzeinen [= Arzneien] und von dem funfftenn Wessen"; von den Eigenschaften der Speisen, besonders der vegetabilischen, 3 Bücher; Namen verschiedener Arzneimittel, lateinisch und deutsch.

K 86 4° = Stuttg. H. B. XI, 41 saec. XVI. *Monasterii Hofensis.* Darüber *Michaelis Muschgay.*

Praeservatio et cura pestis Gableri medicinae professoris, Tübingae in academia ordinata, anno 1564, deutsch.

K 87 4°.[1]

Minnesänger.

K 88 4° = Stuttg. H. B. XV, 97 saec. XVI. *1659.* Auf dem Rücken und im vorderen Deckel: *Carolus Carray Mombelgardensis 1569*, der wahrscheinlich auch Verfasser des Buches ist; später kam es in den Besitz vom Tübinger Burgvogt, Hermann Ochsenbach, wie Einträge von seiner Hand beweisen.

Titular- und Formularbuch für den Prinzen und nachmaligen Herzog Ludwig von Württemberg.

K 89 4° = Stuttg. H. B. XII, 12 saec. XIV.

Rudolphi de Lubeck pastorale novellum.

K 90 4° = Stuttg. H. B. XI, 10 saec. XV. *1654.*

Meister Ortolfs aus Bayern Arzneibuch mit Register und Rezepten.

K 91 4° = Stuttg. H. B. V, 67 saec. XVI. *1659.*

Anfang und Ursprung der kaiserlichen Reichstat Nürnberg..., item von ihren Zerstörungen..., item was die deutschen Kaiser... zu Nürnberg gehandelt haben...; von dem Bistum und Bischöffen zu Bamberg.

K 92 4° = Stuttg. H. B. V, 23 saec. XVIII.

Georg Basthardts Chronologia: Kurtze Einfeltige Erinnerung etlicher denkhwürdigen geschickhten, Im: Und Usserhalb des heiligen Römischen Reichs: Vom Ursprung loblicher Eydtgenoschafft. Sonderlich bey Sct: Gallen Cell, Closter, unnd Schuel... begeben bis Anno 1656. (dem Abt Dominicus in Weingarten zugeeignet).

---

1) Vergl. die Anmerkung zu Anhang I, 28.

K 93 4⁰ = Stuttg. H. B. I, 88 saec. XIV. *1628.*

Comparationes variae rerum naturalium ad divinas; expositio hymnorum ecclesiasticorum; expositio sequentiarum; expositio missae fratris Hugonis de ordine praedicatorum; Galfridi Vinesaf sive de Vino Salvo poetria nova; fragmenta varia theologici et grammatici argumenti.

K 94 4⁰. = Stuttg. H. B. V, 24ᵃ saec. XV. *1659.*

Augustin Tüngers Facetien, deutsch und lateinisch, Eberhard im Bart gewidmet.

Mit Initialen.

Herausgeg. von Ad. v. Keller in der Bibliothek des Literarischen Vereins in Stuttgart, Bd 118, 1874.

Vergl. auch Stälin, Wirtembergische Geschichte, 3, S. 761; und Löffler, in der Besonderen Beilage des Staatsanzeigers für Württemberg, 1910, S.120 ff.

K 95 4⁰ = Stuttg. H. B. XI, 6 saec. XV. *1659.*

Alberti Magni von den Heimlichkeiten der Frauen.

K 96 4⁰ = Stuttg. cod. poet. et phil. 4⁰ 68 saec. XVI. *1599.* Am Schluß des ersten Teiles: *Haec Dilingae scripsit in scola rhetorices F. Georgius Wegelin Weingartensis, anno 1578.*

In oratorem ad Brutum commentarius; quaedam conficiendarum orationum artificia a M. Jacobo Pontano rhetorices professore tradita.

K 97 4⁰ = Stuttg. H. B. V, 60 saec. XVII.

Johann Raphael Haans von Bleidegg Genealogie der Familie Haan von Überlingen, mit mehreren Zugaben, darunter ein Verzeichnis der Briefe seines Vaters, Georg Haan, und ein anderes über seine Güter; vermehrt durch Joh. Raphaels Neffen Franz, als Conventuale von Weingarten Joseph, Haan von Bleidegg.

K 98 4⁰ = Stuttg. H. B. XII, 1 saec. XIV. *1659.*

Terentii Afri comoediae sex, Andria, Eunuchus, Heautontimorumenos, Adelphi, Hecyra, Phormio, cum notis.

K 99 4⁰.

Medicinae liber.

K 100 4⁰.

Joan. Rasch de cultura vinearum; [impressum].

K 101 4⁰.

Medicinae liber.

K 102 8⁰ = Stuttg. H. B. XV, 65 saec. XV. *1659.*

Marsilii Ficini Florentini libellus de comparatione solis ad deum. Dem Herzog Eberhard von Württemberg gewidmet.

Mit Initialen.

Vergl. Stälin in den Württ. Jahrbüchern 1837, S. 325, und —, Wirtembergische Geschichte, 3, S. 761; ferner Löffler in der Besonderen Beilage des Staatsanzeigers für Württemberg, 1910, S. 120 ff.

K 103 8⁰.

Grammatica graeca.

K 104 8° = **Stuttg. H. B. V, 82** saec. XVII. *1659.*
Merkwürdigkeiten von Florenz.

K 105 8°.
Ciceronis de senectute ad Atticum.
In Bommers Katalog steht dabei von späterer Hand ein *NB: Duci gallico ad eius requisitionem Veldkirchium missus.*

K 106 8°.[1])
Terentii Afri comoediae.

K 107 8° = **Stuttg. H. B. XIII, 1** saec. XIV. Die Jahreszahl, ebenso wie auch die alte Signatur, ist bis auf ganz unbedeutende Reste beim Binden für die Königl. Handbibliothek weggeschnitten worden; nach Weckerlins Mitteilung in den literarischen Beilagen 3 und 4 der Gräterschen Idunna und Hermode hieß sie *1613.* Auf dem Vorsatzblatt: *Marx Schulthaisen zuo Costantz gehörig,* darunter von späterer Hand: *donavit bibliothecae Weingartensi.*
Minnesänger (sog. „Weingartner Liederhandschrift").
Zum erstenmal herausgegeben von Frz. Pfeiffer und F. Fellner in der Bibliothek des literarischen Vereins in Stuttgart, Bd 5, 1843.
Über ihre Miniaturen s. o. S. 35 f.

K 108 8°.
Grammaticae compendium.

K 109 8° = **Stuttg. H. B. XI, 48** saec. XV./XVII. *1671* auf der ersten Seite des vorderen später geschriebenen Stückes der Handschrift; *1628* auf der ersten Seite des Abschnitts des clavis paradisi.
Technische Rezepte; clavis paradisi; Gabri de perfectionis investigatione, et alia; Astrologisches in deutscher Sprache.

K 110 8°.
Miscellanea poetica.

K 111 8°.
Miscellanea poetica.

K 112 8°.
Liber incognitus.

K 113 12°.
Wappenbuch.

K 114 12° im Besitz der Kgl. Hofbibliothek in Stuttgart (3) saec. XVI. *1659.*
Niclas Ochsenbachs Diarium.
Ist in Bommers Katalog nicht aufgeführt.

K 115 12°.
N. Ochsenbach exercitium militare; imagines imperatorum.
Faßt wahrscheinlich die Anhang I, 35 aufgeführten Handschriften mit K 114 und G 51 zusammen.

---

1) Bei Bommer, jedenfalls versehentlich, 4° angegeben.

K 116 12° scheint in Bommers Katalog zu fehlen.

K 117 12°.

Thesaurus rerum spiritualium.

K 118 12°.

Liber spiritualis.

Anhang.

Handschriften, die weder die alte Signatur erhalten haben, noch in Bommers Katalog aufgenommen sind, aber den Eintrag *Monasterii Weingartensis* aufweisen.

I. In Stuttgart, Landesbibliothek.

1. **H. B. I, 222** saec. XV./XVI. *1628*. Am Schluß von pars aestivalis ... *finita est pars aestivalis de tempore 1499 ... per manus fratris Conradi hasenschenckel tunc temporis subdyaconi.* Am Schluß der ganzen Handschrift: ... *per manus fratris Sebastiani de Urach anno domini 1522.*
   Calendarium; pars aestivalis de tempore et de sanctis; hymni varii; psalterium; commemoratio Beatae Virginis.

2. **H. B. I, 224** saec. XV. Zahl unleserlich.
   Sermones super evangelia.

3. **H. B. II, 24** saec. XIII. *1628*. Diese Zahl ist nicht mehr voller Sicherheit festzustellen, da der betreffende Eintrag zum größeren Teil abgeschnitten wurde, als die Handschrift in der Hofbibliothek ihren Prachteinband mit Goldschnitt bekam, wobei natürlich auch die etwa vorhanden gewesene Signatur verloren ging.
   Calendarium; psalterium; cantica biblica; symbolum Athanasii; litaniae sanctorum et officium pro defunctis. (Psalterium des Landgrafen Hermann von Thüringen.)
   S. Haseloff, in Studien zur deutschen Kunstgeschichte, Heft 9, wo weitere Literatur angegeben ist.
   Daß Bommers Katalog diese Prachthandschrift nicht enthält, ist auffällig; jedenfalls läßt sie sich mit keiner der für Psalterium angegebenen Handschriften identificieren.

4. **H. B. V, 1—17** [voll. 20] saec. XVII.
   Gabr. Bucelini opera maximam partem historica.
   Für eine genaue Inhaltsangabe sei auf das Verzeichnis in Lindner, fünf Profeßbücher süddeutscher Benediktiner-Abteien, 2. Weingarten, 1909, pag. 48 sqq. verwiesen, das auf den Katalog der Stuttgarter Landesbibliothek zurückgeht.

5. **H. B. V, 32** saec. XVI. *Monasterii Weingartensis 1646*; später davorgesetzt: *in Hofen*, und darunter: *in Veldkirch.*
   Beatus Widmers Chronik, Teil I.

6. H. B. V, 35—38 saec. XVI. Im ersten Band: *1667.* Am Schluß des dritten Bandes: *Dis alles hab Ich Georg Han des Raths alhir zu Uberling ... im 1591. Jahr abgeschrieben.* Wappenbücher deutscher und schweizerischer Familien.

7. H. B. V, 39 saec. XVI. *1659.*
Deutsche und lateinische Schreiben, welche 1588—1595 von Ludwig Schwarzmaier, Rat des Cardinals Andreas von Oesterreich und des Markgrafen von Baden Eduardus Fortunatus, verfaßt oder an ihn geschickt worden waren.

8. H. B. V, 44 saec. XVII.
Georg Burgklehners von Tierburg, oberösterreichischen Kanzlers, Beschreibung und Geschichte von Tirol.

9. H. B. V, 47 saec. XV. et XVI. *1659.*
Literae emtionem, transactionum, donationum ... monasterii Schamhaupt in Bavaria. [1])

10. H. B. V, 51 saec. XVI. *1674.*
Schwäbische Chronik Thomas Lirers von Rankweil.

11. H. B. V, 54 saec. XVI. *1647. Monasterii Weingartensis in Hofen.*
Der Geschlechten auff der Katzen zue Costantz Wappen biss auf das 1546. Jahr. — Solliches zuesammen gezogen durch Cristoff Schulthayssen Burgern zu Costantz.
Ursprung und Wesen der Statt Costantz am Bodensee von Anno 196 biss 1545 ... [von] Georg Han.
Gelegenheit altter Uhrsprung und Wesen der Weytberuempten Statt Costantz am Bodensee — durch Johann Stumpff.
Allerley Geschichten so sich von 930 biss zue diser unserer Zeit (1589) zuegetragen haben.
Verschiedene Urkunden etc. Stadt und Bistum Constanz betreffend.

12. H. B. V, 58 saec. XVII.
Genealogien und Annalen von Überlingen (von Georg Han von Bleidegg, aus der Übereinstimmung der Schrift mit Anh. I, 6 zu schließen).

13. H. B. V, 63a saec. XVII. *1674.*
Henningi Frommelingi Brúnsvicensis diarium sive rerum gestarum relatio Joannis Dapiferi in Walpurg, complectens annos 1615—1624.

14. H. B. VI, 3 saec. XVI. *1659.*
Bernardi Waltheri, supremi regiminis inferioris, Austriae cancellarii, miscellanea ad jus pertinentia.

15. H. B. VI, 37 saec. XVI./XVII. *1628.*
Expositio rubricarum et titulorum totius juris civilis.

16. H. B. VI, 50 saec. XVII. *1673.*
Kopien verschiedener bei dem Kaiserl. Landgericht in Schwaben größtenteils unter dem Landrichter Hieronymus Klöckhler (ernannt 1588) eingegangener Schriften und ausgefertigter Mandate etc., nebst verschiedenen dasselbe Gericht betreffenden, geschichtlichen Nachrichten und Urkunden.

---

1) Vergl. Anmerkung zu K. 60.

17. H. B. VI, 55 saec. XVI. *1659.*

In diesem Libell seind Allerlay schreiben, darinn der ganntze Act des Stritts, den Whuer [Wöhr] — an der Prandtmül zu Alten Ötting in Bayern betreffennt, zefinden, So angefanngen im Jar [15]95 unnd gewehrt, biss zu Enndt dess 99. Jars, Und zur Zeit Herrn Casparn Pino, Brobsteyverwalltern sich verloffen, und sovil möglich gewesst, durch Ine zusammen Colligiert worden.

18. H. B. VI, 111 saec. XVI. *1673.*

Des Hochw. Fürsten und Herrn, Herrn Eberhardten, Abbte des Ehrwürdigen fürstlichen Stiffts und Gottshaus Kempten etliche notige Artikul guetter Ordnung, Gesätz und Pollicey.

19. H. B. VIII, 14ª saec. XV. *1630.*

Ciceronis de officiis.

20. H. B. XI, 17 saec. XVI. *1654.*

Rabbinisch deutsches Rezeptbuch.

21. H. B. XI, 18 saec. XVI. *1654.*

Rabbinisch-deutsches Rezeptbuch.

22. H. B. XI, 25 saec. XVI. *1695.*

Abschrift des Werkes von Hermann Witekind, Bewerte Feldmessung und Theilung, Heidelberg 1588.

23. H. B. XI, 26 saec. XVII.

Adalbert Ebingers Anweisung sämtliche große Buchstaben des latein. Alphabets in ein Quadrat geometrisch zu verzeichnen.

24. H. B. XI, 42 saeč. XVII. *1659.*

Tobiae Hessii et Studionis prophetica.

25. H. B. XI, 44 saec. XVI. *1654.*

Diss ist der Handel den der Bruder von Mulubrunn hat getun denn die begriffen sint mit disen gebresten und zu Im sint komen by rechter zyt und spricht das Im keinr darnach der handlung tod syę.

26. H. B. XII, 13 saec. XIV. *1630.* Schließt folgendermaßen: *Explicit Pastorale novellum Magistri Růdolfi de Liebegge Canonici Ecclesiae Constantiensis. — Iste liber totus continet versus 861 C, et t' [?]. Anno domini Mº CCC vicesimo quinto sexto decimo kalendas Octobris Indictione octava completus est iste liber in civitate Constantiensi.*

Rudolphi de Lubeck pastorale novellum.

27. H. B. XII, 23 a-g saec. XVIII.

Ludi scenici Weingartenses, 7 voll. [z. T. verfaßt von Joachim Braumüller (Lindner, 5 Profeßbücher, II., 1909, pag. 63)].

28. H. B. XIII, 2 saec. XV. *1631.* Unter *Monasterii Weingartensis* steht von andern Händen: *In Veldkirch,* und daneban: *In Hofen.*

Am Schlusse des, übrigens von einer andern Hand als Salomon und Morolf geschriebenen Wilhelm von Orlens: *factum per me johannem coler . . . sub anno domini MCCCC decimo nono.*

Rudolfs von Ems Wilhelm von Orlens; Salomon und Morolf.

Mit Bildern.

Beschrieben und benutzt in der Veröffentlichung „Die deutschen Dichtungen von Salomon und Markolf, herausg. von Friedr. Vogt, I., 1880. S. auch Studien zur Deutschen Kunstgeschichte, Heft 25, 1900, pag. 17.

Auf dem Rücken der Handschrift ist noch eine alte Signatur $\frac{x}{D}$ erhalten, die wohl auf eine frühere Katalogisierung zurückgeht; bei Bommer ist die Handschrift auffäiligerweise nicht aufgeführt. [1]

29. H. B. XIV, 4 saec. XIII. Jahreszahl hinter *Monasterii Weingarten* weggeschnitten. Am Schluß: *Liber s. Martini in winigartin.*

Leontii, Neapoleos Cypri episc., vita S. Johannis archiepisc. Alexandrini, latine reddita et Nicolao papae inscripta ab Anastasio bibliothecario.

30. H. B. XIV, 24 saec. XVIII. Auf dem Blatt vor dem Anfang: *F. Christophorus* [2]) *Monachus Weingartensis ex Man. Buzelini 1748 conscr.*
Martyrologium Benedictinum.

31. H. B. XIV, 25 saec. XVIII. Nach der Schrift von der gleichen Hand wie die vorangehende Handschrift.
Menologium Benedictinum, libr. IX.—XII. Sept.—Dec.

32. H. B. XIV, 28 a - c saec. XVII.—XVIII.
Analecta miscellanea sacra et profana collecta a F. P. Wolfgang Zürcher,[3]) asceta et capitulari Weingartense.
Tom. II. 1695. V. 1697. XII. 1709.

33. H. B. XV, 12 saec. XVIII.

Catalogus librorum monasterii Blaubürani anno 1676 renovatus.
Der Eintrag Monasterii Weingartensis fehlt und damit ein direkter Beweis, daß der Katalog aus der Weingartner Bibliothek in die Hofbibliothek kam; doch dürfte daran nach der Schlußwendung kaum zu zweifeln sein: *Praesignatae cantiones . . . quod anno 1676 Patri Matthaeo traditae fuerint testatur illius manus.*

F. Matthaeus Hund. [4])
Weingartensis.

34. H. B. XV, 102 saec. XVIII.

P. Alb. Bommers catalogus codicum manuscriptorum in bibliotheca Weingartensi exsistentium. 1781.

35. H. B. XV, 103 saec. XVI./XVII. *1659.*

Joh. Hermann Ochsenbachs [Vaters des Tübinger Schloßhauptmanns, Nicolaus Ochsenbachs] Memorabilia.
Daß Bommer diese Handschrift, sowie G 51 und K 114, und die im Anschluß noch zu nennenden Handschriften aus dem Besitz der Familie Ochsenbach

---

1) K 87 in ihr zu suchen, woran man denken könnte, geht wegen der Maße nicht an.
2) S. über ihn (mit dem Geschlechtsnamen Vogel) Lindner, 5 Profeßbücher, II, 1909, pag. 79 (Nr 781).
3) S. Lindner, 5 Profeßbücher, II, 1909, p. 58 (Nr 642).
4) S. Lindner, 5 Profeßbücher, II, 1909, p. 60 (Nr 655).

nicht aufführt, ist um so auffälliger, als er an die Ochsenbachsche Stiftung täglich erinnert wurde, insofern an den Kästen der Bibliothek die Waffen und andern Merkwürdigkeiten der Sammlung[1]) von Johann Ochsenbach angebracht waren (vergl. Süddeutsche Klöster vor 100 Jahren, Reisetagebuch des P. Nep. Hauntinger, herausgeg. von G. Meier, 1889, pag. 14). Die eine Handschrift daraus, die Bommers Katalog enthält, K 115, die sich mit keiner der erhaltenen ohne weiteres identifizieren läßt, ist wahrscheinlich als summarische Zusammenfassung aller dieser Handschriften anzusehen. Die oben angedeuteten weiteren Handschriften aus dem Besitz der Familie Ochsenbach, die allerdings gar keine Merkmale einer ehemaligen Zugehörigkeit zur Weingartner Bibliothek mehr tragen, aber ohne jeden Zweifel auf dem Weg über Weingarten in die Hofbibliothek gelangten, sind folgende:

H. B. XV, 2 saec. XVI.
Stammbuch des Schloßhauptmanns von Tübingen, Nicolaus Ochsenbach.

H. B. XV, 3 saec. XVII.
Stammbuch des Johann Friedrich Ochsenbach, des Sohnes von Nicolaus.

H. B. XV, 5 saec. XVI./XVII.
Zweites Stammbuch des Schloßhauptmanns von Tübingen, Nicolaus Ochsenbach.

36. cod. hist. fol. 527 saec. XVI. resp. XVIII.
Briefe aus dem Zeitalter der Reformation, Stücke vom Briefwechsel von Melanchthon, Brenz, Luther und Eck in Originalen und Abschriften. Die Sammlung trägt keinerlei Provenienzmerkmale mehr; doch deuten Briefe darunter, die an Weingartner Äbte geschrieben sind, auf Weingarten und dieser Hinweis wird bestätigt dadurch, daß die Abschriften Bommers Hand zeigen.

37. cod. poet et philol. 8° 24 saec. XVI. *1590.*
Annotationes in Ciceronis dialogum de partitione.

38. cod. poet. et philol. 8° 28 saec. XVI. *[15]81.*
Annotationes in Ciceronis orationem pro lege Manelia, pro Archia poëta, in Catilinam etc.

39. cod. poet. et philol. 8° 29 saec. XVI.
Wolfg. Starckhii commentarius in Ciceronis de oratore librum II., Dilingae 1595.

40. cod. poet. et philol. 8° 33 saec. XVII. *1627.* Auf der letzten Seite vor dem Titel: *Scriptus est liber iste a R. P. Andrea Gaist*[2]) *Priore nostro et postmodum Abbate in Hiersaw.*
Tractatus de orationibus jaculatoriis.

---

1) Ein Katalog des auf Nicolaus Ochsenbach zurückgehenden Grundstocks dieser Sammlung ist Stuttg. cod. misc. fol. 34 *Beschreibung meiner* [Nicolaus O.'s] *Rüstkammer wie ich dieselbig Anno 1625 bey Handen gehabt;* ohne Provenienzmerkmale, aber wahrscheinlich auch aus Weingarten. Vergl. auch Zeitschrift für Bücherfreunde, Jahrg. 4, S. 69 ff.

2) S. Lindner, 5 Profeßbücher, II., 1909, pag. 37 (Nr 576).

41.[1]**) cod. med. et phys. 4° 40** saec. XVII. *1690.*
Philosophiae peripateticae pars II.: physica tradita in ... universitate
Ingolstadiensi a Georgio Spiznagel, philosophiae professore.

42. cod. misc. fol. 15 saec. XVI. Auf dem oberen Rand der ersten Tafel:
*Nobilis D. Sigismundus Wendelstein (comes?) Rothenburgensis ad Neccarum
hunc codicem donavit bibliothecae Weingartensi 1626.*
8 Holztafeln mit eingelassenem schwarzem Wachs, worauf Reihen von
Namen, (nach Memminger: Wirtstafeln der Rottenburger Herrenstube).
·S. Beschreibung des Oberamts Rottenburg, herausg. von Memminger, 1828,
p. 149.

43· cod.·˙misc. 4° 18 saec. XV. *1674.*
Anweisung einen goldenen Gürtel u. Ä. herzustellen.

44. Kataloge der Weingartner Bibliothek. Eine Zusammenstellung s. Zentralblatt für Bibliothekswesen, 1910, pag. 141 sqq.

45. H. B. I, 114 saec. XVI. *1628.*
Anordnung der Reformation im Chorherrnstift „sancte marie unden an
dem berg pirrimontis genampt daß spytal" (Spital am Pyrha in Ober-
österreich) durch Friederich, Bischof zu Bamberg, den 26. Oct. 1431.

46. H. B. III, 53 saec. XV. *1628.*
Quaestiones in IV libros sententiarum.

47. H. B. I, 129 saec. XIII. *Monasterii Blaubürani.*
Sermones latini et germanici super evangelia et epistolas.
Benutzt von Schönbach in Bd 1 der Sammlung altdeutscher Predigten,
Graz 1886.
Diese Handschrift ist nur wegen des vorn eingeklebten Inhaltsverzeichnisses,
in Art und Schrift gleich denen in bekannten Weingartner Handschriften,
für das Kloster in Anspruch zu nehmen.

I, ₁· In Stuttgart, Hofbibliothek.

1. unkatalogisiert (4), saec. XIII. *1628.*
Liber qui vocatur litaniarum et benedictionum.
Grundlegende Quelle für den catalogus abbatum und andere Stücke im
Prodromus von Hess; manches davon auch abgedruckt im Wirtemberg.
Urkundenbuch, 3, 1871, im Nachtrag, S. 484 ff.
Mit Miniaturen.

II. Fulda, Ständische Landesbibliothek.

1. Fulda A a 35 saec. XII. *1628.*
Breviarium cum calendario.
Mit Miniaturen und Initialen.

---

1) cod. med. phys. 4° 34 und 38 enthalten Nachschriften von Dillinger
Vorträgen des Val. Eisenhardt durch zwei Weingartner Mönche während ihres
Studienaufenthalts in Dillingen, tragen aber keinerlei Weingartner Provenienz-
merkmale.

Da die Signatur nicht erhalten ist, läßt sich die Handschrift nach Bommers Katalog nicht identifizieren, wo für die Breviarien die Zahlen der Litera F fehlen. .

III. Giessen, Universitätsbibliothek.

1. DCLXXXVIII. B. S. Ms. 135. 4⁰ saec. IX. *Liber sancti martini in winigartin.*
  . Pauli Diaconi de gestis Langobardorum libri VI. ·   ´
Die Handschrift ist mit der Bibliothek des Freih. von Senckenberg nach Gießen gekommen.˙ Als Gerbert um 1760 in Weingarten war, sah er sie noch˙ dort, vgl. Gerbert, Iter allemanicum 1765, pag. 235. Gercken, der um 1780 Weingarten besuchte, berichtet, sie sei nach Wien gekommen (vgl. Gercken, Reisen durch Schwaben ... in den Jahren 1779—1782, Stendal 1783, pag. 142), was nach Zapf dahin zu ergänzen ist, daß die Handschrift dem Freiherrn von Senckenberg geschickt wurde (vgl. Zapf, Reisen in einige Klöster Schwabens ... im Jahr 1781, 1786, pag. 16). In Bommers Katalog ist sie dementsprechend nicht mehr enthalten. Beschrieben ist die Handschrift in Adrian, catalogus codicum mss. bibliothec. acad. Gissensis, 1840, p. 209 sq. — und Otto, Commentarii critici in codices bibl. ac. Gissensis, 1842, p. 25 sqq. S. auch Monumenta Germaniae historica, scriptores rerum Langobardicarum et Italicarum saec. VI.—IX., Hannoverae 1888, p. 37.

2. LXXIX. B. S. Ms. 233 fol. saec. IX. *1630.*
  Justini historiae Philippicae.
- Beschrieben in Adrian, Catalogus cod. mss. biblioth. ac. Gissensis, 1840, p. 25 sq. und Otto, commentarii critici in cod. biblioth. ac.˙ Gissensis, 1842,
- p. 3 sqq., wo zugleich eine Vergleichung mit der Marburger Justinhandschrift durchgeführt ist.
Über die textkritische Bedeutung der Handschr. s. Rühl, im 6. Suppl.-Band von Fleckeisens Jahrbüchern für classische Philologie. Die Handschrift kam wie die vorige über die Bibliothek des Freih. v. Senckenberg nach Gießen; conf. auch Zapf, Reisen in einige Klöster Schwabens ... im Jahr
. 1781, Erlangen 1786, p. 16.

IV. Karlsruhe, Hof- und Landesbibliothek, Handschriften aus St. Blasien,
E, VI, 48 (nach: Die Handschriften der Großherzogl. badischen Hof- und Landesbibliothek in Karlsruhe, Beilage 3, Heidelberg 1901, p. 37) saec. XVI. *Mon(aste)rii Weingartensis 1646.* Dabei: *In Veldkirch; In Hofen.*
  Kronickha und Uhrsprung der Freyherren zu Beuttelspach und Graven zue Württemberg.

V. München, Bayerisches Nationalmuseum, Katalog, Bd. 5, Nr 319—326
  (= 262/266. 492. 515. 520. Part. r. S. II).
  8 Pergamentblätter in 8⁰ und Abschnitte solcher von einem Breviarium aus der zweiten Hälfte des 13. Jahrhunderts mit Miniaturen.
Vergl. auch Studien zur deutschen Kunstgeschichte, Heft 9, pag. 24.

2. Die Handschriften des Klosterschatzes.

Die Schatzhandschriften, welche mit den übrigen Klosterschätzen aufbewahrt wurden und also nicht in die Bibliothek eingereiht waren, trugen keine Signaturen und sind in Bommers Katalog nicht aufgenommen. Ihre Feststellung ist also von dieser Seite her nicht möglich. Wir haben aber ein Verzeichnis des alten Kirchenschatzes aus dem Jahr 1753 im Abteibuche (Archivhandschrift 3), abgedruckt bei Lindner, Fünf Profeßbücher, 2., 1909, S. 116 ff. Dort sind folgende sechs liturgischen Bücher des Kirchenschatzes aufgeführt:

a) ein Missale, dessen Deckel mit Edelsteinen besetzt.

b) ein Evangelienbuch mit vergoldetem Deckel und Edelsteinen geziert, darauf das Bildnis des Erlösers.

c) ein Evangelienbuch mit goldenem Deckel, worauf ein elfenbeinernes Kruzifix mit Edelsteinen besetzt.

d) ein Evangelienbuch, darauf ein Kruzifix mit Gold und Edelsteinen besetzt.

e) ein Evangelienbuch mit fünf silbernen „Bugglin", in der Mitte und an den Enden beschlagen, darauf das Bildnis S. Petri, S. Andreae, S. Bartholomaei, S. Joannis. In der Mitte eine Jungfrau, einen Becher haltend.

f) ein Graduale und ein Missale zusammengebunden mit silbernem Deckel.

Diese Beschreibung ist nicht sonderlich genau, besonders nicht, wenn man bedenkt, daß manche hier angegebenen Merkmale, wie silberne „Bugglin", Gold- und Edelsteinbesetzung, auf den Wanderfahrten der Handschriften besonders der Gefahr des Verschwindens ausgesetzt waren und auch zum Teil tatsächlich verschwunden sind. Doch wissen wir von · einigen anderweitig festgestellten Handschriften aus gelegentlicher Angabe bei Hess[1]), daß sie im Kirchenschatz aufbewahrt waren; es waren dies die von Judith geschenkten (s. o. S. 5) und das Berthold-Missale (s. o. S. 8). Darnach wären zunächst als Schatzhandschriften aufzuführen:

1. **Bibliothek Lord Leicesters No 15.** Evangelienbuch aus dem XI. Jahrhundert, nach Schrift und Miniaturen angelsächsischen Ursprungs.

Einband deutsche Arbeit des 11.—12. Jahrhunderts, wahrscheinlich in Weingarten selbst hergestellt (s. o. S. 44).

Die Handschrift erhielt im Kloster später Einträge betreffend die Einweihung der Kirche und der Sct. Leonhardskapelle (s. Hess a. a. O. S. 59 und 49) und die Gründung des Klosters selber (s. Hess S. 71). Sie könnte mit d) des Verzeichnisses gemeint sein.

---

1) Hess a. a. O. S. 65, Anm. i.

2. Bibliothek Lord Leicesters No 16. Evangelienbuch, in Schrift, Miniaturen und Einband ähnlich dem vorhergehenden. = b) des Verzeichnisses.

3.[1] = **Fulda A a 21** saec. XI.
   Biblia, IV Evangelia.
Mit Miniaturen flandrischen Ursprungs.
Die Urkunden von Welfenschenkungen an Weingarten sind abgedruckt im Wirtemberg. Urkundenbuch 1, S. 300 ff.
Es ist wohl nach den Spuren auf dem Deckel = e) des Verzeichnisses, wobei allerdings anzunehmen wäre, daß der künstlerische Schmuck des Deckels abgenommen worden wäre, was wohl in Fulda geschehen sein müßte. Nach den Weingartner Nachrichten war diese Judithhandschrift wie die beiden andern im Klosterschatz.

4.[1] Bibliothek Lord Leicesters No 37. Missale vom Anfang des XIII. Jahrhunderts mit Miniaturen, die den Höhepunkt Weingartner Buchmalerei darstellen.
   „Bertold-Missale" nach dem Einband; über letzteren s. S. 43 f. Wohl = a) des Verzeichnisses.

5.[1] Bibliothek Lord Leicesters No 36. Missale des Hainricus Sacrista vom Ende des XII. Jahrhunderts mit Miniaturen und Prachteinband (s. o. S. 44), wahrscheinlich = f) des Verzeichnisses.

Die Handschriften 1., 2., 4. und 5. sind von Dorez nach Miniaturen und Einbänden genau beschrieben und wiedergegeben. Der äußeren Ausstattung nach darf jedenfalls auch als Schatzhandschrift angesehen werden:

6.[1] Bibliothek der kunsthistorischen Sammlungen des Allerhöchsten Kaiserhauses, Wien, No 4001. Missale (eines Udalricus?) vom Anfang des XIII. Jahrhunderts mit Miniaturen und Resten eines alten Prachteinbandes, worauf Abt Berthold abgebildet war (s. o. S. 44).

S. Jahrbuch der kunsthistor. Sammlungen des Allerhöchsten Kaiserhauses, Bd 5, 1887, T. 2, II—IV.

Das Fehlen dieser Handschrift im Verzeichnis wäre dadurch erklärt, daß sie zur Zeit seiner Abfassung sich nicht mehr im Besitz des Klosters befand. Aus dem gleichen Grunde könnte man sie aber auch nicht, wie Leon Dorez a. a. O. S. 7 andeutet, mit dem zweiten Missale identifizieren, das in der Liste der Bertholdbücher genannt ist. Und tatsächlich ist auch darin nicht der von Hess veröffentlichte Abtskatalog eingetragen, der in diesem zweiten Missale enthalten war.

Von den sechs Schatzhandschriften des Verzeichnisses bliebe also der Verbleib von einer ungeklärt und zwar von einem Evangelienbuch. In dem Evangelienbuch A 34 eine solche Schatzhandschrift zu sehen,

---

1) Die Schatzhandschriften 4, 5 und 6 sind in Abschnitt A II und III aus Versehen zum Teil als 3, 4 und 5 bezeichnet.

wie Haseloff geneigt ist, geht nicht an. Zwar mag die Handschrift
sehr wohl einmal einen Prachteinband besessen haben, — der jetzige
Zustand könnte darauf hinweisen — und mit ihren Miniaturen steht
sie nach Haseloffs Hinweis dem Bertholdmissale sehr nahe, aber die
erhaltene Signatur und ihre Aufnahme in Bommers Katalog beweist,
daß sie zu Bommers Zeit und damit auch zur Zeit der Abfassung
des Verzeichnisses, in der Bibliothek gestanden hat.

3. Die Handschriften des Klosterarchivs.

Mit dem Inhalt des Weingartner Archivs haben wir uns hier im
einzelnen nicht weiter zu beschäftigen. Doch enthielt das Archiv
nicht ausschließlich Dokumente von nur archivalischem Interesse,
sondern zugleich einige Handschriften allgemeineren geschichtlichen
Inhalts, die auch in der Tat, seit sie Weingarten verlassen haben,
gelegentlich zwischen Bibliotheken und Archiven hin- und herwanderten.

Das Weingartner Archiv hatte nach der Auflösung der Abtei ein
günstigeres Geschick als die Bibliothek; es ist bis auf ganz unbedeutende Ausnahmen im Heimatlande geblieben. Zunächst blieb es
bis 1812 im Kloster; in diesem Jahr wurden wichtigere Teile nach
Stuttgart geschafft, wobei einige auf die Geschichte des Klosters
bezügliche Handschriften, darunter der codex traditionum (s. u.), der
Königl. Handbibliothek einverleibt wurden. Im Jahre 1826 wurde
weiterhin der größere Teil der Pergamenturkunden in das Stuttgarter
Staatsarchiv verbracht, anderes folgte nach, so daß 1836 alles über-
geführt war, z. T. ins Staatsarchiv, z. T. ins Filialarchiv Ludwigsburg.
1841 wurde dann auch der codex traditionum an das Staatsarchiv
abgegeben. Endlich wurden 1882 die während der Nassau-Oranischen
Herrschaft in betreff der Weingartner Besitzung erwachsenen Akten
vom König der Niederlande ausgefolgt, die dann dem Staatsfilialarchiv in Ludwigsburg überwiesen wurden. So ist also heute das
Weingartner Archiv in Stuttgart und Ludwigsburg fast ganz unversehrt
aufbewahrt.

Aus den Beständen des Archivs seien die oben angedeuteten, jetzt
sämtlich im Staatsarchiv liegenden Handschriften hier angefügt, schon
wegen ihrer Bedeutung als Quellen für die Weingartner Geschichte:

1. Chronicon Weingartense; vita Conradi; chronicon de Romanis
   imperatoribus. Abschrift von G 12 durch P. Leodegar Graff,[1]) aus dem
   XVIII. Jahrhundert.

---

1) S. Lindner a. a. O, S. 77 (No 771).

2. Historia Guelphica cum iconibus. Zwei Nachbildungen von G 30, die erste von ca. 1550 durch Hans Raytter mit schlechten Bildern, die zweite von ca. 1600 mit besser gelungenen Bildern.

3. liber abbatum Weingartensis monasterii. fol.
   tom. I. a Bernigero usque ad Casparum Schiegg exclusive, conscriptus sub abbate Georgio Wegelin anno 1600; tom. II. a Casparo Schiegg usque ad Georgium Wegelin exclusive; tom. III., 1583—1683; IV., 1684—1745; V., 1746—1790; tt. III.—V. saec. XVIII.

4. codex maior traditionum Weingartensium. fol. saec. XIII.
   Mit Federzeichnungen.
   Angelegt unter Abt Hermann von Biechtenweiler.
   Gedruckt: Wirtembergisches Urkundenbuch, IV, Anhang.

5. codex minor traditionum Weingartensium. 4°. saec. XIII.
   Zum größten Teil gleichfalls gedruckt: Wirtemb. Urkundenbuch, IV, Anhang.

6. Vita abbatis Conradi de Ibach.
   Fragment einer Handschrift aus der zweiten Hälfte des XIV. Jahrhunderts.

7. Ephemerides a) 1608—24, b) 1624—37, c) von anderem Verfasser 1627 —1632. 4°.

8. Annalen des Klosters Weingarten von seiner Stiftung bis zur ersten Zeit des Abts Franziscus Dietrich. 4°. saec. XVII.

9. Miscellanea ex variis manuscriptis collecta et descripta per Paulum Kenzel. 1765. 4°.

10. Miscellanea zur Geschichte des Klosters Weingarten, zusammengestellt von Sicherer [1]) im XVIII. Jahrhundert, mit Nachträgen bis 1804.

---

1) S. Lindner a. a. O. S. 72 (No 736).

II. Register.

Vorbemerkung.

Das Register ist kein Sachregister; Stichwörter wie bullae, sermones, welche eine Anordnung der Schriften nach ihrem Inhalt andeuten könnten, sind nur aufgenommen, weil für die betreffenden Stücke kein Verfasser genannt ist.

Die bei der Verzeichnung der Handschriften aufgeführten einzelnen Titel sind hier alle nochmals zusammengestellt, abgesehen von Fällen, wo eine Zusammenfassung sich nahelegte. So sind z. B. nicht alle Briefe der Päpste aus H 45, oder alle vitae sanctorum aus A 9 im Register einzeln aufgenommen, sondern es ist nur allgemein unter epistolae pontificum resp. vitae sanctorum auf diese Handschriften verwiesen, wo ja die einzelnen Stücke dann leicht zu finden sind; in andern Handschriften enthaltene einzelne vitae sind auch einzeln aufgeführt.

Das Register schließt sich an die Verzeichnung der Handschriften an, bringt also die Stücke so, wie sie dort, mit Recht oder Unrecht, den Verfassern zugeschrieben sind, und behält die dortige Form der Verfassernamen im allgemeinen bei; nur gelegentlich wurden Vereinfachungen vorgenommen.

---

1) S. auch Buzarius.

---

1) S. auch Barzizius.
2) Glocke in Weingarten.

1) S. a. J 27.

---

1) S. a. Hildegardis.

III. Verzeichnis der Schreiber und Besitzer oder Stifter[1] von Handschriften.

(Die Namen der Stifter sind durch * gekennzeichnet.)

Artzstein, Nicolaus K 28
Azger, Burckhard G 12 Anm.

Banholtz H 51
Behem von Hilpurg H 59
Better, Heinrich B 61
Bettinger, Christof E 48
*Blarer, Gerv. K 18
Blumenrainer, Joh. K 14
*Bodmann, Joh. Wolfg. v. A 24
*Boyardis, Gerhardus de K 6
*Brenz, Joh. A 47
Brun, Rud. K 26
Bucelinus, Gabr. Anh. I, 4
Burg, Cour. H 56
Buschglin, Jodocus E 51

Carray, Carl K 88
*Cattaneis, Joh. de G 47
Clemens de Melnyk K 36
Coler, Joh. Anh. I, 28
Conradus E 19
Conradus de Constantia K 6
Cunradus de Hall K 47
*Creutzlinger, Joh. E 16, K 12
Cristofferus H 51
Crottus, Gratiadeus K 53

Darer, Petrus H 51
David de Urach J 39
*Diethelm von Klingen J 44
*Dyettenhaimer, Jodocus F 20

Eberhard I., Bischof von Konstanz
    B 20, 32, 83, K 57
Ebersperg, Conrad J 59
Egilolfus B 26
Engilhartus B 57
*Entringerns, Nicol. F 79, 92

Faber, Arnold H 25
Feczer H 51
Ficinus, Marsilius K 102
Frey, Andreas E 3
Frölich, Joh. D 28
Frowenlob A 18, H 51
Fürbaß, Joh. E 24

Gaist, Andreas Anh. I, 40
*Ganagetus, Johannes H 25
Gerhart, Jo. de Thurego H 20
Gese, Hermann K 79
Graff, Leodegar Archivhandschr. 1
*Grastperger, Gebh. G 40
*Grimm, Jacob B 62, E 5, 6, 7, 17, 18,
    19, H 6, 33, 52, 54, 56—58

---

1) Eigentlich wären hier auch die Äbte, welche die Anfertigung von Handschriften veranlaßten, vor allem Berthold und Conrad von Ibach, nochmals zu verzeichnen; vergl. oben Abschnitt A, I.

Guld magister E 11, J 20, K 35, 36, 38, 41, 47, 56

Haertz, Fried. D 28
Hainricus E 42, F 16, H 69
Hainricus sacrista Schatzhandschr. 5
Hainricns s. a. Heinricus
Han, Georg C c 4, Anh. I, 6, 11, 12
Han, Joseph G 30
Hasenschenckel, Conr. Anh. I, 1
Heinricus Constantiensis E 6
Heinricus s. a. Hainricus
Helmodus de Salinis E 1
Heremannus B 76
Herimannus B 39
Hermannus B 100
Hermannus de Tengen H 51
*Hepp, Christ. F 45
Hepp, Conr. E 7
*Hugo de Urthendal H 33
Huster, David F 57

Jacobus de Wiblingen J 33
Jodocus de Phullendorf D 3
Johannes J 19
Johannes J 44
Johannes de Babenhusen H 66
Johannes de Berngartruiti E 22
*Johannes de Merspurg H 24, J 10
Johannes Truchsess zu Waldburg (*?) H 49

Keller, Johannes H 51
Kenzel, Paulus Archivhandschr. 9
*Klöckhler, G. Christ. F 56
Kraeller, Joh. F 1
Krafft, Bartholomäus G 5
Krislin, Michael F 56*
Kündig, Ulrich J 39

Lanng, Conrad F 99

*Meischner A 15 et 16
Michael Christian K 7

Mülich, Georg G 17
Muller, Martin K 49*
Munch, Joh. H 51
Muschgay, Mich. K 86

*Ochsenbach, Herm. J 61, K 88
*Ochsenbach, Joh. s. Abschnitt A 1 S. 15 f.
Ochsenbach, Nic. G 51, 115, Anh. I, 35

Pfeiffer, Jo. Jacob F 65*
Pfister, Conr. F 76
*Poling, Ludwig H 8

Rapolt, Joh. B 115
Richlin, Andreas E 51
Roesch, Simon F 6
Rufinus clericus H 15

Salomo III. Bischof von Konstanz D 6
Sartor, Ulrich K 21
Schlaich, Rudolf H 51
*Schley, Martin F 81 Anm.
Schultetus, Conradus K 20
*Schulthaiss, Marx K 107
Schwitzer, Joh. K 83
Sebastianus frater[1]) J 27
Sebastianus de Urach[1]) Anh. I, 1
Sicherer Archivhandschr. 10
Singer, Jac. K 18
*Spitzli, Rud. H 56
*Stehelin, Joach. F 86
Stelio B 76, F 42
Stolli, Heinr. H 52, 56
Strebel, Ulrich F 14
Swende, Valent. K 85
Syfridus Penesticus B 62

Theobaldus (*?) K 70
Theodoricus de Berka K 46
Tünger, Aug. K 94

Udalricus Schatzhandschr. 6
Ungmut, Cour. E 4

---

1) Möglicherweise identisch.

IV. Verzeichnis der Handschriften nach heutiger Bibliothekheimat.

A. Stuttgart.

a) Landesbibliothek.

1. Frühere Handschriften der Hofbibliothek. (H. B.)

codices ascetici.

I, 1	E 45*	I, 49	F 25	I, 83	D 42
I, 3	E 2	I, 50	F 21	I, 84	D 36
I, 4	E 3	I, 51	F 20	I, 85	F 64
I, 5	J 20	I, 52	F 13	I, 86	F 55
I, 6	J 26	I, 53	F 19	I, 87	J 56
I, 7	D 29	I, 54	J 29	I, 88	K 93
I, 8	J 7	I, 55	F 43	I, 89	F 86
I, 11	J 32	I, 56	E 51	I, 90	D 86
I, 12	J 30	I, 57	J 48	I, 91	J 35
I, 15	J 44	I, 58	F 49	I, 92	F 83
I, 17	J 40	I, 59	F 33	I, 93	F 97
I, 18	G 46	I, 60	E 47	I, 94	F 95
I, 19	J 54	I, 61	D 47	I, 95	F 91 Anm.
I, 20	G 48	I, 62	E 48	I, 96	F 102
I, 21	J 5	I, 63	F 57	I, 97	F 91
I, 22	D 23	I, 65	F 65	I, 98	F 82
I, 25	D 4	I, 66	F 65*	I, 99	F 89
I, 26	G 32	I, 67	J 61	I, 100	F 99
I, 27	J 52	I, 68	D 74	I, 101	J 68
I, 29	E 44	I, 70	D 70	I, 103	E 55
I, 30	E 28	I, 71	D 84	I, 104	F 87
I, 31	E 23	I, 72	D 79	I, 105	J 70
I, 32	E 46	I, 73	D 82	I, 106	F 50
I, 35	J 62	I, 74	D 83	I, 107	D 26
I, 38	J 28	I, 75	F 73	I, 108	E 53
I, 42	J 27	I, 76	F 75	I, 109	F 56
I, 43	J 13	I, 77	F 61	I, 110	F 76
I, 44	J 39	I, 79	F 84	I, 111	F 70
I, 46	J 33	I, 80	J 45	I, 112	F 71
I, 47	F 28	I, 81	F 52	I, 113	F 51
I, 48	E 24	I, 82	G 44	I, 114	Anh. I, 45

I, 120	C c 30	I, 177	F 96	I, 216	J 43
I, 129	Anh. I, 46	I. 178	F 88	I, 217	E 58 Anm.
I, 134	J 65 Anm.	I, 180	F 56*	I, 218	F 81 Anm.
I, 135	F 79	I, 184	F 39*	I, 222	Anh. I, 1
I, 149	F 90	I, 185	F 24	I, 224	Anh. I, 2
I, 153	D 37	I, 186	D 76	I, 226	D 21
I, 170	E 26	I, 187	D 13	I, 227	D 34
I, 171	F 103	I, 192	C c 23	I, 235	F 48 Anm.
I, 172	F 92	I, 213	D 20	I, 236	F 34*
I, 173	F 93				

codices biblici.

II, 5	A 26	II, 24	Anh. I, 3	II, 45	A 25
II, 6	A 23	II, 25	F 58	II, 46	A 34
II, 7	A 15	II, 28	A 43	II, 47	B 79
II, 8	A 16	II, 30	A 37	II, 48	B 84
II, 12	A 27	II, 34	B 105	II, 49	B 106
II, 14	B 70	II, 35	A 36	II, 50	B 85
II, 15	B 35	II, 36	A 17	II, 51	B 109
II, 16	A 22	II, 37	B 58	II, 52	A 41
II, 17	B 56	II, 38	A 40	II, 53	B 108
II, 18	B 51	II, 39	B 77	II, 54	A 30
II, 19	B 102	II, 40	A 21	II, 55	B 101
II, 20	A 39	[II, 42	A 29?]	II, 56	B 107
II, 21	B 21	II, 43	A 33	II, 57	B 87
II, 22	A 44				

codices dogmatici et polemici.

III, 1	E 12	[III, 17	E 1]	III, 33	E 23
III, 3	E 45	III, 18	E 19	III, 34	D 75
III, 4	E 25	III, 19	E 40	III, 35	E 58
III, 7	E 16	III, 20	E 35	III, 36	E 29
III, 8	E 39	[III, 21	E 5 Anm.]	III, 37	D 17
III, 10	E 6	III, 22	E 27	III, 38	D 41
III, 11	E 41	III, 23	E 42	III, 41	D 64
III, 13	E 17	III, 27	E 57	III, 43	D 81
III, 14	E 18	III, 29	E 10	III, 45	H 43
III, 15	E 8*	III, 31	E 5	III, 48	E 50
III, 16	E 7	III, 32	E 56	III, 53	Anh. I, 46

codices hermenentici.

IV, 1	B 25	IV, 14	B 63	IV, 25	B 54
IV, 4*	J 42	IV, 16	B 9	IV, 26	B 110
IV, 6	B 74	IV, 17	B 8	IV, 27	B 115
IV, 7	B 100	IV, 22	B 10	IV, 29	B 18
IV, 8	B 71	IV, 23	B 75	IV, 33	B 66
IV, 11	B 98	IV, 24	B 64	IV, 35	J 38
IV, 12	B 113				

codices historici.

V, 1—17	Anh. I, 4	V, 29	G 49	V, 54	Anh. I, 11
V, 18	G 34	V, 32	Anh. I, 5	V, 55	C c 4
V, 19	D 27	V, 33	G 26	V, 56	G 16
V, 20	G 28*	V, 34	G 43	V, 58	Anh. I, 12
V, 21	G 40	V, 35—38	Anh. I, 6	V, 60	K 97
V, 22	G 20	V, 39	Anh. I, 7	V, 63 a	Anh. I, 13
V, 23	K 92	V, 44	Anh. I, 8	V, 67	K 91
V, 24	G 27	V, 47	Anh. I, 9	V, 82	K 104
V, 24 a	K 94	V, 51	Anh. I, 10	V, 86	G 2
V, 27	G 14	V, 52	G 17	V, 90	G 9
V, 28	G 1 Anm.				

codices juridici et politici.

VI, 2	H 50	VI, 64	H 62	VI, 89	H 78
VI, 3	Anh. I, 14	VI, 66	H 23	VI, 90	E 52
VI, 4	H 63	VI, 67	H 22	VI, 91	H 44
VI, 5	H 65	VI, 68	H 21	VI, 92	E 32
VI, 6	H 9	VI, 69	H 52	VI, 93 a	H 35
VI, 32	K 46	VI, 70	H 67	VI, 93 b	H 36
VI, 33	H 16	VI, 71	H 55	VI, 94	H 69
VI, 36	H 40	VI, 72	H 61	VI, 95	H 68
VI, 37	Anh. I, 15	VI, 73	H 56	VI, 99	K 35
VI, 38	H 37	VI, 75	H 8	VI, 103	G 39
VI, 39	H 38	VI, 77 et 78	H 6	VI, 105	H 45
VI, 43	K 19	VI, 80	H 32	VI, 106	D 72
VI, 45	H 20	VI, 81	H 17 oder 18	VI, 107	C 6
VI, 48	H 41	VI, 82 et 83	H 13	VI, 108	C 1
VI, 50	Anh. I, 16	VI, 84	H 54	VI, 109	C 5
VI, 55	Anh. I, 17	VI, 85	H 53	VI, 111	Anh. I, 18
VI, 60	H 77	VI, 86	H 57	VI, 112	C 4
VI, 61	H 58	VI, 87	H 60	VI, 113	C 3
VI, 62	H 72	VI, 88	E 54	VI, 114	C 2
VI, 63	H 71				

Patres.

VII, 1	H 42	VII, 13	A 38	VII, 23	D 80
VII, 3	D 60	VII, 14	D 25	VII, 24	B 92
VII, 4	D 50	VII, 14ᵃ	B 73	VII, 24ᵃ	B 99
VII, 5	D 59	VII, 15	D 51	VII, 25	B 95
VII, 6	B 39	VII, 16	D 45	VII, 26	B 81
VII, 7	B 30	VII, 17	B 78	VII, 27	B 97
VII, 8	B 32	VII, 18	B 114	VII, 28	B 82
VII, 9	B 67	VII, 19	D 7	VII, 29	B 83
VII, 10	B 91	VII, 20	D 62	VII, 30	B 104
VII, 11	B 68	VII, 21	D 52	VII, 31	D 54
VII, 12	D 12	VII, 22	D 78	VII, 32	D 68

VII, 33	D 2	VII, 43	F 42	VII, 57	D 63
VII, 34	B 111	VII, 44	B 44	VII, 58	D 49
VII, 35	B 112	VII, 45	B 80	VII, 59	D 46
VII, 36	D 28	VII, 48	D 66	VII, 61	B 49
VII, 37	E 14	VII, 49a	B 103	VII, 62	D 35
VII, 38	B 53	VII, 50b	E 30	VII, 64	G 33
VII, 39	B 57	VII, 51	D 30	VII, 65	D 19
VII, 40	B 62	VII, 53	D 3	VII, 66	E 13
VII, 41	B 96	VII, 54	D 61	VII, 67	E 31
VII, 42	J 57	VII, 56	D 71		

Codices philologici.

VIII, 2	K 80	VIII, 9	K 14	VIII, 15	K 71
VIII, 3	H 66	VIII, 10	K 18	VIII, 17b	K 54
VIII, 4	B 48	VIII, 13	K 26	VIII, 18	H 74
VIII, 6	K 79	VIII, 14	K 9	VIII, 19	K 69
VIII, 7	K 20	VIII, 14a	Anh. I, 19	VIII, 20	J 46
VIII, 8	K 27				

Codices philosophici.

X, 1	G 47	X, 9	K 12	X, 17	K 44
X, 2	K 36	X, 10	K 83	X, 17b	K 54
X, 3	K 47	X, 12	K 7	X, 19	K 28
X, 4	K 49	X, 13	J 9	X, 20	K 30
X, 5	K 24	X, 14	K 75	X, 21	K 6
X, 6	K 53	X, 15	K 4	X, 24	K 64
X, 7	E 20	X, 16	K 21	X, 25	J 6
X, 8	K 70				

Codices phys., medie., math.

XI, 1	K 5	XI, 12	K 85	XI, 27	K 63
XI, 2	K 59	XI, 13	K 81	XI, 28	K 17
XI, 4	K 43	XI, 15	K 62	XI, 30	D 67
XI, 5	K 50	XI, 16	K 82	XI, 31	K 33
XI, 6	K 95	XI, 17	Anh. I, 20	XI, 33	K 73
XI, 8	K 52	XI, 18	Anh. I, 21	XI, 41	K 86
XI, 9	K 42	XI, 24	K *62	XI, 42	Anh. I, 24
XI, 10	K 90	XI, 25	Anh. I, 22	XI, 44	Anh. I, 25
XI, 11	K 61	XI, 26	Anh. I, 23	XI, 48	K 109

Poetae.

XII, 1	K 98	XII, 6	K 72	XII, 12	K 89
XII, 2	K 25	XII, 7	F 31	XII, 13	Anh. I, 26
XII, 3	K 13	XII, 8	K 56	XII, 14	J 53
XII, 4	K 58	XII, 10	K 66	XII, 15	K 51
XII, 5	K 39	XII, 11	K 16	XII, 23	Anh. I, 27

Poetae germanici.

XIII, 1 . K 107 | XIII, 2 Anh. I, 28 |

Vitae Sanctorum.

XIV, 1	G 42	XIV, 8	G 8	XIV, 18	G 50
XIV, 2	G 35	XIV, 12	J 19	XIV, 19	G 22
XIV, 3	G 36	XIV, 13	G 6	XIV, 21	G 10
XIV, 4	Anh. I, 29	XIV, 14	G 23	XIV, 23	G 45
XIV, 5	G 42 Anm.	XIV, 15	G 31·	XIV, 24	Anh. I, 30
XIV, 6	G 28	XIV, 16	G 32	XIV, 25	Anh. I, 31
XIV, 7	G 37	XIV, 17	G 41	XIV, 28	Anh. I, 32

Codices Wirtembergici.

XV, 2	Anh. I, 35	XV, 65	K 102	XV, 96	G 12 Anm.
XV, 3	Anh. I, 35	XV, 66	F 45	XV, 97	K 88
XV, 5	Anh. I, 35	XV, 69	G 13	XV, 99	G 51
XV, 12	Anh. I, 33	XV, 70	J 23	XV, 102	Anh. I, 34
XV, 31	G 7	XV, 72	G 12 Anm.	XV, 103	Anh. I, 35

Codices musici.

XVII, 19 F 3 |

2. Handschriften des alten Bestandes der Landesbibliothek.

1. codices historici fol. 527	Anh. I, 36
2. codices poet. et phil. 4° 68	K 96
„ „ „ „ 8° 24	Anh. I, 37
„ „ „ „ 8° 28	Anh. I, 38
„ „ „ „ 8° 29	Anh. I, 39
„ „ „ „ 8° 33	Anh. I, 40
3. codices theol. et philos. fol. 254	J 2
„ „ „ „ „ 256	E 38
„ „ „ „ „ 257	D 38
„ „ „ „ „ 258	E 21
4. codices phys. et med. 4° 40	Anh. I, 41
5. codices misc. fol. 15	Anh. I, 42
„ „ 4° 13	Anh. I, 43
„ „ [Schluß von folio]	D e 25

b) Hofbibliothek.

(1.)	D 40
(2.)	F 17 [b]
(3.)	K 114
(4.)	Anh. I$_1$, 1.

B. Fulda, Ständische Landesbibliothek.

Aa1 = D58	Aa33ᵇ = A18	Aa74 = B27	C9 = K74
Aa2 = B55	Aa34 = A19	Aa75 = B47	C10 = K37
Aa3 = B52	Aa35 = Anh.	Aa76 = D53	C11 = K45
Aa4 = A35	II,1	Aa77 = J22	C14ᵇ = K55
Aa5 = B36	Aa36 = E43	Aa80 = A50	
Aa6 = F26	Aa37 = B33	Aa82 = A48	D1 = H76
Aa7 = F27	Aa38 = B93	Aa88 = A24	D3ª = H34
Aa8 = A31	Aa39 = D1	Aa94 = J15	D4 = H46
Aa9 = D24	Aa40 = F30	Aa94ª = D18	D5 = H24
Aa10 = A12	Aa41 = B65	Aa96 = G5	D6 = H28
Aa11 = A13	Aa42 = A32	Aa101ª = F6	D7 = H73
Aa12 = D6	Aa43 = F18	Aa102 = F1	D8 = H70
Aa13 = B94	Aa45 = D55	Aa104 = F8	D9 = H33
Aa14 = A10	Aa46 = A42	Aa109 = H49	D10 = H30
Aa15 = B76	Aa47 = D11	Aa114 = J18	D11 = G12
Aa16 = A7	Aa48 = J1	Aa115 = B15	D12 = H47
Aa17 = B86	Aa49 = F9	Aa116 = F46	D13 = H29
Aa18 = B11	Aa50 = E11	Aa120 = J37	D14 = H75
Aa19 = B69	Aa51ª = F49	Aa122 = F68	D15 = H14
Aa20 = F59	Anm.	Aa123 = F67	D16 = H4
Aa21 = Schatz-	Aa52 = A46	Aa137 = F22	D17 = H5
hdschr.3	Aa53 = A47		D18 = H3
Aa22 = F39	Aa54 = A5	B2 = F41	D19 = H1
Aa22ª = B72	Aa56 = F2	B3 = G11	D20 = D43
Aa22ᵇ = B89	Aa57 = F40	B4 = B41	D21 = H15
Aa23 = D15	Aa58 = B7	B5 = F15	D22 = H12
Aa24 = B24	Aa59 = F10	B6ª = J10	D23 = H2
Aa25 = D5	Aa60 = B22	B11 = G24	D23ª = H7
Aa26 = B13	Aa61 = B37	B12 = G18	D24 = H26
Aa27 = B17	Aa63 = B19	B21 = G4	D25 = H27
Aa28 = B12	Aa64 = F17[a]	B25 = F14	D27 = H64
Aa29 = A11	Aa65 = F47		D29 = H10
Aa30 = B90	Aa66 = B50	C1 = G1	D30ª = H25
Aa31 = D33	Aa67 = F5	C2 = D48	D32 = H59
Aa31ª = B23	Aa69 = F11	C3 = K38	D33 = E4
Aa32 = F29	Aa70 = F29*	C5 = K41	D34 = H31
Aa33 = J12	Aa72 = F16	C6 = K10	D36 = H51
Aa33ª = Cc20	Aa73 = D10	C8 = K11	D39ª = H48

C. Darmstadt, Großherzogliche Hofbibliothek.

No 328	=	D 8	No 895	= A 28	No 900	= B 29	No 902	= E 9
„ 514	=	D 31	„ 896	= B 6	„ 904	= B 26	„ 903	= B 42
„ 892	=	B 30	„ 897	= B 5	„ 907	= H 19	„ 905	= B 38
„ 893	=	B 16	„ 899	= E 8	„ 901	= B 40	„ 906	= D 9
„ 894	=	B 14					

D. Gießen, Universitätsbibliothek.
N. LXXIX B. S. Ms. 233 fol. = Anh. III, 2.
N. DCLXXXVIII B. S. Ms. 135 4° = Anh. III, 1.

E. Berlin, Königliche Bibliothek.
Cod. lat. 4° 404 = K 78. [?]
„ „ 4° 508 = K 77.

F. Karlsruhe, Hof- und Landesbibliothek.
Handschriften aus Sct. Blasien, E, VI, 48 = Anh. IV.

G. München, Bayerisches Nationalmuseum.
Katalog, Bd 5, No 319—326 = Anh. V.

H. Wien, Bibliothek der kunsthistorischen Sammlungen des Allerhöchsten Kaiserhauses.
No 4001 = Schatzhandschrift 6.

J. Haag, Königliche Bibliothek.
129 C 6 = G 30.

K. Holkham Hall, Norfolk, Bibliothek von Lord Leicester.
No 15 = Schatzhandschrift 1.
„ 16 = „ 2.
„ 36 = „ 5.
„ 37 = „ 4.

L. London, Britisches Museum.
Addit. Manuscr. 14791 = A 14.
„ „ 30861 = K 57.

M.[1]) Cheltenham, Bibliotheca Phillippica.
[No 4182, Auktionskatalog 1898 No 1134] verkauft (nach Cambridge?)
= G 3.

---

1) Der Katalog der Thurgauischen Kantonsbibliothek in Frauenfeld gibt für die dortige Handschrift Y 80 Weingartner Herkunft an. Doch scheint für die Annahme einer solchen Herkunft nach brieflichen Mitteilungen von Herrn Bibliothekar Schultegger kein sicherer Beweis vorzuliegen.

Druck von Ehrhardt Karras, Halle a. S.

Bibliographie

des

bliotheks- und Buchwesens

Bearbeitet

von

Adalbert Hortzschansky

Neunter Jahrgang: 1912

XLII. Beiheft zum Zentralblatt für Bibliothekswesen

Leipzig
Otto Harrassowitz
1913

Inhaltsangabe.

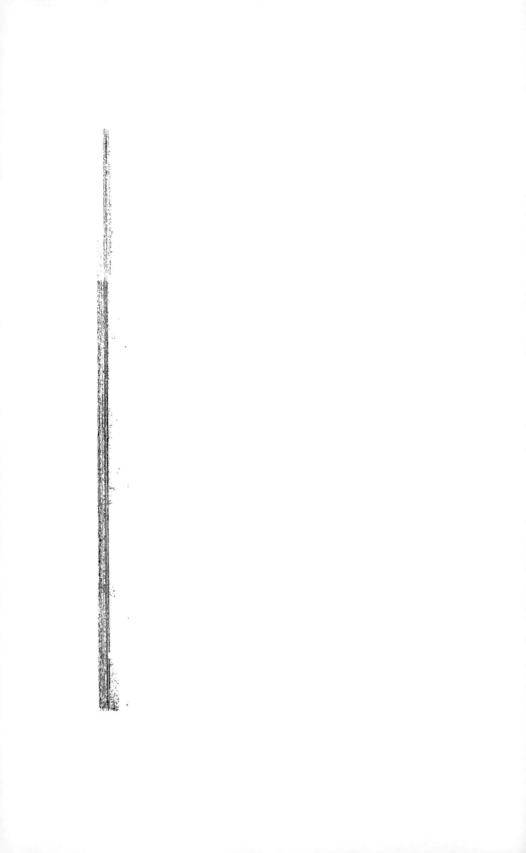

Vorwort.

Der neunte Jahrgang der Bibliographie des Bibliotheks- und Büchwesens umfaßt den Schluß des Jahres 1911 und den größten Teil des Jahres 1912 mit Nachträgen zu den früheren Jahrgängen.

Für freundliche Unterstützung bei der Sammlung des Materials habe ich vor allem meinem Kollegen Herrn Oberbibliothekar Dr. Laue, dem Vorsteher des Zeitschriftenzimmers der Königlichen Bibliothek in Berlin, zu danken. Für die Bearbeitung des Registers bin ich wiederum der Bibliothekssekretärin an derselben Anstalt, Fräulein Lotte Schmidt, zu besonderem Danke verpflichtet.

Berlin-Lichterfelde im Mai 1913.

Adalbert Hortzschansky.

· Allgemeine Schriften.

1. Nachschlagewerke.

The American Library Annual (1). 1911—1912. Includ. index to
·dates· of current events; necrology of writers; bibliographies;
statistics of book production; select list of libraries; directories of
publishers and booksellers; list of private collectors of books etc....
New York: Publish. Weekly 1912. 325 S. 5 $. [1

Nederlandsche Bibliografie van boek- en bibliotheekwezen, 1910.
Samengesteld door G. A. Evers. 1. 2. De Boekzaal 5. 1911.
Afl. 10. 11. [2

Bibliographie des Bibliotheks- und Buchwesens bearbeitet von Adalbert
Hortzschansky. Jg. 8. 1911. V, 152 S. 7 M. = 40. Beiheft zum
Zentralblatt für Bibliothekswesen. [3

Oesterreichische und ungarische Bibliographie des Bibliothekswesens
1910—11. H. 2. 3. Zeitschr. d. Oesterr. Vereines f. Bibliothekswesen 2. 1911. Anhang. [4

Enschedé, J. W. Meertalige woordenlijst van het boek- en bibliotheekwezen. Congrès de Bruxelles 1910. Actes 1912. S. 42—45. [5

Minerva. Jahrbuch der gelehrten Welt. Begründet von Dr. R. Kukula
und Dr. K. Trübner. Jg. 21. 1911—1912. Strafsburg: Trübner
1912. LXXXVIII, 1699 S., 1 Portr. 19 M. [6

The Literary Year Book and Bookman's Directory. Vol. 15. London:
Routledge 1912. 982 S. 6 Sh. [7

The Year-Book of the scientific and learned societies of Great Britain
and Ireland: A record of the work done in science, literature and
art during the session 1910—1911 by numerous societies and
government institutions. Compiled from official sources. Ann. Issue
28. London: Ch. Griffin 1911. 382 S. 7 Sh. 6 d. [8

2. Zeitschriften.

Commission permanente des Congrès internationaux des Archivistes et
des Bibliothécaires. Congrès de Bruxelles 1910. Actes publ. par
J. Cuvelier et L. Stainier. Bruxelles: Commission 1912. LXIII,
812 S., 2 Portr. [9

La Bibliofilia. Rivista dell' arte antica in libri, stampe, manoscritti,
autografi e legature, diretta da Leo-S. Olschki. Anno 14. 1912/13.
Disp. 1. Aprile. Firenze: L. S. Olschki 1912. 4⁰. Jg. (12 Disp.)
Italien 25 L., Ausland 30 Frcs,　　　　　　　　　　　　　　　[10

Le Bibliographe Moderne. Courrier international des archives et des
bibliothèques, publ. sous la direction de M. Henri Stein. Ann. 15.
1911. Janv./Avril. Paris: A. Picard (1912). Jg. (6 Nrn) 10 Fr.,
Ausland 12,50 Fr.　　　　　　　　　　　　　　　　　　　[11

Der Russische Bibliophil (Russ.). Alphabetischer Index von Autoren,
Artikeln, Porträts, Illustrationen und Handschriften - Faksimiles.
St. Petersburg 1912: Sirius. 39 S.　　　　　　　　　　　　[12

Bibliotekař. Zurnal obščestva bibliotekověděnija. (Auch mit franzö̈s.
Umschlagtt.): Le Bibliothécaire. Organe de la Société de bibliothéconomie. 3. 1912. Nr 1. St.Pétersbourg: 1912. Jg. 3 Rub.　[13

De Bibliothecaris. Maandblad voor boek- en bibliotheekwezen onder
redactie van Tiddo Folmer. Jg. 1. 1912. Nr 1. Januari. Rotterdam:
Administratie 1912. Jg. 1,25 Fl.　　　　　　　　　　　　[14

Der Bibliothekar. Monatsschrift für Arbeiterbibliotheken. (Red. von
Gustav Hennig.) Jg. 4. 1912. Nr 1. Januar. Leipzig: Leipz.
Buchdr.-Aktienges. Jg. 2 M.　　　　　　　　　　　　　　[15

Blätter für Volksbibliotheken und Lesehallen. Hrsg. unter ständ.
Mitwirk. zahlr. Fachgenossen v. Erich Liesegang. Jg. 13. 1912.
Nr 1/2. Jan./Febr. Leipzig: O. Harrassowitz 1912. Jg. (6 Doppel-
nrn) 4 M.　　　　　　　　　　　　　　　　　　　　[16

Het Boek. Tweede reeks van het Tijdschrift voor boek- & bibliotheekwezen. Red.: C. P. Burger en V. A. Dela Montagne. Jg. 1. 1912.
Afl. 1. Den Haag: Mart. Nijhoff 1912. Jg. (10. Afl.) 10 Fl. [17

De Boekzaal. Maandblad voor boek- en bibliotheekwezen, tevens orgaan
der Centrale Vereeniging voor openbare leeszalen en bibliotheken.
Redakteur H. G. Greve. Jg. 6. 1912. Nr 1. Januar. Zwolle:
J. Ploegsma 1912. Jg. 5 Fl.　　　　　　　　　　　　　[18

The Bookman. Vol. 41. 1912. Nr 244. January. London: Hodder
a. Stoughton 1912. 4⁰. (2⁰). Jg. (12 Nrn). 8 Sh.　　　　　[19

Die Bücherwelt. Zeitschrift für Bibliotheks- und Bücherwesen. Hrsg.
vom Verein vom hl. Karl Borromäus in Bonn. Verantw. Redakteur:
Hermann Herz. Jg. 10. 1912/13. H. 1. Bonn: J. P. Bachem in
Komm. Jg. (12 Hefte). 4 M.　　　　　　　　　　　　　[20

Bulletin du bibliophile et du bibliothécaire. Revue mensuel fondée
en 1834 paar J. Techener . . . Directeur: Georges Vicaire. 1912.
Nr 1. = 15. Janvier. Paris: H. Leclerc 1912. Jg. Paris 12 Fr.,
Départements 14 Fr., Ausland 16 Fr.　　　　　　　　　[21

Bulletin de la Société des Bibliophiles liégeois T. 10. Fasc. 1. 1912.
Liége: D. Cormaux 1912. 150 S. Jahresbeitr. 25 Fr.　　　[22

The Bulletin of the Bibliographical Society of America. Including a
record of American Bibliography. (Editor: Aksel S. Josephson.)
Vol. 4. Nr 1/2. January—April 1912. Chicago: 1912.　　　[23

Jahrbuch für Bücher-Kunde und -Liebhaberei. Hrsg. von G. A. E.
Bogeng. Jg. 4. Nikolassee b. Berlin: M. Harrwitz 1912. 147 S.,
16 Taf. Auf India Papier 10 M., auf Bütten 18 M. [24
Magyar Könyvszemle. Revue bibliographique hongroise. Publ. par
la Bibliothèque Széchényi du Musée National Hongrois. Directeur:
Paul Gulyás. (Text magyarisch.) N. F. Köt. 20. 1912. Livr. 1.
Janv./Mars. Budapest: Museum 1912. Jg. (4 Hefte) 6 Kr., Deutsch-
land 5 M. [25
The Librarian. The independent professional journal for the pro-
fessional man. Vol. 2. Nr 1—12. 1911—12. Vol. 3. Nr 1—5,
August-Dezember 1912. London: 1911. 1912. Jg. (11 Nrn.) 6 Sh. [26
Public Libraries. A monthly review of library matters and methods.
(Untertit. der einzelnen Nrn: A monthly publication devoted to the
advancement of library work.) Vol. 17. 1912. Nr 1, January.
Chicago: Library Bureau 1912. Jg. (10 Nrn) 2 $, Ausland 2,25 $ [27
The Library. A quarterly Review. Edited by J. Y. W. MacAlister
and A. W. Pollard. Ser. 3. Vol. 3. 1912. Nr 9, January. London:
Alexander Moring, De La More Press 1912. Jg. 10 Sh. 6 d. [28
The Library Association Record. A monthly magazine of librarian-
ship and bibliography. (Edited by the Publication Committee of
the Library Association.) Vol. 14. 1912. No 1, January. London:
Libr. Assoc. 1912. Jg. (12 Nrn) 2 £ 4 Sh. [29
The Library Journal, chiefly devoted to library economy and biblio-
graphy. Vol. 37. 1912. Nr 1, January. New York: Publication
Office, London: Kegan Paul 1912. Jg. (12 Nrn) 4 $, Europa 16 Sh. [30
The Library Miscellany. (Iss. under the auspices of the Library Club
of Baroda.) Ed. by J. S. Kudalkar. Vol. 1. Nr 1, August 1912.
Baroda, Indien: 1912. [31
The Library World. Vol. 12. 1912/13. (N. S. Nr 73 = July, 1912.)
London: Libraco Limited 1912. Jg. (12 Nrn). 7 Sh. [32
Il Libro e la Stampa. Bullettino ufficiale bimestrale della Società
Bibliografica Italiana. Anno 6. (N. S.) Fasc. 1. 1912, Gennaio-
Febbraio. (Red.: Francesco Novati.) Milano: Società 1912. Jg.
für italienische Mitglieder 10 L., für auswärtige 12 L. [33
Monografiën voor boek- en bibliotheekwezen, onder redaktie van
W. G. C. Byvanck, H. E. Greve, A. G. Roos, S. S. de Vries en N. van
Wijk. Bijlagen tot „De Boekzaal" ... 1. J. W. Enschedé. Neder-
landsche Musicalia. Alfabetische Titellijst. Zwolle: J. Ploegsma
1911. 1 Fl., für Abonnenten von De Boekzaal 0,50 Fl. [34
Revista de archivos, bibliotecas y museos. Organo del cuerpo faculta-
tivo del ramo. (Redactor Jefe: Juan Menéndez Pidal.) Época 3.
Año 16. 19!2. Enero - Febrero. Madrid: Revista, Jg. (2 Bde).
Spanien 15 Pes., Ausland 20 Fr. [35
Revista de bibliografia catalana. Catalunya-Balears-Rosselló-Valencia.
Any 5. 1905. (Umschlag: Num. 8. Jauer - Desembre de 1905.)
Barcelona: L'Avenç (1911). 384 S. 10 Pes. [36

Revue des Bibliothèques. Directeurs: Emile Chatelain et Léon Dorez.
Secrétaire: L. Barrau-Dihigo. Añ. 22. 1911. Paris: H. Champion
1912. Jg. (12 Nrn) 17 Fr.; Paris 15 Fr.   [37

Rivista delle biblioteche e degli archivi. Periodico di biblioteconomia e di bibliografia, di paleografia e di archivistica diretto
dal dott. Guido Biagi. Anno 23. Vol. 23. Nr 1/2. Gennaio-
Febbraio 1912. Firenze: L. S. Olschki 1912. Jg. (12 Nrn) 12 L.,
Ausland 15 L.   [38

Transactions of the Bibliographical Society. Vol. 11. October, 1909,
to March, 1911. (Darin: Journal of the 18. session, 1909/10, S. 1
—15. Journal of the 19. session, 1910/11, S. 59—63.) London:
Society (print. by Blades) 1912. 324 S.   [39

Die Volksbücherei in Oberschlesien. Zeitschrift des Verbandes oberschlesischer Volksbüchereien. Hrsg. v. R. Küster und K. Kaisig.
Jg. 5. 1911. 6. 1912. Breslau: Priebatsch 1911. 1912.   [40

Zeitschrift für Bücherfreunde. Organ der Gesellschaft der Bibliophilen
und der Deutschen Buchgewerbekünstler (e. V.) und der Wiener
Bibliophilen-Gesellschaft. Begründet von Fedor von Zobeltitz. Neue
Folge. Hrsg. von Carl Schüddekopf und Georg Witkowski. Jg. 4.
1912/13. H. 1. April 1912. Leipzig: W. Drugulin 1912. 4⁰.
Jg. (2 Bde zu je 6 Heften) 36 M.   [41

Zeitschrift des Oesterreichischen Vereines für Bibliothekswesen, red.
von Friedrich Arnold Mayer. Neue Folge der „Mitteilungen“ des
Vereines. Jg. 3 (Ganze Reihe 16). 1912. H. 1. Wien u. Leipzig:
W. Braumüller 1912. Jg. (4 Hefte) 7,20 K. = 6 M.   [42

Zentralblatt für Bibliothekswesen. Begründet von Otto Hartwig, hrsg.
unter Mitwirkung zahlreicher Fachgenossen des In- und Auslandes
von Paul Schwenke. Jg. 29. 1912. H. 1. Januar. Leipzig:
O. Harrassowitz 1912. Jg. (12 Nrn) 18 M.   [43

Zentralblatt für Volksbildungswesen. Organ für das Gebiet der Hoch-
schulkurse, des volkstümlichen Vortragswesens, des Volksbibliothekswesens, der volkstümlichen Kunstpflege und verwandte Bestrebungen.
Hrsg. von A. Lampa. Jg. 12. 1912. H. 1/2. Stuttgart: W. Kohlhammer 1912. Jg. (12 H.) 3 M.   [44

Der Zwiebelfisch. Eine kleine Zeitschrift für Geschmack in Büchern
und anderen Dingen. Hrsg. Hans v. Weber. Jg. 4. 1912/13. Nr 1.
München: Hyperion-Verlag 1912. Jg. (6 Hefte). 3 M.   [45

II.
Bibliothekswesen im allgemeinen.

1. Allgemeines und Geschichte.

Les Bibliothèques modernes. Bulletin de l'Association des bibliothécaires français 6. 1912. S. 14—19. (Wird fortges.) [46

Dehérain, Henri. Quelques opinions anglaises sur l'inutilité de bibliothèques. Bulletin de l'Association des bibliothècaires français 5. 1911. S. 56.—61. [47

Diels, Hermann. Bibliotheken und Kataloge. Die Kultur der Gegenwart. 2. verb. u. verm. Aufl. T. 1. Abt. 1. 1912. S. 679—686. [48

Ejchler, F. (Eichler, Ferdinand) (Russ.): Die Bibliothekswissenschaft höherer Ordnung in ihrer Beziehung zu den Methoden wissenschaftlicher Forschung und Unterrichts. Uebersetzung aus dem Deutschen von S. J. Bernštejn. Unter der Redaktion von E. A. Vol'ter. St. Petersburg 1913. 47 S. Aus: Škola i Zizń. [49

Guthrie, Anna Lorraine. Library Work cumulated 1905—1911. A bibliography and digest of library literature. Minneapolis: H. W. Wilson 1912. 409 S. 4 $. [50

Kent, Henry W. Coöperation between libraries, schools and museums. Libr. Journal 36. 1911. S. 557—560. [51

Lange, H. O. Bibliotekernes oprindelse og udvikling. Haandbog i Bibliotekskundskab 1912. S. 8—27. [52

Milkau, Fritz. Die Bibliotheken. Die Kultur der Gegenwart. T. 1. Abt. 1. Zweite Aufl. S. 580—629. [53

Uzanne, Gustave. Die Bibliotheken der Zukunft. Zeitschr. f. Bücherfreunde N. F. 4. 1912/13. S. 65—69. [54

2. Spezialbibliotheken.

Blinde. Austin, E. W., a. Roebuck, G. E. Present conditions and possibilities of public library service to te blind. Libr. Association Record 13. 1911. S. 450—460. [55

— Grégoire, E. Bibliothèques pour aveugles. Congrès de Bruxelles 1910. Actes 1912. S. 202—204. [56

— Neisser, Emma R. Library work with the blinds in the United States. Congrès de Bruxelles 1910. Actes 1912. S. 83—91. [57

— Roebuck, George Edward. Library work with the blinds in Great Britain. Congrès de Bruxelles 1910. Actes 1912. S. 75—82. [58

Gefangene. Gefangenen-Bibliotheken. Empfehlenswerte Bücher für Gefängnisse, Arbeits-, Erziehungshäuser u. ähnl. Anstalten. Unter freundl. Mitwirk. von Gefängnisgeistlichen und Beamten hrsg. u. zusgst. von der Schriftenvertriebsanstalt G. m. b. H., Berlin . . . Berlin: Schriftenvertriebsanstalt 1911. 147 S. [59

Gefangene. Libraries in Penal institutions on New York State. Libr.
Journal 36. 1912. S. 635—637. ·—   [60
Kranke. Zimmer, Hugo Otto. Krankenhausbüchereien. Zeitschrift für
Krankenpflege 1912. Juni.   [61
Seeleute. Le Biblioteche per i Marinai. Per V. B. N. Rivista d.
biblioteche e d. archivi 23. 1912. S. 25—30.   [62
— Inhaltsverzeichnis für die Schiffsbücherkisten der Torpedoboote.
Entwurf. Hrsg. vom Reichs-Marine-Amt. (D. E. Nr 28.) Berlin:
E. S. Mittler 1911. 9 S. 0,25 M.   [63
— Notarbartolo, Vittoria Beatrice, nata Gigliucci. Resoconto della
commissione per le biblioteche dei Marinai. (Anno 1911.) Rivista
d. biblioteche e d. archivi 23. 1912. S. 31—33.   [64
Soldaten. Catalogo. Istituto nazionale per le biblioteche dei soldati,
ottobre 1911. Torino: Sella e Guala 1911. XI, 35 S.   [65

3. Volksbibliotheken und Lesehallen.
Bibliothek und Schule.

(Zeitschriften s. bei I, Volksbibliotheken einzelner Gebiete oder Orte
s. bei diesen.)

Aarsbo, J. Folkebibliotekerne og deres historie. Haandbog i Biblio-
tekskundskab 1912. S. 117—137.   [66
Ackerknecht, Erwin. Bildungsbibliotheken und Presse. Eine Anregung.
Blätter f. Volksbibl. u. Lesehall. 13. 1912. S. 6—8.   [67
Askew, Sarah Byrd. Public libraries and school libraries. Libr.
Journal 37. 1912. S. 363—366.   [68
Erster allrussischer Kongreß (Russ. sezd) für Bibliothekswesen. Nor-
maler Aufstellungsplan für die Bibliothektechnik an kleineren
Bibliotheken. Projekt, ausgearbeitet von der Kommission für öffent-
liche Volksbibliotheken der Gesellschaft für Bibliothekswissenschaft.
S.-Petersburg 1911: Tip. dělo. 73 S.   [69
Bildung und Staat. Volksbibliotheken. Wien und Leipzig: W. Brau-
müller 1912. 76 S., 5 Tabellen.   [70
Braun, Johannes. Das Buch in der Volksbücherei. Bücherwelt 9.
1911/12. S. 87—90.   [71
Braun, Johannes. Katalogisierung des Bücherbestandes der Volks-
bibliothek. Bücherwelt 9. 1911/12. Nr 8—10.   [72
Brunckhorst, Hans. Grundsätzliches und Praktisches von der Ver-
breitung guter billiger Jugend- und Volkslektüre. Zugleich ein
Beitrag zum Thema „Volksbildung und Buchhandel". Hrsg. von
den vereinigten deutschen Prüfungsausschüssen für Jugendschriften.
Hamburg: W. Senger in Komm. 1912. IV, 63 S. 0,50 M.   [73
A. L. A. Catalog 1904—1911. Class list, 3000 titles for a popular
library. With notes and indexes ed. by Elva L. Bascom. Chicago:
Am. Libr. Publ. Board 1912. 350 S. 4°. 1,50 $.   [74

Challier, Ernst. Musikalische Volksbibliotheken. Ein Kapitel über Luftschlösserbau. Börsenblatt 1912. S. 10 997—10 999. [75

Champneys, A. L. Essentials which should be possessed by premises for a popular library. Congrès de Bruxelles 1910. Actes 1912. S. 378—382. [76

Champneys, A. L. Essential provisions which should be made in the plans of a public library. Congrès de Bruxelles 1910. Actes 1912. S. 370—374. [77

Christison, James. Some factors contributing to the succes of a public library. Libr. Association Record 13. 1911. S. 438—443. [78

Coerper, Fritz. Leser-Beiräte für volkstümliche Bibliotheken. Monatshefte der Comenius-Gesellschaft 1912. Februar. S. 7—10. [79

Biblioteche popolari . . . Il nostro Convegno di Roma. Coltura popolare 2. 1912. S. 592—599. [80

Downey, Mary Elizabeth. Developing a public library. Libr. Journal 37. 1912. S. 128—133. [81

Elmendorf, H. L. The public library. „A leavend and prepared choice." Libr. Journal 37. 1912. S. 419—422. [82

Fabietti, Ettore. Per una biblioteca popolare musicale. Coltura popolare 2. 1912. S. 803—805. [83

Greve, H. E. Opleiding van leeszaal- en bibliotheekpersoneel. (Naar aanleiding van het examen in het katalogiseeren, Oktober 1911.) De Boekzaal 5. 1911. S. 299—303. [84

Gulyás, Pál. (Magyar.) Volksbibliotheks-Katalog. Verzeichnis für Volksbibliotheken . . . empfehlenswerter Werke. Budapest: Múzeumok Tanacsa 1910. 596 S. [85

.Hanauer. Zentralisation der Arbeiterbibliotheken. Der Bibliothekar 4. 1912. S. 485—487. [86

Hofmann, Walter. Merkpunkte zum volkstümlichen Bibliothekwesen. (Volksbibliotheken, Bücher- und Lesehallen.) Herausgegeben vom Dürerbunde in Verbindung mit der Zentralstelle für Volkswohlfahrt und der Comenius-Gesellschaft. (München: Callwey 1912.) 25 S. = Dürer-Bund. 96. Flugschrift zur Ausdruckskultur. [87

Kirby, Sidney. Ought public libraries to advertise? Libr. World 14. 1911/12. S. 230—232. [88

Leslie, F. J. Presidential address of F. J. Leslie to the Library Association at Liverpool, 3 rd September, 1912. The Public Library's part in the life of a modern city. Libr. Assoc. Record 14. 1912. S. 485—496. [89

Neystrom, Paul H. Advertising the Public Library. Public Libraries 17. 1912. Nr 5. 6. [90

Noack, Karl. Charles Dickens und die deutschen Volksbibliotheken. Blätter f. Volksbibl. u. Leseh. 13. 1912. S. 50—53. [91

Pearson, Edmund Lester. The Librarian at play. Boston: Small 1911. 301 S. [92

Poelchau, Karl. Der sozial-pädagogische Zug im Volksbücherwesen. Soziale Praxis u. Archiv f. Volkswohlfahrt 21. 1912. Nr 19 u. 20. [93

Schultze, Ernst: Doppelexemplare in Volksbibliotheken. Der Bibliothekar 4. 1912. S. 487—490.   [94
Schultze, Ernst. Der Lebensnerv der Volksbibliotheken. Zeitschrift
f. Philosophie u. Pädagogik 19. 1912. S. 332—339.   [95
Steenberg, Andr. Sch. Vore folkelige bogsamlinger. En beretning om
deres nuvaerende stilling. København: Gyldendal 1912. 28 S.
35 Øre.   [96
Troiani, Fernanda. La riorganizzazione delle sale di lettura per
ragazzi nelle biblioteche popolari di America. Coltura popolare 2.
1912. S. 456—459.   [97
Volksbibliotheken (Russ.) und Bibliotheks-Lesehallen. 1912. N.-Nov-
gorod 1912: Peč. dělo. 23 S.   [98
Woolston, W. P. The Utility of public libraries: a bookseller's point
of view. Libr. Assoc. Record 14. 1912. S. 121—126.   [99
Zimmer, Hugo Otto. Die öffentlichen Büchereien im Kampfe gegen
den Schund. Die Hochwacht 2. 1912. S. 233—236.   [100
Zimmer, Hugo Otto. Wie richte ich eine Bücherei ein? Von der
Aufstellung und den Katalogen. Blätter für Volkskultur 1912.
S. 311—314.   [101

Bulletin biblographique, dédié aux parents, au personnel enseignant
et aux comités des bibliothèques. Publ. par la commission pour
le choix de lectures destin. à la jeunesse et aux bibliothèques
scolaires et populaires. Société pédagogique de la Suisse romande.
Fasc. 10. Lausanne 1911: Impr. Réun. 61 S.   [102
Carson, Jessie M. The children's share in a public library. Libr.
Journal 37. 1912. S. 251—256.   [103
Farr, Harry. Library work with children. Congrès de Bruxelles
1910. Actes 1912. S. 450—462.   [104
Fischer, Karl. Katalog over bøker skikket for folkeboksamlinger.
Utgit av Kirkedepartementet. Utarb. med bistand av flere frag-
maend. Tillaeg 1912. Kristiania: Arnesens 1912. 46 S.   [105
Greenman, Edward D. State aid for public school libraries. Libr.
Journal 37. 1912. S. 310—316.   [106
Hardy, E. A. The public library. Its place in our educational system.
Toronto: W. Briggs 1912. 223 S.   [107
Die deutsche Jugendliteratur nebst einem Verzeichnisse bewährter
Jugendschriften. Hrsg. unter Mitwirkung praktischer Schulmänner
von L. Wiegand. Dritte neubearb. Aufl. Hilchenbach: L. Wiegand
1912. 200 S. 1,50 M.   [108
Levy, J. Kinderlesehallen. Vossische Zeitung 1911. Nr 611 vom
7. Dezember. 4. Beilage.   [109
Miller, E. Morris. Libraries and education. Melbourne, Sydney ...
London: G.-Robertson 1912. XIV, 111 S.   [110
Miller, E. Morris. Victoria. Education Department. School libraries
and reading. Melbourne 1912: I. Kemp. 12 S. Aus: Education
Gazette ... 1912, März.   [111

Mitteilungen über Jugendschriften an Eltern, Lehrer und Bibliotheks-
vorstände von der Jugendschriften-Kommission des schweiz. Lehrervereins. Gegründet i. J. 1858. H. 35. Basel: Verein für Verbreitung guter Schriften 1912. 132 S. 0,50 Fr. [112

Naumann, Franz. Jugendfürsorge in den Volksbibliotheken. Das
Ergebnis einer statist. Rundfrage, Grundsätze für Errichtung und
Verwaltung v. Jugendbibliotheken u. e. Versuch e. Bücherliste. Unter
Mitwirkung von M. Lungwitz bearbeitet. Berlin: Weidmann 1912.
142 S. 2 M. [113

Palmgren, Valfrid. Om Betydelsen av bibliotek för burn och ungdom.
Tidskrift för det svenska folkbildningsarbetet 1. 1912. S.11—13. [114

Sayers, W. C. Berwick. The children's library. A practical manual
for public, school, and home libraries. London: Routledge 1911.
176 S. 2 Sh. 6 d. [115

Sayers, W. C. Berwick. The children's library. A practical manual
for public, school, and home libraries. New York: Dutton 1911.
VII, 224 S. 75 c. [116

Smith, Mary Allegra. What the librarian needs from the schools.
Libr. Journal 37. 1912. S. 169—174. [117

Straus, Esther. Recent tendencies in children's literature. Public
Libraries 17. 1912. S. 252—256. [118

Tyler, Anna C. Library reading clubs for young people. Libr.
Journal 37. 1912. S. 547—550. [119

Verzeichnis von Jugend- und Volksschriften, nebst Beurteilung derselben. Unter besonderer Berücksichtigung der Bedürfnisse katholischer Schulen und Familien hrsg. vom Verein katholischer Lehrer
Breslaus. H. 10. Breslau: Aderholz 1912. XII, 96 S. 1,20 M. [120

Veth, Corn. Jongenboeken. De Boekzaal 6. 1912. S.9—20.70—76. [121

Zimmer, Hugo Otto. Kinderlesezimmer und Jugendpflege in der Stadt.
Blätter für Volkskultur 1912. März 1. S. 98—100. [122

4. Bibliothekarvereine und Gesellschaften von Bücherfreunden.

Deutsches Reich.

Hortzschansky, Adalb. Die 13. Bibliothekarversammlung in München
am 30. u. 31. Mai. Zugleich 1. Versammlung der deutschen, österreichischen und schweizerischen Bibliothekare. Bericht über den
äußeren Verlauf. Zentralblatt 29. 1912. S. 260—264. [123

Wolkan, Rud. Die erste Tagung der deutschen, österreichischen und
schweizerischen Bibliothekare. Zeitschr. d. Oesterreich. Vereines f.
Bibliothekswesen 3. 1912. S. 76—81. [124

Dreizehnte Versammlung Deutscher Bibliothekare in München am
30. und 31. Mai 1912. Zugleich erste Versammlung der deutschen,
österreichischen und schweizerischen Bibliothekare. Zentralblatt 29.
1912. S. 297—385. [125

Verzeichnis der Mitglieder des Vereins Deutscher Bibliothekare 1912.
Jahrbuch der Deutschen Bibliotheken 10. 1912. S. 75—149.   [125a
Jahrbuch der Gesellschaft der Bibliophilen. Jg. 11. (1910/11.) Weimar:
Gesellschaft (1911). XXI, 53 S.   [126
Die erste Tagung ·der westfälischen Bibliothekare.   Westfälisches
Magazin N. F. 3. 1911/12.   S. 119—130. 187—197.   [127
Reicke, Anna.   Zur Entstehung und Geschichte der „Vereinigung
bibliothekarisch arbeitender Frauen E. V.".   Blätter f. Volksbibl. u.
Lesehall. 13. 1912. S. 1—6.   [128

Belgien.
Bulletin de l'association des archivistes et bibliothécaires belges. Ann. 6.
1912. Nr 1. Roulers 1912: Deraedt-Verhoye. 46 S.   [129

Frankreich.
Bulletin de l'association des bibliothécaires français. Ann. 6. 1912.
No 1—2. Janvier-Avril. Paris: H. Le Soudier 1912. Jg. (6 Nrn)
für Mitglieder 5 Fr., Abonnement 6 Fr., Ausland 7 Fr.   [130
Annuaire de la société des amis des livres. Ann. 33. Paris: Société
1912. 93 S.   [131
Société des amis du livre moderne. Annuaire pour 1911. (Ann. 3.)
Paris: Société 1911. 54 S. m. Grav.   [132
Liste des membres de la Société des bibliophiles françois, fondée en
1820, suive de ses statuts et la liste de ses publications. (Mit
Notices nécrologiques von Graf Alexandre de Laborde.) Paris:
Société 1911. 100 S. (Nur für die Mitglieder gedruckt.)   [133
Société des bibliophiles des Bourgogne. Compte-rendu 1910—1911.
Dijon 1911: Jobard. 20 S.   [134

Grofsbritannien.
Urgent library reforms. II. The Library Association. Libr. World
14. 1911/12. S. 337—340.   [135
Jast, L. Stanley. The immediate future of the Library Association.
Libr. Assoc. Record 13. 1911. S. 384—388.   [136
Proceedings of the 34. annual meeting of the Library Association.
Held at Perth, 4 to 8 September, 1911. Libr. Association Record
13. 1911. Supplement. S. 497—539.   [137
Rije, To van, Het Paasch-uitstapje der Library Assistants' Associaction
naar Parijs. De Boekzaal 6. 1912. S. 295—304.   [138
Thorne, W. Benson. The Library Assistants' Association. An outline
of its development and work. Librarian 2. 1911/12. Nr 4—6. [139
Wilson, William. Impressions of the Liverpool Conference. Libr.
World 15. 1912/13. S. 66—69.   [140
The Bibliographical Society. News-Sbeet. 1912. (Nr 1) January.
London: Society (Blades) 1912.   [141
The Bibliographical Society. Rules and list ot membres. 1912. (London:
Society) 1912. 15 S.   [142

Italien.

Relazione della IX Riunione della Società Bibliografica Italiana tenutasi in Roma nei giorni 26—28 ottobre 1911. (Gez. Domenico Orlando.) Il Libro e la Stampa 5. 1911. S. 183—215. Daraus einzeln Milano 1911: Cogliati. 35 S.   [143

Rufsland.

Bericht (Russ.: otčet) der Gesellschaft für Bibliothekswissenschaft für das 3. 4. (1910. 1911.) Jahr ihres Bestehens. Compte-rendu des travaux de la Société de Bibliothéconomie pour l'année 1910. 1911. S.-Petersburg 1911. 1912: Tip. dělo. 36, 48 S.   [144

Berieht (Russ. otčet) der Gesellschaft für Bibliothekswissenschaft für das 4. Jahr (1911). Bibliotekař 3. 1912. S. 141—184.   [145

Bogdanow, P. (Russ.): Ergebnisse des Ersten Allrussischen Kongresses für Bibliothekswesen. Bibliotekař 2. 1911. S. 285—290.   [146

Bogdanov, P. (Russ.) Der „Normalplan" auf dem 1. allrussischen Kongrefs für Bibliothekswesen. Bibliotekař 3. 1912. S. 19—41. [147

Kongrefs (Russ. sezd) für Bibliothekswesen. Uebersicht der Arbeiten der I. Sektion (akademische Bibliotheken) von S. Maslovskij. Uebersicht der Arbeiten der II. Sektion (öffentliche u. Volksbibliotheken) v. B. Č. Bibliotekař 2. 1911. S. 296—327.   . [148

Plotnikov, A. (Russ.): Allgemeiner Gang der Arbeiten des (I.) Kongresses für Bibliothekswesen. Sein Bestand und seine Mittel. Bibliotekař 2. 1911. S. 290 —295.   [149

Allrussischer Kongrefs (Russ.: sezd) für Bibliothekswesen. Thesen zu den Berichten und Projekte der Resolutionen. S.-Petersburg 1911: Tip. dělo. 31 S.   [150

Vas'kov, K. N. (Russ.): Bericht über den ersten allrussischen Kongrefs und Ausstellung für Bibliothekswesen. Tomsk 1912: S. P. Jakovlev. 12 S.   [151

Fragen (Russ.: voprosy) des Bibliothekswesens auf dem Moskauer Stadtkongrefs für Volksbildung (29. Jan.—8. Febr. 1912). Bibliotekař 3. 1912. S. 42—47.   [152

Erster Kongrefs (Russ.: sezd) der Vertreter für Volksbildung an der städtischen Verwaltung. Nr 46. Bericht v. E. E. Volarovič. Ueber die gegenseitigen Beziehungen der Stadtbibliotheken und Schulen. Moskva 1912: Tip. gorodsk. 6 S.   [153

V. Č. (Russ.): Fragen des Bibliothekswesens auf dem I. Allgemeinen Landschaftskongrefs für Volksbildung. Bibliotekař 2. 1911. S. 364—367.   . [154

Vereinigte Staaten.

Bulletin of the American Library Association. Vol. 4. 1910. 5. 1911. 6. 1912. Nr 1, January. Chicago: Association 1910—1912. [155

Handbook (of the American Library Association). Bulletin of the A. L. A. 4. 1910. S. 527—591. 5. 1911. S. 288—358. [156

American Library Association. 34th annual Meeting, Ottawa, Canada, June 26 —July 2, 1912. Libr. Journal 37. 1912. S. 438—464. [157

Papers and proceedings of the 32. annual meeting of the American
Library Association held at Mackinac Island, Michigan, June 30
— July 6, 1910. (Darin auch: National association of State libraries
13. meeting S. 689—731. League of library commissions 7. meeting
·S. 732—751. American association of law libraries 5. meeting
S. 752—758 etc.) Bulletin of the American Library Association 4.
1910. S. 591—811.   [158

Papers and proceedings of the 33. annual meeting of the American
Library Association held at Pasadena, California, May 18—24, 1911.
(Darin auch: American associatin of law libraries 6. meeting S. 204
— 205. League of library commissions 8. meeting S. 206—214.
National association of state libraries 14. meeting S. 215—217 etc.)
Bulletin of the American Library Association 5. 1911. S. 49—288. [159

Annual Meeting (of the Bibliographical Society of America) 7., held
at Pasadena, Cal., May 19, 1911. Bulletin of the Bibliographical
Society of America 3. 1911. S. 25—27.   [160

Bibliographical Society of America. Papers Vol. 6. 1911. Chicago:
University Press (1912). 65 S.   [161

Hadley, Chelmers.. The State Library Association. Public Libraries
17. 1912. Nr 1/2.   [162

5. Beruf und Ausbildung des Bibliothekars.

Baker. Ernest A. Education in librarianship in Great Britain. Congrès
de Bruxelles 1910. Actes 1912. S. 97—100.   [163

Bowerman, George F. Conditions of librarians in the United States.
Congrès de Bruxelles 1910. Actes 1912. S. 54—59.   [164

Brown, James Duff. Position of British librarians respecting salaries,
hours, vacation, superannuation, etc. Congrès de Bruxelles 1910.
Actes 1912. S. 29—41.   [165

Eichler, Ferdinand. Vorbildung des wissenschaftlichen Bibliothekars.
Zeitschr. d. Oesterr. Vereines f. Bibliothekswesen 3. 1912. S. 130
bis 138.   [166

Erlafs betreffend die Befähigung zum wissenschaftlichen Bibliotheks-
dienst bei der Königlichen Bibliothek zu Berlin und den Königlichen Universitäts-Bibliotheken. Zentralbl. 29. 1912. S. 75—78. [167

Féminisme et bibliothèques. Revue internat. de l'enseignement 32.
1912. S. 143—145.   [168

Fry, George. Summer interchange of assistants: a suggestion. Libr.
World 15. 1912/13. S. 8—10.   [169

Gerhard, Karl. Die Vorbildung der wissenschaftlichen Bibliotheksbeamten in Deutschland. Congrès de Bruxelles 1910. Actes 1912.
S. 579—590.   [170

Giraud-Mangin, M. Lex examens du certificat d'aptitude aux fonctions
de bibliothécaire municipal dans une bibliothèque classée en France.
Congrès de Bruxelles 1910. Actes 1912. S. 293—297.   [171

Grojean, Oscar. La préparation scientifique des bibliothécaires belges.
Congrès de Bruxelles 1910. Actes 1912. S. 474—479. [172

Grojean, Oscar. La situation de bliothécaires en Belgique. Congrès
de Bruxelles 1910. Actes 1912. S. 480—487. [173

Heidenhain, A. Zur Frage der Ausbildung für den Dienst an volkstümlichen Bibliotheken. Blätter f. Volksbibl. u. Lesehallen 13.
1912. S. 113—118. 153—159. [174

Helssig, Rudolf. Die Stellung der deutschen Bibliothekare. Congrès
de Bruxelles 1910. Actes 1912. S. 521—545. [175

Holek, W. Bibliothekare als Miterzieher. Der Bibliothekar 4. 1912.
S. 409—410. [176

Hortzschansky, Adalb. Die preußsische Diplomprüfung, die Volksbibliotheken und die wissenschaftlichen Bibliotheken. Zentralblatt
29. 1912. S. 193—201. [177

Jaeschke, E., A. Heidenhain, Walter Hofmann. Zur Frage der Ausbildung für den Dienst an volkstümlichen Bibliotheken. Dazu ein
Anhang: Richtlinien für die Ausbildung von Volontären an der Lesehalle in Bremen. Volksbildungsarchiv 2. 1911. S. 389—424. [178

Jast, L. Stanley, and W. C. Berwick Sayers, How to name the librarians.
Congrès de Bruxelles 1910. Actes 1912. S. 468—473. [179

Kaiser, John Boynton. The special library and the library school.
Libr. Journal 37. 1912. S. 175—179. [180

Kerr, W. H. Psychology for librarians. Public Libraries 16. 1911.
S. 425—430. [181

Kirby, Sidney. Enquiry assistants: a suggestion. Libr. World 14.
1911/12. S. 354—358. [182

Koch, Theodore W. Suggested readings for library assistants in the
new „Encyclopaedia Britannica". Boston: A. L. A. Publ. Board 1912.
Aus Library Journal. [183

Koch, Theodore W. Suggested readings for library assistants in the
new Encyclopaedia Britannica. Libr. Journ. 37. 1912. S. 63—69. [184

Lange, H. O. Bibliotekaren, hans kald och hans opgaver. Haandbog
i Bibliotekskundskab 1912. S. 1—7. [185

Librarianship as a profession. New York State Library School: 1911.
32 S. [186

Liesegang, E. Zur Frage der Ausbildung für den Dienst an volkstümlichen Bibliotheken. Blätter f. Volksbibl. u. Lesehallen 13. 1912.
S. 53—56. [187

Lundstedt, Bernhard. La situation des bibliothécaires dans les bibliothèques d'état en Suède. Congrès de Bruxelles 1910. Actes 1912.
S. 248—252. [188

Mayer, Friedrich Arnold. Der mittlere Dienst. Zeitschr. d. Oesterr.
Vereines f. Bibliothekswesen 3. 1912. S. 138—148. [189

Paalzow, Hans. Die Abteilung der Bibliothekarinnen auf der Berliner
Frauenausstellung. Blätter f. Volksbibl. u. Lesehallen 13. 1902.
S. 91—93. [190

Piper, A. Cecil. Technical training in librarianship in England and abroad. Libr. Assoc. Record 14. 1912. S. 332—351. [191

Plummer, Mary W. The beginnjngs òf a library school. Libr. Journal 37. 1912. S. 14—16. [192

Smit, D. Opleidingsschool voor Kinderbibliotheek-bibliothekaressen. De Boekzaal 6. 1912. S. 192—195. [193

Vereinigung bibliothekarisch arbeitender Frauen E. V. Uebersicht der Gehalts- und Arbeitsverhältnisse bibliothekarisch arbeitender Frauen. Ergebnis einer Umfrage vom Sommer 1911. Berlin 1912: Max Schmidt, Lübeck. 9 S. 0,75 M. [194

Wyer, James I. Conditions for entrance to the service of American libraries. Congrès de Bruxelles 1910. Actes 1912. S. 21—24. [195

6. Bibliotheksverwaltung.

1. Allgemeines. Vermehrung.

Ackerknecht, Erwin. Büchereipolitik. Eckart 6. 1911/12. S. 749 —765. [196

Anderton, Basil. Libraries and periodicals. A note on co-ordination. Congrès de Bruxelles 1910. Actes 1912. S. 264—270. [197

Austen, Willard. Efficiency in College and University Library work. Libr. Journal 36. 1911. S. 566—569. [198

Bishop, William Warner. Two unsolved problems in library work. Libr. Journal 37. 1912. S. 7—11. [199

Borisov, I. (Russ.): Leitfaden der Bibliothekstechnik. Prinzipien einer praktischen Bibliothekswissenschaft. Nach A. Graesel, Handbuch der Bibliothekslehre, Dr. Reyer, Handbuch des Volksbildungswesens u. a. zusammengestellt. Red. von J. Murzin. S.-Petersburg 1911: Slovo. 164 S. 1,25 Rub. [200

Bostwick, Arthur E. Service systems in libraries. Libr. Journal 37. 1912. S. 299—304. [201

Brockett, Paul. International exchanges. Congrès de Bruxelles 1910. Actes 1912. S. 92—96. [202

Bulloch, J. M. An ideal for the university library. Aberdeen University Library Bulletin Vol. 1. Nr 3. April 1912. S. 249—256. [203

Clarke, Archibald L. Reference, in its relation to literature, to bibliography, to subject-indexes and to systems of classification. Libr. Assoc. Record 14. 1912. S. 73—95. [204

Collard, Auguste. La vente et l'échange de doubles. Congrès de Bruxelles 1910. Actes 1912. S. 191—194. [205

Dahl, Svend. Bogkonservering. Haandbog i Bibliotekskundskab 1912. S. 265—273. [206

Diephuis, Albert. The library and the wage-earner. Libr. Journal 37. 1912. S. 366—370. [207

Einbund, K. (Estn.): Bibliotheken und ihre Einrichtung. (A. m. russ. T.) Mit Abb. Jurev 1912: Postimes. 32 S. [208

Fred, W. Bibliotheksstimmungen. Velhagen und Klasings Monatshefte 1911. Dezember. S. 557—561. [209

Glasson, William H. Methods of book reviewing. Libr. Journal 37. 1912. S. 133—135. [210

Greve, H. E. · Een nieuwe wijze van aanbrengen der signatuur op bibliotheekbanden. De Boekzaal 6. 1912. S. 67—69 m. 2 Abb. [211

Haandboog i Bibliothekskundskab under medvirkning af . . . udgiv. af Svend Dahl. Med understøttelse fra Carlsberg fondet og det Raben-Levetzauske fond. København: Lybecker 1912. 334 S. 4 Kr. [212

Haigh, Frank. The library column. Libr. World 15. 1912/13. S. 70—76. [213

Hicks, Frederic C. Newspaper libraries. Educational Review 1912. · Sept. S. 174—190. [214

Hopper, Franklin F. Order and accession department. Chicago: American Library Association 1911. 29 S. Aus: Manual of Library Economy, Chapter 17. [215

Jast, (L. Stanley). Address to the Northern counties Libraries Association on branch work. Libr. Assoc. Record 14. 1912. S. 19—27. [216

Jast, L. Stanley. The library outlook: an address to municipal library assistants. Libr. Assoc. Record 14. 1912. S. 28—38. [217

Jones, Herbert. The Newsroom. Libr. Assoc. Record 14. 1912. S. 182—190. [218

Kent, H. W. Librarians' books. Libr. Journal 37. 1912. S. 550 · bis 556. [219

Kent, Henry W. Coöperation between libraries, schools and museums. Libr. Journal 36. 1911. S. 557—560. [220

Kirby, Sidney. The question of censorship. Libr. World 14. 1911/12. ᶦ S. 257—259. [221

Ladewig, Paul. Politik der Bücherei. Leipzig: E. Wiegandt 1912. VIII, 427 S., 2 Taf. [222

Lee, G. W. Reference books as public utilities. Some wellknown Encyclopedias compared. Libr. Journal 37. 1912. S. 587—593. [223

Leyh, G. Das Dogma von der systematischen Aufstellung. I. Zentral-blatt 29. 1912. S. 241—259. [224

Loubier, Jean. Bericht der Kommission für Einbandstoffe. Zentral-blatt 29. 1912. S. 337—339. [225

The Manual of library economy. (Chap. 9: Yust, W. F. Library legislation. 12: Bostwick, Arth. E., Administation of a public library. 15: Eastman, Linda A. Branch libraries and other distri-buting agencies. Bailey, Arthur L. Bookbinding.) Boston: A. L. A. Publ. Board 1911. 15, 9, 18, 23 S. [226

Mattern, Johannes. Serienwerke, Regierungspublikationen und inter-nationale Kooperation. Zentralblatt 29. 1912. S. 49—56. [227

Metz, S. Notes on the bookbinding leather controversy. Libr. Assoc. Record 13. 1911. S. 395—398. [228

Millar, A. H. Notes on some library administrative work and legis-lation. Libr. Assoc. Record 13. 1911. S. 431—437. [229

Mudge, Isadore Gilbert. Some reference books of 1911. Libr. Journal
37. 1912. S. 125—128. [230

Pollard, Alfred W. Fine books. London: Methuen 1912. XX, 332 S.,
40 Taf. 25 Sh. [231

Proskurjakova, E. (Russ.): Zur Frage über die Ausarbeitung eines
Normalplanes der Bibliothekstechnik. Bibliotekař 2. 1911. S. 385
bis 389. [232

Putnam, Herbert. The quick in the „dead". (Veralten der Literatur
betr.) Libr. Journal 37. 1912. S. 235—245. [233

Rathbone, Josephine Adams. Shelf department. Chicago: A. L. A.
Publishing Board 1911. 13 S. Aus: A. L. A. Manual of library
economy. [234

Sonnenschein, W. Swann. The best books. A readers guide to the
choice of the best available books . . . P. 2. Classes D—E.
London: G. Routledge 1912. S. 461—1065. 14 sh. [235

Stoewer, W. Katalog einer Lehrerbibliothek für höhere Lehranstalten
2. durchgeseh: u. erweit. Aufl. des Katalogs der Handbibliothek f.
höhere Schulen der deutschen Unterrichts-Ausstellung auf der Welt-
ausstellung in Brüssel 1910. Unter Mitwirk. mehrerer Kollegen
hrsg. Berlin: Weidmann 1911. VIII, 100 S. Geb. 2,50 M. [236

Strohm, Adam. The efficiency of the library staff and scientific
management. Public Libraries 17. 1912. S. 303—306. [237

Sury, Charles. Réformes à introduire dans le service belge des
échanges internationaux. Congrès de Bruxelles 1910. Actes 1912.
S. 209—225. [238

Sutton, Charles W. Branch libraries. Congrès de Bruxelles 1910.
Actes 1912. S. 348—353. [239

Tapley-Soper, H. The distribution of government publications and
documents. Libr. Assoc. Record 13. 1911. S. 373—383. [240

Tilton, Edward L. Scientific library planning. Libr. Journal 37. 1912.
S. 497—501. [241

Verein Deutscher Bibliothekare. Umfrage über die Einzelheiten der
Verwaltungspraxis bei den deutschen Bibliotheken. O. O. u. J.
12 Bl. 4⁰. [242

Vanrycke, Paul. Les thèses et dissertations académiques. Comment
se les procurer, les classer et les cataloguer. Congrès de Bruxelles
1910. Actes 1912. S. 488—494. [243

Vasilèv, V. N. (Russ.): Bibliothekswesen. Handbuch für die Einrichtung und Instandhaltung von öffentlichen, Landschafts-, Schul-
und Privatbibliotheken. Teil 2—4. S.-Petersburg 1912: Vol'f.
113, 142, 124 S. [244

Venturi, Raffaele. A proposito della rilegatura da biblioteche. Rivista
d. biblioteche e d. archivi 23. 1912. S. 20—24. [245

Veselovskij, B. B. (Russ.): Musterkatalog für Bücher von Bibliotheken
der städtischen Selbstverwaltung. Heft 2. Stadtbibliotheken. S.-Peters-
burg 1912: Gorodskoje dělo. 69 S. 80 Kop. [246

Vetčinkina, E. (Russ.): Aus der Praxis einer Bibliothek. Bibliotekar 3. 1912. S. 92—100. [247
Wilson, Louis R. Organization and administration of the College Library. Libr. Journal 36. 1911. S. 560—565. [248

2. Katalogisierung.

Blöndal, Sigfus. Katalogisering og opstilling af bøger. Haandbog i Bibliotekskundskab 1912. S. 274—306. [249
Brown, James Duff. Library classification and cataloguing. London: Libraco 1912. XII, 261 S. 7 Sh. 6 d.. [250
Burger, C. P. Gedrukte Catalogussen van Brievenverzamelingen. Congrès des Bruxelles 1910. Actes 1912. S. 48—50. [251
Union Catalogs and Repertories. A Symposium. — I. II. Libr. Journal 37. 1912. S. 491—497. 539—547. [252
Escher, Hermann. Die Stellung der schweizerischen Bibliotheken zur Frage einer einheitlichen Regelung der Katalogisierung. Referat. Zürich: Stadtbibliothek 1912. 14 S. 0,80 M. = Publikationen der Vereinigung schweizerischer Bibliothekare. 3. [253
Fabietti, Ettore. La classificazione razionale dei libri. Coltura popolare 2. 1912. S. 460—464. [254
Fordham, Herbert George. Descriptive catalogues of maps. Transactions of the Bibliographical Society 11. 1909/11 (1912). S. 135—164. [255
Funnell, H. A. A Sketch of the history of the classified catalogue in the British Isles. Libr. World 14· 1911/12. S. 197—200. [256
Grojean, Oscar. Le code international de règles catalographiques. Congrès de Bruxelles 1910. Actes 1912. S. 298—300. [257
Hanson, J. C. M. Agreement on cataloguing rules in America. Congrès de Bruxelles 1910. Actes 1912. S. 60—71. [258
Hawkes, Arthur John. Suggestions towards a constructional revision of the Dewey classification. Librarian 2. 1911/12. Nr 1—3. [259
Hilsenbeck, Adolf, G. A. Crüwell, Hermann Escher. Zur Frage einheitlicher Katalogisierungsregeln. Zentralblatt 29. 1912. S. 310 bis 332. [260
Hulme, E. Wyndham. Principles of book classification. Libr. Assoc. Record 13. 1911. Nr 11. 12. 14. 1912. Nr 1 ff. (Wird fortges.) [261
List of subject headings for use in dictionary catalogs, prepared by a committee of the American Library Association. Third edition revised by Mary Josephine Briggs. Chicago: A. L. A. Publ. Board 1911. IX S., 398 Bl. [262
Mash, Maurice H. B. The classification of technology. Libr. World 15. 1912/13. S. 5 ff. S. 50 ff. [263
Mattern, Johannes. National and international coöperation in the field of analytical cataloging. Libr. Journal 37. 1912. S. 370—376. [264

Mattern, Johannes. Uniform cataloging rules as viewed by the thirteenth convention of German librarians (The first convention of German, Austrian and Swiss librarians.) Libr. Journal 37. 1912. S. 556—562. [265

Merrill, William Stetson. A code for classifiers. Its scope and its problems. Libr. Journal 37. 1912. S. 245—251. 304—310. [266

Mohlberg, C. Nachrichten von belgischen Sammelkatalogen des 15./16. Jahrhunderts. Historisches Jahrbuch (Görres-Gesellschaft). 33. 1912. S. 365—375. [267

Morgan, Augustus de. On the difficulty of correct description of books. Jahrbuch f. Bücher-Kunde und -Liebhaberei 4. 1912. S. 47—72. [268

Otlet, P. Le code universel des règles catalographiques. Congrès de Bruxelles 1910. Actes 1912. S. 375—377. [269

Pettee, Julia. A classification for a theological library. Libr. Journal 36. 1911. S. 611—624. [270

Pettee, Julia. A classification for a theological library. (O. O. u. J.) 16 S. Aus: Library Journal 1911, Dezember. [271

Raney, M. L. The multigraph and the flexotype in cataloging work. Libr. Journal 36. 1911. S. 629—632. [272

Rawlinson, Eleanor V. The Use of the library in the grades. Libr. Journal 37. 1912. S. 163—169. [273

Regels voor den alphabetischen catalogus. Het Boek 1. 1912. S. 104—109. [274

Regels voor den alphabetischen catalogus. De Boekzaal 6. 1912. S. 158—164. [275

Commission de la bibliographie de Belgique. Règles catalographiques établies en connexion avec les règles catalographiques internationales. Rédaction des notices. Classement par ordre alphabétique de noms d'auteurs et de titres. Bruxelles: Commiss. 1911. 35 S. [276

Sayers, W. C. Berwick, and James D. Stewart. The Card catalogue. Libr. World 1912. März—Oktober. [277

Solberg, Thorwald. Registration of literary and scientific productions. Congrès de Bruxelles 1910. Actes 1912. S. 72—74. [278

Sustrac, Ch. Note sur les règles de catalogue d'auteurs et d'anonymes suivies en France. Congrès de Bruxelles 1910. Actes 1912. S. 237—247. [279

Sustrac, Ch. Les problèmes de l'indexation. Congrès de Bruxelles 1910. Actes 1912. S. 277—292. [280

Symposium on printed catalog cards. Contributed by various libraries. Libr. Journal 36. 1911. S. 543—556. [281

Erster allrussischer Kongreſs (Russ.: s-ĕzd) für Bibliothekswesen. 1.—7. Juni 1911. Vojnič-Sjanoženskij, A. R.: Günstigere Druckformen der Verzeichnisse der laufenden Eingänge. Bericht. S.-Petersburg 1912: Merkušev. 6 S. [282

3. Benutzung.

Bishop, William Warner. Training in the use of books. Sewanee (1912): Univ. Press. 19 S. Aus: Sewanee Review 1912, July. [283

Füchsel, Hans. Wie benutzt man die Universitätsbibliothek? Leipzig: Ernst Wiegandt 1913. 46 S. [284

Van den Gheyn, J. La suppression de la voie diplomatique pour le prêt des livres et des manuscrits. Congrès de Bruxelles 1910. Actes 1912. S. 25—28. [285

Hennig, Paul. Die Desinfektion von Büchern mit dem Rubnerschen Apparat. Zeitschr. f. Bücherfr. N. F. 4. 1912/13. S. 219—220. [286

Konrad, Karl. Angekettete Bücher. Zeitschr. f. Bücherfr. N. F. 4. 1912/13. S. 21—25. [287

McLennegan, Charles E. The open door, trough the book and the library; opportunity for comparison and choice; unhampered freedom of choice. Libr. Journal 37. 1912. S. 429—433. [288

Putnam, Herbert. The Service of books in a democracy. Libr. Journal 37. 1912. S. 59—63. [289

Schmidt, Benno. Reformen im Bibliothekswesen. Korrespondenzblatt d. Akadem. Schutzvereins 6. 1912. S. 37—41. [290

Schneider, Georg. Vorträge zur Einführung in die Bibliotheksbenutzung. Zentralblatt 29. 1912. S. 441—444. [291

Stewart, James D. Library books and infectious diseases. Congrès de Bruxelles 1910. Actes 1912. S. 271—276. [292

Striem, Susanne. Die Infektionsgefahr durch Bücher. Der Bibliothekar 4. 1912. S. 410—411. [293

Erster allrussischer Kongrefs (Russ.: s-ězd) für Bibliothekswesen. 1.—7. Juni 1911. Vojnič-Sjanoženskij, A. R.: Die Kontrolle bei der Bücherausgabe und die Rückgabefristen. Mafsnahmen der Einforderung. Bericht. S.-Petersburg 1912: Merkušev. 12 S. [294

Vojnič-Sjanoženckij (Russ.): Stand der Frage über die Desinfektion der Bücher. Bibliotekař 3. 1912. S. 101—111. [295

Zimmer, Hugo Otto. Vom Bücherleihen. Die Hilfe 1912. Nr 10 v. 7. März. S. 153—155. [296

4. Gebäude und Einrichtung.

Braun, Johannes. Der Bibliotheksraum. Bücherwelt 9. 1911/12. S. 41—43. [297

Capet, Eugène. La Ventilation des salles de lecture. Bulletin de l'Association des bibliothécaires français 6. 1912. S. 19—20. [298

Cooper, T. Edwin. Library Architecture. Librarian 2. 1911/12. Nr 1—12. 3. 1912/13. Nr 1—4. 6. [299

Jeffers, Le Roy. Reference List of titles suggested for a special library building. (New York): 1909. 125 S. [300

Schmid, F. Zur Bibliotheksbuchbindereifrage. Zentralblatt 29. 1912. S. 393—406. [301

2*

Smither, Reginald 'E. Modern methods of book storage. Libr. World
14. 1911/12. S. 259—264. [302

Soule, C. Caroll. How to plan a library building for library work.
Boston: Boston BC. 1912. XIV, 403 S. 2,50 $. (Useful refe-
rence ser.) [303

Stubbs, A. J. Fire. Librarian 2. 1911/12. S. 286—289. [304

Tilton, E. L. Architecture of small libraries. Public Libraries 17.
1912. S. 40—44. [305

7. Biographisches über Bibliothekare.

Adville. M. Adville, bibliothécaire en chef de la ville d'Angers.
(1780—1871.) L'Anjou historique 12. 1911/12. S. 246—249. [306

Bigelow. Resolution adopted by the board of trustees (of the New
York Public Library) on the death of John Bigelow. Bulletin of
the N. Y. P. L. 16. 1912. S. 75—76. [307

Burger. (Konrad Burger.) Von — i. (Leipzig 1912: Seemann.)
15 S., 1 Taf. [308

— Konrad Burger †. Börsenblatt 1912. S. 5210—5214. [309

Dafsdorf. Kirschner, Adolf. Aus dem Leben des Bibliothekars Dafsdorf. Zu seinem hundertsten Sterbetage am 28. Februar. Sachsen-
Post Nr 282 v. 28. Febr. 1912. S. 2—3. [310

Delisle, Léopold. Lettres de Léopold Delisle. Fasc. 2. Correspondance adressé à M. Auguste Castan, 1855—1909. Saint-Lô: Impr.
Jacqueline 1912. 101 S. [311

— Perrot, Georges. Notice sur la vie et les travaux de Léopold
Victor Delisle. Bibliothèque de l'école d. chartes 73. 1912. S. 1
72, 1 Portr. [312

— Perrot, Georges. Notice sur la vie et les travaux de Léopold-
Victor Delisle. Paris 1911: Firmin-Didot. 101 S., 1 Portr. 4⁰.
5 Fr. (Institut de France. Académie des inscriptions et belles
lettres.) [313

Dewey. Brown, James Duff. Melvill Dewey. Libr. World 14. 1911/12.
S. 161—162. [314

Fortescue. In Memoriam: G. K. Fortescue.' (Von Ignoramus.) Librarian
3. 1912/13. S. 180—181. [315

Göpel. Ahrens, Wilhelm. Gustav Adolf Göpel, ein Sohn Rostocks.
Zur hundertsten Wiederkehr seines Geburtstages (29. Sept. 1812).
(Starb als Hilfsarbeiter der Königl. Bibliothek zu Berlin.) Rostocker
Zeitung Nr 267 vom 29. Sept. 1912, 1. Beiblatt, Nr 278 v. 11. Okt.,
Beiblatt. [316

Hartel. Frankfurter, S. Wilhelm von Hartel, sein Leben und Wirken.
Zur Enthüllung des Denkmales in der Universität. 1912. M. 1 Taf.
u. 2 Abb. Wien u. Leipzig: Fromme 1912. 103 S. 4⁰. [317

Hymans. Bastelaer, René van. Henri Hymans. Bulletin de l'association d. archiv. et bibliothécaires belges 1912. S. 101—103. [318

Lipiner. Pernerstorfer, E. Nekrolog. Siegfried Lipiner †. (Direktor. der Bibliothek des österr. Reichsrates.) Zeitschr. d. Oesterr. Vereines f. Bibliothekswesen 3. 1912. S. 121—125. [319

Semkowicz. Kotula, Rudolf. Direktor Prof. Dr. Alexander Semkowicz. (Vorstand der Lemberger Univ.-Bibliothek.) Zeitschr. d. Oesterr. Vereines f. Bibliothekswesen 3. 1912. S. 118—120. [320

Stern. Jacobs, Emil. Ludwig Stern †. Zentralblatt 29. 1912. S. 26—31. [321

8. Schriften über mehrere Bibliotheken.

Deutsches Reich.

Fick, Richard, und Wilhelm Riedner. Das Gesamtverzeichnis der an den deutschen Bibliotheken laufend gehaltenen Zeitschriften. Zentralblatt 29. 1912. S. 364—374. [322

Fick, Richard. Die Zentralstelle der deutschen Bibliotheken. (Das Berliner Auskunftsbureau und der Gesamtkatalog.) Congrès de Bruxelles 1910. Actes 1912. S. 399—449. [323

Glauning, Otto. Der preußische Gesamtkatalog und der Münchener Katalog. Zentralblatt 29. 1912. S. 349—359. [324

Haebler, K. Der deutsche Gesamtkatalog der Wiegendrucke. Congrès de Bruxelles 1910. Actes 1912. S. 331—347. [325

Jahrbuch der Deutschen Bibliotheken. Hrsg. vom Verein Deutscher Bibliothekare. Jg. 10. Leipzig: O. Harrassowitz 1912. VII, 196 S. 4 M. [326

Mattern, Johannes. The Prussian Union Catalog and the Catalog of the Munnich Library. Libr. Journal 37. 1912. S. 603—605. [327

Mžik, v., Zur Frage des Gesamtkataloges. Prinzipielle Bedenken. Zeitschr. des Oesterr. Vereines f. Bibliothekswesen 3. 1912. S. 148 bis 151. [328

Norddeutschland. Fick, R. Aus Norddeutschland. Berliner Brief. Zeitschr. d. Oesterr. Vereines f. Bibliothekswesen 3. 1912. H. 1. [329

Preußen. Berliner Titeldrucke. Verzeichnis der von der Königlichen Bibliothek zu Berlin und den Preußischen Universitätsbibliotheken erworbenen neueren Druckschriften. A. Deutsche Bücher. B. Ausländische Bücher. Or. Orientalische Titel. 1912. 1/2. Berlin: Behrend 1912. Einseitig und zweiseitig bedruckt A 16 M., B 8 M., Or 3 M. jährlich. [330

— Kaisig, Karl. Bücherverzeichnis des Verbandes Oberschlesischer Volksbüchereien. Im Auftr. d. Kgl. Regierung zu Oppeln u. d. Verbands-Vorstandes hrsg. 4. Aufl. Breslau: Priebatsch 1912. XVI, 121 S. [331

— Kaisig. Der Verband oberschlesischer Volksbüchereien. Blätter f. Volksbibl. u. Lesehallen 13. 1912. S. 73—81. [332

— Liesegang, E. Von der Provinzial-Wanderbibliothek in Posen und von den Volksbüchereien des Deutschen Ostmarkenvereins. Blätter f. Volksbibl. u. Lesehallen 13. 1912. S. 147—153. [333

Preußen. Der Verband oberschlesischer Volksbüchereien im Rech-
nungsjahre 1911 (1. April 1911 bis 31. März 1912). I. A. d. Kgl.
Regierung zu Oppeln . . . bearb. von Karl Kaisig. Kattowitz:
Gebr. Böhm in Komm. 1912. 85 S., 1 Karte.   [334

Lippe. Anemüller, E. Die einheitliche Regelung des Volksbibliothekswesens im Fürstentum Lippe. Blätter f. Volksbibl. u. Lesehallen
13. 1912. S. 111—113.   [335

Süddeutschland. Glauning, O. Aus Süddeutschland. Münchener Brief.
Zeitschr. d. Oesterr. Vereines f. Bibliotheksw. 3. 1912. S. 36 – 41. [336

Bayern. Die Bibliothekgebühren in Bayern. Münchner akademische
Nachrichten. Wintersemester 1911. S. 17—19.   [337

Württemberg. Schmid, F. Von den Württembergischen Bibliotheken.
Zentralblatt 29. 1912. S. 162—170.   [338

Oesterreich-Ungarn.

Die über 10 000 Bände zählenden öffentlichen Bibliotheken Ungarns,
im Jahre 1910. Ungarisches statistisches Jahrbuch N. F. 18. f. 1910
(1912). S. 409—411.   [339

Nos Bibliothèques de province en 1910. Magyar Könyvszemle N. F.
20. 1912. S. 19—54.   [340

Erlaß des Ministers für Kultus und Unterricht vom 23. Oktober 1911,
Z. 44 063, . . . betreffend die Aenderung der Dienstesbezeichnungen
der Bibliotheksbeamten. Verordnungsblatt für den Dienstbereich
des k. k. Ministeriums für Kultus u. Unterricht 1911. Stück XXII.
S. 493—494.   [341

Konopka, K. O bibliotekach w Kolegiach Towarzystva Jezusovego
prowincyi galicyjskiej. Kraków 1912: Czas. 15 S.   [342

Kukula, Richard. Für die Erhöhung der Dotationen der österreichischen
Universitätsbibliotheken. Zeitschr. d. Oesterr. Vereines f. Bibliothekswesen 3. 1912. S. 1—10.   [343

Martell, Paul. Oesterreichische Bibliotheken. Archiv f. Buchgewerbe
48. 1911. H. 9 u. 10.   [344

Schweiz.

Escher, H. Vom Schweizerischen Bibliothekswesen. 1. Elfte Vereinigung Schweizerischer Bibliothekare am 11. und 12. Juni 1911
in Zofingen. 2. Die Schweizerische Landesbibliothek. Zentralbl. 28.
1911. S. 533—544.   [345

Esposito, Mario. Hiberno-latin manuscripts in the libraries of Switzerland s. 1205.

Zeitschriften-Verzeichnis der schweizerischen Bibliotheken. Catalogue
des Périodiques reçus par les Bibliothèques suisses. 1911. 2. Auflage. Zürich: Vereinigung schweizer. Bibliothekare 1912. XVII,
311 S. = Publikationen der Vereinigung schweizerischer Bibliothekare IV.   [346

Frankreich.

Annuaire des bibliothèques et des archives. Nouvelle édition publ. sous les auspices du Ministère de l'Instruction publique et avec le concours de la Société de l'Ecole des chartes par A. Vidier. Paris: E. Leroux 1912. XXXI, 397 S. [347

Bloch, Camille. Le Récolement dans les bibliothèques. Bulletin de l'Association de bibliothécaires français 5. 1911. S. 62—66. [348

Le nouveau Décret relatif aux comités d'inspection et d'achats des bibliothèques municipales. Bulletin de l'association des bibliothécaires français 6. 1912. S. 59—63. [349

Marais, Paul. Projet d'une meilleure utilisation des ouvrages doubles que possèdent les bibliothèques publiques. Bulletin de l'association des bibliothécaires français 6. 1912. S. 64—66. [350

Grofsbritannien.

Behrens, Ethel. Il movimento pro-biblioteche popolari in Inghilterra. Coltura popolare 1. 1911. S. 644—647. 2. 1912. Nr 1—3. [351

Brown, James Duff. A British library itinerary, 1. Libr. World 15. 1912/13. S. 99—105. [352

Printed Catalogues of Scottish University libraries. Aberdeen University Library Bulletin 1, 4. 1912. S. 397—404. [353

Johnston, H. E. On the proposed division of the N. C. L. A. (northern counties library association) area. Libr. Assoc. Record 14. 1912. S. 321—326. [354

Phillips, David Rhys. The monastic libraries of Wales, fifth to sixteenth centuries (Celtic and mediaeval periods). Libr. Assoc. Record 14. 1912. S. 288—316. (Wird fortges.) [355

Phillipps, David Rhys. The Romantic history of the monastic libraries of Wales; from the fifth to the sixteenth centuries. =(Celtic and mediaeval periods.) London: Selbstverlag 1912. 62 S. 3 Sh. 6 d. Aus: Library Association Record. [356

Purves, J. W. Cummings. A paper on library ideals: work and legislation in Canada. Library Assoc. Record 14. 1912. S. 439 bis 461. [357

Scholefield, Ethelbert O. S. Library progress in British Columbia. Libr. Journal 36. 1911. S. 573—577. [358

Schultze, Ernst. Die Entwicklung der Volksbibliotheken in England. Eckart 6. 1911/12. S. 383—390. 454—461. (Schlufs folgt.) [359

Schultze, E. Kinderbibliotheken und Kinderlesehallen in England. Zeitschrift für französischen und englischen Unterricht 10. 1911. S. 504—520. [360

Italien.

D'Aste, Vit. Intorno alla necessità d'istruire biblioteche pubbliche nei comuni minori d'Italia. Firenze 1912: Nuovo Giornale. 8 S. [361

Bullettino delle bibliotechine per le scuole elementari italiane: organo del comitato nazionale. Anno 1. Nr 1 (Novembre 1911). Bologna Azzoguidi 1911. Jg. 2 L. [362

Catalogo delle opere musicali teoriche e pratiche composte avanti il secolo XIX esistenti nelle biblioteche e negli archivi pubblici e privati d'Italia. Città di Bologna (1. Fasc.), Firenze (1. Fasc.), Milano (1. Fasc.), Parma (Fasc. 1—9). Parma: Mario Flesching 1909/12. 32; 15; 20; 295 S. 4⁰. = Bollettino dell'Associazione dei musicologi italiani Annata 1. 1909. 2. 1910/11. [363

Dreyer, Hans. Volksbibliotheken in Italien. Monatshefte der Comenius-Gesellschaft für Volks-Erziehung 20. 1912. S. 84—86. [364

Elenco generale delle biblioteche popolari e scolastiche esistenti nel Regno al 1 gennaio 1912. Bollettino ufficiale del ministero dell'istruzione pubblica 39. 1912. Vol. 2. S. 2941—3039. [365

Fabietti, E. Le bibliotechine e lo stato. Coltura popolare 1. 1911. S. 743—745. [366

Fabietti, Ettore. Perchè ogni scuola deve avere la sua bibliotechina. Coltura popolare 1. 1911. S. 787—789. [367

Miola, Alfonso. Le pubbliche biblioteche e il loro ordinamento. Atti della Accademia Pontaniana 41 = 2. Ser. 16. 1911. Memoria 6. 7 S. [368

Sorbelli, Albano. Inventari dei manoscritti delle biblioteche d'Italia. Opera fondata d. Gius. Mazzatinti. Vol. 18. 19. Firenze: L. S. Olschki 1912. 217 u. 232 S. [369

Sorbelli, A. Le biblioteche comunali. L'Archiginnasio 6. 1911. S. 241—248. [370

Statistica dell'incremento delle biblioteche governative e dei lavori ai cataloghi durante l'anno 1911. Bollettino ufficiale del ministero dell'istruzione pubblica 39. 1912. Vol. 2. S. 2786—2789. [371

Statistica delle opere date in lettura e dei lettori nelle biblioteche pubbliche governative durante l'anno 1909. 1910. Bollettino ufficiale del ministero dell'istruzione pubblica 38. 1911. Vol. 2. S. 3613—3622. 39. 1912. Vol. 2. S. 2839—42. [372

Viola, O. Italienischer Brief. (A. d. Ms. d. Verf. von R. Wolkau.) Zeitschr. d. Oesterr. Vereines f. Bibliothekswesen 3. 1912. H. 1. [373

Niederlande und Belgien.

Annuaire des bibliothèques de Belgique par Auguste Collard. Préf. du J. van den Gheyn. Roulers 1912: Deraedt-Verhoye. VIII, 189 S. 2,50 Fr. (Association des archivistes et bibliothécaires belges.) [374

Bibliothèques. Annuaire statistique de la Belgique 42. 1911 (1912). S. 196—198. [375

Gebhard, Annie C. Studie-afdeeling van de Centrale Vereeniging voor openbare Leeszalen en Bibliotheken. De Boekzaal 5. 1911. S. 313 —316. [376

Greve, H. E. The Dutch openbare „Leeszalen en Bibliotheken". Congrès de Bruxelles 1910. Actes 1912. S. 258—263. [377

De Louw, J. Leeszalen in het Zuiden. De Bookzaal 6. 1912. S. 239—246. [378

Omont, H. Deux lettres de Michelet à Daunou sur les archives et bibliothèques de Belgique et Hollande (1837). Revue d. bibliothèques 22. 1912. S. 247—252. [379

Nordische Staaten.

Sveriges offentliga Bibliotek. Stockholm. Upsala. Lund. Göteborg. Accessions-Katalog. Tioårs-Register 1896—1905. Utgif. af Kungl. Biblioteket genom E. W. Dahlgren. Hälften 1. A—K. Stockholm 1912: P. P. Norstedt. 439 S. [380

Sveriges offentliga Bibliotek. Stockholm. Upsala. Lund. Göteborg. Accèssions-Katalog .24—25. 1909—1910. Hälften 2. Utg. af Kungl. Biblioteket genom C. Grönblad, Emil Haverman, O. Wieselgren. Stockholm 1912: P. A. Norstedt. VI S., S. 617—1092. [381

Sveriges offentliga Bibliotek. Stockholm. Upsala. Lund. Göteborg. Accessions-Katalog 26. 1911. Utg. af Kungl. Biblioteket genom O. Wieselgren. Stockholm 1912: P. A. Norstedt. VI, 651 S. [382

Jorgensen, Ellen. Studier over danske middelalderlige bogsamlinger. København 1912: B. Lunos. 67 S. Aus: Historisk Tidsskrift 8. R. 4. [383

Katalog over erhvervelser af nyere udenlandsk litteratur ved statens offentlige biblioteker. Udg. af det Kongelige Bibliotek ved Sigfús Blöndal. 1911. 1912. København 1912: Graebe. Je 363 S. Je 1 Kr. [384

Lagerqvist, H. E. Schwedisches Bibliothekswesen 1906—10. Stockholmer Brief. Zeitschr. d. Oesterr. Vereines f. Bibliothekswesen 2. 1911. S. 217—222. [385

Madsen, Victor. Dänisches Bibliothekwesen 1911. Zeitschr. d. Oesterr. Vereines f. Bibliothekswesen 3. 1912. S. 55—59. [386

Petersen, Carl S. Danske videnskabelige biblioteker og deres historie. Haandbog i Bibliotekskundskab 1912. S. 28—116. [387

Rufsland.

N. M. (Russ.): Zur Frage über die Universitätsbibliotheken. (Aus Anlafs der dem Gutachten der gesetzgebenden Körperschaften unterbreiteten Reglements- und Etatsprojekte der kais. russischen Universitäten.) Tomsk 1911: Gub. upravl. 59 S. [388

Kameneckij, S. L. (Russ.): Zur Frage über das Recht der Eröffnung von Bibliotheken. (Art. 145 des Zensur- u. Pressegesetzes.) S.-Peterburg 1912: Obšč. Pol'za. 8 S. 15 Kop. [389

Rubakin, N. A. (Russ.): Unter Büchern. Versuch eines Ueberblicks der russischen Buchreichtümer in Verbindung mit der Geschichte der wissenschaftlich-philosophischen und literarisch-gesellschaftlichen Ideen. 2. verbess. u. umgearb. Auflage. Band I. Moskva 1911. XIII, 191, 424 S. 3 Rub. [390

Wolter, E. Russische Bibliotheken. St. Petersburger Brief. II. Die grofsen wissenschaftlichen Bibliotheken Rufslands. Zeitschr. d. Oesterr. Vereines f. Bibliothekswesen 3. 1912. S. 48—55. [391

Vereinigte Staaten.

Bolton, Charles K. American library history. Chicago: Americ. Libr.
Assoc. 1911. 13 S. Aus: Manual of library economy. Chapter 1. [392

Gifts and bequests to American libraries, 1911. Bulletin of the
American Library Association 6. 1912. S. 24—33.   [393

Hasse, Adelaide R. Government publications in the United States.
Congrès de Bruxelles 1910. Actes 1912. S. 15—20.   [394

Schwenke, P. Eindrücke von einer amerikanischen Bibliotheksreise.
Zentralbl. 29. 1912. S. 485—500 m. 4 Plänen. (Wird fortges.) [395

Wilson, Louis Round. A constructive library platform for southern
schools. Libr. Journal 37. 1912. S. 179—185.   [396

Woods, Henry E. The Massachusetts laws and commission of public
records. (Library laws.) Congrès de Bruxelles 1910. Actes 1912.
S. 101—111.   [397

Aegypten.

Richardson, Ernest Cushing. Some old Egyptian librarians. New York:
Scribner 1911. 93 S. 75 c.   [398

III.
Einzelne Bibliotheken.

(Ehemalige und noch bestehende; nach dem Sitze der Bibliothek;
Privatbibliotheken s. XII.)

Deutsches Reich.

Altena. Bücher-Verzeichnis der Altenaer Bücherei. (Nebst) Nachtr. 1.
Altena 1909(—11): Kord-Ruwisch (Nachtr.: Trippel).   [399

Bamberg. Katalog der Handschriften der Königlichen Bibliothek zu
Bamberg. Bd 3 (Schluſs). Abt. 1. Bamberger Sammlung. Anhang:
Manuskripte der Zweibrückner und Marschalkschen Sammlung.
Abt. 2. Miscellen. Anhang: Rechnungen u. Urkunden. Bearb. von
Hans Fischer. Bamberg: C. C. Buchner 1912. XXI. 306 S. 8 M. [400

— Königl. Bibliothek Bamberg. Katalog der Bibliothek des Freiherrn
Emil Marschalk von Ostheim. Abt. 1—3. Bamberg 1911: Nagen-
gast. 623, 625—1325, 1329—1513, XXVI S.   [401

Berlin. Simon, H. Die Bibliotheken (Berlins). Aus: Einführung in
das akademische Leben. Berlin 1912. 6 S.   [402

— Chaîne, R. P. Marius. Inventaire sommaire des manuscrits éthiopiens
de Berlin, acquis depuis 1878. Revue de l'Orient Chrétien 17.
(2. Sér. 7), 1912. S. 45—68.   [403

— Harnack, Adolf. Die Benutzung der Königlichen Bibliothek und
die deutsche Nationalbibliothek. Berlin: J. Springer 1912. 38 S. [404

Berlin. Hortzschansky, Adalbert. Die Titel- und Zetteldrucke der Königlichen Bibliothek ‚zu Berlin. Zeitschr. f. Bücherfreunde N. F. 3. 1911/12. S. 395—398. [405

— Jahresbericht der Königlichen Bibliothek zu Berlin (7) für das Jahr 1911/12. Berlin: Königl. Bibliothek (1912). 69 S. [406

— Mitteilungen aus der Königlichen Bibliothek hrsg. von der Generalverwaltung.. 1. Briefe Friedrichs des Grofsen an Thiriot. Hrsg. von Emil Jacobs. Berlin: Weidmann 1912. 44 S. 4⁰ (8⁰). 3 M. [407

— Morandotti, A. L'Italia nella Biblioteca di Berlino. Bibliofilia 13. 1911/12. S. 308—311 aus: Corriere della Sera. [408

— Nekraš, L. (Russ.): Einige Worte über die Königliche Bibliothek in Berlin. Bibliotekaŕ 2. 1911. S. 392—398. [409

— Schwenke, P. Die Königliche Bibliothek. Grofs Berliner Kalender 1913. S. 249—254. [410

— Bücher-Verzeichnis des Hauses der Abgeordneten. 4. Aufl. Bd 5. Nachtr. a. d. J. 1906 bis 1910. Berlin 1911: Greve. XXVIII, 841 S. [411

— Sass, Joh. Zur Geschichte der Bibliothek des.Auswärtigen Amtes. Zentralblatt 29. 1912. S. 1—19. [412

— Katalog der Bibliothek des Königlich Preufsischen Grofsen Generalstabes. Berlin: Mittler 1912. ·927 S. 4⁰. [413

— Buddecke. Die Bibliothek des Grofsen Generalstabes. Ihre Entwicklung und Neukatalogisierung.. Vierteljahrshefte f. Truppenführung u. Heereskunde 9. 1912. S. 103—117. [414

— Katalog der Bibliothek der Handelskammer zu Berlin. Bd 1. Rechtswissenschaft. Berlin 1912: Liebheit u. Thiesen. XXXI, 490 S. 4⁰ (8⁰). [415

— Bibliothek des Herrenhauses. Vierteljährliches Zugangsverzeichnis. 1912. Jan.—März. (Berlin 1912: J. Sittenfeld.) [416

— Verzeichnis der in der Bücherei des KM (Kriegsministeriums) vorhandenen Werke. Nachtr. 9. (Berlin: 1911/12.) 23 S. 4⁰. [417

— Jessen, Peter. Die Bibliothek des Kunstgewerbemuseums in Berlin, eine Lehrstätte für künstlerische Kultur. Grofs Berliner Kalender : 1913. S. 254—260. [418

— Katalog der Bibliothek der Königlich Preufsischen Geologischen Landesanstalt und der Königlichen Bergakademie zu Berlin. Neuerwerbungen vom 1. April 1911 bis 1. April 1912. Berlin 1912: Hansabuchdruckerei. 84 S. [419

— Die Deutsche Lehrerbücherei im Jahre 1911. (Berlin: 1912.) 1 Bl. 4⁰. [420

— Katalog der Bibliothek des Königlich Preufsischen Ministeriums des Innern. Bd 4: Medizinalwesen. Berlin: v. Decker 1912. VII, 190 S. [421

— Bericht der Oeffentlichen Bibliothek und Lesehalle Berlin über das 12. Betriebsjahr vom 25. Oktober 1910 bis 24. Oktober 1911. Berlin: 1911. 1 Bl. · [422

Berlin. Zeitschriften und Patentschriften der Bibliothek des Kaiserlichen Patentamts. Stand vom 1. Januar 1912. (Nur für den inneren Dienst.) (Berlin: 1912.) 308 S.   [423

— Katalog der Fachbibliothek des Provinzial-Ausschusses für innere Mission in der Provinz Brandenburg. Berlin: M. Warneck 1912. VIII, 353 S. Geb. 2 M.   [424

— Büchersammlung des Reichsbankdirektoriüms. Abgeschlossen am 1. Juni 1912. Berlin 1912: Reichsdruckerei. XII, 699 S. 4⁰ (8⁰). [425

— Katalog der Bücherei des Reichs-Postamts. Bd 1. Bücher. 2. Nachtrag. Berlin: J. Springer 1911. XI, 144 S. 8 M.   [426

— Reichspostamt s. a. 1221.

— Benutzungsordnung für die Königliche Universitäts-Bibliothek zu Berlin. (Berlin 1912: Dietze.) 16 S.   [427

— Bericht über die Verwaltung der Universitäts-Bibliothek zu Berlin im Rechnungsjahr 1911. Halle a. S. 1912: Waisenhaus. 14 S. Aus: Chronik der Universität Jg. 25.   [428

—Verzeichnis der Lesesaal- und Handbibliothek der Königlichen Universitäts-Bibliothek zu Berlin. Nachtrag zur fünften Ausgabe. Berlin: 1912. 76 S.   [429

— (Buchholtz, Arend.) Katalog der Berliner Stadtbliothek. Bd 9. Nachträge zur Abt. III: Literaturgeschichte u. Dichtung. Bd 10. Abt. XIV. Buch- u. Bibliothekswesen, Zeitungen, Zeitschriften, allgemeine Wissenschaftskunde . . . Berlin: W. Weber 1912. VI, 244; VII, 205 S.   [430

— Bücherverzeichnis der 3. städtischen Volksbibliothek zu Berlin. 11., verm. Aufl. Berlin 1912: Loewenthal. IV, 162 S.   [431

— Bücherverzeichnis der 6. städtischen Volksbibliothek . . . 6., verm. Aufl. Berlin 1912: Loewenthal. IV, 154 S.   [432

— Bücherverzeichnis der 7. städtischen Volksbibliothek . . . 7., verm. Aufl. Berlin 1912: Loewenthal. IV, 213 S.   [433

— Bücherverzeichnis der 10. städtischen Volksbibliothek . . . 7., verm. Aufl. Berlin 1911: Loewenthal. IV, 235 S.   [434

— Bücherverzeichnis der 12. Städtischen Volksbibliothek zu Berlin im Gemeindeschulhause Turmstr. 86. 8., verm. Aufl. Berlin 1910: Loewenthal. IV, 237 S.   [435

— Bücherverzeichnis der 13. städtischen Volksbibliothek . . . 6., verm. Aufl. Berlin 1912: Loewenthal. IV, 212 S.   [436

— Bücherverzeichnis der 18. städtischen Volksbibliothek . . . 6., verm. Aufl. Berlin 1911: Loewenthal. IV, 201 S.   [437

— Bücherverzeichnis der 19. Städtischen Volksbibliothek zu Berlin auf dem Schulgrundstück Sonnenburgerstr. 21. 5., verm. Aufl. Berlin 1910: Loewenthal. IV, 220 S.   [438

— Bücherverzeichnis der 24. städtischen Volksbibliothek . . . Berlin 1911: Loewenthal. IV, 254 S.   [439

— Bücherverzeichnis der 26. städtischen Volksbibliothek . . . Berlin 1912: Loewenthal. IV, 178 S.   [440

⩗ Berlin. Die 2. Oeffentliche Lesehalle der Stadt Berlin auf dem
Schulgrundstück Ravenéstr. 12. Katalog. 2., verm. Aufl. Berlin
1911: Loéwenthal. 60 S. [441

⩗·— Die 3· Oeffentliche Lesehalle der Stadt Berlin auf dem Schulgrundstück Wilmsstr. 10. Katalog. 3., verm. Aufl. Berlin 1911 :
Loewenthal. 68 S. [442

⩗ — Deutsche Zentrale für Jugendfürsorge . . . Oeffentliche unentgeltliche Lesegelegenheiten in Berlin 1911/12. (Berlin 1911: Gutenberg.) 8 S. [443

— Bohn, (Friedrich). Erste Erfahrungen und Beobachtungen in
unserer Berliner Kinderlesehalle. Berlin: Volksbund 1911. 12 S.
(Flugschriften des Volksbundes zur Bekämpfung des Schmutzes in
Wort und Bild Nr 6.) [444

— Smit, D. De eerste berlijnsche Kinderleeszaal. De Boekzaal 6.
1912. S. 305—309. [445

Blaubeuren. Löffler, Karl. Blaubeurer Handschriften in Weingarten.
Württembergische Vierteljahrshefte für Landesgeschichte N. F. 20.
1911. S. 145—149. [446

⩗ Bochum. Städtische Lesehalle und Volksbibliothek, Bochum. Bücherverzeichnis 1905. Abgeschl. am 1. Juli 1905. (Nebst) Nachtrag.
Abgeschl. am 1. Dez. 1910. Bochum 1905—10: Märk. Vereinsdr. [447

Bonn, Adrian, Fr. Die Kriegsbriefsammlung der Bonner Universitäts-
bibliothek. Kölnische Zeitung 1912: Nr 1070 vom 26. Sept. [448

— Bollert, M. Die aus den Mitteln der Emil vom Rath-Stiftung
i. J. 1911 von der Universitätsbibliothek zu Bonn erworbenen Handschriften. Westdeutsche Zeitschrift für Geschichte und Kunst 30.
1911/12. S. 505—510. [449

⩗ — Jahresbericht der Königlichen Universitäts-Bibliothek zu Bonn 1911.
Bonn 1912: C. Georgi. 12 S. Aus: Chronik der Universität. [450

— Universitäts-Bibliothek Bonn. Verzeichnis der Lesesaal-Bibliothek
und des bibliographischen Apparats. Bonn 1912: Georgi. VIII,
138 S. [451

— Verzeichnis der Zeitschriften des Akademischen Lesevereins zu
Bonn für 1912. Bonn: Carthaus. 22 S. [452

— Bücher-Verzeichnis der Bonner Bücher- u. Lesehalle e. V. Quantius-
strafse 5. (Bonn) 1912: Georgi. 161 S. [453

Braunschweig. Bericht über die Verwaltung des Archivs und der
Bibliothek der Stadt Braunschweig in der Zeit vom 1. April 1906
bis 31. März 1911. (Braunschweig o. J.: Krampe.) 11 S. 2 Abb.
Aus: Verwaltungsbericht des Stadtmagistrats. [454

Bremen. Jahresbericht der Stadtbibliothek. Bericht über die Verwaltung
der Stadtbibliothek im Rechnungsjahre 1911. (Bremen: 1912.) 5 S.
4⁰. Aus: Verhandlungen zwischen dem Senate und der Bürgerschaft Bremen. [455

— Zugangs-Verzeichnis der Stadtbibliothek Bremen vom Rechnungsjahr 1911/12. Bremen 1912: Guthe. 91 S. [456

Bremen, Lesehalle, in Bremen. Jahresbericht 46. 1911. Bremen:
A. Guthe. 1912. 34 S.   [457
⅃ Breslau. Jahresbericht der Königlichen und Universitäts-Bibliothek
zu Breslau 1911. Breslau 1912: E. Winter. 29 S. Aus: Chronik
der Universität.   [458
— Bericht über die Verwaltung der Stadtbibliothek und des Stadt-
archivs zu Breslau im Rechnungsjahre 1911. Breslau 1912: (Ge-
nossenschafts-Buchdr.). 17 S. Aus: Bresl. Statistik, Bd 31. H. 1. [459
— Ordnung für die Benutzung der Stadtbibliothek zu Breslau. Breslau:
Grafs, Barth. 7 S.   [460
— Ordnungen für die Stadtbibliothek und das Stadtarchiv zu Breslau.
Breslau 1912: Grafs, Barth. 14 S.   [461
— Bücher-Verzeichnis der Städtischen Volksbibliothek Nr 3. Königs-
platz 7 (Eing. Wallstr.). Hrsg. von d. Kuratorium d. Städt. Volks-
bibliotheken u. Lesehallen zu Breslau. Breslau 1912: Lilienfeld.
IV, 377 S.   [462
Castrop. Bücher-Verzeichnis der Volksbibliothek der Stadt Castrop.
Nr (u. Erg. 1—4) 2. (= Erg. 5). Erg. 6 (hektogr.). Castrop (um 1911)
Schmitz. 8⁰ u. 4⁰.   [463
Charlottenburg. Die städtische Volksbücherei (in Charlottenburg im
Rechnungsjahr 1910, 1911). (Charlottenburg 1911, 1912.) 2, 3 S.
4⁰ (2⁰). Aus: Verwaltungsbericht der Stadt Charlottenburg. [464
— Städtische Volksbücherei Charlottenburg. Nachtrag zum Haupt-
bücherverzeichnis. 1908—1912. September. Charlottenburg: 1912.
V, 316 S.   [465
Clausthal. Verzeichnis der der Bibliothek der Kgl. Bergakademie zu
Clausthal neu einverleibten Werke. 1911/12. (Clausthal 1912.)
40 S. (autograph.).   [466
— Verzeichnis der der Bibliothek des Kgl. Oberbergamts zu Claus-
thal neu einverleibten Werke. 1. April 1911 bis dahin 1912. Claus-
thal: 1912.) 35 S. (autogr.).   [467
⅃ Coblenz. Stadtbibliothek Coblenz. Bericht für das Verwaltungsjahr
1910. (1. April 1910 bis 30. März 1911.) Coblenz 1911: H. L.
Scheid. S. 73—74. 4⁰. Aus: Bericht üb. d. Verwaltung d. Residenz-
stadt Coblenz.   [468
Cöln. Baeumker, Franz. Beiträge zur Geschichte der Bibliothek des
Kölner Priesterseminars 1750—1911. Pastoralblatt (Erzdiözese Köln).
46. 1912. Sp. 97—103.   [469
— Bibliothek der Kölnischen Zeitung. (M. Dumont Schauberg.) Katalog
der Redaktions-Bibliothek. 3. Aufl. Abgeschlossen am 1. Jan. 1910.
(Vorr. Herm. Böhm.) (Köln: Du Mont Schauberg 1910.) X, 482 S. [470
— Jonge, Moritz de. Eine jüdische Gemeinde-Bibliothek in Köln.
Israelitisches Gemeindeblatt 24. 1911. S. 568—569.   [471
Danzig. Bericht über die Verwaltung der Stadtbibliothek zu Danzig
für das Verwaltungsjahr 1. April 1911/12. 4 S. 4⁰.   [472
— Trommsdorff, Paul. Die Bücherei der Königl. Technischen Hochschule
Danzig. Vortrag. Danziger Neueste Nachrichten 1911. Nr 261. [473

Danzig. Verzeichnis der von der Bücherei und den Instituten und
Sammlungen der Königl. Technischen Hochschule Danzig laufend
gehaltenen Zeitschriften. Danzig - Langfuhr 1912: Danzig, Kafe-
mann. 44 S. [474

— Katalog der Bibliothek der Naturforschenden Gesellschaft in Danzig.
H. 2. C. Meteorologie. D. Physik. Danzig, Leipzig: Engelmann
in Komm. 1908. 134 S. [475

Darmstadt. Grofsherzogliche Hofbibliothek zu Darmstadt vom 1. April
1911 bis 31. März 1912. Mitteilungen d. Grofsh. Hess. Zentralstelle
f. d. Landesstatistik 1912. Nr 930. S. 132. [476

Demmin. Weinert, A. Bücherverzeichnis der Lehrer-Bibliothek des
Königl. Gymnasiums zu Demmin. T. 1. 2. Demmin 1911, 1912:
W. Gesellius. 97, 61 S. Beil. z. Programm. [477

Dessau. Matthaei, Kurt. Altdeutsche Handschriften der Fürst-Georg-
Bibliothek in Dessau. Mitteilungen des Vereins f. Anhalt. Geschichte
u. Altertumskunde. 11. H. 4—5. 1911 u. 1911. S. 528—538. [478

Detmold. Zugänge der Fürstlichen Landesbibliothek zu Detmold. 14.
1910/11. Detmold: 1911. 61 S. [479

Dillenburg. Bücherkatalog in alphabetischer Ordnung der Verfasser.
(Bücher im Wilhelmsturm zu Dillenburg.) Veröffentlichungen des
Historischen Vereins zu Dillenburg Nr 6. 1912. S. 133—189. [480

Dortmund. Mitteilungen aus der Stadtbibliothek. Hrsg.: E. Schulz.
Jg. 1. 1911/12. 2. 1912/13. Nr 1, vom 20. Oktober 1912. Dortmund 1911. 1912. 4⁰. Nr 10 Pf., 24 Nrn 2 M. [481

— Bücher-Verzeichnis des Königl. Oberbergamts zu Dortmund. Nach
dem Stande vom 1. Juni 1912. Dortmund 1912: H. Bellmann.
521 S. 4⁰ (8⁰).. [482

Dresden. Jahresbericht der Königl. öffentlichen Bibliothek zu Dresden,
hrsg. von der Direktion (2.) a. d. J. 1911. Nebst einer Beilage:
Literatur der Landes- und Volkskunde des Königreichs Sachsen
a. d. J. 1911. Dresden 1912: v. Baensch-Stiftung. 72 S. [483

— Liebscher, Artur. Die Musikabteilung der Dresdner Königlichen
Bibliothek. Dresdner Anzeiger 1912. Sonntagsbeil. S. 118 ff. [484

— Die Bibliothek der Gehe-Stiftung zu Dresden 1911. Jahresbericht,
systematisches und alphabetisches Zuwachsverzeichnis mit Ausschlufs
der Antiquaria und Fortsetzungen. Dresden: v. Zahn & Jaensch
1912. XXII, 100 S., 1 Tabelle. [485

— Singer, Hans W. Unika und Seltenheiten im Kgl. Kupferstich-
Kabinett in Dresden. Leipzig: Glass u. Tuscher 1911. 25 S.,
50 Taf. m. Text. Geb. 12 M. [486

— Bücher-Verzeichnis des Entomologischen Vereins „Iris". Dresden
1912. Gottesberg (1912): Hensel. XXX S. [487

— Bericht über das 2. Betriebsjahr der Städtischen Zentralbibliothek
zu Dresden. (1911.) (Dresden 1912: Güntzsche Stiftung.) 8 S.
1 Tabelle. [488

Dresden. Bücherverżeichnis der städtischen Zentralbibliothek zu Dresden. Abgeschlossen am 1. 7. 1911. Dresden: Holze u. Pahl 1912. 612 S. 1,50 M. [489

Düsseldorf. Landes- und Stadt-Bibliothek Düsseldorf. Jahresbericht 8. 1911/12. Düsseldorf: Bibliothek 1912. 4 S. 4⁰. Aus: Bericht . . . der Stadt Düsseldorf 1911/12. [490

— Verein deutsher Eisenhüttenleute, Düsseldorf. Jahresbericht der Bibliothek für 1911. Düsseldorf: 1912. 7 S. [491

Elberfeld. Stadtbücherei Elberfeld. Bericht über das zehnte Betriebsjahr 1911/12. Von E. Jaeschke. Elberfeld 1912: Martini u. Grüttefien. 7 S. 4⁰. [492

— Bücherverzeichnis der Kekulé-Bibliothek der Farbenfabriken vorm. Friedr. Bayer & Cie. in Elberfeld. 3. Ausgabe. Elberfeld 1911: Martini & Grüttefien. VII, 397 S. [493

Essen. Auswahl der wichtigeren Neuerwerbungen für die Bibliothek des Bergbauvereins in Essen (Ruhr) im 2. Vierteljahr 1912. 4 S. [494

— Verzeichnis der Zeitschriften (einschl. der geb. Zeitungen und wichtigeren Fortsetzungswerke) der Bibliothek des Bergbau-Vereins (Verein für die bergbaulichen Interessen im Oberbergamtsbezirk Dortmund) zu Essen (Ruhr). Stand vom 31. Dezember 1911. Essen 1911: Haarfeld. 36 S. [495

— Verein deutscher Eisenhüttenleute. Bibliothek. Verzeichnis der regelmäſsig eingehenden Zeitschriften. (Nach dem Stande vom Januar 1912.) (O. O.): 9 S. 4⁰. [496

Frankfurt a. M. Schiff, Otto. Die Frankfurter Sammelkataloge. Frankfurter Zeitung 1912. Nr 176 vom 27. Juni. [497

— Bericht über die Verwaltung der Stadtbibliothek zu Frankfurt a. M. erst. von Friedrich Clemens Ebrard. Jg. 27. 1. April 1910 bis 31. März 1911. (Erweit. Sonder-Abdr. aus dem Bericht des Magistrats die Verwaltung . . . i. Verw.-J. 1910 betr.) Frankfurt a. M. 1911. Knauer. 10 S. 4⁰. [498

— Zugangsverzeichnis der Stadtbibliothek 82—85. Vom 1. April 1911—31. März 1912. (Frankfurt: 1912.) 4⁰. [499

— Stadtbibliothek s. a. 1354.

— Bibliotheken, Sammlungen und Institute. Akademie f. Sozial- u. Handelswiss. zu Frankfurt a. M. Bericht W. S. 1909/10 bis S. S. 1911. Jena 1912. S. 27—34. [500

Frankfurt a. O. Städtische Bücher- und Lesehalle zu Frankfurt (Oder). Verwaltungsbericht üb. d. Geschäftsjahr 1. April 1911—31. März 1912. Frankfurt (Oder) 1912: F. Köhler. 6 S. [501

— Groeper, Richard. Vereichnis der Schüler-Bibliothek des Königl. Friedrich-Gymnasiums zu Frankfurt a. O. Nach dem Bestande zu Ostern 1912 aufgenommen. Frankfurt a. O. 1912: Köhler. 65 S. Beil. z. Programm. [502

Fürth. Bibliothek. Bericht des Fürther Volksbildungsvereins 6, über das Vereinsjahr 1911. Fürth: 1912. S. 5—10. [503

Göttingen. Jahresbericht der Königl. Universitäts-Bibliothek zu Göttingen (f. 1911). (Göttingen: 1912.) 12 S. Aus: Chronik der Universität. [504

— Verzeichnis der für den Bibliothekslesezirkel bestimmten Zeitschriften der Königl. Universitäts-Bibliothek zu Göttingen. (Göttingen) 1912: Dieterich. 66 S. [505

Goslar. ' Bormann, K., und Theda Tappen. Katalog der Marktkirchen-Bibliothek zu Goslar. Hannover: E. Geibel 1911. XIII, 195 S. 2,50 M. [506

Gotha. Witte, Hans. Eine Aufgabe der Deutschen Nationalbücherei zu Gotha. Deutsche Erde 11. 1912. H. 2. S. II—IV. [507

Greifswald. Jahresbericht der Königl. Universitäts-Bibliothek zu Greifswald 1911. Greifswald 1912: Abel. 12 S. Aus: Chronik der Universität. [508

Hadamar. Schmitthenner. Königliches Gymnasium zu Hadamar. Zur Geschichte der Gymnasialbibliothek. I. Die Pädagogialbibliothek. Hadamar 1912: Hörter. 14 S. Beil. z. Jahresbericht. [509

Hagen. Katalog der Städtischen Bücher- und Lesehalle zu Hagen i. W. (Nebst) Verzeichnis der aufliegenden Zeitungen und Zeitschriften (u.) Nachtrag. Hagen (1908)—10: Quitmann. [510

— Bericht über die städtischen Volksbibliotheken und über die Lesehalle zu Hagen i. Westf. vom ... 1905—06. 1906—07. 1907—08. 1908—09 (d. i. 1910). 1910/11. Hagen 1905—11. 9, 15, 11, 12, 10 S. [511

Halberstadt. Lefèvre, Paul. Katalog der Lehrerbibliothek, Q—S. (Schlufs.) Halberstadt 1912: Hoerling. 30 S. Beil. z. Jahresbericht der Oberrealschule. [512

Halle a. S. Stammler, Wolfgang. Gellertbriefe in der Bibliotheca Ponickauiana zu Halle. Thüringisch-sächsische Zeitschrift für Geschichte und Kunst Bd 2. 1912. S. 247—263. [513

Hamburg. Jahres-Bericht der Oeffentl. Bücherhalle zu Hamburg. 12. 1911. Hamburg: Hamb. Gesellsch. z. Förd. d. Künste 1912. 19 S. [514

— Plate, O. Ueber einige Drucksachen des Hamburger Bücherhallenbetriebes. Blätter f. Volksbibl. u. Leseh. 13. 1912. S. 37—43. [515

Hamm. Bücherverzeichnis der Volksbibliothek in Hamm (Westf.). 3. Aufl. Hamm (1911): Breer u. Thiemann. 171 S. [516

— Teerbrüggen, Wilhelm. Zweck und Nutzen einer Volksbibliothek u. ihre Entwicklung in Hamm. (Hamm i. W.: Griebsch 1911.) 11 S. [517

— Oberrealschule zu Hamm (Westf.). Krausser, E. Katalog der Lehrer- und Schüler-Bibliothek. Hamm 1911: Reimann. 76 S. Beilage z. Programm. [518

Hanau. Wahl, Gustav. Die Hanauer Bibliotheksverhältnisse. (O. O.: 1911.) 3 Bl. 4⁰. [519

Hannover. Horstmann, Wilhelm. Bernhard Homeisters Sammlung in der Stadtbibliothek zu Hannover. T. 1. Hannover 1912: C. Ebers. 24 S. 4⁰. Beil. z. Jahresbericht des Kgl. Kaiserin Auguste Victoria-Gymnasiums in Linden. [520

Hannover. Katalog der Schüler-Bibliothek des Lyceums zu Hannover
1911. Osterode a. H. (1911): Giebel u. Oehlschlägel. 56 S. [521
Heidelberg. Durm. Die neue Universitätsbibliothek in Heidelberg.
M. 13 Textabb. u. Blatt 65 im Atlas. Zeitschr. f. Bauwesen 62.
1912. Sp. 521—544. [522
— Sillib, Rudolf. Verzeichnis der Handschriften und Drucke im Aus-
stellungssaal der Grofsh. Universitäts-Bibliothek in Heidelberg. Heidel-
berg: 1912. 21 S., 3 Taf. [523
Herford. Bücherverzeichnis der Städtischen Volksbibliothek Herford.
Herford um 1911: Quentin u. Sellwig. 36 S. [524
Jauer. Heuber, Gotthard. Bücherverzeichnis der Lehrerbibliothek des
Königlichen Gymnasiums zu Jauer. T. 4. Griechische Schriftsteller.
(Jauer 1912: Hellmann.) 31 S. Beil. z. Programm. [526
Jena. Nachtrag zum Bücherverzeichnis der Oeffentlichen Lesehalle
zu Jena: 1912. XI, 192 S. [527
— Jahresbericht der Oeffentl. Lesehalle zu Jena für 1911. Erstattet
vom Vorstand des Lesehalle-Vereins. Jena 1912: (B. Vopelius.)
18 S. [528
Karlsruhe. Katalog der Grofsh. Badischen Hof- und Landesbibliothek
in Karlsruhe. Abt. 4. Fachübersichten 1886—1907: Heilkunde,
Naturwissenschaften, Mathematik; Recht. Karlsruhe: F. Gutsch 1912.
VII, 68; VIII, 115 S. Je 0,50 M. [529
— Katalog der Grofsh. Hof- und Landesbibliothek in Karlsruhe.
Zugangsverzeichnis 1911. Neue Reihe 4. Alte Reihe 40. (Ausg.
m. Sachreg.) Karlsruhe: F. Gutsch 1912. V, 106 S. 0,50 M. [530
— Grofsh. Badische Hof- und Landesbibliothek. Jahresbericht 1911.
(Karlsruhe: 1912.) 2 Bl. 2⁰. Aus: Karlsruher Zeitung 1912.
Nr 46 vom 16. Februar. [531
— Hof- und Landesbibliothek s. a. 1362.
— Bibliothek der Technischen Hochschule Friedericiana. Zugangs-
Verzeichnis 1911. Halbj. 2. 1912. Halbj. 1. Karlsruhe 1912:
J. Lang. 36; 41 S. [532
— Hauptkatalog (Schlagwortkatalog) der Bibliothek des Grofsh. Bad.
Landesgewerbeamtes in Karlsruhe. Mannheim 1911: Manuh. Vereinsdr.
X, 930 S. [533
Kiel. Benutzungsordnung der Königl. Universitäts-Bibliothek zu Kiel
vom 4. März 1912. Kiel 1912: Schmidt & Klaunig. 16 S. [534
— Bericht über die Verwaltung der Königl. Universitäts-Bibliothek
Kiel im Etatsjahre 1911. Kiel 1912: Schmidt & Klaunig. 9 S. [535
— Katalog der Hauptbücherei des Bildungswesens der Marine. Nachtr. 5,
enthaltend die in Zugang gekommenen Bücher vom 1. Mai 1911 bis
30. April 1912. Kiel 1912: Hansa-Druck. VII, 69 S. [536
— Jungclaus, K. Die Kinderlesestube in Kiel. Blätter f. Volksbibl.
u. Lesehall. 13. 1912. S. 19—20. [537
Königsberg. Alphabetisches Verzeichnis der von der Königlichen und
Universitäts-Bibliothek, den Universitäts-Instituten, der Akademischen

Handbibliothek, der Stadtbibliothek, der Altertums-Gesellschaft
Prussia, ·der Physikalisch-Oekonomischen Gesellschaft und der
Königl. Kunst-Akademie zu Königsberg i. Pr. gehaltenen laufenden
Zeitschriften. Königsberg: Bibliothek 1912. 144 S. [538

Königsberg. Bericht über die Verwaltung der Königl. und Universitäts-
bibliothek zu Königsberg i. J. 1911/12: Hartung. 8 S. [539

— Mitteilungen aus der Stadtbibliothek zu Königsberg i. Pr. 4. Sahm, W.
Beschreibung der Reisen des Reinhold Lubenau. T. 1. Königsberg:
Ferd. Beyer 1912. XVI, 152 S. 3 M. [540

Köslin. Königliches Gymnasium zu Köslin. Nicol, R. Verzeichnis
der Bücher der Lehrerbibliothek. T. 2. Köslin 1912: Hendess.
43 S. Beil. z. Programm. [541

Langenberg. Jahresbericht der Städtischen Volksbücherei (Geheimrat
Joh. Wilh. Colsman-Stiftung) zu Langenberg 5. 1910/11. Langenberg 1911: Forsthoff. 8 S. [542

Langendreer. Verzeichnis der in Volksbücherei Langendreer i. W.
enthaltenen Bücher. Ausg. 1. Okt. 1910. Langendreer (1910):
Pöppinghaus. 41 S. [543

Lauban. Landshoff, E. Katalog der Lehrer-Bibliothek des Königl.
Gymnasiums zu Lauban. T. 2. Lauban 1912: Wittig. S. 33—96.
Beil. z. Programm. [544

Leipzig. Ahrens, W. Eine Reichsbibliothek in Leipzig? Magde-
burgische Zeitung 1911. Nr 618 vom 5. Dezember. [545

— Boysen, K. Eine Zentralbibliothek der deutschen Druckschriften.
Korrespondenzblatt d. Akad. Schutzvereins 6. 1912. S. 13—17. [546

— Ehlermann, E. Eine deutsche Bücherei in Leipzig. Zeitschr. f.
Bücherfr. N. F. 4. 1912/13. S. 189—195. [547

— Ladewig, Paul. Eine Reichsbücherei in Leipzig? Der Tag 1912
vom 19. Juli, Ausgabe B. [548

— Mohrmann, Ernst. Deutsche Bücherei. Börsenblatt 1912. S. 13 577
—13 581. [549

— Satzung für die Deutsche Bücherei des Börsenvereins der Deutschen
Buchhändler zu Leipzig. Börsenblatt 1912. S. 11 270—11 272. [550

— Schmidt, Adolf. Eine Reichsbibliothek. Frankfurter Zeitung. 1912.
Nr 228 v. 18. August, Literaturblatt. [551

— S(chwenke), P. Die Begründung der Deutschen Bücherei in Leipzig.
Zentralblatt 29. 1912. S. 444—450. [552

— Bericht über die Bibliothek des Börsenvereins der Deutschen Buchhändler zu Leipzig während d. J. 1911. Börsenblatt 1912. S. 8461
—8465. [553

— Universitäts-Bibliothek s. 1225—1227.

— Stadtbibliothek s. 1253.

— Schinnerer, Johannes. Das Deutsche Buchgewerbemuseum. Archiv
f. Buchgewerbe 49. 1912. S. 25—28. [554

— (Criegern, Hermann von). Katalog der Leipziger Kirchen-Biblio-
theken. (Leipzig): Verband Leipz. Kirchen (1912). 366 S. [555

Leipzig. Jahrbuch der Musikbibliothek Peters f. 1911. Jg. 18. Hrsg.
von Rud. Schwartz. Leipzig: C. F. Peters 1912. 124 S. 4 M. [556
— Zugangsverzeichnis der Bibliothek des Reichsgerichts. Nr 7. Januar
—Dezember 1911. Leipzig (1912): Breitkopf u. Härtel. S. 189
—245. [557
— Bericht über die Entwicklung der Pädagogischen Zentralbibliothek
(Comenius-Stiftung) zu Leipzig i. J. 1910. 1911. Leipzig (1911.
1912): Grefsner & Schramm. Je 1 Bl. 4⁰. [558
— Goldhahn, R. Denkschrift über den Umfang der Geschäfte in der
Leitung der Pädagogischen Zentralbibliothek in Leipzig. (Als
Manuskr. gedruckt.) Liebertwolkwitz 1912: Zeugner. 8 S. [559
— Goldhahn R. Die Comeniusstiftung in Leipzig. Neue Bahnen 23.
1911/12. S. 121—124 m. 2 Abb. i. T. u. 1 Taf. [560
— Katalog der Pädagogischen Zentralbibliothek (Comenius-Stiftung)
zu Leipzig. Nachtr. zu Bd I, 2 u. I, 3. Bd III. Abt. 1. Mathematik.
3. Aufl. Leipzig: E. Gräfe 1912. IV, 129; XVI, 87 S. [561
Lemgo. Weifsbrodt, E. Die Lemgoer Kirchenbibliotheken. Mitteilungen
a. d. Lippischen Geschichte 9. 1911. S. 184—208 f. [562
Leverkusen. Zugangs-Verzeichnis der Bücherei der Farbenfabriken
vorm. Friedr. Bayer & Co., Leverkusen b. Mülheim a. Rh. Nr 18,
enthaltend die Zugänge im Januar 1912. Die Erholung 3. 1912.
Nr 2. [563
— Farbenfabriken vorm. Friedr. Bayer & Co. in Leverkusen-Wiesdorf.
Verzeichnis der Kinderbücherei der Lesehalle. Elberfeld 1912:
Martini u. Grüttefien. 16 S. [564
Lorsch s. 1228.
Luckau. Königliches Gymnasium zu Luckau. Carus, Otto. Katalog
der Lehrerbibliothek. T. 5. Luckau 1912: Entleutner. 71 S.
Beil. z. Programm. [565
Lübeck. Bericht über die Verwaltung der Stadtbibliothek i. J. 1910.
1911. Lübeck 1911, 1912: Borchers. Je 3 S. 4⁰. [566
— Otten, Bennata. Die erste Kinderlesehalle in Lübeck. Blätter f.
Volksbibl. u. Lesehall. 13. 1912. S. 48—50. [567
Magdeburg. Archiv, Büchereien und volkstümliche Vorlesungen.
(Bericht über 1911.) Magdeburg 1912.) 9 S. 4⁰. Aus: Ver-
waltungs-Bericht der Stadt Magdeburg für 1911/12. [568
— Haushaltsplan der städtischen Büchereien für 1912. (Magdeburg:
1912.) S. 436—441. 4⁰ (2⁰). Aus: Haushaltsplan der Stadt
Magdeburg. [569
— Katalog der Städtischen Bücherei Wilhelmstadt in Magdeburg,
Stettiner Str. 13. 4. Ausg. Magdeburg: Zacharias 1912. XIII,
350 S. [570
— Katalog der Bibliothek des Provinzialausschusses für Innere Mission
in der Provinz Sachsen. (Nebst) Nachtr. Magdeburg: Prov.-Aus-
schufs 1901—12. [571
Mainz. Collijn, Isak. Det Kurfurstliga Biblioteket i Mainz. Dess
öden under trettioåriga kriget, rester därav i Upsala Universitets-

bibliotek. (Stockholm 1911: Lagerström.) 18 S., 3 Taf., 9 Abb. 4⁰.
Aus: Svensk Exlibristidskrift Nr 2—3. 1911.   [572

Mainz. Städtische Sammlungen. a. Stadtbibliothek (einschliefslich
Stadtarchiv, Münzkabinett und Gutenbergmuseum). (Mainz: 1911.).
10 S. 4⁰. Aus: Verwaltungsrechenschaft d. Grofsh. Bürgermeisterei
Mainz f. d. Rechnungsjahr 1910.   [573

Mannheim. Bibliothek' der Handelshochschule Mannheim u. Bibliothek
der Handelskammer für den Kreis Mannheim. Verzeichnis der neu-
angeschafften Bücher. Nr 4. 1912. Januar—April. Mannheim
1912: Walther. 14 S.   [574

Merseburg. Werneke, Otto. Katalog der Bibliothek des Königlichen
Domgymnasiums zu Merseburg. T. 2. Unter Mitwirk. von Georg
Wedding. Merseburg 1911: Stollberg. S. 33—74. Beil. z. Progr. [575

Mühlhausen. Kettner. Altdeutsche Literatur im Städtischen Archiv.
Mühlhäuser Geschichtsblätter 12. 1911/12. S. 106—130.   [576

München. Ruepprecht, Chr. Organisation der Münch. Bibliotheken.
Generalanzeiger der Münchner Neuesten Nachrichten 1912. Nr 158
v. 27. März.   [577

— Benützungsordnung für die Kgl. Hof- und Staatsbibliothek München.
Genehmigt vom Kgl. Staatsministerium des Innern für Kirchen-
und Schulangelegenheiten am 8. Dezember 1911. Daraus: Merkblatt für Studierende der Hochschulen. Merkblatt für auswärtige
Benützer. München: Bibliothek 1912. 16, 4, 4, 2 S. Ordnung
10 Pf.   [578

— Catalogus codicum manu scriptorum Bibliothecae Regiae Monacensis. T. 1. - P. 6. Codices sanscritos complectens. (A. T.) Jolly,
Julius. Die Sanskrit-Handschriften Nr 287—414 der Kgl. Hof-
und Staatsbibliothek in München. München: Palmsche Hofbuchh.
in Komm. 1912. XI, 85 S. 2,50 M.   [579

— Die Königliche Hof- und Staatsbibliothek zu München. Zusammen-
gestellt von Hans Popp. (Darin: 1. Popp, Hans. Von den Biblio-
theken im allgemeinen. Der Bau, die Einrichtung und die Be-
deutung der Kgl. Hof- u. Staatsbibliothek zu München. 2. Leidinger,
Georg. Geschichliches von der Erwerbung der Handschriften- und
Bücherschätze der Kgl. Hof- u. Staatsbibliothek in München. Aus:
Lesebuch z. Geschichte Bayerns. 3. Petzet, E. Die deutschen
Handschriften in der Münchner Hof- u. Staatsbibl. Aus: Germanisch-
Romanische Monatsschrift 1911.) München 1912: Fachschule für
Buchdrucker. 35 S., 5 Taf. 4⁰.   [580

— Die Kgl. Hof- und Staatsbibliothek am Scheideweg. Münchner
Neueste Nachrichten 1912. Nr 422 v. 20. August.   [581

— Jordan, Leo. Die Münchener Voltairehandschriften. II. Aufsatz.
Archiv f. d. Studium d. neueren Sprachen u. Literaturen Bd 127.
1911. S. 336—370.   [582

— Leidinger, Georg. Aus der Geschichte der Kgl. Hof- und Staatsbibliothek zu München. Zentralblatt 29. 1912. S. 339—349.   [583

München. Leidinger, Georg. Verzeichnis der wichtigsten Miniaturen-Handschriften der Kgl. Hof- u. Staatsbibliothek München: Riehn & Tietze 1912. 56 S. 0,70 M.   [584

— Staatsbibliothek s. a. 1185. 1283. 1291. 1296.

— Dreyer, A. Die Alpenvereinsbücherei. Mitteilungen des Deutsch. u. Oesterreich. Alpenvereins 1912. S. 230—231.   [585

— Uebersichten über die Bücher- und Kartenzugänge bei der K. B. Armee-Bibliothek. (I. Büchersammlung. II. Kartensammlung.) 1911. Nr 1 ff. 1912. Nr 1. München 1912: Druck. d. Kriegsminist. [586

— Graphische Sammlung s. 1359. 1360.

— Zugänge zum Bücherbestand der Handelskammer München. Folge 4. 1. Juli 1911 — 30. Juni 1912. München 1912: B. Wolf. 48 S. [587

— Ruepprecht, Chr. Braucht München eine Stadtbibliothek? Münchner Neueste Nachrichten 1911. Nr 21.   [588

— Ruepprecht, Chr. Bibliothek-Gebühren und Universitätsbibliothek München. Generalanzeiger der Münchner Neuesten Nachr. 1911. Nr 490.   [589

— Scheid, R. Pläne für die Zentralbibliothek in München. Der Bibliothekar 4. 1912. S. 501—504.   [590

Norden. Katalog der Lehrerbibliothek, zusammengestellt von Mitgliedern des Lehrerkollegiums. Norden 1912: Soltau. 115 S. Beil. z. Jahresber. des Kgl. Ulrichs-Gymnasiums.   [591

Osterode. Nachtrag zum Verzeichnis der Lehrer-Bibliothek des Realgymnasiums zu Osterode a. Harz. Osterode a. H. 1911: Giebel u. Oehlschlägel. 21 S. Beil. z. Programm.   [592

Posen. Kaiser-Wilhelm-Bibliothek in Posen. Jahresbericht 9. Etatsjahr 1910. Anlage: Das staatlich organisierte Volksbibliothekswesen in der Prov. Posen und der Provinzial-Wanderbibliothek. Jahresbericht 8. Lesejahr 1910/11. Bojanowo 1911: Arbeits- u. Landarmenhaus. 51 S. 4°.   [593

Potsdam. Städtisches Realgymnasium zu Potsdam. Knoll, Paul. Verzeichnis der Schüler-Bibliothek. (Deutsche Abteilung für Prima, Sekunda und Tertia.) Nach dem Bestande zu Ostern 1912 aufgenommen. Potsdam 1912: Edm. Stein. 28 S. Beil. z. Progr. [594

Prüm. Hinsen, Fr. Verzeichnis der in der Bücherei des Eifelvereins zu Prüm vorhandenen Bücher, Karten, Führer, Bilder. Angefertigt am 15. April 1912. Bonn 1912: Georgi. S. 49—78.   [595

Recklinghausen. Bücher-Verzeichnis der Jugendpflege-Bücherei Recklinghausen. (Verf.: Wilhelm Berensmann.) Recklinghausen (1912): Stölting. 32 S.   [596

Schöneberg. Katalog der Städtischen Volksbücherei und Lesehalle zu Schöneberg. Ebers-Strafse 9, Zweigstelle: Martin-Luther-Strafse 83. 3. Ausg. 1911. (Berlin-Schöneberg 1911: A. Sayffaerth.) XV, 415 S.   [597

Schwelm. Katalog der Volksbibliothek zu Schwelm (gegründet 1872). Fünfte Ausgabe 1909 (und) Nachtr. 1. 1911. Schwelm 1909. 1911: Voswinkel. 73, 24 S. 0,50 u. 0,20 M.   [598

Schwerin. Verzeichnis der von der Grofsherzoglichen Regierungs-
Bibliothek . . . erworbenen neuen Bücher. 24, vom 1. Dez. 1910
bis zum 30. Nov. 1911. Schwerin 1911: Bärensprung. 65 S. [599

Schwerte. Feldhügel, Paul. Verzeichnis d. Volksbücherei in Schwerte i. W.
2. verm. u. verbess. Aufl. Schwerte i. W. 1911: Bertram. 126 S. [600

Siegen. Bücherverzeichnis der Siegener Volksbücherei. Nebst Nachtr.
Siegen 1906(08): Lischke (Nachtr.: Westd. Verl.). [601

Sommerfeld. Schillmann, Fritz. Ein Verzeichnis der Kirchenbibliothek
zu Sommerfeld aus dem Jahre 1515. Zeitschr. f. Bücherfreunde
N. F. 3. 1911/12. S. 326—328. [602

Stettin. (Erzgraeber u. Oelgarte.) Bücher-Verzeichnis der Schülerbücherei. (Stettin, Marienstifts-Gymnasium.) Stettin 1912: Herrcke
u. Lebeling. 98 S. Beil. z. Programm. [603

Stolp. Gymnasium u. Oberrealschule zu Stolp i. Pom. Pickert, W. Ver-
zeichnis der Lehrerbücherei. Abt. 2. Klassische Philologie. Neuere
Sprachen. Stolp (1912): Delmanzosche Buchdr. 33 S. Beil. z.
Programm. [604

Strafsburg. Katalog der laufenden Zeitschriften der Kaiserl. Universitäts-
und Landesbibliothek mit Einschlufs der Zeitschriften; welche von
den Seminaren und Instituten der Universität, den Reichs-, Landes-
und Stadtbehörden sowie einer Anzahl von Körperschaften und
wissenschaftlichen Gesellschaften in Strafsburg gehalten werden.
Strafsburg: K. J. Trübner 1911. XVII, 253 S. [605

— Katalog der Kaiserlichen Universitäts- u. Landesbibliothek Strafsburg. Katalog der Elsafs-Lothringischen Abteilung. Aus den Mitteln
der Mühl'schen Familienstiftung. Lief. 5. Unter Mitwirk. von Ernst
Marckwald bearb. von Ludwig Wilhelm. Strafsburg i. E.: Bibliothek
1912. 162 S. 2 M. [606

— List, Friedrich. Das Recht der Bibliothek auf Freiexemplare.
Zentralblatt 29. 1912. S. 211—218. [607

— Jahresbericht der Stadtbibliothek für das Rechnungsjahr 1911.
Strafsburg i. E.: Du Mont Schauberg 1912. 3 S. 4⁰. [608

Stuttgart. Lange, Karl. Stuttgarter Bibliothekenführer. Stuttgart:
W. Kohlhammer 1912. IV, 87 S., 1 Taf. 2 M. [609

— Kgl. Landesbibliothek Stuttgart. Anleitung zur Benützung der
Kataloge. O. O. u. J. 6 S. [610

— Kgl. Württembergische Hofbibliothek. Zuwachs-Verzeichnis. 4. November 1910—November 1911. O. O. u. J. 27 S. [611

— Katalog der Ständischen Bibliothek in Stuttgart. Zuwachs-Verzeichnis. 5. April 1912. O. O. 19 S. [612

Tilsit. Bücherverzeichnis der Stadtbibliothek zu Tilsit. Tilsit 1911:
Lituania. 171 S. [613

Trier. Beschreibendes Verzeichnis der Handschriften der Stadtbibliothek
zu Trier. H. 7. Die deutschen Handschriften. [A. T.]: Becker,
Adolf. Die deutschen Handschriften der Stadtbibliothek zu Trier.
Trier: Lintz in Komm. 1911. 165 S. 6 M. [614

Trier. Marx, J. Handschriftenverzeichnis der Seminarbibliothek zu
Trier. Trier: Fr. Lintz 1912. 136 S. Veröffentlichung der Gesell-
schaft für Trierische Geschichte und Denkmalspflege 4 = Trierisches
Archiv. Ergänzungsheft 13. [615
— Ueber die. Entwicklung einer auf katholischer Grundlage in Trier
errichteten öffentl. Bücherei. Bücherwelt 9. 1911/12. S. 189—191. [616
— Isenkrahe, C. Von der Trierer Jugendbibliothek. Bücherwelt 9.
1911/12. S. 203—206. [617
— Isenkrahe. Ueber Kinderlesehallen und die besonders in Trier
damit gemachten Erfahrungen. Bücherwelt 1912. S. 241—246. [618
Wattenscheid. Volks-Bibliothek der Stadt Wattenscheid. Bücher-
Verzeichnis 1909. Wattenscheid 1909: Busch. 60 S. [619
Weimar. Steig, Reinhold. Die Brüder Grimm und die Weimarische
Bibliothek. Zeitschr. f. Bücherfr. N. F. 4. 1912/13. S. 25—30. [620
Weingarten s. 446. 1294.
Wernigerode. Jacobs, Ed. Nachricht über die Fürstliche Bibliothek
zu Wernigerode. Geschäftsbericht 1910/11. 1911/12. Wernigerode:
1911. 1912. 1 Bl., 3 S. 4º. [621
— (Jacobs, Ed.). Die Stammbücher der Fürstlichen Bibliothek zu
Wernigerode. Nachricht über die Fürstliche Bibliothek zu Wernige-
rode 1910/11. Anhang. 37 S. 4º. [622
Wiesbaden. Nassauische Landesbibliothek. (Bericht über d. J. 1908
—1910.) (Wiesbaden: o. J.) S. 57—61. 4º. Aus: Verwaltungs-
bericht der Stadt Wiesbaden 1908—10. [623
— s. a. 1295.
Wolfenbüttel. Kuncevič, G. (Russ.): Verzeichnis der russischen Hand-
schriften der herzoglichen Bibliothek. S.-Peterburg 1912: M. A.
Aleksandrov. 16 S. [624
Worms. Ex libris der Paulusbibliothek. Vom Rhein Jg. 10. 1911.
S. 15. 56. 79. [625
Zeitz. Brinckmann, Ad. Alphabetischer Katalog der in der Königl.
Stiftsbibliothek zu Zeitz vorhandenen Druckwerke. Mit geschichtl.
Einleitung versehen. Zeitz (1909): Jubelt. XIV, 228 S. [626

Oesterreich - Ungarn.

Budapest. Vertésy, Eugen. Die Bibliothek der Gesellschaft der Theater-
freunde zu Szomolnok im Ungarischen Nationalmuseum. T. 1. 2.
Magyar Könyvszemle N. S. 20. 1912. Livr. 1. 2. [627
— La Bibliothèque de l'Académie hongroise des Sciences en 1910.
Magyar Könyvszemle N. S. 19. 1911. S. 384. [628
— (Auch m. magyar. Titel.) Catalogus arte conclusus Bibliothecae
instituti geologici regni Hungariae. Budapest: 1911. IX, 316 S. [629
— (Auch m. magyar. Titel.) Bibliotheca instituti regni Hungariae. I.
Catalogus alphabeticus. Catalogus mapparum et tabularum. Buda-
pest: 1911. XIII, 488 S. [630
— Bibliothekskatalog (magyarisch). Verzeichnis der öffentl. national-
ökonomischen Fachbibliothek des kgl. ungar. Handelsmuseums. 6. Aus-
gabe. Budapest: Pesti Könyvnyomda 1911. XI, 199 S. [631

Budapest. Katalog der Bibliothek des militärwissenschaftlichen und
Kasino-Vereins in Budapest. Nachtr. 2. Budapest: 1911. 26 S. [632
— (Magyar.) Katalog der Bibliothek des Kgl. Ungarischen Patentamts. Budapest: Pallas 1911. 254 S. [633
— (Magyar.) Vángel, Jenó, és Nagy, Zsigmond. Alphabetisches Verzeichnis der philosóphischen und pädagogischen Werke der Staats-
Pädagogischen Bibliothek und des Lehrmittel-Museums. H. 1. Budapest: Franklin 1911. 160 S. [634
— Ἡ Βιβλιοθηκη της ἑλληνικης κοινοτητος Βουδαπεστης και οἱ
ἐν τη πολει ταυτη σωζομενοι ἑλληνικοι κωδικες. Νεος Ἑλλη-
νομνημων 8. 1911/12. S. 70—79. [635
— Bulletin de la Bibliòthèque municipale de Budapest. (Auch mit
magyar. Titel.) Red.: Ervin Szabó. Ann. 6. 1912. Nr 1. Budapest: Bibliothèque 1912. [636
— (Magyar.) Klassifikation der Budapester Stadtbibliothek. Um-
gearbeitete Dezimalklassifikation. H. 1. 2. Budapest: Stadtbibl. 1912.
Getr. Pag. Als Ms. gedruckt. = Veröffentlichungen der Stadtbibliothek von Budapest Nr 9. [637
— (Magyarisch.) Ordnung für die in der Bibliothek der Haupt- und
Residenzstadt Budapest eingerichtete bibliothekarische Fachprüfung.
Mit Verzeichnissen versehen und hrsg. von der Stadtbibliothek. Buda-
pest: Benkö 1911. 15 S. 4⁰. 0,50 K. [638
— (Magyar.) Stadtbibliothek. Verzeichnis der im Lesesaale auf-
liegenden Zeitschriften. Verzeichnis der Handbibliothek. Budapest
1912: Központi Városház. 32 S. [639
Eperjes. Iványi, Béla. L'écriture et les livres à Eperjes aux XVᵉ
—XVIᵉ siècles. (3ᵉ et dernière partie.) Magyar Könyvszemle N. S.
19. 1911. S. 301—318. [640
Gmunden. Katalog der Königl. Ernst August-Fideicommiss-Bibliothek
in Gmunden. Abt. 1. Die Druckschriften. (A. T.:) Katalog der
Druckschriften der Königl. Ernst August-Fideicommiss-Bibliothek in
Gmunden. Bd 2. Gmunden: 1912. XXX, 1198 S. [641
Graz. Fischer, Wilhelm. Die steiermärkische Landesbibliothek. In:
Das steiermärkische Landesmuseum Johanneum und seine Samm-
lungen. 1911. S. 411—442, Taf. 52—55. [642
— Micori, Paul. Aus Innerösterreich. Grazer Brief. Zeitschr. d.
Oesterr. Vereines f. Bibliothekswesen 2. 1911. S. 194—197. [643
— Thiel, Viktor. Zur Geschichte der ehemal. Hofbibliothek in Graz.
Zeitschr. d. histor. Vereines in Steiermark 7. 1911. S. 158—162. [644
Kaschau. Verzeichnis der Bibliothek des bürgerlichen Kasinos von
Kassa. Kassa: 1911. 128 S. [645
Klausenburg. La Bibliothèque du Musée national de Transsylvanie
en 1910. Magyar Könyvszemle N. S. 19. 1911. S. 384—385. [646
Krakau. Czubek, Jan. (Poln.) Katalog der Handschriften der Aka-
demie der Wissenschaften zu Krakau. 1. Krakau: Akademie 1912.
166 S. 2,40 K. [647

Krakau. Kutrzeba, Stanislaus. Catalogus codicum manuscriptorum
Musei Principum Czartoryski. Vol. 2. Fasc. 3. Cracoviensis.
Cracoviae 1911: Czas. S. 193—288.   [648
Lemberg. Biblioteka uniwersyteta we Lwowie w latach 1899—1910.
Lwów: Senat d. Universität 1912. ˜38 S.   [649.
Linz, Studienbibliothek s. 1351. 1376.
Marosvásárhely. Katalog der in Marosvásárhely befindlichen Werke
der Offiziersbibliothek des K. u. K. Infanterieregimentes Freiherr
von Probszt Nr 51. Marosvásárhely: 1911. 16 S.   [650
Mühlbach. Roth, Karl. Katalog der Bibliothek des ev. Gymnasiums
A. B. in Szászsebes (Mühlbach). T. 1. Theologie und deutsche
Sprache. Szászsebes 1911: Stegmann. 156 S. Beil. z. Progr. [651
Neu Sandez (Poln.). Die Städtische Bibliothek Josef Szujski in Neu
Sandez. Przewodnik bibliograficzny 35. 1912. S. 251—253. [652
Neutra. (Magyar.) Vilmos Clair. Katalog der Bibliothek der Stadt
Neutra. 3. Ausgabe. Budapest: Pátria Kny 1911. 102 S. [653
Oedenburg. (Auch m. magyar. Tit.) Bücherverzeichnis der Bibliothek
der Soproner Bürgervereinigung. Sopron: 1911. 15 S. [654
Olmütz s. 1235.

Prag. Kukula, R. Aus Prag. Die Neubaufrage an der Universitäts-
bibliothek. Zeitschr. d. Oesterr. Vereines f. Bibliothekswesen 2.
1911. S. 199—201.   [655
— Die Bibliothek (des Kunstgewerblichen Museums der Handels- und
Gewerbekammer in Prag i. J. 1910). Bericht d. Kuratoriums f. d.
Verwaltungsjahr 1911. Prag: 1912. S. 7—8. 25—30. [656
Preſsburg. (Magyar.) Kumlik, Emil. Katalog der Bibliothek der
Stadt Preſsburg. 5. Beiheft. (1910.) Pozsony: Katholikus 1911.
X, 178 S.   [657
Raigern. Weinberger, Wilh. Aus der Stiftsbibliothek Raigern. Zeitschr.
d. deutsch. Vereines f. d. Geschichte Mährens u. Schlesiens 15. 1911.
S. 363—364.   [658
Schlackenwerth s. 1242.

Triest. Lussich, Andrea. Le Biblioteche popolari e comunali di
Trieste nell' anno 1911. Coltura Popolare 2. 1912. S. 269
—272.   [659
Wien. Spectator. Viennensia. Zeitschr. d. Oesterr. Vereines f. Bibliotheks-
wesen 3. 1912. S. 21—23.   [660
— Arnold, R. F. Die Flugblätter-Sammlung der K. K. Hofbibliothek.
Zeitschr. d. Oesterr. Vereines f. Bibliothekswesen 3. 1912. S. 152
—154.   [661
— Egger Möllwald, Franz Ritter von. Das Referatssystem in der
Diensteinteilung der k. k. Hofbibliothek in Wien. Zentralblatt 29.
1912. S. 303—310.   [662
— Friedemann, Walter. Aus der Wiener Hofbibliothek. (Betrifft den
Handschriftenkatalog.) Der Zeitgeist. Beiblatt z. Berliner Tage-
blatt 1912. Nr 36 vom 2. September.   [663

Wien. Menčik, Ferd. Zur Geschichte der K. K. Hofbibliothek. (Schluſs.)
Zeitschr. d. Oesterr. Vereines f. Bibliothekswesen 2. 1911. S. 185
—190. [664

— Tabulae codicum manu scriptorum praeter graecos et orientales
in Bibliotheca Palatina Vindobonensi asservatorum. Vol. 11. Series
nova. Cod. 1—1600. Indices. Wien: A. Hölder 1912. III, 78 S.
3,80 M. [665

— Hofbibliothek s. a. 1262. 1463. 1835.

— Erzherzogl. Kunstsammlung Albertina s. 1353.

— Katalog der Handbibliotheken des Katalogzimmers und des Lese-
saales der K. K. Universitätsbibliothek in Wien. 2. Ausgabe. Nachtr. 2
(zu Heft 2—6). (Wien 1912: Hof- u. Staatsdr.) 14 S. 1 K. [666

— Verwaltungsbericht der K. K. Universitätsbibliothek in Wien. Veröffentlicht von der Bibliotheksvorstehung. Bericht 5: Verwaltungsjahr 1910/11. Wien 1912: Hof- u. Staatsdr. 37 S. 60 H. [667

— Systematischer Katalog der Bibliothek der K. K. Technischen Hochschule in Wien. Nachtr. 1 zu Heft 7—9 (Gruppe VII—X.) Wien:
Gerold 1912. IV, 53, 70, 43 S. 1,30 K. [668

— Wolkan, Rudolf. Aus österreichischen Handschriftenkatalogen. II.
Aus den Handschriften des Dominikanerklosters in Wien. Zeitschr.
d. Oesterr. Vereines f. Bibliothekswesen 3. 1912. S. 14—19. [669

— Wachstein, Bernhard. Bibliothek der israelitischen Kultusgemeinde
Wien. Katalog der Salo Cohn'schen Schenkungen. 1. Wien: Gilhofer 1911. [670

Schweiz.

Basel. Bericht über die Verwaltung der öffentlichen Bibliothek der
Universität Basel i. J. 1911. Basel: 1912. 18 S. [671

— Bücherverzeichnis der Juristischen Bibliothek im Gerichtshaus Basel.
Basel 192: Gasser. 32 Bl. [672

— Katalog der Bibliothek. Gewerbe-Museum zu Basel. Basel: Kreis
1911. II, 600 S. 1 Fr. [673

— Katalog der Militärbibliothek in Basel. Nachtr. 1. 1907—1912.
(Red. v. F. Heusler.) Basel: F. Reinhardt 1912. 32 S. [674

Bern. Bibliographisches Bulletin der Schweizerischen Landes-Bibliothek.
Bulletin bibliographique de la Bibliothèque Nationale suisse. Jg. 1912.
Nr 1. Jan./Febr. Bern: Benteli 1912. Jg. (6 Nrn) zweiseit. bedruckt
5 Fr., einseit. 6 Fr., Ausland 6,25 bez. 7,50 Fr. [675

— Escher, H. Die Schweizerische Landesbibliothek s. 345.

— Fluri, Ad. Vier verschwundene Curiosa der alten Stadtbibliothek.
Blätter für bernische Geschichte, Kunst u. Altertumskunde 7. 1911.
S. 285—306 mit 2 Abb. [676

— Benziger, C. Die Inkunabeln der Berner Stadtbibliothek. Zentralblatt 29. 1912. S. 500—509. s. a. 1345. [677

— Katalog der Geniebibliothek. (Mit) Nachtr. 1—3. Bern: G. Grunau
1909. 10. 11. X, 122; 2; 7; 6 S. [678

Bern. Bücherverzeichnis der Lesegesellschaft in Bern. Forts. 3, Anfang
1907—1909. Bern 1910: Tageblatt. 43 S.   [679
— Katalog der Fachschriften. Schweizerische permanente Schul-
ausstellung in Bern: Neue und alte Sprachen-Grammatik und Ortho-
graphie, Stilistik, Poetik, Rhetorik, Literatur und Methodik des
Sprachunterrichts. Katalog Nr 7. 4. verm. Aufl. Bern: Stämpfli
1908. II, 53 S.   [680
Chur. Katalog der Kantonsbibliothek von Graubünden. Raetica:
Suppl. 2. Zuwachs von 1901—1911. Chur: Fiebig u. Sprecher
1912. IV, 312 S.   [681
Freiburg. Catalogue de la Bibliothèque de la société suisse d'héraldique. Katalog der Bibliothek der Schweiz. Heraldischen Gesellschaft. Fribourg 1912: Fragnière. 20 S.   [682
Genf. Aubert, Hippolyte. Notices sur les manuscrits Petau conservés
à la Bibliothèque de Genève. (Fonds Ami Lullin.) (Schlufs.)
Bibliothèque de l'école des chartes 72. 1911. S. 279—313. 556
—599.   [683
— Boubier, A. Maurice. Catalogue des périodiques scientifiques et
médicaux qui se trouvent aux Bibliothèques de Genève. 2me éd.
revue et considér. augmentée. Genève 1912: Froreisen. 141 S.
5 Fr.   [684
— Ville de Genève. Bibliothèque publique et universitaire. Compte
rendu pour l'année 1911. Genève 1912: A. Kündig. 22 S. Aus:
Compte rendu de l'Administration municipale de la Ville de Genève
1911.   [685
— Micheli, Léopold. Catalogue des livres légués à la Bibliothèque
de Genève par Perceval de Loriol-Le Fort (1909). Bibliothèque
publique et universitaire. Ville de Genève. Genève: A. Kündig
1912. 143 S.   [686
Herisau. Bibliothek-Katalog des Kaufmännischen Vereins Herisau.
1911. Herisau: W. Schiefs (1911). 40 S.   [686a
Liestal. Zuwachsverzeichnis 1896—1912. Basellandschaftliche Kantonsbibliothek in Liestal. Liestal 1912: Lüdin. 134 S.   [687
Rorschach. Bibliothek-Katalog Nr 1 des Nordostschweizerischen Verbandes für Schiffahrt Rhein-Bodensee, Rorschach. O. O.: (1912).
29 S. 4⁰. (Maschinenschrift.)   [688
St. Gallen. Katalog der Tierärztlichen Bibliothek des Kantons St. Gallen.
St. Gallen: A. Loehrer 1912. 32 S.   [689
— s. a. 1285.

Schaffhausen. Katalog der Lehrer-Bibliothek der Kantonschule Schaff-
hausen. Schaffhausen 1912: Bachmann. VIII, 122 S. Beil. z.
Programm.   [690
Uzwil. Bibliothek-Katalog des Kaufmännischen Vereins Uzwil 1910.
Uzwil: 1910. II, 19 S.   [691
Winterthur. Bericht über die Stadtbibliothek Winterthur i. J. 1911.
(Winterthur: 1912.) 8 S.   [692

Winterthur. Neujahrsblatt der Stadtbibliothek Winterthur. 247. Stück,
1912. (Emil Stauber, Schlofs Widen. T. 3.) Winterthur: Ziegler
1912. S. 137—208 m. 2 Taf. 2,40 M. [693
— Zuwachsverzeichnis der Stadtbibliothek Winterthur. 5. 1911/12.
Winterthur 1912. Ziegler. 61 S. [694
Zofingen. Jenny, Ernst. Zur Geschichte der Stadtbibliothek Zofingen.
Vortrag, gehalten an der Versammlung der vereinigten Bibliothekare
der Schweiz im Rathaus zu Zofingen, den 12. Juni 1911. Zofingen
1911: Fehlmann. 15 S. [695
Zürich. Wyss, Wilhelm von. Zürichs Bibliotheken. Zürich: Schul-
thess 1911. 92 S. [696
— Jahresbericht der Stadtbibliothek Zürich über das Jahr 1911.
Zürich 1912: Schulthess. 31 S. [697
— Neujahrsblatt hrsg. von der Stadtbibliothek Zürich auf d. J. 1912.
Nr 268. Hunziker, Rud. Joh. Jak. Reithard. T. 1. Zürich: Beer
1912. 37 S., 1 Taf. 3 M. [698
— Katalog der Lehrerbibliothek des Kaufm. Vereins Zürich. 1. Januar
1912. (Zürich 1912: Leemann.) 23 S. [699
— Alphabetisches Verzeichnis der sämtlichen laufenden Periodica
und Serienwerke und Angabe der zur Zeit vorhandenen Bestände.
Bibliothek der Naturforschenden Gesellschaft in Zürich. Abgeschl.
im Mai 1911. Zürich: Zürcher u. Furrer 1911. II, 41 S. 4°. [700
— Katalog der Oeffentlichen Bibliothek der Pestalozzi-Gesellschaft
in Zürich. Suppl. 1 u. 2. Zürich: Aschmann 1912. 47 S. [701

Frankreich und Kolonien.

Angers. La Bibliothèque d'Angers (1813). L'Anjou historique 13.
1912. S. 76—79. [702
Autun, Boëll, Ch., et A. Gillot. Catalogue des incunables de la
Bibliothèque publique d'Autun. Autun 1911: Dejussieu. 194 S.
Aus: Mémoires de la Société éduenne N. S. 39. 1911. [703
Caen. Lavalley, Gaston. Catalogue des ouvrages normands de la
Bibliothèque municipale de Caen. III. Ville de Caen et supplé-
ments. Caen: L. Jouan 1912. 560 S. 20 Fr. [704
Chalons-sur-Marne. Catalogue de la Bibliothèque municipale de
Chalons-sur-Marne. Fonds Garinet. IV. Droit. Théologie-Incunables.
Livres rares et précieux. Suppl. général. Chalons 1911: Union
républ. XI, 354 S. [705
— Bibliothèque de la Société de Saint-Vincent-de-Paul ... Chalons-
sur-Marne. Catalogue général. Chalons: Robat 1910. 249 S. [706
Digne. Chauvin, C. Les Origines de la Bibliothèque de Digne. Digne
1912: Chaspoul. 28 S. Aus: Bulletin de la Société scientifique et
littéraire des Basses-Alpes. [707
Douai. Rivière, Benjamin. Catalogue méthodique des imprimés de
la Bibliothèque communale de Douai. Histoire de France. 5. Douai
1911: Linez. 309 S. [708

Grenoble. Maignien, Edmond. Catalogue des livres et manuscrits du
fonds dauphinois de la Bibliothèque municipale de Grenoble. T. 3.
Grenoble 1912: Allier. VII, 377 S.   [709

Lille. Catalogue de la Bibliothèque. N. D. de la Treille, réservée
aux paroisses Sainte-Cathérine, Saint-André, Sainte-Marie-Madeleine.
Lille 1912: Taffin-Lefort. 132 S. 1 Fr.   [710

Marseille. Catalogue des principaux ouvrages et publications périodiques entrés à la Bibliothèque municipale de la ville de Marseille
au cours de l'année 1910. Marseille: Moullot 1911. 59 S. [711

Paris. Delisle, Léopold. Le Catalogue collectif des bibliothèques de
Paris. Bibliographe moderne 15. 1911 (1912). S. 5—8.   [712

— Bibliothèque nationale. Rapport adressé au ministre de l'Instruction
publique et des Beaux-Arts par M. Henry Marcel, sur les services
de la Bibliothèque nationale pendant l'année 1911. Revue des
bibliothèques 22. 1912. S. 120—132.   [713

— Martell, Paul. Die Nationalbibliothek zu Paris. Allgemeine Buchhändlerzeitung 19. 1912. Nr 42 v. 17. Okt.   [714

— La Réorganisation de la Bibliothèque Nationale. Bulletin de
l'association des bibliothécaires français 6. 1912. S. 45—48,
1 Abb.   [715

— Bibliothèque nationale. Département des imprimés: Barringer,
George A. Catalogue de l'histoire d'Amérique V. Catalogue de
l'histoire de l'Océanie. Paris: 1911. 1912. 511 u. 169 S. 4°. [716

— — Bulletin mensuel des publications étrangères reçues par le
Département des imprimés de la Bibliothèque nationale. Ann. 36.
1912. No 1, Janvier. Paris: C. Klincksieck 1912. Jg. 8 Fr. [717

— — Bulletin mensuel des recentes publications françaises. 1912.
Janvier. Paris: H. Champion 1912. Jg. 10 Fr.   [718

— — Catalogue des dissertations et écrits académiques provenant des
échanges avec les universités étrangères et reçus par la Bibliothèque
nationale en 1910. Ann. 29. Paris: C. Klincksieck 1911. 806 Sp.
3,50 Fr.   [719

— — Catalogue général des livres imprimés de la Bibliothèque
nationale. Auteurs T. 45. Duplom—Dutiron. 46. Du Toict-Elbs.
47. Elcan-Eschinardi. 48. Eschine-Ezziani. 49. Faa di Bruns-
Faure-Villar. Paris: Impr. nat. 1911. 1912. 1276, 1254, 1210,
1210, 1296 Sp. Je 12,50 Fr.   [720

— — Viennot, W. Bibliothèque nationale. (Département des imprimés.) Catalogue de la Collection Audéoud (Édition d'amateur
et reliures modernes). Av. une préface par A. Vidier. Paris.
H. Champion 1912. XXXV, 58 S.   [721

— — Vallée, Leon. Notice des documents exposés à la section des
cartes, plans et collections géographiques du département des imprimés de la Bibliothèque nationale. Revue d. bibliothèques 22.
1912. S. 137—197.   [722

Paris. Bibliothèque nationale. Vallée, Léon. Notice des documents exposés à la section des cartes. Aus: Revue d. bibliothèques 1912, avril — juin. 2ᵉ édition revue et corrigée. Paris: H. Champion 1912. [723

— — Département des manuscrits Cabaton, A. Catalogue sommaire des manuscrits indiens, indo-chinois et malayo-polynésiens. Paris: E. Leroux 1912. II, 319 S. [724

— — — Courant, Maurice. Catalogue des livres chinois, coréens, japonais, etc. Fasc. 8. Nos 6690—9080. Paris: E. Leroux 1912. 232 S. [725

— — Delaporte, L. Catalogue sommaire des manuscrits coptes de la Bibliothèque nationale de Paris (suite). Revue de l'Orient chrétien 2. Sér. 6. 1911. S. 239—249. 368—395. [726

— — Lauer, Ph. Collections manuscrites sur l'histoire des provinces de France. Inventaire T. 2. (Périgord-Vexin.) Paris: E. Leroux 1911. 767 S. [727

— — Nau, F. Notices des manuscrits syriaques, éthiopiens et mandéens, entrés à la Bibliothèque nationale de Paris depuis l'édition des catalogues. Revue de l'Orient chrétien. 6. Sér. 6. 1911. S. 271—314. [728

— — Omont, Henri. Nouvelles acquisitions du département des manuscrits pendant les années 1891—1910. Répertoire alphabétique des manuscrits latins et français. Paris: E. Leroux 1912. CXXXIX, 304 S. [729

— — Omont, H. Anciens inventaires et catalogues de la Bibliothèque nationale. T. 4. La Bibliothèque royale à Paris au XVIIᵉ siècle. Fasc. 1. Paris: E. Leroux 1911. 191 S. = Ministère de l'instruction publique. (Collections d'inventaires p. p. la section d'archéologie du comité des travaux historiques VIII, 4.) [730

— — Omont, H. Listes des recueils de fac-similés et des reproductions de manuscrits conservés à la Bibliothèque nationale. Bulletin de la société française de reproductions de manuscrits à peintures 1. 1911. S. 55—83. 116—167. [731

— — Omont, H. Département des manuscrits. Listes des recueils de fac-similés et des reproductions de manuscrits conservés à la Bibliothèque nationale. Deuxième édition. Paris: 1912. 290 S. Aus: Bulletin de la Société française de reproductions de manuscrits à peintures 1. 1911. [732

— — Schwab, Moïse. Manuscrits hébreux de la Bibliothèque nationale. Nouveau supplément. Revue des études juives 64. 1912. S. 153—156. [733

— — Ecorcheville, J. Catalogue du fonds de musique ancienne de la Bibliothèque nationale. Vol. 2—4. Paris: Terquem 1911. 1912. 4⁰. = Publications annexes de la Société internationale de musique (Section de Paris.) [734

— — Catalogue de la collection des portraits français et étrangers cons. au Département des Estampes de la Bibliothèque nationale.

Commencé par Georges Duplessis, cont. par Jean Laran. T. 7.
Louise—Mauron. Paris: G. Rapilly 1911. 195 S.   [735
— — Nationalbibliothek s. a. 1238. 1258.

— Cornu, Paul. Les Bibliothèques d'art de Paris. Bulletin de
l'Association des bibliothécaires français 5. 1911. S. 46—55. [736

— Deslandres, Paul. Les nouvelles acquisitions manuscrites de la
Bibliothèque de l'Arsenal. Bulletin de l'association des bibliothé-
caires français 6. 1912. S. 66—71.   [737
— Arsenalbibliothek s. a. 1281.

— Thévenin, Jacqueline. La Bibliothèque Braille. Congrès de
Bruxelles 1910. Actes 1912. S. 195—201.   [738

— Bibliothèque technique du Cercle de la Librairie. (Delalain, Paul.
Rapport annuelle présenté au nom de la commission de la Bibliothèque technique 1911.) Bibliographie de la France 1912. Chronique. S. 53—55.   [739

— Beaulieux, Charles. Un fragment de l'histoire de la Bibliothèque
du Collège d'Autun à Paris. Article 1. Revue d. bibliothèques
22. 1912. S. 62—103.   [740

— Schwab, Moïse. Les manuscrits du Consistoire israélite de Paris
provenant de la Gueniza du Caire. (Suite.) Revue des études
juives 63. 1912. S. 100—120. 276—297. 64. 1912. S. 118
—141.   [741

— La Bibliothèque de l'Institut catholique de Paris. 1. Renseignements préliminaires. (Paris: 1912.) 108 S.   [742

— Bogeng, G. A. Erich. Die Bibliothèque du Louvre. Zeitschr. f.
Bücherfreunde N. F. 4. 1912/13. S. 159—164.   [743

— Bruyne, D. de. Le plus ancien catalogue des manuscrits de Notre-
Dame de Paris. Revue Bénédictine 29. 1912. S. 481—485. [744

— Coyecque, E. Note sur les catalogues de la Bibliothèque administrative de la Préfecture de la Seine. Pithiviers (1912): L. Gauthier.
7 S. Aus: Bulletin de l'association amicale et professionnelle de
chefs . . . de la Préfecture de la Seine, Avril 1912.   [745

— Bibliothèque de l'Université de Paris (Sorbonne). Histoire de Paris.
Paris: Sorbonne 1912. 24 S.   [746

— Amis de la Bibliothèque de la ville de Paris. Société Jules Cousin.
Annuaire 1912. Paris: Bibliothèque 1912. 67 S.   [747

— Un mémoire d'Ameilhon sur la Bibliothèque de la ville de Paris.
(P. p. M. Furcy-Raynaud.) Bibliographe moderne 15. 1911 (1912).
S. 383—385.   [748

— Publication annuelle et gratuite des catalogues des bibliothèques
municipales de la ville de Paris, renouvelée et mise à jour au
31. décembre. Ann. 1912. Arrondissement I. Paris: Leleu 1912.
182, XXXI S.   [749

— Clouzot, Henri, et Engerand, Louis. Catalogue général de la
Bibliothèque Forney municipale professionnelle d'art et d'industrie.
I. Paris: H. Champion 1912. 484 S.   [750

Paris. Ville de Paris. Catalogue de la Bibliothèque municipale de
prêt gratuit à domicile. Arrondiss. I. 11 rue d'Argenteuil. Paris:
1909. 104 S. [751

— — — Arrondiss. II, 8 rue de la Banque. 1906. 148 S.

— — — Arrondiss. II, 20 rue Etienne Marcel. Suppl. 1905. 12 S.

— — — Arrondiss. III, Mairie 1911. 122 S.

— — — Arrondiss. IV, place Baudoyer (mairie)). 1908. 108 S.

— — — Arrondiss. IV, 6 place des Vosges. 1908. 148 S.

— — — Arrondiss. IV, 21 rue du Renard. 1910. 106 S.

— — — Arrondiss. V, mairie. 1910. 99 S.

— — — Arrondiss. V. 41 rue de l'Arbalête. 1908. 116 S.

— — — Arrondiss. V, 27 rue de Poissy. 1909. 89 S.

— — — Arrondiss. VI, place Saint-Sulpice. 1908. 198 S.

— — — Arrondiss. VI, école rue Vaugirard, 85. 1909. 118 S.

— — — Arrondiss. VIII, 10 rue Paul Baudry. o. J. 94 S.

— — — Arrondiss. IX, mairie, 6 rue Drouot. 1907. 120 S. m. Suppl.

— — — Arrondiss. IX, 35 rue Milton. o. J. 118 S. m. Suppl.

— — — Arrondiss. X, 19 rue de Sambre et Meuse. Suppl. 1911. 48 S.

— — — Arrondiss. X, mairie. 1907. 220 S.

— — — Arrondiss. XII, rue de Charenton 51. 1907. 100 S.

— — — Arrondiss. XII, mairie, avenue Daumesnil. 1911. 192 S.

— — — Arrondiss. XII, 40 boulevard Diderot. 1907. 112 S.

— — — Arrondiss. XII, école rue du Rendez-Vous 65. 1906. 96 u. 8 S.

— — — Arrondiss. XIII, mairie, place d'Italie. 1905 u. 1909. 156 S.

— — — Arrondiss. XIII, 5 rue Damesme. 1905. 92, 16 S.

— — — Arrondiss. XIII, place d'Italie. 1912. 171 S.

— — — Arrondiss. XIV, 89 boulevard de Montparnaise. 1907. 110 S.

— — — Arrondiss. XIV, place de Montreuge. 1906. 120 S.

— — — Arrondiss. XIV, 12 rue d'Alesia. 1905. 1911. 100, 32 S.

— — — Arrondiss. XIV, 132 rue d'Alesia. 1910. 92 S.

— — — Arrondiss. XV, 11 rue Lacordaire. 1907. 120 S.

— — — Arrondiss. XVI, 21 rue Hamelin. 1907. 120 S.

— — — Arrondiss. XVI, 71 avenue Henri Martin. 1912. 98 u. 22 S.

— — — Arrondiss. XVII, mairie. 1909. 124. S.

— — — Arrondiss. XVII, 18 rue Ampère. Mit Suppl. 1907—1911.
96, 26 S.

— — — Arrondiss. XVII, 40 rue Balagny. 1909. 108 S.

— — — Arrondiss. XVIII, rue du Mont Cenis. 1910. 91 S.

— — — Arrondiss. XVIII, 24 rue Hermel. 1910. 96 S.

— — — Arrondiss. XIX, mairie. o. J. 160 S.

— — — Arrondiss. XIX, 119 rue Bolivar. 1909. 82 S.

— — — Arrondiss. XIX, 41 rue de Tanger. o. J. 103 S.

— — — Arrondiss. XX, 51 rue Ramponeau ... 1912. 84 S.

— — — Arrondiss. XX, mairie. 1906. 208 S.

— — — Arrondiss. XX, 3 rue Vitruve. 1912. 144 S.

— — — Arrondiss. XX, 166 rue Pelleport. 1906. 62 S.

— — — rue Lecourbe 154. 1911. 148 S.

Paris. Ville de Paris. Catalogue de la Bibliothèque municipale de
prêt gratuit à domicile. Impasse d'Oran. o. J. 92 S.
— — — 73 rue Violet. Paris: 1912. 103 S.　　　　　[752

Quimper. Le Guyader, Frédéric. Catalogue de la Bibliothèque de
la ville de Quimper. T. 3 et dernier: Sciences et arts. Théologie.
Jurisprudence. Biographie. Bibliographie. Revues et journaux.
Incunables. Quimper: E. Ménez 1912. 371 S.　　　　　[753
Rouen s. 1292.

Saintes. Dangibeaud, Ch. Les premières années de la Bibliothèque
municipale de Saintes. Revue de Saintonge et d'Aunis 32. 1912.
S. 148—162. ___.　　　　　[754

Saint-Èvre-Lès-Toul. Fawtier, Robert. La Bibliothèque et le trésor
de l'Abbaye de Saint-Èvre-Lès-Toul à la fin du XVᵉ siècle d'après
le manuscrit latin 10292 de Munich. Mémoires de la Société
d'archéologie lorraine 61. 1911. S. 123—156 m. 3 Taf.　　[755
Troyes s. 1243.

Villeneuve. Besse, J. M. Saint-André-de-Villeneuve. Catalogue de
la Bibliothèque. (1307.) Revue Mabillon 8. 1912. S. 148—158. [756

Grofsbritannien und Kolonien.

Aberdeen. Aberdeen University Library Bulletin. Vol. 1. Nr 2.
January, 1912. (Darin S. 113—176: Classified List of current
serials for the year 1912.) Aberdeen: Library 1912. S. 113
—247.　　　　　[757
— Catalogue of the Taylor Library. (In der Univ.-Bibl. Aberdeen.)
Aberdeen Univ. Libr. Bulletin Vol. 1. Nr 3. April 1912. S. 267
—283. (Wird fortges.)　　　　　[758
— University of Aberdeen. Subject Catalogue of the Phillips Library
of pharmacology and, therapeutics 615. Aberdeen: University 1911.
XXII, 240 S. (Aberdeen University Studies Nr 47.)　　　[759
— Rough List of specimens of philatelic literature (mostly of early
date) from the Aberdeen University Library shown tho the Aber-
deen and North of Scotland Philatelic Society on wednesday,
11th October, 1911. Aberdeen: University Press 1911. 34 S. [760
— Ree, Stephen. The library catalogue of 1873 — 74. Aberdeen
University Library Bulletin 1, 4. 1912. S. 386—391.　　[761

Aberystwyth. National Library of Wales. Catalogue of tracts of the
Civil War and Commonwealth period relating to Wales and the
borders. Aberystwyth: Library 1911. 2 Sh. 6 d.　　　[762

Benares. List of Sanskrit and Hindi manuscripts purchased by order
of government and deposited in the Sanskrit College, Benares,
during the year 1909—1910. Allahabad 1911: Governm. Press.
20 S.　　　　　[763

Birmingham. City of Birmingham. The annual Report of the Free
Libraries Committee. 50. 1911/1912. Birmingham 1912: Jones.
VI, 62 S.　　　　　[764

Bristol. Griffiths, L. M. The Bristol Medical Library. Bristol: 1912.
10 S. Aus: Bristol Medico-Chirurgical Journal 1911, December. [765

Calcutta. Imperial Library. Catalogue. P. 2. Subject index to the
author catalogue. Vol. 2. M—Z. Calcutta: Gov. Print. 1910.
315 S. [766

— Imperial Library, Calcutta. Annual Report for the year 1910.
(Calcutta 1911.) 7 S. 4⁰. [767

— Report on the working of the Imperial Library for the period
from 1st January 1911 to 31st March 1912. Calcutta: Superint.
Govern. Print. 1912. 12 S. [768

Cambridge. Bartholomew, A. T. Catalogue of the books and papers
for the most part relating to the University, Town a. Country of
Cambridge bequeathed to the University by John Willis Clark.
Cambridge: University Press 1912. XIV, 282 S., 1 Portr.
7 Sh. 6 d. [769

— University Library, Cambridge. List of current foreign (including
colonial) periodicals to be found in the various libraries of the
University, 1912. Cambridge: University Press 1912. IV, 64 S. [770

— Cambridge University Library. Report of the Library Syndicate
for the year end. December 31, 1911. Cambridge: Univers. Press
1912. 35 S. 4⁰. Aus: The University Reporter, 1911/12. [771

— James, Montague Rhodes. A descriptive Catalogue of the manuscripts
in the Library of Corpus Christi College, Cambridge. P. 6. (Vol. 2.
P. 3.) Nos. 451—538. Cambridge: Univ. Press 1912. VII S.,
S. 373—495. 7 Sh. 6 d. [772

— James, Montague Rhodes. A descriptive Catalogue of the Mc Clean
collection of manuscripts in the Fitz William Museum. Cambridge:
Univ. Press 1912. XXXII, 410 S., CVIII Taf. 25 Sh. [773

— Historical Manuscripts Commission. (Purnell, E. K.) Report on
the Pepys Manuscripts preserved at Magdalene College, Cambridge.
London: Stat. Off. 1911. XXXII, 379 S. [774

— s. a. 1222. 1280.

Edinburg. University library. Reading rooms. Edinburgh University
Library Calendar 1912—1913. S. 49—63. [775

— Mackinnon, Donald. A descriptive catalogue of Gaelic manuscripts
in the Advocates Library Edinburg and elsewhere in Scotland.
Comp. at the instance of John, fourth Marquess of Bute . . .
Edinburgh: Brown 1912. XII, 348 S. 10 Sh. 6 d. [776

Etawah. Headicar, B. M. The Sanskrit Library Association. Librarian
2. 1911/12. S. 326—330. [777

London. Some urgent reforms. I. The British Museum Library.
Libr. World 14. 1911/12. S. 225—230. [778

— — The reserved Books from the King's Library. Library 3.
Ser. 3. 1912. S. 422—430. [779

— — Catalogue of books printed in the XVth century now in the
British Museum. P. 2. Germany. Eltvil-Trier. London: Museum,

Longmans etc. 1912. XVII S., S. 313—620, mit Faksim. S. 13—22, Taf. XXX—LIX. [780

London. Catalogue of the fifty manuscripts and printed books bequeathed to the British Museum by Alfred H. Huth. London: Museum 1912. XVI, 130 S., 17 Taf. 2⁰. 1 ℒ. 2 Sh. 6 d. [781

—— Fortescue, G. K. The Library of the British Museum. Libr. Assistant 1912, Mai. [782

—— Fortescue, G. K. Subject index of the modern works added to the Library of the British Museum in the years 1906—1910. London: Museum, Longmans 1911. V, 1307 S. 40 Sh. [783

—— Peddie, R. A. The British Museum reading room. A handbook for students. London: Grafton 1912. VII, 61 S. 1 Sh. [784

—— Progress made in the Arrangement and Description of the Collections and Account of Objects added . . . in the year 1911. Fortescue, G. K. Department of Printed Books; Gilson, J. P. Department of Manuscripts; Barnett, L. D. Department of Oriental Printed Books and Manuscripts. Return. British Museum 1912. S. 21—33. 34—40. 41—44. [785

—— Shelley, Henry C. The printed books. Among the manuscripts. In: Shelley, Henry C. The British Museum 1911. S. 121—170, mit Taff. [786

—— Squire, W. Barclay. Catalogue of printed music published between 1487 and 1800 now in the British Museum. Vol. 1. A—K. 2. L—Z a. Suppl. 1. London: Museum 1912. IV, 775; 720, 34 S. 63 Sh. [787

—— Barnett, L. D. A Catalogue of the Telugu books in the Library of the British Museum. London: Museum 1912. V, 443 S. 4⁰. [788

—— Catalogue of Additions to the Manuscripts in the British Museum in the Years 1906—10. Oxford, London: 1912. XIII, 794 S. 28 Sh. [789

—— Gray, G. J. Index to the contents of the Cole manuscripts in the British Museum. London: Macmillan 1912. 15 Sh. [790

—— British Museum. Guide to the exhibited manuscripts. With plates. P. 1—3. (1. Autographs a. documents ill. chiefly of English history and literature exhibited in the Ms. Saloon. 2. Manuscripts (palaeographical and biblical series and chronicles), charters and seals, exhibited in the Ms. Saloon. 3. Illuminated manuscripts and bindings of ms., exhibited in the Greenville Library.) (London: Museum 1912.) [791

—— British Museum s. a. 1277. 1286. 1289.

— Darlow, T. H., and H. F. Moule. Historical Catalogue of the printed editions of Holy Scripture in the Library of the British and foreign Bible Society. Vol. 2. Polyglots and languages other than English. Part 1—3. London: Bible House 1911. XXIII, 572; 573—1168; 1169—1849 S. 4⁰ (8⁰). Mit Vol. 1 zusammen 31 Sh. 6 d. [792

London. Subject list of works on chemical technology (includ. oils, fats, soaps, candles . . .) in the Library of the Patent Office. London: Station. Office 1911. 171 S. 6 d. = Patent Office Library. Subject Lists. N. S. YN—ZB. [793

— Subject list ond peat, destructive distillation, artificial lighting, mineral oils and waxes, gaslighting and acetylene in the Library of the Patent Office. London: Station. Off. 1911. 104 S. 6 d. = Patent Office Library. Subject lists N. S. YK—YM. [794

— Subject List on works of horology . . . in the Library of the Patent Office. London: Station. Office 1912. IV, 56 S. = Patent Office Library. Subject Lists N. S. FO—FR. [795

— Subject List on works on mineral industries in the Library of the Patent Office. P. 1—3. London: Station. Office 1912. IV, 195, 97, 133 S. = Patent Office Library. Subject Lists N. S. WN —XN 39. Xn 40—Yh. [796

— Catalogue of a collection of early printed books in the Library of the Royal Society. (Vorr.: R. Farquharson Sharp.) London: R. Society 1910. 120 S. [797

— Royal Society of London. Catalogue of the periodical publications in the Library . . . 1912. London: Frowde 1912. VIII, 455 S. [798

— Historical Account of the Library of the Royal Society of Medicine. Libr. World 15. 1912/13. S. 33—39, 6 Abb. [799

— Peddie, R. A. Catalogue of works on practical printing, processes of illustration a. bookbinding published since the year 1900 and now in the St. Bride Foundation Technical Library. London: St. Bride Foundation print. 1911. 32 S. [800

— University College, London. Newcombe, L. Catalogue of the periodical publications includ. the serial publications of societies and governments, in the Library . . . London 1912: Oxford, Hart. VIII, 269 S. [801

— Bishopsgate Intitute. Descriptive supplementary catalogue of additions in the lending library. London: 1912. 306 S. 1 Sh. [802

— Hackney Public Libraries. Catalogue of books. London: Library 1911. 294 S. 9 d. [803

— Philip, Alex J. A Reference Library for London. Contemporary Review 1912. September. S. 388.—396. [804

Madras. Rangacarya, M., and Bahadur, Rao. A descriptive catalogue of the Sanskrit Manuscripts in the Government Oriental Manuscripts Library, Madras. Vol. 6. 7. Dharma-Sástra (continued). 1909. Vol. 8. Arthaśāstra, Kamaśāstra, and systems of Indian philosophy. 1910. Vol. 9. 11. Systems of Indian philosophy (contin.) 1910. 11. Madras: Superintend. Gov. Press 1909/11. IX S., S. 2271—2574, X S.; XI, 2575—2920, X S.; VII, 2921—3214, X S.; VIII, 3570, X S.; X, 3927—4328a, XV S. 2 Sh., 2 Sh., 2 Sh., 2 Sh., 2 Sh. 9 d., 2 Sh. 9 d. [805

Manchester. Green, John Albert. Manchester Public Libraries. A
bibliographical guide of the Gaskell Collection in the Moss Side
Library. Manchester: Libraries 1911. 68 S. m. 5 Abb.   [806
— The John Rylands Library Manchester: Catalogue of an exhibition
of Mediaeval manuscripts and jewelled book covers, shown in the
Main Library from Januar XII to December MCMXII. Including
lists of palaeographical works and of historical periodicals in the
John Rylands Library. (Vorr.: Henry Guppy.) Manchester: Univ.
Press, London: Quaritch a. Sherrat a. Hughes 1912. XIII, 134 S.,
10 Taf.   [807
— The John Rylands Library Manchester: A brief historical description
of the library and its contents, with catalogue of a selection of
manuscripts and printed books exhibited on the occasion of the
visit of the congregational union of England and Wales in October,
MCMXII. With illustr. Manchester: Univ. Press, London: B. Quaritch
1912. X, 143 S., 21 Taf. 6 d.   [808
— The new Library and Art Gallery, Manchester. Museums Journal
1912, April. 6 S., 4 Taf.   [809
Marlborough. Macdonald, Hugh. A Vicars Library. (Gegründet 1678.)
Library 3. Ser. 3. 1912. S. 277—282.   [810
Melbourne. Victoria. Report of the trustees of the Public Library,
Museums, and National Gallery of Victoria for 1910, 1911 with a
statement of income and expenditure for the financial year 1909
—10. 1910—11. Melbourne (1911, 1912): Gov. Print. 39, 37 S. [811
Middlesbrough. Middlesbrough Public Library. Libr. World 15. 1912/13.
S. 105—107, 1 Taf.   [812
Ottawa. Burpee, Lawrence J. Canada's National Library. (Library
of Parliament, Ottawa.) Libr. Journal 37. 1912. S. 123—124
m. 2 Taf.   [813
Oxford. Bodleian Library. Staff-Kalendar 1912. Oxford: H. Hart
1912. Kalender (o. P.) u. Suppl. 211 S., 1 Taf.   [814
— Keith, Arthur Berriedale. Catalogue of Prākrit Manuscripts in the
Bodleian Library. With a preface by E. W. B. Nicholson. Oxford:
Clarendon Press 1911. 53 S. 4⁰. 6 Sh.   [815
Saint-Andrews. Anderson, J. Maitland. La Bibliothèque de l'Université de Saint-Andrews. (Traduit par Léon Dorez.) Revue des
bibliothèques 21. 1911. S. 221—240 m. 3 Taf.   [816
— Library Annals. Seventeenth Century. Libr. Bulletin of the University Library of St. Andrews 1912. S. 15—29. 82—96. 151
—175. 229—242.   [817
— Library Bulletin of the University Library of St. Andrews. Jss.
quarterly. Vol. 5. (Nr 1—4.) Nr 45 January, 46 April, 47 July,
48 Oct. St. Andrews 1912. W. C. Henderson. Jg. (4 Nrn) 1 Sh. [818
— Report by the Library Committe to the Senatus Academicus for
the year end. 30th September 1911 . . . Report by the librarian
. . . for the year end. 30th September 1911 . . . Libr. Bulletin of the
University Library of St. Andrews Nr 45. Jan. 1912. S. 3—15. [819

Saint-Andrews. The University librarians. Library Bulletin of the University of St. Andrews. Vol. 5. Nr 46. 1912. S. 65—72. [820

Sydney. Public Library of New South Wales. (1826. 1910.) Bladen, F. M. Historical notes. 2. ed. Sydney 1911: Gullick. 100 S. [821

Winchester. Vaughan, John. Winchester Cathedral Library from the Reformation to the Commonwealth. Church Quarterly Review 1911, October. [822

Italien.

Assisi. Regolamento per la Biblioteca comunale de Assisi. Assisi . 1912: Metastasio. 18 S. [823

Bergamo. Bollettino della civica Biblioteca di Bergamo. Anno 5. 1911. 6. 1912. Nr 1. Bergamo: Biblioteca 1911. 1912. Jg. Italien 4, Ausland 6·L. [824

Bologna. L'Archiginnasio. Bulletino della Biblioteca comunale di Bologna. Diretto da Albano Sorbelli. Anno 7. 1912. Nr 1/2. Gennaio | Aprile. Bologna 1912: Azzoguidi. Jg. 5 L., Ausland 8 L. [825

— Regolamento per la Biblioteca comunale dell'Archiginnasio di Bologna. Bologna 1912: Merlani. 23 S. 4°. [826

— Relazione del Bibliotecario al signor Assessore per la pubblica istruzione. (Biblioteca comunale di Bologna.) Anno 1911. L'Archiginnasio 7. 1912. S. 117—136. [827

— Relazione al Sindaco di Bologna della commissione incaricata di scegliere tra i manoscritti del Carducci quelli da pubblicarsi. L'Archiginnasio 6. 1911. S. 129—134. [828

— Sorbelli, A. I Manoscritti Brugnoli. L'Archiginnasio 6. 1911. S. 135—168. [829

— Bonatto, Francesco. I primi due anni di vita della Biblioteca popolare di Bologna. Bologna 1912: Azzoguidi. 41 S. = Biblioteca de l'Archiginnasio. Ser. 2. Vol. 2. [830

Brescia. Gnaga, Arnaldo. Relazione sul riordinamento e sui bisogni della Biblioteca. Commentari dell'Ateneo . . . in Brescia 1911 (1912). S. 156—162. [831

Carpi. Regolamento per la Biblioteca comunale di Carpi. Carpi 1911: Rossi. 14 S. [832

Casale. Manacorda, Guido. Alcuni codici notevoli della Biblioteca del Seminario di Casale. Casale Monferrato 1906: Cassone. 21 S. [833

Catania. Tamburini, G. M. I Manoscritti della r. Biblioteca Ventimiliana di Catania. Archivio storico per la Sicilia Orientale Ann. 8. 1911. Fasc. 1. 2, anno 9. 1912. Fasc. 2. (Wird fortges.) [834

Faenza. Manzini, Augusto. Codices latini publicae Bybliothecae Faventinae. Studi italiani di filologia classica 19. 1912. S. 19 —23. [835

Ferrara. Index Codicum latinorum classicorum qui Ferrariae in civica Bybliotheca adservantur. Studi italiani di filologia classica 19. 1912. S. 24—52. [836

Florenz. Bollettino delle pubblicazioni italiane ricevute per diritto
di stampa (dalla Biblioteca nazionale centrale di Firenze). Anno
(46). 1912. Nr 133. Gennaio. Firenze: Biblioteca 1912. Jg.
(12 Nr) 10 L., Ausland 12 Fr., Edizione speciale in bianca 12 L.,
bez. 14 Fr.   [837
— Michel, Ersilio. La Biblioteca Mediceo-laurenziana. Torino: Bocca
  1912. 8 S. Aus: Il Risorgimento italiano.   [838
— Nardini, Car. I manoscritti della Biblioteca Moreniana. Vol. 2.
  Fasc. 1. Firenze 1912: Galletti e Cocci. 32 S. 50 Cent. [839
— Lopez, Athanasius. Descriptio codicum franciscanorum Biblio-
  thecae Riccardinae Florentinae. (P. 2.) Ad Claras Aquas 1912:
  Colleg. S. Bonaventurae. 8 S. Aus: Archivum franciscanum histo-
  ricum.   [840
— Catalogo della Biblioteca della camera di commercio e industria
  di Firenze. 1912. Firenze 1912: Carnesecchi. 139 S. [841
Genua. Opere e periodici entrati nella Biblioteca civica Berio di
  Genova nel 1911. Genova 1911: Pagano. 31 S.   [842
— Statuto - regolamento delle biblioteche scolastiche circolanti di
  Genova. Genova 1912: Pagano. 7 S.   [843
— Catalogo della Biblioteca. Società di letture e conversazioni
  scientifiche, Genova. Firenze 1911: Tip. Aldina. 159 S. [844
Lucca. Matteucci, Luigi. Descrizione ragionata delle stampe popolari
  della Governativa di Lucca. Il Libro e la Stampa 5. 1911,
  S. 128—146.   [845
Mailand, Ambrosiana s. 1268.
— Elenco dei giornali e periodici in lettura nel 1912. (Circolo
  filologico milanese.) Lodi-Milano: 1912. 11 S.   [846
— (Sanvisenti, B.) Catalogo generale delle Biblioteca del Circolo
  Filologico Milanese. Vol. 2. (1903—1909.) Milano 1911: Scuola
  d. Providenza 1911. 270 S.   [847
— Ferretti, Giovanni. La Bibliotechina circolante della scuola tecnica
  „Cavalieri" di Milano. Coltura popolare 1. 1911. S. 746—749. [848
— Fabietti, Ettore. Le biblioteche popolari milanese nell' anno 1911.
  Coltura Popolare 2. 1912. S. 215—225.   [849
Modena. Gaddoni, Seraphinus. Codices Bibliothecae Estensis Mutinae.
  Ad Claras Aquas: Colleg. S. Bonaventurae 1912. 7 S. Aus:
  Archivum franciscanum historicum.   [850
Montecassino. Sajdack, Joannes. De codicibus Graecis in Monte
  Cassino. Kraków: Akademie 1912. 97 S. 2 K. Aus: Rozpraw
  wydz. filol. Akad. Um. w. Krakowie.   [851
— s. a. 1232.
Montegiorgio. Biblioteca popolare di Montegiorgio. Statuto, regola-
  mento, catalogo. Montegiorgio 1912: Finucci. 32 S.   [852
Padua. Come fu effettuato il trasporto di tutto il materiale scientifico
  posseduto dalla Biblioteca universitaria di Padova dall' antica sede
  dei Carreresi alla $_{nu}o_va$ di via S. Biagio. Il Veneto 25. 1912.
  Nr 266 vom 26. September.   [853

Padua. Ronchi, Oliviero. Contributo alla storia della Biblioteca di
S. Giustina di Padova. I. Bolletino dell civico museo di Padova
13. 1910 (1911). S. 1—11. [854
Pavia, Museo civico s. 1361.
Piacenza. Salaris, Raimondo. Gli incunaboli della Biblioteca comunale
di Piacenza. Bibliofilia 14. 1912/13. Disp. 1 ff. (Wird fortges.) [855
— Corna, Andreas. Codices olim franciscani in Bibliotheca Landiana
Placentiae. Ad Claras Aquas: Coll. S. Bonaventurae 1912. 6 S.
Aus: Archivum franciscanum historicum. [856
Pinerolo. Biblioteca municipale Alliaudi di Pinerolo. (Sezione circo-
laute.) Catalogo delle opere. Pinerolo 1912: Tip. Sociale. 48 S. [857
Rimini. Orlandini, Ugo. Manoscritti riguardanti la storia nobiliare
italiana. Biblioteca di Rimini. Rivista araldica 1912. S. 628
—629. [858
Rom. Bibliothecae Apostolicae Vaticanae codices manu scripti recen-
siti . . . (A. T.:) Codices Vrbinates latini rec. Cosimus Stornajolo.
T. 2. Codices 501—1000. Romae: Typ. polyglott. Vaticanis 1912.
750 S. 4⁰. 30 L. [859
— Mercati, Giovanni. Per la storia della Biblioteca Apostolica, biblio-
tecario Cesare Baronio. Per Cesare Baronio. Scritti vari. Roma
1911. S. 85—178. [861
— Vaticana s. a. 1170. 1204. 1260a.
— Bonazzi, Giuliano, e Marcello Piacentini. La nuova sede per la
Biblioteca Nazionale Vittorio Em. Progetto. Giornale d'Italia 1912.
April 5. Mit 3 Abb. [862
— Bonazzi, G., et M. Piacentini. Biblioteca nazionale centrale Vittorio
Emanuele. Progetto di una nuova sede. Roma: Staderini 1912.
8 S. 4⁰. [863
— Collezione di manoscritti e libri orientali donati all' Accademia da
Don Leone Caetani, principe di Teano. Elenco 1. Roma: Acca-
demia dei Lincei 1911. 19 S. Aus: Rendiconti d. r. Accad. d.
Lincei 1911, scienze morali. [864
— Biblioteca del Senato del Regno. Bolletino delle pubblicazioni di
recente acquisto. 8. 1911. Nr 1/4. Roma 1912: Senato. [865
— Marinuzzi, Ant. Notizia di una raccolta di libri di antico diritto
siciliano, donata alla Biblioteca del Senato del Regno, giugno 1911.
Palermo 1911: Virzi. XV, 118 S. [866
— Salaris, Emilio. La Biblioteca centrale militare e il suo catalogo.
Rivista d. biblioteche e d. archivi 22. 1911. S. 124—127. [867
— Bollettino della Biblioteca. Ministero di agricoltura, industria e
commercio. Anno 1. 1912. Nr 1/2. Gennaio/Febbraio. Roma
1912: G. Bertero. [868
Saló. Bustico, Guido. I manoscritti dell' Ateneo di Saló. Commen-
tari dell' Ateneo di Brescia 1911 (1912). S. 178—196. [869
Turin s. 1261.
Udine. Catalogo della Biblioteca dell' associazione agraria friulana.
Udine 1911: Seitz. 128 S. 4⁰. [870

Venedig. Frati, Carlo. Bollettino bibliografico Marciano. Pubblicazioni
recenti relative a codici o stampe della Biblioteca Marciana di
Venezia. (Forts.) Bibliofilia 13. 1911/12. S. 253—278 m. 13 Abb.
14. 1912/13. S. 131—157 m. 14 Abb.　　　　　　　　　　　[871
— Gulyás, Paul. La Bibliothèque de St. Marc à Venise et le bréviaire de Grimani. Magyar Könyvszemle N. S. 19. 1911. S. 319
—331.　　　　　　　　　　　　　　　　　　　　　　　[872
— Coggiola, G. Due inventari trecenteschi della Biblioteca del Convento di S. Domenico di Castello in Venezia. Rivista d. biblioteche
e d. archivi 23. 1912. S. 85—122.　　　　　　　　　　　[873
— Coggiola, G. Due inventari trecenteschi della Biblioteca del Convento di S. Domenico di Castello in Venezia. Firenze: 1912. 42 S.
Aus: Rivista d. biblioteche 23, Nr 6—8. (Nozze Neri — Gariazzo.) [874
Verona s. 1246.

Niederlande und Belgien.

Amsterdam. Bibliothek der Universiteit van Amsterdam. Catalogus
der Handschriften IV. (1. Helft.) Brieven A—M. Amsterdam
1911: Stadsdrukkerij. 280 S.　　　　　　　　　　　　　[875
— Catalogus van de Algemeene Pharmaceutische Bibliotheek en van
de boeken over Pharmacie en aanverwante vakken aanwezig in de
Universiteitsbibliotheek van Amsterdam. Uitg. door de Nederlandsche
Maatschappij ter bevordering der Pharmacie. Amsterdam: D. B.
Centen 1911. 261 S.　　　　　　　　　　　　　　　　[876
Antwerpen. Hoofdboekerij der Stad Antwerpen. Systematische lijst
der aanwinsten gedurende het jaar 1911. (Auch mit franzöz. Tit.)
Antwerpen 1912: Van Hille-De Backer. 123 S. 0,30 Fl.　[877
Brüssel. Chambre des Représentants. Catalogue de la Bibliothèque.
Suppl. 5. (année 1911.) Bruxelles: J. Goemaere 1911. 101 S. [878
— Catalogue de la Bibliothèque de la Commission centrale de stati-
stique. T. 7. Ouvrages concernant l'Amérique, l'Asie et l'Afrique.
Bruxelles: Hayez 1911. XV, 284 S. 5 Fr.　　　　　　　[879
— Musée international. Catalogue sommaire de la section de bibliographie et de documentation. Bruxelles etc.: 1912. 18 S. Office
central des institutions internationales publication 23.　[880
Gent. Van der Haeghen. Liste sommaire des principaux fonds entrés
à la Bibliothèque de la Ville et de l'Université de Gand sous
l'administration de Mr Vander Haeghen, de 1869 à 1911. (O. O.
u. J.) 4 S.　　　　　　　　　　　　　　　　　　　　[881
Groningen. Roos, A. G. Catalogus der Incunabelen van de Bibliotheek
der Rijks-Universiteit te Groningen. Groningen: J. B. Wolters 1912.
104 S., 2 Taf.　　　　　　　　　　　　　　　　　　　[882
Haag. Verslag der Koniklijke Bibliotheek over 1911. 's Gravenhage:
M. Nijhoff 1912. XLVIII, 367 III S.　　　　　　　　　[883
— Jaarwedden en verdere belooningen der ambtenaren en bedienden
der Koninklijke Bibliotheek te 's Gravenhage. Het Boek 1. 1912.
S. 39—46.　　　　　　　　　　　　　　　　　　　　[884

Haag. Poncelet, Albert. Catalogus codicum hagiographicorum lati-
norum Musei Meermanno-Westreeniani. Analecta Bollandiana. 51.
1912. S. 45—48. [885
— (Kruitwagen, Bonaventura.) Museum Meermanno Westreenianum.
Catalogus van de Incunabelen. I. Italië, Frankrijk, Spanje, Enge-
land. 's Gravenhage 1911: Algem. Landsdrukkerij. 124 S. 4⁰ (8⁰).
Aus: Verslagen omtrent 's Rijks verzamelingen van Geschiedenis en
Kunst 1910. S. 200—213. [886
Leiden. Universiteitsbibliotheek. Codices manuscripti. III. Codices
Bibliothecae publicae Latini. Lugduni Batav.: E. J. Brill 1912.
XVII, 226 S. [887
— s. a. 1282.
Lüttich. Colson, Oscar. Instructions sommaires pour l'organisation
et la réorganisation des bibliothèques populaires, rédigées pour la
Députation permanente du Conseil provincial de Liège. Liège:
Math. Thone 1911. 47 S. 1,50 Fr. [888
— Lippens, Hugolinus. Descripto Codicum Franciscanorum Biblio-
thecae Academiae Leodiensis. Archivum Franciscanum historicum. 4.
1911. S. 355—359. 588—593. 5. 1912. S. 102—109. 737
—751. [889
Uccle. Collard, A. Bibliothèque de l'observatoire royal de Belgique
à Uccle. Catalogue alphabétique des livres, brochures et cartes.
T. 1. Fasc. 2. 3. T. 2. Fasc. 1. Bruxelles: Hayez 1911. 1912.
S. 193—384, 385—698, XXIV S., 192 S. [890
Utrecht. Beresteyn, E. van. Het nieuwe gebouw der Openbare Lees-
zaal te Utrecht. De Boekzaal 6. 1912. S. 131—138 m. 5 Abb. [891
— Catalogus der Centrale Duitsche Bibliotheek, gevestigd te Utrecht.
September 1911. Utrecht: Kemink. 117 S. [892

Nordische Staaten.

Aarhus. Statsbiblioteket i Aarhus. Aarskatalog. Fortegnelse over
erhvervelser af nyere udenlandsk litteratur. 5—6. 1910—1911.
Aarhus 1912: Foren. Bogtrykk. 106 S. = Statsbiblioteks trykte
Kataloger 11. [893
— Statsbiblioteket i Aarhus. Katalog over Laesesalens udlaans-
bibliotek (danske, norske og svenske bøger) 4. Naturkundskab-
Medicin-Praktiske fag. Aarhus 1912: Foren. Bogtr. 72 S. = Stats-
bibliotekets trykte Kataloger 10. [894
Christiania. Det Kgl. Norske Frederiks Universitet. Universitets-
Bibliotekets Aarbog for 1906—10. II. (Darin: III. Den uden-
landske Afdelings Tilvekst 1905. Halvaar 2—1910. Halvaar 1.
IV. Haandskriftsamlingens Tilvekst. V. Udenlandske Tidsskrifter
og Selskabsskrifter. Christiania: H. Aschehoug i. Komm. 1911.
304, 41 S. 3,50 Kr. [895
— Det Kgl. Norske Frederiks Universitet. Universitets-Bibliotekets
Aarbog for 1912. II. Den udenlandske Afdelings Tilvekst.
Christiania: H. Aschehoug i. Komm. 1912. 0,10 Kr. [896

Kopenhagen.　Arne Magnussons i ám. 435 A—B, 4to indeholdte hånskriftfortegnelser med to tillaeg udg. af Kommissionen for det Arnamagnaeanske Legat. København: Gyldendal 1909.　XIX, 130 S.　　　　　　　　　　　　　　　　　　　　　　　　　　　[897

Lund.　Lunds Universitets Biblioteks Årsberättelse 1911. Lund 1912: H. Ohlsson.　14 S.　Aus: Lunds Universitets Årsberättelse 1911 —1912.　　　　　　　　　　　　　　　　　　　　　　　　　[898

Malmö.　Leijonhufvud, Karl K: son. Kongl. Södermanlands regementes oficerskårs Bibliotek.　Svensk Exlibris - Tidskrift 1.　1911.　S. 75 —79 m. 2 Abb.　　　　　　　　　　　　　　　　　　　　　　[899

Stockholm.　Kungl. Bibliotekets Årsberättelse 1911.　Stockholm 1912: P. A. Norstedt.　51 S.　　　　　　　　　　　　　　　　　　[900

— Berghman, G.　Catalogue raisonné des impressions elzeviriennes de la Bibliothèque royale de Stockholm.　(Mit: E. W. Dahlgren, Notice biographique sur le Dr. Berghman.)　Stockholm: Nordiska Bokhandeln.　Paris: Champion 1911.　XXV, 389 S., 2 Taf.　[901

— Kungl. Bibliotekets Handlingar. 30. 31. 32.　(Darin: Årsberättelse for år 1907. 1908. 1909; Sveriges bibliografiska Litteratur D. 2, H. 3 und 4.　Del 3.　H. 1.)　Stockholm: 1910. 11. 12.: P. A. Norstedt.　51, 259—362; 30, 363—493; 47, 152 S.　　　　　[902

— Kungl. Bibliotekets Handlingar. 33.　(Darin: Årsberättelse for år 1910.　Instruktion för Kungl. Biblioteket.　Reglemente för Kungl. begagnande.　Sveriges bibliografiska litteratur D. 3. H. 2.)　Stockholm 1912: Norstedt.　64; VIII, 153—269 S.　　　　[903

Uppsala.　Andersson, Aksel.　Förslag till beredande af ökadt utrymme inom Uppsala Universitets Bibliotek.　Till det Större Akademiska Konsistoriet.　Uppsala 1912: Berling.　29 S., 6 Taf.　　　　[904

— Uppsala Universitets Biblioteks Årsberättelse för år 1911.　Uppsala 1912: Almqvist & Wiskell.　35 S.　Aus: Kungl. Universitets i Uppsala Redogörelse 1911/12.　　　　　　　　　　　　　　　　　　[905

— Mágr, A. S.　Posener Drucke in der Universitätsbibliothek zu Uppsala.　Historische Monatsblätter f. d. Provinz Posen 13.　1912. S. 70—71.　　　　　　　　　　　　　　　　　　　　　　　　[906

— s. a. 1245.

Rufsland.

Baku.　Knunianc, L. M. (Russ.): Index der Bücher und Zeitschriftenartikel der Bibliothek der kais. russ. Technischen Gesellschaft S. K. Zubalov, Abteil. Baku.　Baku 1911: S. G. Berladir.　254 S.　[907

— Knunjanc, L. M. (Russ.): Katalog der Bücher der Bibliothek der kais. russ. Technischen Gesellschaft Stepan Konstantinovič Zubalov, Abteil. Baku.　Baku 1912: S. G. Berladir.　144 S.　　　　　[908

Brest-Litowsk.　Systematischer Katalog (Russ.) der Offiziersbibliothek des 149. Inf.-Regts. Černomorsk.　Brest-Litowsk 1911: J. C. Rakov. 336 S.　　　　　　　　　　　　　　　　　　　　　　　[909

Charkov.　Bulletin (Russ. Bjulletin) der kaiserlichen Universitätsbibliothek.　1911. November. 1912. April-August.　Charkov 1912: Sergěev i Gal'čenko.　29, 33 S.　　　　　　　　　　　　　　　[910

Charkov. Katalog (Russ.) der Bibliothek der Naturforschergesellschaft an der kaiserl. Universität. Charkov 1912: Pečatnik. 86 S. [911

— Katalog (Russ.) der Bücher in dem Büro der Studenten des Veterinär-Instituts 1912—13. Charkov 1912: Pečatnik. 16 S. [912

— Katalog (Russ.) der periodischen Bücher und Ausgaben der Bibliothek des Klubs der Handelsangestellten. Charkov 1911: Kovalev, 125 S. [913

— Bericht (Russ.: otčet) der öffentlichen Bibliothek vom 1. Oktober 1910 bis 1. Oktober 1911. Charkov 1911: Šmerkovič. 61 S. [914

— Chavkina, L. (Russ.) Das Jubiläum der öffentlichen Bibliothek zu Charkov. Bibliotekař 3. 1912. S. 8—18. [915

— Katalog (Kleinruss.) der Bücher in kleinrussischer Sprache in der öffentlichen Bibliothek. Ukrainische Abteilung Taras Ševčenko. Band I. Charkov 1912: S. A. Šmerkovič. 98 S. 50 Kop. [916

— Katalog (Russ.) der Bücher für Volksbibliotheks-Lesehallen des Gouvernements Charkov. Gouvern. Landschaftsvertretung. Abteilung für Volksbildung. Charkov 1912: Pečatnik. XIII, 223 S. 50 Kop. [917

Cherson. Bericht (Russ.: otčet) der öffentlichen Bibliothek und ihrer beiden Abteilungen für das Jahr 1910. 1911. Cherson 1911. 1912: O. D. Chodušina. 75, 86 S. [918

— Šenfinkel, V. (Russ.): Russische Bibliotheksgebäude. III. Die öffentliche Bibliothek zu Cherson. Bibliotekař 2. 1911. S. 283—284. 1 Taf. [919

— Systematischer Katalog (Russ.) der Bibliothek an der Kreis-Landschaftsverwaltung. Nachtrag IV. 1910 u. 1911. Cherson 1912: O. D. Chodušinoj. 53 S. [920

— Bücherkatalog (Russ.) der Kasinobibliothek des 57. Infanterie-Regiments Gen.-Adjutant Kornilov. Cherson 1912: A. N. Spozito. 173 S. [921

Dorpat. Jahresbericht (Russ.: godovoj otčet) der russischen öffentl. Bibliothek, 1910—1911. 1911—1912. Jurjev 1911. 1912: K. E. Sat. Je 16 S. [922

— Katalog der Bibliothek der Fraternitas Rigensis. Nachtrag (bis zum 1. Sem. 1910). Jurjev 1911: Laakman. 54 S. [923

— Bücher-Verzeichnis. Ausgabe B. Systematischer Katalog der Allgemeinen Abteilung. Bücherei des Deutschen Vereins in Livland. Jur'ev 1912: K. Mattisen. 180 S. 60 Kop. [924

— Statuten (Russ.: Ustav) der öffentlichen Bibliothek der Karolschen Gesellschaft. Jurřev 1911: Zirk. 16 S. [925

Elisavetgrad. Bericht (Russ.: otčet) der öffentlichen Bibliothek für 1910. Elisavetgrad 1911: Linzer. 23 S. [926

Jalta. Bericht (Russ.: otčet) der öffentl. Stadtbibliothek V. A. Žukovskij. 1911. Jalta 1912: N. R. Lupandina. 27 S. [927

— Oeffentliche Stadtbibliothek V. A. Žukovskij. Katalog (Russ.) der unentgeltlichen Kinder-Bibliothekslesehalle. Heft I. 1911. Jalta 1911: N. R. Lupandina. 53 S. [928

Jekaterinoslaw. Bericht (Russ.: otčet) der städtischen öffentlichen
Bibliothek für 1911. Ekaterinoslav 1912: Gub. Pravl. 41 S. [929
Jrkutsk. Grundkatalog (Russ.: osnovnoj katalog) für russische und
fremde Belletristik der öffentl. Stadtbibliothek. Nachtrag 3. Jrkutsk
1912: M. P. Okunev. 34 S.   [930
Kaluga. Katalog (Russ.) der öffentlichen Stadtbibliothek (1891—1910).
Kaluga 1911: Tip. gub. 572 S.   [931
— Katalog (Russ.) der Bibliothek der Gouvernements - Landschaft-
verwaltung. Kaluga 1911: Zem. uprava. 82 S.   [932
Kasan. Entwurf (Russ.: proekt) der Vorschriften der kais. Universitäts-
bibliothek. Kazań 1911: Tip. univ. 25 S.   [933
— Systematischer Katalog der astronomischen u. geodätischen Bücher
in der kaiserl. Universität. Teil II. 1. Jan. 1890 — 1. Jan. 1910.
Kazań 1911; Tip. univ. 275 S.   [934
— Systematischer Katalog (Russ.) der Werke der Fundamental-
Bibliothek des Veterinär-Instituts. Nachtrag II (1908—1912).
Kazań 1912: Tip. centr. 112 S.   [935
— Katalog (Russ.) der Bibliothek der 41. Artillerie-Brigade. Kazań
1912: Eremĕev i Sašabrin. II, IV, IV, 281 S.   [936
— Katalog der Bibliothek des Offizierkasinos. Kazań 1911: Okr.
štab. 154 S.   [937
— Katalog der Bücher der Zentralbibliothek der Kreis-Landschafts-
verwaltung im Jahre 1912. Kazań 1911: Eremĕev i Šašabrin.
149 S. 25 Kop.   [938
— Katalog der Bibliothek des „Klubs der Angestellten der öffentlichen Anstalten der Stadt Kasan". Nachtrag für 1910—11. Kazań
1912: L. P. Antonov. 108 S. 25 Kop.   [939
— Katalog (Russ.) der Bibliothek des Handelsklubs. Nachtrag 1911
—12. Kazań 1912: Ermĕev i Šašabrin. 32 S. 10 Kop.   [940
— Bericht (Russ.: otčet) über den Stand der Bibliotheks-Lesehalle
des Hl. Wladimir 1910—11. Kazań 1912: Tip. centr. 6 S. „Izvestija
po Kazanskoi Eparchii" 1912.   [941
Kiev (Russ.). Russische Bibliotheksgebäude. 4. N. Safronĕev: Die
öffentliche Stadtbibliothek zu Kiev. 2 Taf. u. 2 Pläne im Text.
Bibliotekař 3. 1912. S. 1—7.   [942
— Krylovskij, A. S. (Russ.): Systematischer Katalog der Bücher der
Bibliothek der geistlichen Akademie. Geschichte, Heft 10—11,
Band IV. Russische Geschichte. Kiev 1912: Barskij. 527 S.
3 Rub. 50 Kop.   [943
— Systematischer Katalog der Bibliothek der Angestellten an der
Verwaltung der südwestlichen Eisenbahnen. Kiev 1911: Ingo-zapad.
ž. d. 266 S.   [944
— Gvozdeckij, Kap. (Russ.): Katalog der Bibliothek der Ingenieure
des Militärbezirks. Nachtrag. Eingelaufene Bücher in den Jahren
1908, 1909, 1910 u. 1911. Kiev 1912: Okr. Štab. 16 S. [945
— Katalog der Bibliothek der Evangelischen Gemeinde vom Jahre
1911. Riga 1911: Grosset. 130 S.   [946

Kiev. Lebedev (Russ.): Katalog der Bibliothek des 168. Inf.-Reg.
Mirgorod. Zum 1. März 1912. Kiev 1912: 2. Artel. 209 S. [947
— Statuten (Russ.: ustav) der städtischen unentgeltlichen Volkslese-
hallen. Kiev 1912: Nasl. Krugljanskago. 11 S. [948
— Katalog (Russ.) der von der Kiever Gouvernements-Landschafts-
verwaltung eingerichteten Volksbibliotheken H. 1. 2. Kiev 1912:
Korčak-Novickij. 31, 17 S. [949
Kursk. Tunik, A. M. (Russ.): Katalog der Bücher und periodischen
Erscheinungen der Bibliothek des Handelsklubs. Kursk 1911:
P. Z. Liberman. VI, 83 S. [950
Lęczyca. Katalog (Polu.) der öffentlichen Bibliothek. Bücher in
polnischer Sprache. Lodź 1912: Śaladaev. 256 S. 25 Kop. [951
Libau. Statuten (Russ.: ustav) der Brinkenskischen Bibliotheksgesell-
schaft. Libava 1912: M. Uksting. 16 S. [952
Moskau. Katalog der Inkunabeln des Moskauer Oeffentlichen und
Rumjanzowsky-Museums. Lief. 1. Kisselew, N. P. Die Inkunabeln
des „Rumianzowsky-Museum". (Auch m. russ. Tit.) Moskau: Museum,
Frankfurt a. M.: Jos. Baer. 1912. 80 S. 2 M. [953
— Bericht (Russ.: otčet) der Bibliothek der geistlichen Akademie
1910—1911. Sergiev Posad 1912: Sv. Tr. Serg. Lavr. 16 S. [954
— Synodalbibliothek s. 1293.
— Katalog (Russ.) der Bücher der Studentenbibliothek für Lehrmittel
des landwirtschaftlichen Instituts. 1907—1912. Moskva 1912:
Sazonov. 22 S. [955
— Katalog (Russ.) der Bibliothek der Gesellschaft ehemaliger Schüler
der Kais. Handelsschule 1898—1911. Moskva 1912: V. Karjakin.
316 S. [956
— Katalog (Russ.) der Bibliothek des städtischen Museums für An-
schauungs-Lehrmittel. Moskva 1912: Tip. Gorodsk. 51 S. [957
— Kais. Russisches Historisches Museum Alexander III. Katalog
(Russ.) der Bücher der Bibliothek von Aleksěj Petrovič Bachrušin.
Heft 1. Moskva 1912: A. P. Korskin. 191— 382 S. 60 Kop. [958
— Bücherverzeichnis der Bibliothek des Deutschen Vereins. Erster
Nachtrag. Mai 1912. Moskva 1912: Lissner i Sobko. 16 S. [959
— Katalog (Russ.) der Bibliothek des literarisch-künstlerischen Klubs.
Abteilung ausländische Bücher. Moskva 1912: A. J. Mamontov.
224 S. [960
— S. P-kov (Russ.): Die öffentlichen Landschaftsbibliotheken und
Bibliotheksgesellschaften des Moskauer Kreises. Bibliotekař 2. 1911.
S. 368—383. [961
— Bericht (Russ.: otčet) der Gesellschaft für unentgeltliche Volks-
bibliotheken von Sept. 1910 bis Sept. 1911. Moskva 1912: V. J.
Voronov. 43 S. [962
— Statuten (Russ.: ustav) der öffentlichen Landschaftsbibliothek. Biblio-
tekař 2. 1911. S. 383—385. [963
Nikolajew. Bericht (Russ.: otčet) der öffentlichen Bibliothek für das
Jahr 1911. Nikolaev 1912: Br. Bělolinskie. 40 S. [964

Nikolajew. Katalog (Russ.) der Bücher der öffentlichen Bibliothek.
Nikolaev 1912: Br. Bělolipsk. 509 S. 75 Kop.   [965
Nishny-Novgorod. Bericht (Russ.: otčet) über die Tätigkeit der
städtischen unentgeltlichen Volkslesehalle Puškin für das Jahr 1911.
N.-Novgorod 1912: Volgař. 9 S.   [966
— Alliance française. Catalogue de la Bibliothèque. Nižnyj Nov-
gorod 1912: J. A. Šelemetév. 20 S.   [967
— Katalog (Russ.) der Bibliothek f. Bücherwesen. N.-Novgorod 1912:
K. M. Filippova. 209 S.   [968
Novgorod. Katalog (Russ.) der Bücher der öffentl. Bibliothek des
Statistischen Kommittees. Abt. I. Geschichte. Unter der Redaktion
des Sekretärs des Kom. S. R. Minclov. Novgorod 1912: J. M. Pozděev.
40 S. 15 Kop.   [969
Odessa. Nachrichten (Russ.: izvěstija) der bibliographischen Gesell-
schaft an der kais. Novoross. Universität. Band I. H. 1—8. Odessa
1911—12: Tip. centr.   [970
— Nestruch (Russ.). Russische Bibliotheksgebäude V: Die öffentliche
Stadtbibliothek Kaiser Nikolaus II. zu Odessa. Mit 3 Tff. u. 2 Plänen
im Text. Bibliotekař 3. 1912. S. 85—91.   [971
— Bericht (Russ.: otčet) der öffentl. Stadtbibliothek Kaiser Nikolaus II.
für das Jahr 1911 (81. J. des Bestehens). Odessa 1912: E. Chriso-
gelos. 43 S.   [972
— Popruženko, M. G. (Russ.): Die öffentliche Stadtbibliothek 1830
—1910. (Historische Skizze.) Odessa 1911: Chrisogelos. 84 S.   [973
— Bericht (Russ.: otčet) der öffentlichen Bibliothek für das Jahr 1911.
Odessa 1912: P. S. Rubenčik. 24 S.   [974
— Statuten (Russ.: ustav) der öffentlichen Bibliothek. Odessa 1912:
Rubenčik. 12 S.   [975
— Katalog (Russ.) der Bibliothek der Gesellschaft für gegenseitige
Unterstützung der christlichen Handelsangestellten. Odessa 1912:
Štab Od. Voen. Okr. 142 S.   [976
— Katalog der Bibliothek der Gesellschaft für Verbreitung und Auf-
klärung unter den Juden in Rußland, Odessaer Abteilung. Odessa
1911: Tip. centr. VI, 232 S. 30 Kop.   [977
— Bericht (Russ.: otčet) der Bibliothek der Gesellschaft jüdischer
Handelsgehilfen für gegenseitige Unterstützung „S. L. Bernfeld" für
das Jahr 1911. Odessa 1912: Majmin i Teler. 39 S.   [978
Omsk. Systematischer Katalog (Russ.) der Stadtbibliothek A. S. Puschkin.
Omsk 1912: Tip. Chudožestv. XX, 170 S.   [979
Orel. Oeffentliche Bibliothek (Russ.) Puškin. Belletristik (origin. u.
Uebersetzungs-) nebst Nachtr. 2. Orel 1912: Logunov. 61, 37 S.
25, 15 Kop.   [980
Orenburg. Statuten (Russ. u. Tatar.) der Tokmak-Distrikts-Lesehalle.
Orenburg 1912: Karimov. 16 S.   [981
Pensa. (Bericht (Russ.: otčet) der öffentlichen Bibliothek M. J. Ler-
montov und der unentgeltlicheu Volks-Lesehalle V. G. Bělinskij vom
1. Okt. 1910—1. Okt. 1911. Penza 1911: Br. Solomon. 41 S.   [982

Perm. Alphabetischer systematischer Katalog der öffentl. städtischen
Verwaltungsbibliothek. Perm 1912: Gub. zemstv. IV, 480 S.
1 Rub. [983
— Katalog (Russ.) der Bücher der Bibliothek des Adelsklubs für 1910
und 1911. ·Perm 1911: J. S. Grebnev. 46 S. [984
— Katalog (Russ.) der Bücher der Bibliothek der Gouvernements-
Verwaltung 1912. Perm 1912: Gub. zemst. 28 S. [985
— Katalog (Russ.) der Bücher der Offiziersbibliothek des 194. Inf.-
Reg. „Troicko-Sergiewsk". Perm 1911: Gub. pravl. 30 S. [986
Petrikau. Katalog (Russ.) des Offizier-Kasinos des 8. Jäger-Bataillons.
·Petrokov 1912: A. Panskij. 96 S. [987
Pultawa. Katalog (Russ.) der Bücher der Bibliothek am pädago-
gischen Museum der Landschaftsverwaltung. Poltava 1912: J. L.
Frišberg. 111 S. [988
— Bericht (Russ.: otčet) der jüdisch-russischen Bibliotheks-Lesehalle
1907—1910. Poltava 1911: J. Gurevič. III, 30 S. [989
Reval. Katalog der Leihbibliothek des Evangel. Vereins Junger Männer
1912. Revel' 1912: Gressel'. 42 S. [990
— Katalog (Russ.) der Bibliothek des Russischen Klubs. Zusammen-
gestellt am 11. Febr. 1912. Revel' 1912: M. Šiffer. 88 S. 25 Kop. [991
— Systematischer Katalog (Russ.) der Bücher der Bibliothek des
Offizier-Casinos des 89. Inf.-Reg. Belomorsk. Revel' 1912: M. Antje.
57 S. [992
— Katalog (Russ.) der Bücher der. Seeoffiziers-Bibliothek Abteilung V,
Revel' 1912: M. Šiffer. 96 S. [993
·Riga. Busch, Nikolaus. Die älteste Nachricht über eine städtische
Bücherei in Riga. Sitzungsberiche der Gesellschaft für Geschichte
und Altertumskunde der Ostseeprovinzen 1910. S. 178—180. [994
— Statuten (Russ.: ustav u. Lett.) der Gesellschaft zur Förderung des
Bibliothekswesens. Riga 1912: T-vo Deen. 21 S. [995
— Verzeichnis der Bücher der 1) Rigaschen städtischen öffentlichen
Bibliothek und Lesehalle. 2) Bücher in deutscher Sprache. Nach-
trag I. 1912. Riga 1912: V. F. Gekker. 30 S. [996
— Katalog (Estn. u. Russ.) der Bücher der estnischen Gesellschaft·
„Imanta". Jurev 1912: G. Grencštein. 48 S. [997
— Bericht (Russ.: otčet) der ersten russischen entgeltlichen Volks-
bibliothek vom 1. Juli 1909 bis 30. Juni 1911. Riga 1912: M. J.
Padzevič. 21 S. [998
Rostow a. Don. Bericht (Russ.: otčet) der öffentlichen Stadtbibliothek
für das Jahr 1911. Rostov n. D. 1912: M. J. Turcevič. 23 S. [999
— Katalog (Russ.) der öffentl. Stadtbibliothek. Rostov-na-Donu 1912:
M. K. Turcevič. 528, XCIX S. [1000
— Katalog (Russ.) der Bibliothek des Handelsklubs. Rostov n. D.
1912: S. J. Krumgol'c. 175 S. [1001
St. Petersburg. Bericht (Russ.: otčet) der kais. öffentlichen Bibliothek
für das Jahr 1905. S.-Peterburg 1912: V. Kiršbaum. VII, 208 S. [1002

St. Petersburg. Uglova, L. (Russ.): Die Bibliotheken der Kaiserlichen
Eremitage. Bibliotekaŕ 2. 1911. S. 390—392. [1003
— Katalog (Russ.) der Bücher der Bibliothek des Friedensrichter-
plenums der Residenz. S.-Peterburg 1911: Brokganz-Eron. 4,
78, 1 S. [1004
— Katalog (Russ.) der Bibliothek der Leibgarde des Reg. König
Friedrich Wilhelm III. Varšava 1912: Russk. Ob.-vo. XVIII,
169 S. [1005
— Katalog (Russ.) der Bibliothek der 2. Eskadron des Leib-Garde-
Ulanenregiments Ihrer Majestät. S.-Peterburg 1912: Berežlivosť.
951 S. [1006
— Tutorskij, A. (Russ.): Katalog der Bibliothek des Offizier-Kasinos
des Pavlovskovk. Leib-Garde-Reg. (im Jahre 1911). S.-Peterburg
1912: Gr. Skačkov. 227 S. [1007
— Tutorskij, A. Catalogue de la bibliothèque de l'assemblée des
officiers du régiment de Pawlowski en 1912. S.-Peterburg 1912:
Skačkov. 45 S. [1008
— Katalog (Russ.) der Bücher der Bibliothek der Seekadetten des
Marinekorps. S.-Peterburg 1912: K. Birkenfeld. 151 S. [1009
— Katalog (Russ.) der Bibliothek des kais. Fluſs-Jachtklubs. S.-Peter-
burg 1911: Šev. peč. 23 S. [1010
— Katalog (Russ.) der russischen Bücher des Katharinen-Klubs.
S.-Peterburg 1912: J. L. Gurvič. 231 S. [1011
— Katalog (Russ.) der Bibliothek der ethnographischen Abteilung
des Museums „Kaiser Alexander III." vom 1. Dez. 1909 bis 30. Nov.
1910. S.-Peterburg 1911: Rosen. 64 S. [1012
— Katalog (Russ.) der Bücher der Studenten-Bibliothek am Berg-
institut „I. V. Mušketov" am 1. Januar 1911. S.-Peterburg 1911:
Bezobrazov. 12, 1 S. [1013
— Dobržinskij, E. N. (Russ.): Bibliothek des Polytechnischen Instituts
Kaiser Peter der Grofse. Bericht an den I. allrussischen Kongreſs
für Bibliòthekswesen. S.-Peterburg 1912: M. Merkušev. 12 S. [1014
— Katalog (Russ.) der pädagogischen Bibliothek der Gesellschaft für
Lesen und Schreiben (Volksbildung). Nachtr. 1 mit d. Beilage
1) Index der in den pädagog. Zeitschriften von 1910 erschienenen
Artikel, 2) Index derselben Artikel in der 1. Hälfte von 1911,
3) Index der Artikel u. Materialien füɔ Volksbildung, abgedruckt
in den Landschaftsveröffentlichungen. Nr 77. S.-Peterburg 1912:
Samokat N. Orlovskij. VIII, 222 S. 40 Kop. [1015
— Katalog (Russ.) der Bibliothek der Versicherungsgesellschaft „Rossija".
S.-Peterburg 1912: A. Benke. XX, 443, XXX S. [1016
— Bibliothek des Deutschen Bildungs- und Hilfsvereins. Katalog der
englischen Bücher. S.-Peterb. 1912: Kjugel'gen. 31 S. 25 Kop. [1017
— Bibliothek des Deutschen Bildungs- und Hilfsvereins. Katalog der
Französ. Bücher. 1912: S.-Peterburg 1912: Kjugel'gen. 58 S. [1018
Saratow. Systematischer Katalog (Russ.) der öffentlichen Stadtbibliothek,
1912. Saratov 1912: G. Šel'gorn. XVI, 437 S. [1019

Saratow. Bericht (Russ.: otčet) über den Stand der städtischen öffentlichen Bibliothek für das Jahr 1911. Saratov 1912: O-vo Knigopeč. 18 S. [1020

— Katalog (Russ.) der Bibliothek des Handelsklubs. Nachtrag IV. Einläufe von Januar 1911 bis Januar 1912. Saratov 1912: P. S. Feokritov. 57 S. [1021

— Katalog (Russ.) der Bibliothek der an der Station Saratow II Angestellten. Saratov 1912: P. S. Jakovlev. 134, 12 S. 30 Kop. [1022 ·

Shitomir. Katalog (Russ.) der XVIII. Abteilung der unentgeltlichen städtischen Volksbibliotheks-Lesehalle (Schöne Literatur . . .). Zitomir 1912: Nasl. M. Denenmana. 24 S. 12 Kop. [1023

Simbirsk. Bericht (Russ.: otčet) der unter dem Schutze Ihrer Kais. Hoheit Maria Feodorowna stehenden öffentl. Bibliothek Karamzin für das Jahr 1911. Simbirsk 1912: Gub. pravl. 9 S. [1024

Simferopol. Katalog (Russ.) der unentgeltlichen Stadtbibliothek III. Zum 1. Jan. 1912. Simferopol' 1912: Epel' i Koršunov. 53 S. [1025

— Systematischer Katalog (poln.). Simferopol 1912: Tavr. gub. zemstvo. 66, XII S. [1026

Sluck (Gouv. Minsk). Snitko, A. K. (Russ.): Beschreibung der Handschriften und alten Drucke im Troičanskischen Kloster. S.-Peterburg 1911. Izvěstija otděl. russk. iaz. i slov. Imp. Akad. nauk. 16. 1. 1911. S. 210—231. [1027

Smolensk. Katalog (Russ.) der öffentl. Stadtbibliothek 1911. Fortsetzung u. Nachtrag. Smolensk 1912: Smol. Věstn. II, 75 S. [1028

— Katalog (Russ.) der Bibliothek des 3. Infanterie-Reg. Gen.-Feldmarschall Michail Golicyn. Smolensk 1912: J. Lapiner. 151 S. [1029

Stawropol. Katalog der Bücher und periodischen Erscheinungen der öffentlichen Stadtbibliothek, zusammengestellt im Jahre 1911. Tiflis 1911: Kaneel Naměstn. 306 S. [1030

Sysran. Katalog (Russ.) der Bücher der städtischen öffentl. Bibliothek. Syzrań 1912: G. K. Vasi'lev. 133 S. [1031

Tambow. Katalog (Russ.) der Bücher der Kreis-Landschaftsverwaltung. Tambov 1912: P. Moskalev. 62 S. [1032

Tiflis. Katalog der öffentlichen Bibliothek am städtischen Volkshaus K. J. Zubalov. Nachtrag I. Tiflis 1912: Gor. Samonpravl. 119 S. 20 Kop. [1033

— Systematischer Katalog (Russ.) der von L. P. und M. J. Tamašev der Stadtbibliothek „Puškin" geschenkten Bücher. Tiflis 1912: Gor. uprava. VII, 508 S. 1 Rub. [1034

— Cejtlin (Russ.): Katalog der Fundamental-Bibliothek an der Verwaltung der transkaukasischen Eisenbahnen. (Beobachtungs-Kommittee. Städtische Selbstverwaltung der Bibliotheken der an der transkauk. Eisenbahn Angestellten.) Tiflis 1912: Progress. 277 S. [1035

— Katalog (Russ.) der Bibliothek der kaukasischen Gesellschaft der Liebhaber für Vogelzucht. Tiflis 1912: Progrefs. 4 S. 15 Kop. [1036

— Katalogo de biblioteko de Societo kaúkaza „Esperanto". (A. m. russ. T.) Tiflis 1912: P. Veresov. 20 S. [1037

Tobolsk. Katalog (Russ.) der Bücher der Bibliothek des Gesellschafts-Klubs. Tobol'sk 1912: Eparch. brat. 62 S. 25 Kop. [1038

Tomsk. Bericht (Russ.: otčet) der städtischen öffentlichen Bibliothek für das Jahr 1911. Tomsk 1912: N. J. Orlova. 20 S. [1039

— Vas'kov, K. N. (Russ.): Bericht über die Tätigkeit der Bibliotheken der sibirischen Eisenbahn für das Jahr 1912. Tomsk 1912: S. P. Jakovlev. 44 S. [1040

Tscheljabinsk. Katalog (Russ.) der Bücher der muselmännischen unentgeltlichen Bibliotheks-Lesehalle. Orenburg 1912: Gaz. Vakt. 106 S. [1041

Tschita. Bericht (Russ.: otčet) der öffentlichen Stadtbibliothek 1909—1910. Čita 1912: Zabajk. tv. peč. děla. 26 S. [1042

Tula. Systematischer Katalog (Russ.) der Bücher und Zeitschriften der städtischen Bibliothek Kaiser Alexander II. H. 1—3. Tula 1912: Fetisov. 101, 46, 96 S. [1043

Ufa. Katalog (Russ.) der Offiziersbibliothek des 190. Inf.-Rgts. Očakovsk. Ufa 1912: „Pečat'". 112 S. [1044

Venden. Katalog (Lett. u. Russ.) der Bücher der Ekengravschen Bibliotheksgesellschaft. Venden 1912: J. Ozol'. 24 S. [1045

Warschau. Katalog (Poln.) der wissenschaftlichen Lesehalle der öffentlichen Bibliotheksgesellschaft. Varšava 1911: Rubeševskij i Vrotnowskij. 12, XVIII, 396 S. [1046

— Katalog (Poln.) der Bücher der öffentl. Lesehalle. Varšava 1912: E. Chrzanowskij. 96 S. [1047

— Catalogue suplémentaire, livres français, italiens, anglais, allemands. Bibliothèque universelle à Varsovie rue Mazowiecka. Varšava 1911 : L. Michal'skij. 56 S. [1048

— Informationskatalog (poln.) der wissenschaftlichen Werke der wissenschaftlichen Bibliothek der Warschau-Wiener Eisenbahn, bearbeitet von M. Gomólińska. Bd 3. Varšava 1912: Kaminskij. 316 S. [1049

— Catalogue des livres de la Bibliothèque de l'Alliance Française. Varšava 1912: Kovalevskij. 32 S. [1050

— Baranowski, Ignacy. Biblioteka Zaluskich w Warszawie. Warszawa: Tow. miłośników historyi 1912. 72 S. 75 Kop. [1051

Wilna. Katalog der Bibliothek des deutschen Vereins. Riga 1911: Baumann. 14 S. [1052

Wladimir. Bericht (Russ.: otčet) des Rates der Alexandrowschen öffentlichen Bibliothek N. V. Gogol' für das Jahr 1910. Vladimir 1911: Zemsk. upr. 8 S. [1053

Woronesch. Lobkov, M. E. (Russ.): Katalog der Bibliothek der Familienversammlung der Gesellschaft der Handelsangestellten. Voronež 1912: P. A. Popov. 331 S. 75 Kop. [1054

Zarskojé Selo. Katalog (Russ.) der öffentlichen Bibliothek an der Stadtschule. S.-Peterburg 1912: N. Evstiféev. 98, 53, 29, 23 S. [1055

Spanien und Portugal.

Escorial. Antolin, Guillermo. Catálogo de los códices latinos de la
real Biblioteca del Escorial. Vol. 2. Madrid: Impr. Helénica 1911.
596 S. 4⁰. 25 Pes. [1056
Granada. Asin Palacios, Miguel. Noticia de los manuscritos árabes
del Sacro-Monte de Granada. Granada: 1912. 30 S. Aus: Revista
del Centro de estudios históricos de Granada y su Reino. [1057
Madrid. Junta para ampliación de estudios é investigaciones cientificas.
Centro de estudios historicos. Ribera, J., y M. Asin. Manuscritos
árabes y aljamiados de la Biblioteca de la Junta. Madrid: 1912.
XXIX, 320 S., 18 S. Faksim. 10 Pes. [1058
Ripoll s. 1239.

Türkei und Balkanstaaten.

Athen. Lampros, Spyr. P. Καταλογος των κωδικων των έν Άθη-
ναις βιβλιοθηκων πλην της Έθηικης. 2. Κωδικες της ίστορικης
και έθνολογικης έταιρειας. Ἀϱ. 155 folg. Neos Hellenomnemon
8. 1911/12. H. 1—4. [1059
Jerusalem. Baumstark, A. Die liturgischen Handschriften des jako-
bitischen Markusklosters in Jerusalem. Oriens Christianus N. S. 1.
1911. S. 103—115. 286—314. [1060
— Griechisches Patriarchat s. 1252.
Meteoraklöster s. 1229—1231.
Sinai. Uspenskij. Catalogus codicum manuscriptorum graecorum qui
in monasterio S. Catharinae in Monte Sina asservantur. T. 1. Codices
manuscripti notabiliores monasterii Sinaitici ejusque metochii Cahi-
rensis ab archimandrita Porphyrio (Uspenskio) descripti . . . ed.
V. Beneševič. (Text russisch.) Petropoli: Akademie, Leipzig: Voss
1911. XXVIII, 663 S. 7 M. [1061

Vereinigte Staaten.

Albany. New York State education building. The new home of the
New York State Library. Libr. Journal 37. 1912. S. 563—564
m. 1 Abb. [1062
— N. Y. State education building-dedication exercises. Libr. Journal
37. 1912. S. 607—609 m. 3 Abb. [1063
— New York State Library School. Circular of information 1912
—13. (Albany): State of N. Y. Education Dep. 1912. 30 S. [1064
— Wyer, James J. The State Library. Albany: 1912. S. 291—302.
Aus: 8th Report of the New York State Education Depart-
ment. 1912. [1065
Ann Arbor. (Koch, Theodore W.) University of Michigan. Library
staff manual. (2. Edition.) Ann Arbor 1912: (Ann Arbor Press.)
31 S. [1066
— University of Michigan. Library staff manual. 3. Edition. Ann
Arbor: 1912. 40 S. [1067
Austin. Windsor, P. L. University of Texas Library. Libr. Journal
37. 1912. S. 325—327 m. 2 Abb. [1068

Berkeley. Leupp, Harold L. The University of California Library. Libr. Journal 37. 1912. S. 259—262 m. 1 Plan u. 1 Abb. [1069

Boston. State Library of Massachusetts. Babbitt, Charles J., under direction of Charles F. D. Belden. Hand-List of legislative sessions and session laws, statutory revisions, compilations, codes etc., and constitutional conventions . . . to May, 1912. Publ. by the trustees. (Boston: 1912.) 634 S. [1070

— Mass. State Library. Sawyer, Ellen M. Catalogue of the laws of foreign countries in the State Library of Massachusetts. 1911. Boston 1911: Wright a. Potter. 311 S. [1071

— Boston (Mass.) Public Libraries. Catalogue of the Allen A. Brown collection of music in the Public Library of the City of Boston. Vol. 2. P. 3. (Musicans-Panormo.) Boston: Trustees 1911. S. 289 —432. 1 $. [1072

— Kenney, William F. How the Boston Public Library attends to the child readers and cooperates with the public schools. Congrès de Bruxelles 1910. Actes 1912. S. 546—554. [1073

— Annual Report of the Trustees of the Public Library of the City of Boston. 60. 1911—12. Boston: Trustees 1912. 70 S., 1 Taf., 1 Plan. [1074

— Wadlin, Horace G. The Public Library of the City of Boston. A history. Boston: Library 1911. XX, 236 S., 17 Taf. 4⁰ (8⁰). [1075

— Homer, Thomas. J. The Boston co-operative information bureau. Libr. Journal 37. 1912. S. 501—504. [1076

Brooklyn. Report of Pratt Institute Free Library for the year end. June 30, 1911. Brooklyn, New York: Institute 1911. 23 S. 1 Taf. [1077

— Pratt Institute. School of library science 1912—13. Circular of information. Brooklyn, New York: (1912). 15 S., 1 Taf. [1078

Cambridge, Mass. Report of Archibald Cary Coolidge, director of the University Library, including the 14the report of William Coolidge Lane, librarian. 1911. (Cambridge: 1911.) 35 S. Aus: Report of the president of Harvard University 1910—11, with additions. [1079

— Library of the Episcopal Theological School, Cambridge, Mass. Libr. Journal 37. 1912. S. 135—137 m. 1 Bl. Taf. [1080

Chicago. Chicago council for library and museum extension. Educational opportunities in Chicago. A summary prepared by the council ... Chicago: 1911. 80 S. [1081

— German Books added to the Chicago Public Library since 1909. Chicago: Library 1912. 21 S. [1082

— Public Library. Book Bulletin. Vol. 2. No 1. January, 1912. Chicago: Library 1912. [1083

— Annual Report of the board of directors of the Chicago Public Library. 37. 1908—1909. 38. 1909—10. Chicago: Library 1911. 39, 31 S. [1084

— The John Crerar Library. Annual Report 16, for the Year 1911. Chicago: Board of Directors 1912. 75 S., 1 Taf. [1085

Chicago. Macdonald, Duncan Black. The Arabic and Turkish manuscripts in the Newberry Library. Chicago: Library (1912). 18 S. = Publications of the Newberry Library Nr 2. [1086
— Materials for the study of the English Drama (excluding Shakespeare). A selected list of books in the Newberry Library. Chicago: Newberry Library (1912). VII, 89 S. = Publications of the Newberry Library Nr 1. [1087
— Report of the trustees of the Newberry Library 1911. Chicago: 1912. 48 S., 1 Taf. [1088
— The University of Chicago. Handbook of the libraries of the university. Chicago: University 1912. 16 S. [1089
— Goodspeed, Edgar J., with the ass. of Sprengling, Martin. A descriptive catalogue of manuscripts in the libraries of the University of Chicago. Chicago: Univ. Press (1912). XI, 128 S., 1 Taf. [1090
— The University of Chicago. The William Rainey Harper Memorial Library. Dedicated June the 10th and 11th 1912. With some account of the other buildings of the university. (Chicago: 1912.) 16 Bl. m. 52 Abb. 4°. [1091
— Dedication of library building. (Harper Memorial Library, University of Chicago.) Public Libraries 17. 1912. S. 269—271 m. 3 Abb. [1092
— Harper Memorial Library. University of Chicago. Libr. Journal 37. 1912. S. 386—388 m. 3 Abb. u. 3 Grundrissen. [1093
— McLeod, Jeam. An employees' Library. — Its scope and its possibilities. Libr. Journal 37. 1912. S. 597—600. [1094
Cincinnati. Wycoff, Edith. Catalogue of the periodical literature in the Lloyd Library. Cincinnati: Library 1911. 80 S. = Bibliographical Contributions from the Lloyd Library Nr 1. [1095
Columbia. Hand book of the Library. University of Missouri. 3th Edition. Columbia: University 1912. 47 S. [1096
Elizabeth, N. J. George C. A. Community libraries at Elizabeth, N. J. Public Libraries 17. 1912. S. 75—77. [1097
Grand Rapids. Bulletin of the Grand Rapids Public Library. Issued monthly from the Ryerson Public Library Building. Vol. 8. 1912. Nr 1. Grand Rapids, Mich.: Library 1912. [1098
Ithaca N. Y. Cornell University Library. Librarian's Report 1910—1911. (Ithaca: 1911.) 35 S. [1099
— Islandica. An annual relating to Iceland and the Fiske Icelandic collection in Cornell University Library. Vol. 5. Hermannsson, Halldór. Bibliography of the mythical-heroic sagas. Ithaca NY.: Cornell Univ. Libr. 1912. 73 S. [1100
Manila. Government of the Philippine Islands. Department of Public Instruction. Philippine Library. Bulletin of the Philippine Library. Vol. 1. Nr 1. September 1912. Manila: Bureau of Print. 1912. [1101
Newark. Modern American Library Economy as illustrated by the Newark N. J. Free Public Library. By John Cotton Dana. P. 5. The School Department. Section 4. 5. School Libraries. P. 6.

Art Department Section 1. Woodstock, Vermont: Elm Tree Press
1911. 1912. 35, 134, 89 S.   [1102
Newark. The Free Public Library of Newark, New Jersey 1911.
23th Annual Report of the Board of Trustees to the . . . Board
of Aldermen . . . 1911. Newark: Library 1912. 33 S. 5 Abb.   [1103
New Haven. Report of the librarian of Yale University, July 1, 1910
— June 30, 1911. July 1, 1911 — June 30, 1912. New Haven: Uni-
versity 1911. 1912. 44, 61 S.   [1104
New York. Bulletin of the New York Public Library, Astor, Lenox
and Tilden foundations. Vol. 16. 1912. Nr 1. January. New York:
(Library) 1912. Jg. (12 Nrn) 1 $.   [1105
— Black, George F. List of works in the New York Public Library
relating to the Isle of Man. Bulletin of the N. T. P. L. 15. 1911.
S. 756—768.   [1106
— Black, George F. List of works in the New York Public Library
relating to witchcraft in Europe. Bulletin of the N. T. P. L. 15.
1911. S. 727—755.   [1107
— List of works in the New York Public Library relating to the
West Indies. P. 1—7. Bulletin of the N. Y. P. L. 16. 1912.
Nr 1—8.   [1108
— Fraknói, Wilhelm. Eine öffentliche Bibliothek in New York. (Vortrag.)
Ungarische Rundschau 1. 1912. S. 800—810.   [1109
— The New York Public Library, Astor, Lenox and Tilden foundations.
Report for the year end. December 31, 1911. New York: 1912.
145 S., 8 Taf.   [1110
— Public Library. Report for the year end. December 31, 1911.
Bulletin of the N. Y. P. L. 16. 1912. S. 77—219 m. 8 Taf.   [1111
— The New York Public Library. Annual Report of the library
school for the year end. June 30, 1912. New York: 1912. 17 S. [1112
— (Columbia University Library.) Hamlin, Alfred D. F. Avery Hall.
Columbia University Quarterly 14. 1912. S. 398—401 m. 1 Taf. [1113
— Lawrence, William Witherle. The George Rice Carpenter Memorial
Library. Columbia University Quarterly 14. 1912. S. 402—406
m. 1 Taf.   [1114
— Library of the Columbia University. Report of the librarian for
the fiscal year end. June 30, 1911. (New York: 1911.) 16 S.   [1115
— New York Society Library. A selected list of lawyers who have
been members of the Society Library, 1754—1912, with portraits.
New York: N. Y. Society Libr. 1912. O. Pag.   [1116
— Dellenbaugh, Frederick S. The Library of the American Geo-
graphical Society. Libr. Journal 36. 1911. S. 625—628.   [1117
— Pennel, Ethel A., and Lucie E. Wallace. Metropolitan Museum
of Art. Classification systems used in the library. New York: 1911.
IX, 148 S.   [1118
Oberlin. Annual Report of the librarian of Oberlin College for the
year end. August 31, 1911. Oberlin, Ohio: 1911. 17 S. Aus:
Oberlin College ann. Reports 1910—11.   [1119

Pittsburgh. Monthly Bulletin of the Carnegie Library of Pittsburgh. Vol. 17. No 1. January 1912. Pittsburgh: Library 1912. [1120

— A Classified Catalogue of the Carnegie Library of Pittsburg. 1907 —1911. .P. 1. General Works. Philosophy. Religion. Pittsburgh: Carnegie Library 1912. 335, XXXIII S. 50 Cent. [1121

— Annual Reports to the board of trustees of the Carnegie Library of Pittsburgh, 16th, for the year end. January 31, 1912. Pittsburgh: Carnegie Libr. 1912. 93 S., 4 Taf. [1122

Richmond, Va. Richmond needs a free public library. Richmond Education Association. Report 11. 1910/11. S. 17—30. [1123

St. Louis. The Public Library of the City of St. Louis. Addresses and other proceedings at the opening exercises of the New Central Library Building Jan. 6, 1912. St. Louis: 1912. 23 S. [1124

— The new Building of St. Louis Public Library. Public Libraries 17. 1912. S. 53—56 m. 1 Taf. u. 3 Plänen. [1125

— The Central Library Building of the Public Library of the City of St. Louis. St. Louis: o. J. 48 S., 20 Abb. [1126

— Information for persons desirous of entering the Staff. Second edition, revised. Saint Louis: Library 1912. 16 S., 2 Abb. [1127

— St. Louis Public Library. Annual Report 1911—1912. St. Louis: 1912. 132 S. [1128

— Annual Report of the St. Louis Mercantile Library Association. Report 66. 1911. St. Louis 1912: Nixon-Jones. 44 S. [1129

Salem. Jones, Gardner M., Charles C. Soule, C. H. Blackall. Salem Public Library. Libr. Journal 37. 1912. S. 322—315 m. 4 Abb. [1130

Urbana. University of Illinois Library school. Circular of information 1911/12. Urbana: University (1911). 28 S., 2 Taf. [1131

— List of serials in the University of Illinois Library together with those in other libraries in Urbana and Champaign. Urbana-Champaign: University 1911. VIII, 233 S. = University of Illinois Bulletin Vol. 9. Nr 2. [1132

— List of Library reports and bulletins in the collection of the University of Illinois library school. Urbana-Campaign: University 1912. 22 S. [1133

Washington. Bishop, William Warner. Library of Congress. Chicago: Americ. Libr. Assoc. 1911. 15 S. Aus: Manual of library economy Chapter 2. [1134

— Bowker, R. R. The National Library as the central factor of library development in the nation. Libr. Journal 37. 1912. S. 3—6 m. 3 Bl. Taf. [1135

— Library of Congress. Borchard, Edwin M. Guide to the law and legal literature of Germany. Washington: Gov. Print. Off. 1912. 226 S. [1136

— Library of Congress. Hastings, Charles Harris. L. C. Printed Cards, how to order and use them. Washington: Gov. Print. Off. 1909. 24 S. [1137

Washington. Library of Congress. Tentative Headings and cross-references for a subject catalogue of American and English law. Prep. under the dir. of Edwin M. Borchard by Roscoe H. Hupper. Print. as mss. Washington: Gov. Print. Off. 1911. 150 Bl. 20 C. [1138
— Lemaitre, Henri. Le fonctionnement du Copyright Office à Washington. Revue des bibliothèques 22. 1912. S. 1—19. [1139
— Library of Congress. Select List of references on employer's liability and workmen's compensation. Comp. under the dir. of H. H. B. Meyer. Washington: Gov. Print. Off. 1911. IX, 196 S. 25 C. [1140
— Library of Congress. Select List of references on parcels post. Comp. under the dir. of H. H. B. Meyer. Washington: Gov. Print. Off. 1911. 39 S. [1141
— Library of Congress. Select List of references on the initiative referendum and recall. Comp. under the dir. of H. H. B. Meyer. Washington: Gov. Print. Off. 1912. 102 S. 15 c. [1142
— Library of Congress. Select List of references on wool with special reference to the tariff. Comp. under the dir. of H. H. B. Meyer. Washington: Gov. Print. Off. 1911. 163 S. 20 c. [1143
— Library of Congress. Tho Lowery Collection. A descriptive list of maps of the Spanish possessions within the present limits of the United States, 1502—1820 by Woodbury Lowery. Ed. with notes by Philip Lee Phillips ... Washington: Gov. Print. Off. 1912. X, 567 S., 1 Portr., 1 Kupfert. [1144
— Noé, A. C. von. The new classification of languages and literatures by the Library of Congress. Bibliographical Society of America. Papers 6. 1911 (1912). S. 59—65. [1145
— Library of Congress. Orchestral Music (Class M 1000—1268) Catalogue. Scores. Prep. under the dir. of Oscar George Theodore Sonneck. Washington: Gov. Print. Off. 1912. 663 S. [1146
— Report of the librarian of Congress and report of the superintendent of the library building and grounds, for the fiscal year end. June 30, 1911. Washington: Gov. Print. Off. 1911. 244 S., 6 Taf. [1147
— Congressional Reference Bureau. Hearings before the Committee on the Library, House of Representatives, on various bills proposing the establishment of a Congressional Reference Bureau. February 26 and 27, 1912. Washington: Gov. Print. Off. 1912. 114 S. [1148
— Atwood, A. C. Description of the comprehensive Catalogue of botanical literature in the libraries of Washington. Washington: Gov. Print. Off. 1911. 7 S. [1149
— Index-Catalogue of the Library of the Surgeon-General's Office. United States Army. Authors and subjects. 2. Ser. Vol. 16. Shinko-Stysanus. Washington: 1911. 882 S. 4⁰ (8⁰). [1150
— Annual Report of the board of trustees, 14., and annual report of the librarian, 13., of the Public Library of the district of

Columbia, for the fiscal year end. June 30, 1911. Washington:
Gov. Print. Off. 1911. 72 S. [1151
Worcester, Mass. Wilson, Louis N. Suggestions for a Model Private
Library at Clark College. Worcester: Clark Univ. Press 1912.
13 S. = Publications of the Clark University Library 3, 2. [1152

Andere Staaten.

Paramaribo. Koloniale Bibliothek. Catalogus. Paramaribo: H. B. Heyde
1911. 163 S. [1153
Rio de Janeiro. Bibliotheca nacional. Regulamento. Decreto n. 8.
835, de 11 de julho de 1911 . . . Rio de Janeiro 1911: Impr.
nac. 38 S. [1154
Santiago. Boletin de la Biblioteca nacional de Santiago (Chile),
correspondiente a 1910. Santiago 1911: Imprenta Universitaria.
105 S., 4 Tab. [1155
Tsingtau. Brepohl, Fr. Wilh. Die Soldatenbibliothek in Tsingtau.
Blätter f. Volksbibl. u. Lesehall. 13. 1912. S. 8—11. [1156
Tokio. Catalogue of Japanese and Chinese Books in the Library of
the Imperial University of Tokyo Addition II. (January, 1899—
September, 1907.) Tokyo: 1911. (Japanisch.) [1157

IV.

Schriftwesen und Handschriftenkunde.

1. Schriftwesen.

Archivio paleografico italiano diretto da Ernesto Monaci. Fasc. 37.
38. Roma: D. Anderson 1911. 1912. Vol. 6. Taf. 80—91. Vol. 9.
Taf. 26—39. 2⁰. Je 18 L. [1158
Bacot, Jaques. L'Ecriture cursive tibétaine. Paris: Impr. nat. 1912.
78 S. Aus: Journal asiatique 1912. Jan./Febr. [1159
Barone, Nic. Paleografia latina diplomatica e nozioni di scienze
ausiliarie. Manuale ad uso delle scuole universitarie. Potenza:
C. Spera 1911. 369 S. 5 L. [1160
Bretholz, Bertold. Lateinische Paläographie. 2. Aufl. Leipzig und
Berlin: Teubner 1912. 112 S. 4⁰ (8⁰). (Grundrifs der Geschichts-
wissenschaft, Bd 1. Abt. 1.) [1161
Bullettino dell' Archivio paleografico italiano diretto da V. Federici.
Vol. 1. Fasc. 1. 2. (= Nr 1. 2.) Perugia: Unione tip. coop. 1908.
1912. 393 S. 7 L. [1162
Burgerstein, A. Materielle Untersuchung der von den Chinesen vor
der Erfindung des Papiers als Beschreibstoff benutzten Holztäfelchen.

Wien: Hölder 1912. 6 S.. = Sitzungsberichte' d. Kais. Akademie
d. Wiss., Philos.-histor. Klasse. Bd 170. Abh. 8. [1163
Cappelli, Adriano. ; Lexicon abbreviaturarum. Dizionario di abbreviature latine et italiane usate nelle carte o codici specialmente del
medio-evo . . . 2. ed. complet. rifatta. Milano: Hoepli 1912.
LXVIII, 527 S. (Manuali Hoepli.) [1164
Cereteli, Gregorius, et Sergius Sobolevski. Exempla codicum Graecorum litteris minusculis scriptorum annorumque notis instructorum.
Vol. 1. Codices Mosquenses. Mosquae: Inst. archaeol. Mosquense
1911. 15 S., 43 Taf. 2⁰. 40 M. [1165
Chroust, Anton. Monumenta palaeographica. Denkmäler der Schreib-
kunst des Mittelalters. Abt. 1. Schrifttafeln in lateinischer und
deutscher Sprache. In Verbindung mit Fachgenossen herausgegeben
mit Unterstützung d. Reichsamtes d. Innern in Berlin u. d. Kais.
Akademie der Wiss. in Wien. Ser. 2. Lief. 9—11. München:
F. Bruckmann 1912. Je 10 Taf., mit Text. Gr.-2⁰. Je 20 M. [1166
Courty, G. Les origines de l'écriture. Nouvelle Revue 33. 1912.
S. 314—320. [1167
Cowley, A. Another unknown language from eastern Turkestan.
Journal of the R. Asiatic Society 1911. S. 159—166 m. 4 Taf. [1168
Danzel, Th. W. Die Anfänge der Schrift. Leipzig: R. Voigtländer
1912. IX, 219 S. m. 40 Taf. 12 M. = Beiträge zur Kultur- u.
Universalgeschichte, H. 21. [1169
Ehrle, Franciscus, et Liebaert, Paul. Specimina codicum Latinorum
vaticanorum. Bonn: Marcus u. Weber 1912. XXXVI S., 50 Taf.
Geb. 6 M., im Perg. 12 M. = Tabulae in usum scholarum ed. sub
cura J. Lietzmann. 3. [1170
Erman, Adolf. Die Hieroglyphen. Berlin u. Leipzig: Göschen 1912.
91 S. = Sammlung Göschen 608. [1171
Gauthiot, R. Note sur la langue et l'écriture inconnues des documents Stein-Cowley. Journal of the R. Asiatic Society 1911. S. 497
—507 m. Abb. i. T. [1172
Zur Geschichte (Russ.: K istorii) der Wirtschaftseinrichtung des Buch-
schreibers, Buchbinders und Heiligenbildmalers bei der Herstellung
des Buchs und des Heiligenbildes. Materialien zur Geschichte der
Technik des Buchwesens u. d. Heiligenbildmalerei aus russ. u. serb.
Hdss. u. a. Quellen d. 15.—18. Jhs ausgezogen. Sobral . . . Pavel
Simoni. H. 1. (Sanktpeterburg): 1906. 4⁰ (8⁰). = Pamjatnicki
drevnej piśmennosti i iskusstva 161. [1173
Hoernle, A. F. Rudolf. The „unknown languages" of eastern Turkestan
II. Journal of the R. Asiatic Society 1911. S. 447—477 m.
6 Taf. [1174
Hopkins, L. C. Chinese writing in the Chou dynasty in the light of
recent discoveries. Journal of the R. Asiatic Society 1911. S. 1011
—1034 m. 6 Taf. [1175
Houdard, G. La notation neumatique. Etude. (Angers 1911: Burdin.)
72 S. Aus: Revue archéologique 1911. [1176

Karskij, E. F. (Russ.) Proben der slawischen Kyrillischen Schrift vom
X.—XVIII. Jahrh. 3. Aufl. Varšava 1912: Okr. Štab. 89 S.
1 Rub. [1177

Lindsay, W. M. The Abbreviation-Symbols of ergo, igitur. Zentralblatt 29. 1912. S. 56—64. [1178

— Breton Scriptoria: their Latin abbreviationsymbols. Zentralblatt
29. 1912. S. 264—272. [1179

Möller, Georg. Hieratische Paläographie. Die ägyptische Buchschrift
in. ihrer Entwicklung von der fünften Dynastie bis zur römischen
Kaiserzeit. Bd 3. Von der zweiundzwanzigsten Dynastie bis zum
dritten Jahrhundert nach Chr. Leipzig: Hinrichs 1912. 15 S.,
68 Bl., S. 69—72, 11 Taf. 2⁰. 30 M. [1180

Moore, Margaret F. A classified list of works relat. to the study of
English palaeography and diplomatic s. 1669.

Morgan, J. de. Etude sur la décadence de l'écriture grecque dans
l'empire perse sous la dynastie des Arsacides (171 av. J.-C. à
228 ap. J.-C.). D'après les documents numismatiques. Revue archéologique 4. Sér. 20. 1912. S. 1—31 m. Abb. [1181

Nazarevskij, A. A. (Russ.), Neuer Kurs der slavisch-russischen Paläographie (aus Anlafs der „Vorlesungen über slavisch-russische Paläographie 1908—09“ von Prof. R. F. Brandt). Kiev 1912: Mej-
nander. 17 S. [1182

Petrella, E. D. Frammenti d'onciale e di minuscola romana. Rivista
d. biblioteche e d. archivi 22. 1911. S. 100—104. [1183

Petrie, W. M. Flinders. The formation of the alphabet. London:
Macmillan, Quaritch 1912. IV, 20 S., 9 Taf. 4⁰. 5 Sh. = British
School of archaeology in Egypt studies series Vol. 3. [1184

Petzet, Erich, und Otto Glauning, Deutsche Schrifttafeln des IX. bis
XVI. Jahrhunderts aus Handschriften der k. Hof- u. Staatsbibliothek
in München. Abt. 2. Mittelhochdeutsche Schriftdenkmäler des XI.
bis XIV. Jahrhunderts. München: C. Kuhn 1911. Taf. 16—30.
2⁰. Subskr.-Pr. 6 M., geb. 7 M. [1185

Schinnerer, Joh. Der Werdegang unsrer Schrift und die moderne
Schriftfrage. Archiv für Buchgewerbe 48. 1911. S. 289—296
m. 24 Abb. [1186

Smith, David Eugene, and Louis Charles Karpinski. The Hindu-Arabic
numerals. Boston a. London: Ginn 1911. IV, 160 S. 6 Sh. [1187

Spagnolo, Antonio. La scrittura minuscola e le scuole calligrafiche
veronesi del IV e XI secolo. Atti e memorie dell' Accademia
d' agricoltura, scienze, lettere, arti e commercio di Verona Ser. 4.
Vol. 12. 1912. S. 31—50. [1188

Steffens, Franz. Proben aus griechischen Handschriften und Urkunden.
24 Taf. in Lichtdr. zur ersten Einführung in die griechische Paläographie für Philologen und Historiker. Trier: Schaar u. Dathe
1912. 8 S., 24 Taf. 4⁰. 7,50 M. [1189

Studien zur Paläographie und Papyruskunde hsg. von C. Wessely. 12.
. Wessely, Carl.   Griechische und koptische Texte theologischen
Inhalts. III. Leipzig: E. Avenarius 1912. III, 247 S. 12 M. [1190
Stübe, R. Beiträge zur Entwicklungsgeschichte der Schrift. 3. Die
allgemeinen Bedingungen der Schriftbildung und die Stufen der
Schriftentwicklung. 4. Marken und Symbole. Archiv für Buch-
gewerbe 48. 1911. H. 9. 10 mit 15 Abb.   [1191
— Beiträge zur Entwicklungsgeschichte der Schrift. 6. Die Bilder-
schriften. T. 1. Archiv f. Buchgewerbe 49. 1912. August. S. 229
—234 m. 8 Abb..   [1192
— Beiträge zur Entwicklungsgeschichte der Schrift. H. 1. Vorstufen
der Schrift. Leipzig: Buchgewerbeverein 1911. (Umschl. 1912.)
104 S., 51 Abb. 1,25 M. = Monographien des Buchgewerbes
Bd 6.   [1193
Thibaut, Jean-Baptiste.   Monuments de la notation ekphonétique et
neumatique de l'Eglise latine. Mit Abb. und 94 Taf.   S.-Peter-
burg 1912: Kügelgen. XVII, 104 S. 150 fr.   [1194
— La notation musicale, son origine, son évolution. Conférence au
conservatoire imp. de St. Pétersbourg 1912: Kügelgen. 15 S., 17 Bl.
Taf. 4⁰ (2⁰). 2 Rub.   [1195
Vesely, A. J. Wie ist die Schrift entstanden?   Graz: Cieslar 1912.
127 S. 2,10 M.   [1196

Stenographie.

Běljaev, I. S. (Russ.) Praktischer Studiengang der alten russischen
Schnellschrift zum Lesen der Handschriften des 15.—18. Jahr-
hunderts. Mit Faks. 2. verb. u. verm. Aufl. Moskva 1911: Sino-
dal'najs Tip. 99 S. 4⁰ (8⁰).   [1197
Carlton, W. Z. Timothe Bright, Doctor of Phisicke. A memoir of
„The Father of Modern Shorthand". With photographs and facsimiles. London: Elliot Stock 1911. XIV, 205 S. 10 Sh. 6 d. [1198
Perugi, Giuseppe Ludovico. Le note tironiane. Roma: Athenaeum
1911. LXXXIII, 199 S. 4⁰. (Text autogr.) 20 L.   [1199
Ruess, Ferdinand. Die Hilfszeichen in den tironischen Noten. Festgabe für Martin von Schanz 1912. S. 185—200.   [1200

2. Handschriftenkunde.

Behrend, Fritz. Die Deutsche Kommission der Akademie der Wissenschaften zu Berlin. Zentralblatt 29. 1912. S. 374—376. [1201
Behrend, Fritz. German manuscripts of the middle ages. (Bericht über
die Deutsche Kommission.) Libr. Assoc. Record 14. 1912. S. 47
—49.   [1202
Deutsche Kommission. Bericht der HH. Burdach, Heusler, Roethe und
Schmidt (über die Inventarisation der literarischen deutschen Handschriften). Sitzungsberichte der Kgl. Preufs. Akademie der Wiss.
1912. Bd 1. Nr 4. S. 71—81.   [1203

Esposito, Mario. Hiberno-latin manuscripts in the libraries of Switzerland. P. 1. Basel, Einsiedeln, Schaffhausen, St. Gallen and Zürich (Kantonsbibliothek). P. 2. Zürich (Stadtbibliothek) and Bern. Proceedings of the R. Irish Academy Section C. 28. 1910. S. 62 —95. 30. 1912. 14 S. [1205

Evers, G. A. Fotografische Bibliotheek-Expedities. Het Boek 1. 1912. S. 218—220. [1206

Friderici, Robertus. De librorum antiquorum capitum divisione atque summariis. Accedit de Catonis de agricultura libro disputatio. Marburg 1911: Noske. 85 S. Inaug.-Diss. der Philosoph. Fakultät von Marburg. [1207

Van den Gheyn, J. Les expositions de manuscrits dans les bibliothèques publiques. Congrès de Bruxelles 1910. Actes 1912. S. 385—389. [1208

Jørgensen, Ellen. Middelalderlige haandskrifter. Haandbog i Bibliotekskundskab 1912. S. 138—164. [1209

Kluge, Theodor. Mitteilungen von einem photographischen Handschriften-Unternehmen im Kaukasus. Zentralblatt 29. 1912. S. 117 —122. [1210

Lisicyn, M. (Russ.): 45 phototyp. Tafeln aus den liturgischen Handschriftendenkmälern. Beilagen zu der historisch-archäologischen Untersuchung: „Ursprüngliches slawisch-russisches Typikon". S.-Peterburg 1911: Smirnov. 2, 44 S. 2 Rub. [1211

Loewenberg, Valentin. Aus der Geschichte des althebräischen Buchwesens. Bibliothekar 4. 1912. S. 453—456. [1212

Manuskripte, xylographische und typographische Inkunabeln 1465 —1500. Katalog 100 mit 96 Textill., 5 farbigen und 11 schwarzen Tafeln m. 23 Abb. Wien: Gilhofer u. Ranschburg 1912. V, 135 S. 4⁰ (8⁰). [1213

Mastrorilli, Maurizio. Considerazioni critiche sul restauro degli antichi manoscritti. Napoli 1912: Giannini. 10 S. [1214

Novati, Francesco. Ancora di Frà Filippo della Strada: un domenicano nemico degli stampatori. (Kopist von Handschriften 1450 —1500.) Il Libro e la Stampa 5. 1911. S. 117—128. [1215

Samuelson, Elise. De la restauration d'anciens manuscrits par le Kitt. Congrès de Bruxelles 1910. Actes 1912. S. 205—208. [1216

Styger, Paul. Die Schriftrollen auf den altchristlichen Gerichtsdarstellungen. Römische Quartalschrift 25. 1911. S. 148—159 m. 1 Abb. [1217

Thévenin, Léon, et Lemierre, Georges. Les arts du livre. 3. Histoire du manuscrit. (Paris): Société du livre moderne 1911. 147 S., 14 Faks.. [1218

Thulin, C. Die Handschriften des Corpus agrimensorum romanorum. Berlin: Reimer in Komm. 1911. 102 S., 7 Taf. 4⁰. Aus: Abhandlungen der Königl. Preufs. Akademie d. Wissenschaften 1911, Anhang. [1219

Vivell, Coelestinus. Initia tractatuum musices ex codicibus editorum collegit et ordine alphabetico disposuit. Graecii: Ulr. Moser 1912. VI, 352 S. 12,80 M. [1220

Einzelne Handschriften und Handschriftensammlungen.

Amsterdam s. 875.
Athen s. 1059.
Bamberg, Katalog der Handschriften s. 400.
Benares, Sanskrit College s. 763.
Berlin, Königl. Bibliothek, Handschriften s. 403. 407.
Berlin. Staedler. Zwei Bruchstücke einer mittelalterlichen Mefsbuch-handschrift in der Bücherei des Reichs-Postamts. Archiv f. Post u. Telegraphie. 1912. Nr 2. S. 60—63. [1221
Bologna, Manoscritti di Carducci s. 828.
— Manoscritti Brugnoli s. 829.
Bonn, Handschriften der vom Rath-Stiftung s. 449.
Budapest, Griechische Handschriften s. 635.
Cambridge. Pongrácz, Joseph. Le manuscrit Corvinien de Cambridge et quelques manuscrits du Trinity College concernant la Hongrie. Magyar Könyvszemle N. S. 20. 1912. S. 1—7. [1222
— s. a. 772—774. 1280.
Casale s. 833.
Catania s. 834.
Chicago s. 1086. 1090.
Christiania s. 895.
Dessau, Altdeutsche Handschriften s. 478.
Drontheim. Kolsrud, Oluf. To smastykker om middelalderlige haand-skrifter i Norge. Til Nordenfjeldske Kunstindustrimuseums haand-skriftutstilling 1911. 1. Haandskrift-ødelaeggelse. 2. Aslak Bolts bibel. Trondhjem: 1911. 16 S. 60 Øre. Aus: Trondhjems Adresse avis. [1223
Edinburgh s. 776.
Escorial s. 1056.
Faenza s. 835.
Ferrara s. 836.
Florenz s. 839. 840. 1290.
Fortescue. Historical Manuscripts Commission. Report on the manu-scripts of J. B. Fortescue, Esq., preserved at Dropmore. Vol. 8. (Vorr.: Walter Fitzpatrick.) London: Station. Off. 1912. XLIX, 601 S. 2 Sh. 7 d. [1224
Genf, Manuscrits Petau s. 683.
Granada s. 1057.
Grenoble, Fonds dauphinois s. 709.
Haag s. 885.
Heidelberg, Handschriften im Ausstellungssaal s. 523.
Jerusalem s. 1060.
Kopenhagen s. 897.

Krakau, Handschriften Czartoryski s. 648.
Leiden s. 887. 1282.
Leipzig. Helſsig, R. Der Erwerb des Codex Utinensis und einer
anderen Julianhandschrift durch Gustav Hänel. Zentralblatt 29.
1912. S. 97—116. [1225
— Helſsig, R. Nochmals der Erwerb des Codex Utinensis durch
Gustav Hänel. Zentralblatt 29. 1912. S. 510—519. [1226
— Patetta, Fed. L'esodo dall' Italia del Codex Ultinensis e la sua
rivendicabilità. Atti della r. Accademia d. scienze di Torino 14.
1912. S. 738—762. [1227
London, British Museum, s. 781. 789—791. 1277. 1286. 1289.
Lorsch. Szentiványi, Robert. Der Codex Aureus von Lorsch, jetzt
in. Gyulafehérvár. (Batthyánische Bibliothek in Karlsburg.) O. O.:
1912. 23 S., 3 Taf. Aus: Studien u. Mitteil. z. Geschichte d.
Benediktinerordens N. F. 2. 1912. S. 131—151. [1228
Lüttich s. 889.
Madras, Sanskrit Manuscripts s. 805.
Madrid s. 1058.
Manchester, Exhibition s. 807. 808.
Meteoraklöster. Bees, Nikos A. Anciens catalogues de bibliothèques,
d'après les manuscrits des Météores. Revue de l'Orient Chrétien
2. Sér. 7. 1912. S. 268—279. [1229
— Dräsecke, Johannes. Die neuen Handschriftenfunde in den Meteora-
Klöstern. Neue Jahrbücher für das klassische Altertum 29. 1912.
S. 542—553. [1230
— Dräsecke, Johannes. Meteora-Handschriften theologischen Inhalts.
Neue kirchliche Zeitschrift 23. 1912. S. 922—929. [1231
Modena s. 850.
Monte Cassino. Albers, D. B. Le Codex Casinensis 230. Revue
Bénédictine 29. 1912. S. 348—356. [1232
— s. a. 851.
Morgan. Cumont, Franz. Les manuscrits coptes de la Bibliothèque
Morgan. Académie r. de Belgique. Bulletins de la classe des
lettres . . . 1912. Nr 1. S. 10—13. [1233
Graf Morstin. Czubek, Jan. (Polnisch.) Die Handschriften der Grafen
Morstin zu Krakau. Krakau: Akademie d. Wiss. 1911. 11 S.
0,60 K. [1234
Moskau, Synodalbibliothek s. 1293.
Mühlhausen, Altdeutsche Literatur s. 576.
München, Staatsbibliothek s. 579. 580. 582. 584. 1283. 1291. 1296.
Olmütz. Müller, W. Das „Meisterbuch" der Olmützer Studienbibliothek.
Zeitschrift d. Oesterr. Vereines f. Bibliothekswesen 3. 1912. S. 127
—130. [1235
Olschki. Olschki, Leo. S. Quelques manuscrits fort précieux. (Forts.)
Bibliofilia 13. 1911/12. Disp. 5/6, 10/12 mit 15 Taf. [1236
Ormonde. Historical Manuscripts Commission. Calendar of the
manuscripts of the Marquess of Ormonde K. P., preserved at

Kilkenny Castle. N. S. Vol. 7. (Vorr.: F. Elrington Ball.) London:
  Station. Off. 1912. XX, 591 S. 2 Sh. 6 d.   [1237
Oxford, Präkrit Manuscripts s. 815.
Paris. Prinet, Max. Un armorial des minnsesinger conservé à la
  Bibliothèque nationale. Bibliographè moderne 15. 1911 (1912).
  S. 9—19.   [1238
— Nationalbibliothek s. a. 724—733.
— Arsenalbibliothek s. 737. 1281.
— Consistoire israélite s. 741.
— Notre-Dame s. 744.
Piacenza s. 856.
Rimini s. 858.
Ripoll. Rubió i Balaguer, Jordi. Del manuscrit 129 de Ripoll.
  Barcelona 1911/12: L'Avenç. 98 S. 2 Pes.   [1239
Rom, Vaticana s. 859. 1170. 1204. 1260a.
— Lincei s. 864.
Rosenberg. Flamm, Hermann. Max Rosenberg's badische Sammlung.
  XI. Badische Handschriften. Erwerbungen 1910 und 1911. Frank-
  furt a. M.: H. Keller 1912. 52 S. 4⁰.   [1240
— Flamm, Hermann. Max Rosenberg's Sammlung zur Geschichte der
  Goldschmiedekunst. I. Handschriften zur Geschichte der Gold-
  schmiedekunst. Frankfurt a. M.: H. Keller 1912. 16 S. 4⁰. [1241
Rouen s. 1292.
Saló s. 869.
St. Gallen s. 1285.
Schlackenwerth. Hora, Engelbert. Die ehemalige Schlackenwerther
  Handschrift der Hedwigslegende. Mitteilungen des Vereines f. Ge-
  schichte d. Deutschen in Böhmen 49. 1911. S. 540—552.   [1242
Sinai s. 1061.
Sluck, Troičanskisches Kloster s. 1027.
Trier, Deutsche Handschriften s. 614.
— Hdss. der Seminarbibliothek s. 615.
Troyes. Marchesi, Concetto. Un nuovo codice del „De officiis" di
  Cicerone (Cod. di Troyes 552). Milano: Hoepli 1911. 26 S. 4⁰.
  = Memorie del R. Istituto lombardo. Classe di lett. e sc. stor. e
  mor. Vol. 22. Fasc. 6.   [1243
Ugo d'Inghilterra. Frati, Lodovico. I Codici di un medico inglese
  del sec. XIII. (Maestro Ugo d'Inghilterra.) Il Libro e la Stampa
  N. S. 6. S. 1—4.   [1244
Uppsala. Meyer, Ernst. Zur Geschichte des Codex argenteus Upsa-
  liensis. Zentralblatt 28. 1911. S. 544—552.   [1245
Venedig s. 871—874.
Verona. Strecker, Karl. Die reskribierten Blätter des Cod. Veronensis
  XC (85). Neues Archiv d. Gesellschaft f. ältere deutsche Geschichts-
  kunde 37. 1912. S. 773—777.   [1246
Weingarten s. 446. 1294.
Wernigerode, Stammbücher s. 622.

Wien, Hofbibliothek s. 663. 665. 1262.
— Dominikanerkloster s. 669.
Wiesbaden s. 1295.
Windsor. Historical Manuscripts Commission. Calendar of the Stuart
Papers belonging to H. M. the King, pres. at Windsor Castle, Vol. 5.
London: Station. Office 1912. XXVIII, 763 S. [1247
Wolfenbüttel, Russische Handschriften s. 624.

Miniaturen.

d'Ancona, Paolo. Di altri codici miniati di scuola fiorentina posse-
duti dalla Libreria Olschki di Firenze. Bibliofilia 13. 1911/12.
S. 317—324 m. 2 Taf. . [1248
d'Ancona, Paolo. Il Liber celestium revelationum Sanctae Brigidae,
illustrato da un miniatore senese della prima metà del sec. XV.
Bibliofilia 14. 1912/13. S. 1—5, 2 Taf. [1249
d'Ancona, Paolo. Nuove ricerche sulla miniatura lombarda. Con
4 illustr. Bibliofilia 14. 1912/13. S. 201—209. [1250
Andrès, A. La biblia vissigoda de San Pedro de Cardeña. Boletin
de la Real Academia de la Historia. 60. 1912. S. 101—146
m. 1 Abb. [1251
Baumstark, Anton. Ein rudimentäres Exemplar der griechischen Psalter-
illustration durch Ganzseitenbilder. (In der Bibliothek des griechi-
schen Patriarchats zu Jerusalem.) Oriens Christianus N. S. 2. 1912.
S. 107—119 m. 1 Taf. [1252
Bernath, Morton. Studien über die Miniaturhandschriften der Leipziger
Stadtbibliothek. I. Borna-Leipzig 1912: Noske. IV, 43 S. Inaug.-
Diss. der Philos. Fak. zu Freiburg, Schweiz. [1253
Blochet, E. La peinture en Perse. (Besonders Miniaturen betr.)
Bulletin de la société française de reproductions de manuscrits à
peintures 1. 1911/12. S. 48—52 m. 3 Taf. [1254
Brandsma, Titus. De Miniaturen van den Kruisheer Joannes von De-
venter. Het Boek 1. 1912. S. 1—18 m. 1 Taf. [1255
Bulletin de la Société française de reproductions de manuscrits à
peintures. Ann. 1. (1911.) Nr 1. Paris: Pour les membres de
la société 1911. 4⁰. [1256
Desazars de Montgailhard, Baron. Les miniaturistes d'origine toulaisaine
établis à Avignon au temps de la papauté. Bulletin de la Société
archéologique du Midi de la France N. S. 37. 1912. S. 126
—133. [1257
Durrieu, Comte Paul. Un Artiste français miniaturiste en titre du
Pape, à Rome dans la première moitié du XVIᵉ siècle. Article 1.
(Betr. Psautier de Paul III. Paris, Bibl. nat. ms latin 8880. Maler:
Vincent Raymond.) Journal des savants 1912. April. S. 145
—147. [1258
Durrieu, Comte Paul. Les manuscrits des statuts de l'Ordre de Saint-
Michel. (Besonders Miniaturen betr.) Bulletin de la société française

de reproductions de manuscrits à peintures 1. 1911. S. 17—47
m. 1 Abb. u. 14 Taf. [1259

Durrieu, Comte Paul. Les Musée Jacquemart-André. Les manuscrits
à peintures. Gazette des beaux-arts 1912. August. S. 85—96
m. 3 Abb., 1 Taf. [1260

Durrieu, Comte Paul. Notes sur quelques manuscrits à peintures d'origine
française ou flamande conservés en Italie. Sér. 1. Rome. Bibliothèque
apostolique du Vatican. Bulletin de la société française de reproductions de manuscrits à peintures 1. 1911. S. 85—106. [1260a

Durrieu, Comte Paul. Notice d'un des plus importants livres de prières du
roi Charles V, les Heures de Savoie ou „Très belles grandes Heures"
du roi. (1904 beim Brande der Turiner Bibliothek vernichtet.) Bibliothèque de l'École des Chartes 1911 (1912). S. 500—555. [1261

Hevesy, André de. Le Bréviaire de Sigismond de Luxembourg. (Wien,
Hofbibliothek, ms. 1767.) Bulletin de la société française de reproductions de manuscrits à peintures 1. 1911. S. 107—115, Taf. 18
—26. [1262

Homburger, Otto. Die Anfänge der Malschule von Winchester im
X. Jahrhundert. Leipzig: Dieterich 1912. 67 S., 12 Taf. 3,50 M.
= Studien über Christliche Denkmäler H. 13. [1263

Illustrations from one hundred manuscripts in the Library of Henry
Yates Thompson. III. Consist. of sixthy-nine plates illustr. ten
Mss. of various countries from the IXth to the XVIth centuries.
London: Chiswick Press 1912. IV, 25 S., 69 Taf. 4⁰. 63 Sh. [1264

Kuhn, Carl. Aus berühmten Handschriften und seltenen Drucken in
bayerischen Bibliotheken. 12 Lichtdrucktafeln den Teilnehmern des
Münchener Bibliothekartages vom 29. Mai bis 1. Juni 1912 gewidmet.
München: C. Kuhn 1912. 1 Bl., 12 Taf. 4⁰. [1265

Libaert, P. Miniature spagnuole. L'Arte (Adolfo Venturi) 15. 1912.
S. 183—189 m. 4 Abb. [1266

Libaert, P. Un' opera sconosciuta di Guglielmo Giraldi. (Miniaturen-
handschrift der Ambrosiana.) L'Arte 14. 1911. S. 401—406 mit
6 Abb. [1267

Luttor, Franz I. Biblia Pauperum. Studie zur Herstellung eines
inneren Systems. Mit dem Texte der in der Wiener k. k. Hofbibliothek aufbewahrten Hs. u. m. e. Lichtdr. Veszprém: Opitz
1912. 128 S. 4⁰ (8⁰). [1268

Auction CX. Manuskripte und Minituren des XII.—XVI. Jahrhunderts.
Handzeichnungen des XV. bis XVII. Jahrhunderts. Versteigerung
bei C. G. Boerner in Leipzig, 28. November 1912. (Leipzig: Börner
1912.) 51 S., 57 Taf. 4⁰. [1269

Mély, F. de. Les „Très riches Heures" du duc Jean de Berry et
les „Trois Grâces" de Sienne. Gazette des beaux-arts 1912. September. S. 195—201 mit 6 Abb. [1270

Merton, Adolf. Die Buchmalerei des IX. Jahrhunderts in St. Gallen
unter besonderer Berücksichtigung der Initialornamentik. Halle a. S.
1911: (Adelmann, Frankfurt a. M.) VIII, 101 S., 1 Taf. (Halle,
Philos. Inaug.-Diss.) [1271

Neufs, Wilh. Das Buch Ezechiel in Theologie und Kunst bis zum
Ende des 13. Jahrhunderts, mit besond. Berücks. der Gemälde in
der Kirche zu Schwarzrheindorf . . . Münster: Aschendorff 1912.
XVI, 334 S., 23 Taf. 10 M. = Beiträge z. Geschichte d. alten Mönch-
tums u. d. Benediktinerordens H. 1/2.   [1272
Omont, H. Le Livre des fontaines de Rouen. Journal des Savants
N. S. 10. 1912. S. 241—248.   [1273
Omont, H. Peintures d'un évangéliaire syriaque du XIIe ou XIIIe siècle.
Paris: E. Leroux 1912. 12 S. 4⁰. Aus: Monuments et mémoires
publ. par l'Académie des inscriptions T. 19. Fasc. 2.   [1274
Serafini, Alberto. Ricerche sulla miniatura Umbra (secoli XIV—XVI).
L'Arte di Adolfo Venturi 15. 1912. S. 41—66. 99—121. 233
—262 m. 52 Abb.   [1275
Société française de reproductions de manuscrits à peintures. Bulletin
de la société française de reproductions de manuscrits à peintures.
1. 1911. S. 5—15.   [1276
Ströhl, H. G. Ahnenreihen aus dem Stammbaum des portugiesischen
Königshauses. (Miniaturenfolge in d. Bibl. d. Brit. Mus. zu London.)
M. e. genealog. Wegweiser, sowie e. kunsthistorischen Erläuterung
u. e. kurzen Abhandlung über die flandrische Buchmalerei des XV.
u. XVI. Jahrhunderts von L. Kaemmerer. Text. Tafeln. Stuttgart:
J. Hoffmann (um 1911). 33 S., 9 Abb. i. T., 4 Taf. 4⁰; 13 Taf.
2⁰. 30 M.   [1277
Tosca, P. La pittura e la miniatura nella Lombardia, dai più antichi
monumenti alla metà del Quattrocento. Milano: Hoepli 1911. XII,
508 S., 35 Taf. 4⁰. 60 L., geb. 68 L.   [1278
Williamson, G. C. Catalogue of the collection of miniatures, the pro-
perty of J. Pierpont Morgan. Vol. 1—4. London 1906—08:
Chiswick Pr. 2⁰.   [1279

Faksimiles.

The Trinity College Apocalypse. A Reproduction in facsimile of the
manuscript R. 16. 2 in the Library of Trinity College, Cambridge.
With preface and description by Montague Rhodes James. With
three fully coloured plates. (London): Roxburghe Club 1909. XII,
35 S., 31 Bl. Faksim., 3 bunte Taf. 2⁰. 28 £.   [1280
Le Chansonnier de l'Arsenal (Trouvères du XIIe—XIIIe siècle). Re-
production phototypique du manuscrit 5198 de la Bibliothèque de
l'Arsénal. Transcription du texte musical en notation moderne par
Pierre Aubry, introd. et notices par A. Jeenroy. Livr. 7. Paris:
Genthner, Leipzig: Harrassowitz (1911). 8 M. = Publications de
la société internat. de musique. Section de Paris. 4⁰.   [1281
Cicero de natura deorum, de divinatione, de legibus codex Heinsianus
(Leidensis 118) phototypice editus. Praefatus est Otto Plasberg.
Lugduni Batav.: A. W. Sijthoff 1912. XVI S., 102 Bl. Taf. 2⁰.
225 M. = Codices graeci et latini photogr. depicti duce Scatone
De Vries T. 17.   [1282

Miniaturen aus Handschriften der Kgl. Hof- und Staatsbibliothek in München. Hrsg. von Georg Leidinger. H. 1. Das sogenannte Evangeliarium Kaiser Otto III. München: Riehn u. Tietze (1912). 23 S., 52 Taf. 30 M., Subskr.-Pr. 24 M. [1283

Simoni, Pavel. (Russ.) Das Evangelium des M'stislav aus d. Anfang d. 12. Jhs in archäol. u. paläogr. Hinsicht. 1. Einleit. Abhandlung, 2. Faksim. Sanktpeterburg: 1904—10. 46 S., 12 Taf. Gr.-2⁰. = Obščestvo ljubitelej drevnej piśmennosti 123. 129. [1284

Landsberger, Franz. Der St. Galler Folchart-Psalter. Eine Initialenstudie. I. A. des Historischen Vereines des Kantons St. Gallen. St. Gallen: Fehr 1912. 52 S. 8⁰, 7 Taf. 4⁰. 24 M. [1285

The Greenfield Papyrus in the British Museum. The funerary papyrus of princess Nesitanebtáshru, daughter of Painetchem II and Nesi-Khensu, and priestess of Amen-Rā at Thebes, about B. C. 970. Reprod. in collotype facs., with introd. and description by E. A. Wallis Budge. London: Brit. Mus. 1912. XXX, 99 S., 116 Taf. 4⁰. [1286

Mély, F. de. Les Très Riches Heures du duc de Berry et les influences italiennes. Domenico del Coro et Filippus di Piéro. Paris: E. Leroux 1911. 44 S., 38 Abb. 4⁰. Aus: Monuments et mémoires p. p. l'Académie des inscriptions . . . T. 18. Fasc. 1. Fondation Eugène Piot. [1287.

Société française de reproductions de manuscrits à peintures. Les Heures à l'usage d'Angers de la Collection Martin Le Roy. Reproduction des plus belles miniatures d'un manuscrit du XVᵉ siècle accomp. d'une notice par le Comte Paul Durrieu. Paris: Société 1912. 30 S., 21 Taf. 4⁰. [1288

Miniatures and borders from a flemish Horae, British Museum, Add. Ms. 24098, early sixteenth century, reproduced in honour of Sir George Warner. (London): 1911. 17 S., 42 Taf., 1 Portr. [1289

Justiniani Augusti Digestorum seu Pandectarum Codex Florentinus olim Pisanus phototypice expressus. Fasc. 9. 10. = Vol. 2. Bl. 350—475. Roma: Danesi 1910. 2⁰. Fasc. je 80 Fr. [1290

Miniaturen aus Handschriften der Kgl. Hof- und Staatsbibliothek in München. Hrsg. von Georg Leidinger. H. 2. Flämischer Kalender. München: Riehn u. Tietze (1912). 20 S., 26 Taf. 16 M., Subskr.-Pr. 12,80 M. [1291

Le Livre enchainé ou Livre des Fontaines de Rouen. Manuscrit de la Bibliothèque de Rouen 1524—1525 par Jacques Le Lieur . . . publié intégralement par Victor Sanson. Texte (u. Tables). Planches. Rouen 1911: Lucien Wolf. 81 S., 8o Bll. Taf. 2⁰. 400 Fr. [1292

Trenev, D. K. Miniatures du Méneloge grec du XI. siècle, No 183 de la Bibliothèque synodale à Moscou. Éd. de D. K. Tréneff. Desription du ms. par N. P. Popoff. (Auch mit russ. Tit.) Moskva 1911: (Levenson). 9 S., 11 Taf. 2⁰. [1293

Die Konstanz-Weingartener Propheten-Fragmente in phototypischer Reproduction. Einleitung von Paul Lehmann. Leiden: A. W. Sijthoff

1912. VII S., 79 S. Taf. 2⁰. 56 M. = Codices Graeci et Latini
photogr. depicti Suppl. 9. [1294

Baillet, Louis. Les miniatures du „Scivias" de sainte Hildegarde
conservé à la Bibliothèque de Wiesbaden. Paris: E. Leroux 1912.
103 S., 32 Abb. 4⁰. Aus: Monuments et mémoires p. p. l'Académie
des inscriptions . . . T. 19. Fasc. 1. Fondation Eugène Piot. [1295

Talmud Babylonicum codicis hebraici monacensis 95 fautore Johanne
Schnorr von Carolsfeld arte phototypica depingendum curavit, praefatione et argumentis instruxit Hermann L. Strack. (A. mit hebräisch.
Tit.) Der babylonische Talmud . . . Hälfte 1. 2. Leiden: Sijthoff
1912. Gr.- 2⁰. 700 M. [1296

Autographen.

L'Amateur d'autographes et de documents historiques. Revue rétrospective et contemporaine fondée en 1862. Nouv. Sér. publ. sous
la dir. de Noel Charavay. Ann. 45. 1912. Nr 1. Janvier. Paris:
N. Charavay 1912. Jg. (12 Nrn) 10 Fr. [1297

L'Amateur d'autographes. Sér. 2 (1898—1910) par Noël Charavay.
Table. Paris: Bureau 1911. 108 S. 5 Fr. [1298

Autograph des Bischofs Thietmar von Merseburg († 1018) in einem
Meßbuch (Cod. 129) des Domkapitelarchivs zu Merseburg. Thüringisch-sächsische Zeitschrift für Geschichte u. Kunst Bd 2. 1912.
1 Taf. [1299

Handschriften-Versteigerung am 29. u. 30. April 1912. Autographen
und Dokumente, die im Auftrage der Erben der Frau Sophie
Schneider . . . versteigert werden . . . Berlin: Martin Breslauer
(1912). 64 S., 19 Abb. i. T., 1 Taf. [1300

Duparchy-Jeannez, M. J. J. Rousseau d'après son écriture. L'Amateur
d'autographes 45. 1912. S. 308—312 m. 1 Faks. [1301

Goethes eigenhändige Reinschrift des West - östlichen=Divan. Eine
Auswahl von 28 Bl. in Faks.-Nachbildung hrsg. u. erl. von Konrad
Burdach. Weimar: Goethe-Ges. 1911. 37 S., 28 Bl. 4⁰. (Schriften
der Goethe-Gesellschaft Bd 26.) [1302

Magnanelli, Alfredo, e Luigi Salvatorelli. Gli autografi di Cesare
Baronio esistenti in Roma. Per Cesare Baronio. Scritti vari. Roma
1911. S. 27—84. [1303

Mentz, Georg. Handschriften der Reformationszeit. Bonn: Marcus
u. Weber 1912. VIII S., 50 Taf. 4⁰. (Tabulae in usum scholarum 5.) [1304

Remarques graphiques sur une lette de J—L. Guez de Balzac à
Christine de Suède. (Par P. B.) L'amateur d'autographes 45. 1912.
S. 1—8 m. 2 Bl. Taf. [1305

Revue des autographes, des curiosités de l'histoire & de la biographie
paraiss. chaque mois. Fondée en 1866 par Gabriel Charavay, cont.
par Eugène Charavay. Ann. 47. 1912. Nr 367, Janvier. Paris:
Charavay 1912. Jg. (12 Nrn) 3 Fr., Ausland 4 Fr. [1306

Rousset, Alexis. Les recueils lithographiés d'autographes publiés à
Lyon. L'Amateur d'autographes 45. 1912. S. 46—58.   [1307
Stammler, Wolfgang, Gellertbriefe s. 513.
Traube, Ludwig. Paläographische Forschungen T. 5. Autographa des
Johannes Scottus. A. d. Nachlasse hrsg. von Edward Kennard Rand.
München: Jos. Roth 1912. 12 S., 12 Taf. 4 M. = Abhandlungen
der Kgl. bayer. Akademie. Philos.-philol. u. histor. Klasse Bd 26.
Abh. 1.   [1308

V.

Buchgewerbe.

1. Allgemeines.

Unter dem Protektorat S. M. d. Königs Friedrich August von Sachsen.
Internationale Ausstellung für Buchgewerbe und Graphik in Leipzig
1914. Veranst. aus Anlafs d. 150jähr. Bestehens d. Königlichen
Akademie für graphische Künste und Buchgewerbe Leipzig vom
Deutschen Buchgewerbeverein. (Leipzig 1911.) Getr. Pag. 4⁰. [1309
Fuchs, Karl. Geschichte des Münchner Buchgewerbes, mit besonderer
Berücksichtigung des Buchdrucks. Für die Hand der Schüler i. A.
der Fachschule f. Buchdrucker bearb. M. Kunstbeil., 8 Porträttaf.
u. 19 Abbild. i. T. München: Verein Münch. Buchdruckereibesitzer
1912. VI, 71 S., 9 Taf. 3,75 M.   [1310
Kalauz, Kiállítási (Magyar.). Ausstellungs-Katalog bearb. vom Batthyány
Institut. (1. Christl. Kunst. 2. Bucheinbände. 3. Ex-libris. 4. Hand-
schriften.) Gyulafehérvár: Lyceumi Könyvn. 1912. 35 S.   [1311
Pietschmann, Richard. Das Buch. Die Kultur der Gegenwart, 2. verb.
u. verm. Aufl. T. 1. Abt. 1. 1912. S. 556—580.   [1312
Unger, Arthur. Wie ein Buch entsteht. 3. Aufl. Leipzig: Teubner
1912. VI, 122 S. m. 26 Abb. u. 8 Taf. 1,— M., geb. 1,25 M.
= Natur u. Geisteswelt, Bdch. 175.   [1313

2. Papier.

Avena, Antonio. Per la storia delle cartiere e dell' arte dei cartai
in Verona. Il Libro a la Stampa 6. 1912. S. 33—49.   [1314
Bonnet, Ed. Un livre peu connu de J.-C. Schaeffer sur l'emploi de
divers végétaux pour la fabrication du papier (1765—1771). Bulletin de la Société syndicale des pharmaciens de la Côte-d'Or
1911. 4 S.   [1315
Briquet, C. M. Les moulins à papier des environs de Tulle. Bibliographe moderne 15. 1911 (1912). S. 345—367.   [1316

Onfroy, Henri. Histoire des papeteries à la cuve d'Arches et d'Archettes, 1492—1911. 3. éd., revue et complétée par la publication de documents inédits. Évereux 1912: Herissey. 53 S. [1317

Schinnerer, J. Alte Darstellungen von Papiermühlen. Archiv f. Buchgewerbe 49. 1912. S. 70—91 m. 1 Abb. [1318

Schottenloher, Karl. Würzburger Papier- und Pergamentbezüge 1454/55 s. 1358.

Schultze, Julius. Die Papierfabrikation im Königreich Sachsen unter besond. Berücksichtigung ihrer Beziehungen zu den Holzschleifereien. Tübingen: Kloeres 1912. VI, 302 S. 6 M. [1319

De Witte, E. Comment il faut classer et cataloguer les filigranes. Bruxelles: Institut internat. de bibliographie 1912. 17 S., 5 Abb. Aus: Bulletin de l'Inst. internat. de bibliographie 1912. Fasc. 1/3. = Institut internat. de bibliographie. Publication Nr 121. [1320

3. Buchdruck.
(Geschichte.)
1. Allgemeines.

Clemen, Otto. Alte Einblattdrucke. Bonn: Marcus u. Weber 1911. 77 S. 1,50 M. = Kleine Texte f. Vorlesungen u. Uebungen 86. [1321

Collijn, Isak. Bibliografiska miscellanea. Saml. 3. (Darin: 10. Manuale Upsalense 1487; 11. Canonbilden i Missale Upsalense 1513; 12. Brasks „Keyserlige mandata"; 13. Den i Stockholm år 1628 tryckta ryska katekesen.) Uppsala 1911: Almqvist u. Wiksell. 21 S., 1 Taf., 5 Abb. Aus: Kyrkohistorisk Årsskrift 1911. [1322

Duff, E. Gordon. The English provincial printers, stationers and bookbinders to 1557. Cambridge: University Press 1912. VIII, 153 S., 4 Taf. 4 Sh. [1323

Geisberg, Max. Teigdruck und Metallschnitte. Monatshefte für Kunstwissenschaft 5. 1912. S. 311—320, Taf. 69. [1324

Hefs, Wilhelm. Himmels- und Naturerscheinungen in Einblattdrucken des XV. bis XVIII. Jahrhunderts. Mit 30 zum Teil farbigen Abbildungen. Leipzig: W. Drugulin 1911. 114 S. 4⁰. 8 M. Aus: Zeitschrift für Bücherfreunde. [1325

Knuttel-Fabius, Elize. Over oude Kinderboeken en prenten. De Boekzaal 6. 1912. S. 175—191 m. 8 Abb. [1326

Littleton. A Catalogue of one hundred works illustrating the history of music printing from the 15. to the end of the 17. century in the library of Alfred Henry Littleton (Master of the Musicians' Company, 1910—11). London 1911: Novello. 38 S. 4⁰. [1327

Madsen, Victor. Bogtrykkerkunstens historie. Haandbog i Bibliotekskundskab 1912. S. 165—213. [1328

Olschki, Leo S. Catalogue 81. Livres à figures de l'école allemande des XVᵉ et XVIᵉ siècles soigneusement décrits et mis en vente. Avec 328 fac-similés et 3 planches hors texte. Florence: Olschki 1912. VIII, 340 S. 10 Fr. [1329

Oliva, Gaetano. L'arte della stampa in Sicilia nei sec. XV e XVI.
(Fine.) Archivio storico per la Sicilia orientale 8. 1911. S. 359
— 407. [1330
Oliva, Gaetano. L'arte della stampa. in Sicilia nei secoli XV e XVI:
ricerche storico - bibliografiche e note di archivio. Catania 1911:
Giannotta. 99 S. Aus: Archivio storico per la Sicilia orientale. [1331
Palmer, Henrietta R. List of English editions and translations of Greek
and Latin ·classics printed before 1641. With an introd. by Victor
Scholderer. London: Print. for the bibliographical Society by Blades
1911. XXXII, 119 S. (Societys Publications 16.) [1332
Payne, J. F. English Herbals. (15.—17. Jahrhundert.) Transactions
of the Bibliographical Society 11. 1909/11 (1912). S. 299—310
m. 8 Faksim. [1333
Wolff, Hans. Die Buchornamentik im XV. und XVI. Jahrhundert.
Deutschland 1. Leipzig: Buchgewerbeverein 1911 (Umschl. 1912).
111 S., 58 Abb., 4 Taf. 1,50 M. = Monographien des Buchgewerbes Bd 5. [1334
Wolff, Hans. Die Baseler Buchornamentik. Archiv f. Buchgewerbe 49.
1912. S. 97—104, 193 — 203 m. 45 Abb. [1335
Wolff, Hans. Die Strafsburger Buchornamentik im XV. u. XVI. Jahrhundert. 3. Archiv f. Buchgewerbe 48. 1911. S. 261—269 mit
11 Abb. u. 1 Taf. [1336
Wolff, Hans. Die Ulmer Buchornamentik. Archiv f. Buchgewerbe 49.·
1912. S. 38—41 m. 10 Abb. [1337
Worringer, Wilhelm. Die altdeutsche Buchillustration. Mit 105 Abb.
nach Holzschn. München u. Leipzig: Piper 1912. 152 S. 4⁰ (8⁰).
7 M. = Klassische Illustrationen IX. [1338

2. Erfindung des Buchdrucks.

Filippov, N. (Russ.): Johannes Gutenberg, der erste Erfinder des Buch-
drucks. 3. Aufl. St. Petersburg: Obšč. pol'za. 32 S., 7 Textz.
8 Kop. [1339
Hessels, J. H. The so-called Gutenberg documents. (Forts.) Library
3. Ser. 3. 1912. Januar — Oktober. [1340
Gutenberg-Gesellschaft. Jahresbericht 11, erstattet in der ordentlichen
Mitgliederversammlung zu Mainz am 30. Juni 1912. Mainz 1912:
Mainzer Verlagsanstalt. 27 S. [1341
Scholderer, J. Victor. Albrecht Pfister of Bamberg. Library 3. Ser. 3.
1912. S. 230—236. [1342
Stammler, Rudolf. Die Rechtshändel des Johann Gutenberg. Fest-
gabe der Juristischen Fakultät . . . Halle-Wittenberg für Wilhelm
von Brünneck 1912. S. 1—25. [1343

3. Fünfzehntes Jahrhundert.

Allgemeines.

Bartlett, Henrietta C. A Catalogue of the David N. Carvalho collection of incunabula consist. of a sequence of dated books 1470

—1499, together with a number of sixteenth century books. New York: Dodd. a. Livingston 1911. 120 S. [1344

Benziger, C. Frühdrucke des 15. Jahrhunderts in der Berner Stadtbibliothek. Blätter für bernische Geschichte, Kunst und Altertumskunde 8. 1912. S. 64—77 m. 3 Abb. [1345
— Die Inkunabeln der Berner Stadtbibliothek s. 677.

Boëll, Ch., et A. Gillot, Catalogue des incunables de la Bibliothèque d'Autun s. 703.

Cassuto, Umberto. Incunaboli ebraici a Firenze. (Schlufs.) Bibliofilia 13. 1911/12. S. 384—393. [1346

Cassuto, Umberto. Incunaboli ebraici a Firenze. Firenze: Olschki 1912. 36 S. Aus: Bibliofilia. [1347

Catalogue of books printed in the 15the century now in the British Museum s. 780.

Catalogue des incunables, Chalons-sur-Marne s. 705.

Collijn, Isak. Bibliografiska Ströftåg i Finland, Ryssland och Polen. Föredrag hållet vid Föreningens för bokhandtverk årsmöte den 23 maj 1911. (Stockholm: Cederquist 1912.) 36 S., 3 Taf. Aus: Föreningens Meddelanden 1911—12. [1348

Collijn, Isak. Ettbladstryck från femtonde århundradet. Andra Samlingen. 1. Text. 2. Planscher. Stockholm: Fören. för bokhandtverk (1912). VI, 66 S. 4⁰; Taf. 13—26 gr.-2⁰. [1349

Einblattdrucke des fünfzehnten Jahrhunderts hrsg. von Paul Heitz. Inhaltsverzeichnis von Band 1 bis 25 mit den Nummern bei Schreiber „Manuel de la gravure sur bois au XVᵉ siècle", nebst Verzeichnis der Nummern bei Schreiber und jener dieser Veröffentlichung. Strafsburg: J. H. Ed. Heitz 1912. 11 S. 2⁰. [1350

Gugenbauer, Gustav. Kupferstiche und Einzelformschnitte des fünfzehnten Jahrhunderts in der K. K. Studienbibliothek zu Linz a. D. Mit 25 Abb. in Lichtdruck. Strafsburg: J. H. Ed. Heitz 1912. 16 S., 15 Taf. 2⁰. 40 M. = Einblattdrucke des fünfzehnten Jahrhunderts. 26. [1351

Incunabula typographica. Catalogue LXXXIII de la Librairie ancienne Leo S. Olschki . . . Florence: Olschki 1912. 72 S., 37 Abb. i. T., 1 Taf. [1352

Kisselew, N. P. Die Inkunabeln des Rumianzowsky-Museum s. 953.

Kruitwagen, Bonaventura. Museum Meermanno-Westreenianum. Catalogus van de Incunabelen s. 886.

Röttinger, Heinrich. Einzel-Formschnitte des fünfzehnten Jahrhunderts aus der Erzherzoglichen Kunstsammlung Albertina in Wien. Strafsburg: J. H. Ed. Heitz 1911. 8 S., 30 Taf. 2⁰. 60 M. = Einblattdrucke des fünfzehnten Jahrhunderts 24. [1353

Roos, A. G. Catalogus der Incunabelen van de Bibliotheek der Rijks-Univ. te Groningen s. 882.

Salaris, Raimondo, Gli incunaboli della Biblioteca comunale di Piacenza s. 855.

Sarnow, Emil. Formschnitte und Kupferstiche im Besitze der Stadt-
bibliotkek zu Frankfurt a. M. Mit einleit. Texte von W. L. Schreiber.
Strafsburg: Heitz 1912. 16 S., 25 Bl. Taf. 2⁰. = Einblattdrucke
des 15. Jahrhunderts 28. [1354

Schleimer, Hans. Die Inventarisierung der Wiegendrucke in der Steiermark. Zeitschr. d. Oesterr. Vereines f. Bibliothekswesen 2. 1911.
S. 197—199. [1355

Schleimer, Hans. Zur. Frage der Wiegendruck - Inventarisierung in
Oesterreich. Zeitschr. d. Oesterr. Vereines f. Bibliothekswesen 3.
1912. S. 10 —14. [1356

Schottenloher, Karl. Beiträge zur Geschichte der Inkunabelkunde in
Franken. Zentralblatt 29. 1912. S. 64—75. [1357

Schottenloher, Karl. Buchgeschichtliche Funde aus der zweiten Hälfte
des fünfzehnten Jahrhunderts. 1. Würzburger Papier- u. Pergamentbezüge aus den Jahren 1454/55. 2. Ulrich Geyfwinz der Heidelberger
„Drucker des Lindelbach" (1485—1489). 3. Jörg Wirffel, Buchbinder und Pedell der Universität in Ingolstadt. Zentralblatt 29.
1912. S. 145/146. 146/148. 148/159. [1358

Schreiber, W. L. Holzschnitte aus dem ersten und zweiten Drittel
des 15. Jahrhunderts in der kgl. graphischen Sammlung zu München.
Mit erläut. Text. Bd 1. Strafsburg: J. H. Ed. Heitz 1912. 42 S.,
67 Taf. 2⁰. 100 M. = Einblattdrucke des 15. Jahrhunderts. [1359

Schreiber, W. L. Holzschnitte aus dem letzten Drittel des fünfzehnten
Jahrhunderts in der Kgl. Graphischen Sammlung zu München. Bd 2.
Hälfte 1. 2. Strafsburg: Heitz 1912. 37 S., Taf. 69—123. 124
—179. 2⁰. Je 100 M. = Einblattdrucke d. 15. Jahrhunderts. [1360

Sharp, R. Farquharson, Catalogue of early printed books in the Library
of the Royal Society s. 797.

Soriga, Renato. I libri xilografici nel museo civico di Pavia. Pavia
1911: Fusi. 11 S. Aus: Bollettino della Società pavese di storia
patria. [1361

Vischer, Erwin. Formschnitte des fünfzehnten Jahrhunderts in der
Grofsherzogl. Hof- u. Landesbibliothek zu Karlsruhe (Baden). Strafsburg: J. H. Ed. Heitz 1912. 20 S., 21 Taf. 2⁰. 50 M. = Einblattdrucke des fünfzehnten Jahrhunderts 25. [1362

Nach Ländern und Orten.

Eltville. Roth, F. W. E. Die Mainzer Patrizierfamilie Bechtermünze
zu Eltville und die Eltviller Druckerei. Nassovia 12. 1911. S. 285
—287. [1363

Merseburg. Haebler, Konrad. Die Merseburger Druckerei von 1479
und ihr Meister. (Upsala 1912: Almqvist u. Wiksell.) 5 S. = Beiträge zur Inkunabelkunde V. [1364

Modena. Fumagalli, Giuseppe. Della edizione principe della Gra-
matica dell' umanista Paganelli e die altre rare stampe quattro-
centine modenesi. Modena 1912: G. T. Vincenzi. 16 S. Aus: Atti

e memorie d. r. deputazione di storia patria per le provincie
modenesi. [1365
Rouen. Picot, Emile. Les imprimeurs rouennais en Italie au XVe siècle.
Disçours prononcé à la séance générale de la société de l'histoire
de Normandie. Rouen 1911: L. Gy. 61 S. Aus: Bulletin de la
Société de l'histoire de Normandie 11. [1366
Spanien. Sanpere y Miquel, Salvador. De la introdución y estableci-
miento de la imprenta en las coronas de Aragón y Castilla y de
los impresores de los incunables catalanes. P. 2. Revista de bibli-
grafia catàlana any 5. 1905 (1911). S. 38—252 m. 2 Taf. [1367
Strafsburg. Scholderer, J. V. Eine Gruppe Strafburger Drucke aus
den Jahren 1496—1500. Zentralblatt 29. 1912. S. 450—451. [1368
Treviso. Serena, Augusto. La stampa a Treviso. (1470 ff.) In: Serena,
Augusto. La cultúra umanistica a Treviso nel secolo decimoquinto.
Miscellanea di storia Veneta Ser. 3. T. 3. 1912. S. 127—149. [1369

Einzelne Drucker und Drucke.

Annunciatio. Gusman, Pierre. Un incunable et son histoire. (Bild-
liche Darstellung der Annunciatio Mariae.) Gazette des beaux-arts
1912· April. S. 271—278 m. 4 Abb. [1370
Caxton. Werther, Hans. William Caxton, der erste englische Buch-
drucker. Allgemeine Buchhändlerzeitung 19. 1912. S. 209. [1371
Feyerabend. Davies, Hugh Wm. Bernhard von Breydeubach and his
journey to the Holy Land 1483—1484. A bibliography. (Erster
Druck Frankfurt, Feyerabend 1584 in: Reyssbuch des Heyligen
Lands.) London: J. a. J. Leighton 1911. XXXII, 47 S., 60 Bl.
Faks. 4⁰. 84 Sh. [1372
Geyfwinz. Schottenloher, Karl. Ulrich Geyfwinz s. 1358.
Hausbuchmeister. Baer, Leo. Der Husbuchmeister, Heinrich Mang
und Hans Schnitzler von Armsheim. Monatshefte für Kunstwissen-
schaft 5. 1912. S. 447—455 m. 16 Abb. auf 4 Taf. [1373
— Leonhardt, K. Friedrich, und Bossert, Helmuth Th. Studien zur
Hausbuchmeisterfrage. Zeitschrift für bildende Kunst 47. 1912.
S. 133—138. 191—203. 239—252 m. 56 Abb. [1374
Hohenwang. Rosenthal, Erwin. Die Erstausgabe von Apulejus' „gol-
denem Esel", gedruckt durch Ludwig Hohenwang. Zentralblatt 29.
1912. S. 273—278. [1375
Passion. Gugenbauer, Gustav. Die niederländische Holzschnitt-Passion
Delbecq-Schreiber. T. 2. (18 Blätter der K. K. Studienbibliothek in
Linz a. D., handkoloriert.) Die vollständige Folge und ihre deutschen
Kopien. Strafsburg: J. H. Ed. Heitz 1912. 10 S., 18 Taf. 2⁰. 40 M.
= Einblattdrucke des fünfzehnten Jahrhunderts 10, 2. [1376
Schöffer. Schmidt, Ad. Eine Mainzer Buchdruckerrechnung von 1480.
(Peter Schöffer betr.) Zentralblatt 29. 1912. S. 25—26. [1377
Schott. Scott, S. H. The Scotts of Strassburg and their press. Trans-
actions of the Bibliographical Society 11. 1909/11 (1912). S. 165
—188. [1378

Tractatus. Bughetti, Benvenutus. Descriptio rarissimae editionis quae
Tractatus continet De Corona VII B. M. V. Gaudiorum. (Venetiis
c. 1500.) Bibliofilia 13. 1911/12. S. 300—305 m. 2 Abb. [1379
Turrecremata. Collijn, Isak. Der Drucker des Turrecremata in Krakau
= Caspar Hochfeder. Zentralblatt 29. 1912. S. 159—161. [1380
— Różycki, K. v. Die Inkunabeln des Druckers des Turrecremata in
Krakau. Eine bibliographische und typographische Untersuchung.
München: Karl Kuhn 1911. 49 S., 3 Taf. 4⁰. 8 M. [1381
Vinci. Feldhaus, Franz M. Zur Geschichte der Druckpresse. (Betr.
die Presse Leonardo da Vinci's, Zeichnung von 1490—1512.)
Zeitschr. f. Bücherfr. N. F. 3. 1911/12. S. 368—369 m. 1 Abb. [1382
Wenssler. Scholderer, Victor. Michael Wenssler and his press at
Basel. Library 3. Ser. 3. 1912. S. 283—321. [1383
Zainer. Meyer, Wilhelm Jos. Das älteste gedruckte Buch in Zug.
Johannes Balbus de Janua: Catholicon. Augsbnrg, Günther Zainer.
30. April 1469. Zuger Neujahrsblatt 1912. S. 43—46, 1 Abb. [1384

Faksimiles.

Monumenta Germania et Italiae typographica. Deutsche und italienische
Inkunabeln in getreuen Nachbildungen hrsg. von der Direktion der
Reichsdruckerei. Begründet von K. Burger †, fortges. von Ernst
Voulliéme. Lief. 9. Leipzig: Harrassowitz 1912. 25 Taf., III S.
2⁰. 30 M. [1387
Die Servatius-Legende, ein niederländisches Blockbuch. Hrsg. von
Henri Hymans. Berlin: Cassirer 1911. 6 Bl., 24 Taf. 4⁰ =
Graphische Gesellschaft. 15. Veröffentlichung. [1388
Sudhoff, Karl. Graphische und typographische Erstlinge der Syphilis-
literatur aus den Jahren 1495 und 1496. Zusammengetragen und
ins Licht gestellt. München: C. Kuhn 1912. 27 S., 24 Taf. 4⁰.
25 M. = Alte Meister der Medizin u. Naturkunde ... 4. [1389
Veröffentlichungen der Gesellschaft für Typenkunde des XV. Jahrhunderts. Vol. V. 1911. Fasc. 3 ... Hrsg. von Isak Collijn. Vol. VI.
1912. Fasc. 1/2. Hrsg. von Ernst Voulliéme. Leipzig: R. Haupt.
(1912.) Taf. 381—405. 406—456. 2⁰. Jahresbeitr. 25 M. [1390

4. Nach 1500.
Deutsches Sprachgebiet.
16. Jahrhundert.

Bockmühl, P. Wo ist die erste Ausgabe des Werkes von Johannes
Anastasius Veluanus: „Der Leeken Wechwyser" im Jahre 1554
zuerst gedruckt? Ein Beitrag zur Kirchengeschichte des Nieder-
rheins und der Weseler Drucke aus dem 16. Jahrhundert. Theolo-
gische Arbeiten a. d. Rhein. Wiss. Predigerverein N. F. 13. 1912.
S. 110—128 m. 8 Abb. [1391
Breest, E. Der Herausgeber der „Halberstädter Bibel" von 1522. (Curt
Drake.) Theologische Studien u. Kritiken 1912. S. 478—488. [1392
Claußen, Bruno. Niederdeutsche Drucke im 16. Jahrhundert. Zentral-
blatt 29. 1912. S. 201—209. [1393

Gray, G. J. Fisher's sermons against Luther. (Gedruckt 1521 ff.)
Library 3. Ser. 3. 1912. S. 55—63. [1394

Der Haussradt. Ein Basler Gedicht v. J. 1569 in Faksim.-Druck. Hrsg.
m. e. Einleit. von E. Major. Strafsburg i. E.: J. H. Ed. Heitz 1912.
14, 8 S. 2,50 M. = Drucke u. Holzschn. d. XV. u. XVI. Jahrh. in
getreuer Nachbildung. 14. [1394a

Das Lied vom Hürnen Sewfrid. Nürnberg, Kunegund Hergotin c. 1530.
Zwickau: F. Ullmann 1911. 4 Bl., Bl. A—E 8, 1 Taf. 2,40 M.
= Zwickauer Facsimiledrucke Nr 6. [1394b

Löffler, Kl. Eine vermeintliche Schrift Johann Westermanns und die
Lippstädter Frühdrucke. (16. Jahrh.) Westfälisches Magazin N. F.
3. 1912/13. S. 284—285 m. 1 Abb. [1395

Thomas Murner als Illustrator. II. Frankfurter Bücherfreund 10.
1912. S. 307—312 m. 2 Textabb. u. 1 Taf. [1396

Roth, Fr. Zur Lebensgeschichte des Augsburger Formschneiders David
Denecker und seines Freundes, des Dichtes Martin Schrot. Ihr
anonym hrsg. „Schmachbuch" Von der Erschrecklichen Zerstörung
vnnd Niderlag defs gantzen Bapstumbs. Archiv für Reformationsgeschichte 1912. S. 189—230. [1397

Ludwig Uhlands Sammelband fliegender Blätter aus der zweiten Hälfte
des 16. Jahrhunderts. (Drucke des Samuel und Siegfried Apiarius.)
Mit Einleit., Beschreib. u. Nachweisen hrsg. von Emil Karl Blümml.
73 Titelfaks. in Orig.-Gröfse mit 68 Abb. Strafsburg: Heitz 1911.
139, 77 S. 20 M. (Lieder u. Reime in fliegenden Blättern d. 16. u.
17. Jahrh. T. 1.) [1398

Schottenloher, Karl. Der Buchdrucker Paul Kohl (1522—1531). Ein
Beitrag zur Geschichte der Reformation in Regensburg. Zentralblatt 29. 1912. S. 406—425. [1399

Schottenloher, Karl. Denkwürdige Reformationsdrucke mit dem Bilde
Luthers. Zeitschr. f. Bücherfreunde N. F. 4. 1912/13. S. 221—231
m. 11 Abb. [1400

Neuere Zeit.

Fleischmann, Franz. Johann Michael Mettenleiter, der „bayerische
Chodowiecki". Ein Beitrag zur Geschichte des Buchgewerbes und
der graphischen Künste in München. Zeitschr. f. Bücherfreunde
N. F. 3. 1911/12. S. 377—395 m. 14 Abb. [1401

Grisebach, August. Deutsche Buchkünstler der Gegenwart. 5. Paul
Renner. Zeitschr. f. Bücherfreunde N. F. 3. 1911/12. S. 345
—358 m. 21 Abb. i. Text u. 3 Taf. [1402

Huck, Thomas William. Johann Gottlob Immanuel Breitkopf, the
printer, 1719—1794. Libr. Assoc. Record 14. 1912. S. 14—18. [1403

Kraufs, Rudolf. Die Buch- und Notendruckerei der Hohen Karlsschule.
Württembergische Vierteljahrshefte für Landesgeschichte N. F. 20.
1911. S. 209—234. [1404

Osborn, Max. Deutsche Buchkünstler der Gegenwart. V. Emil Rudolf
Weifs. Zeitschr. f. Bücherfreunde N. F. 4. 1912/13. S. 133—158
mit 59 Abb. u. 4 Taf. [1405

Roth, F. W. E. Die Buchdruckereien zu Idstein (1704—1769). Nassovia 12. 1911. S. 234—236. 247—248. [1406

Schinnerer, Johannes. Die moderne Buchkunst in Deutschland. Vortrag. Beil. z. 11. Jahresbericht der Gutenberg-Gesellschaft. Mainz: Mainzer Verlagsanstalt 1912. 12 S., 12 Taf. [1407

Scholte, J. H. Johann Jacob Christoph von Grimmelshausen und die Illustrationen seiner Werke. Zeitschr. f. Bücherfreunde N. F. 4. 1912/13. S. 1—21. 33—56 m. 20 Abb. u. 3 Taf. [1408

Schuster, W. Alte berühmte Rintelner Druckwerke. Hessenland 26. 1912. S. 257—259. [1409

Widmann, Simon Peter. Die Aschendorffsche Presse 1762—1912. Ein Beitrag zur Buchdruckergeschichte Münsters. Münster i. W.: Aschendorff 1912. VIII, 176, 151 S., 1 Beil. 13 M. [1410

Frankreich.

Baudrier, J. Bibliographie Lyonnaise. Recherches sur les imprimeurs, libraires, relieurs et fondeurs de lettres de Lyon au XVIe siècle. Sér. 9, ornée de 160 reproductions en fac-similé et accomp. d'une table générale des imprimeurs . . . cont. dans les séries 1 à 9. Lyon: L. Brun, Paris: Picard 1912. 492 S. 20 Fr. [1411

French illustrated Books of the eighteenth century. London: Pearson (um 1910). VIII, 99 S. [1412

Delalain, Paul. Un contrat d'impression au XVIe siècle (1542). Essai d'interpretation. (Jacques Regnault, libraire parisien, Pierre Gromors, imprimeur parisien.) Bibliographie de la France. 1912. Chronique Nr 14. 15. [1413

Hennezel d'Ormois, Vte de. Les anciens imprimeurs de Laon. Laon: C. Westercamp 1910. 14 S. [1414

Lepreux, G. Contributions à l'histoire de l'imprimerie parisienne. (3e suite.) 7—9. Revue des bibliothèques 21. 1911 (1912). S. 402—412. [1415

Lepreux, Georges. Gallia typographica ou répertoire bibliographique et chronologique de tous les imprimeurs de France depuis les origines de l'imprimerie jusqu'à la révolution. Série départementale T. 2. Provinces de Champagne et de Barrois. Paris: H. Champion 1911. 390, 152 S., 20 Fr. = Revue des bibliothèques. Supplément 5. [1416

Morin, Louis. L'Imprimerie à Troyes pendant la Ligue. Bulletin du bibliophile 1911. Nr 9/12. 1912. Nr 2—12 mit 5 Abb. [1417

Richard, Alfred. Notes biographiques sur les Bouchet, imprimeurs et procureurs à Poitiers au XVIe siècle. Poitiers 1912: Roy. 20 S. Aus: Bulletin de la Société des antiquaires de l'Ouest 1912. [1418

Grofsbritannien.

Axon, William E. A. Robert Copland and Pierre Gringoire. Library 3. Ser. 3. 1912. S. 419—421. [1419

Axon, William E. A. A seventeenth century lament on „too many books". (Martin Despois, um 1602.) Library 3. Ser. 3. 1912. S. 33—37. [1420

Dodgson, Edward S. The earliest English allusion to the Baskish New Testament of 1571. Zentralblatt 29. 1912. S. 210—211. [1421

Farmer, John S. A rough Hand-list of the Tudor Facsimile Texts, Old English plays printed ms., rarities, exact collotype reproductions in folio a. quarto. (London: Jack 1912.) 24 S. 4⁰. [1422

Redgrave, Gilbert R. Daniel and the emblem literature. (Samuel Daniel, 1585.ff.) Transactions of the Bibliographical Society 11. 1909/11 (1912). S. 39—58. [1423

The Revival of printing. A bibliographical Catalogue of works issued by the chief modern English presses. Introd. by R. Steele. London: Warner 1911. 4⁰. 16 Sh., vellum 25 Sh. [1424

Schleinitz, Otto von. Walter Crane als Buchillustrator. Zeitschr. f. Bücherfr. N. F. 4. 1912/13. S. 97—104 m. 10 Abb. u. 4 Taf. [1425

Steele, R. L. The Oxford University press and the stationers' company. (Um 1680.) Library 3. Ser. 3. 1912. S. 103—112. [1426

Tudor Facsimile Texts. Under the supervision and editorship of John S. Farmer:

Continuation Issues 23. Nobody and Somebody. (c. 1592.) 1911. 37 Bl. 4⁰.

— — 24. The Wars of Cyrus 1594. 1911. 30 Bl. 4⁰.

— — 25. Histrio-Mastix. 1610. 1912. 33 Bl. 4⁰.

— — 26. The Wit of a woman. 1604. 1912. 33 Bl. 4⁰.

— — 32. Look about you. 1600. 1912. 47 Bl. 4⁰.

— — 33. Wily beguild. 1606. 1912. 40 Bl. 4⁰.

— — 34. A Larum for London. 1602. 1912. 29 Bl. 4⁰.

— — 35. The Trial of Chivalry. 1605. 1912. 41 Bl. 4⁰.

— — 36. Everyman. 1912. 29 Bl. 4⁰.

— — 37. Sir Giles Goosecap. 1606. 1912. 41 Bl. 4⁰.

— — 38. A Knack to know an honest man. 1596. 1912. 34 Bl. 4⁰.

— — 39. The Wisdom of Doctor Dodypoll. 1600. 1912. 33 Bl. 4⁰.

— — 40. Tom Tyler and his wife. c. 1551. 1912. 26 Bl. 4⁰.

— — 41. A Warning for fair women. 1599. 1912. 43 Bl. 4⁰.

— — 42. The three Lords and the three Ladies of London. By R. W. 1590. 1912. 37 Bl. 4⁰. London and Edinburgh: T. C. and E. C. Jack 1911—1912. [1427

Wilson, J. Dover. Richard Schilders and the English Puritans. (Druckerei seit 1567.) Transactions of the Bibliographical Society 11. 1909/11 (1912). S. 65—134 m. 86 Faksim. [1428

Italien.

Axon, William E. A. Where was Sommariva's „Batrachomyomachia" printed? Libr. Assoc. Record 14. 1912. S. 317—320. [1429

Baccini, Giuseppe. La Stampa clandestina in Toscana nel 1847. Rivista d. biblioteche e. d. archivi 22. 1911. S. 134—137. [1430

Lugano. Del tipografo Bresciano Bartolomeo de Zanettis al servizio di Camaldoli e della „Regula Vite Eremitice" stampata a Fonte-

buono nel 1520. Bibliofilia 14. 1912/13. S. 177—183. 210—227.
(Wird fortges.) .   .   . [1431
Melzi d'Eril, C. Di un altro importante „Portolano" del sec. XVI.
Bibliofilia 14. 1912/13. S. 41—45 m. 1 Taf.   [1432
Petraglione, Giuseppe. Appunti per la storia dell' arte della stampa
in terra d'Otranto. Bari: Latera 1911. 4 S. Aus: Nozze Perotti-
Consiglio.   [1433
Ratti, A. Contributo alla storia delle arti grafiche milanesi. Milano:
Alfieri e Lacroix 1912. 31 S., 3 Taf. (Nozze di Gaetano Besana
con Maria Luisa Borromeo.)   [1434
Sonnino, Guido. Storia della tipografia ebraica in Livorno, con intro-
duzione e catalogo di opere e di autori. Casale Monferrato: G. La-
vagno 1912. 104 S. 3 L. Aus: Il Vessillo israelitico.   [1435

Niederlande und Belgien.

Enschedé, J. W. De Leidsche Elseviers en hun meesterknecht P. Heems-
kerk, overleden in 1654. Het Boek 1. 1912. S. 25—31. [1436
Enschedé, J. W. Een nederlandsche handleiding voor boekdrukwerk
uit 1761. Het Boek 1. 1912. S. 243—256 m. 2 Abb.   [1437
Gulyás, Paul. Les „Républiques" des Elzevier et les publications
analogues dans le Musée Nat. Hongrois. P. 1. Magyar Könyvszemle
N. S. 20. 1912. S. 110—134 m. 13 Abb.   [1438
Nijhoff, Wouter. L'Art typographique dans les Pays-Bas. (1500—1540.)
Reproduction en facsimile des caractères typographiques, des marques
d'imprimeurs, de gravures sur bois et autres ornements employés
dans les Pays-Bas entre les années MD et MDXL. Avec notes
critiques et biographiques. Livr. 12—14. La Haye: M. Nijhoff,
Leipzig: K. W. Hiersemann (1911/1912). 4⁰. Je 7,50 Fl. [1439
Nijhoff, Wouter. Bibliographie de la typographie néerlandaise des
années 1500 à 1540. Ouvrage faisant suite aux „Annales" de
M. Campbell. Feuilles provisoires. Livr. 17. La Haye: 1911. VIII S.,
Nr 1506—1599.   [1440
Poelman, H. A. Eenige bijzonderheden aangaande het werk van den
Amsterdamschen boekdrukker Doen Pietersz. (1520/21.) Het Boek 1.
1912. S. 123—127.   [1441
Roersch, Alphonse. Lettres à l'imprimeur Barthélemy de Grave, de
Louvain (XVIe siècle). Revue d. bibliothèques 22. 1912. S. 238
—246.   [1442

Andere Staaten.

Adarjukov, V. Ja. (Russ.) Abrifs der Geschichte der Lithographie in
Rufsland. (S.-Peterburg: Apollon 1912.) 75 S., 3 Taf. 4⁰. [1443
Gagyi, Eugène. Contributions à l'histoire de la seconde imprimerie
de la Moldavie. Magyar Könyvszemle N. S. 20. 1912. S. 59
—64.   [1444
Gavrilov, A. V. (Russ.): Skizze einer Geschichte der St. Petersburger
Synodaldruckerei. Heft 1. 1711—1839. S.-Peterburg 1911. IV,
401, XLI, 56 S., 13 Abb.   -   [1445

Grünberg, Jeannot. Ein Beitrag zur Geschichte der russischen Schrift.
Archiv f. Buchgewerbe 49. 1912. S. 18—24 m. 12 Abb. [1446
Melich, Johann. Alte ungarische Drucke aus dem Jahre 1527. Magyar
Könyvszemle N. S. 20. 1912. S. 97—109 m. 5 Abb. [1447
Nelson, W. Some New Jersey printers and printing in the eighteenth
century. Worcester, Mass.: Amer. Antiquar. Society 1911. 44 S. [1448
Nichols, C. Lemuel. Isaiah Thomas, printer, writer and collector. A
paper read April 12, 1911, before the Club of Odd Volumes, with
a bibliography of the books printed by Isaiah Thomas. (Geboren
1749.) Boston: Club of Odd Volumes 1912. IX, 144 S. 7,50 $. [1449
Retana, W. E. Origines de la Imprenta Filipina. Investigaciones
históricas, bibliográficas v tipográficas. Madrid: Suárez 1911. 204 S.
25 Pes. [1450
Sokolov, D. (Russ.): Rede am Tage des 200jähr. Jubiläums des Er-
scheinens des ersten Druckerzeugnisses in St. Petersburg am 11. Mai.
1711—1911. S.-Peterburg 1911: Tip. synod. 16 S., 2 Abb. [1451
Veress, Endre. (Magyar.) Alte walachische Bücher und Druckwerke in
Siebenbürgen und Ungarn. (1544—1808.) Mit Holzschnittfaksim.
Kolozsvár: Stief 1910. 119 S. 4⁰ (8⁰). 5 M. [1452

4. Bucheinband.

Armando, Vincenzo. Alcune vecchie legature artistiche inedite. Torino:
1911. 7 S., 5 Taf. 4⁰. Aus: Annuario della Società fra gli amatori di ex-libris. [1453
Bekanntmachung der Kommission für Einbandstoffe. Zentralblatt 29.
1912. S. 170—172. [1454
Bolle, Giovanni. La colla di pasta e i tarli nelle rilegature. Rivista
d. biblioteche e d. archivi 22. 1911. S. 169—172. [1455
Exposition de la reliure d'art. Catalogue. Du 9 juin au 18 juilliet
1912, à la Maison du Livre . . . Bruxelles: Musée du Livre 1912.
52 S. 0,25 Fr. [1456
Chivers, Cederic. The relative value of leathers and other binding
materials. Libr. Association Record 13. 1911. S. 415—430 mit
16 Taf. [1457
Coggiola, Giulio. La rilegatura dei libri nelle biblioteche. Rivista
d. biblioteche e d. archivi 22. 1911. S. 145—169. [1458
Collijn, Isak. Alte schwedische Bucheinbände. Zeitschr. f. Bücherfreunde N. F. 3. 1911/12. S. 309—326 m. 19 Abb. [1459
Cornu, Paul. Les reliures du Musée des Arts décoratifs. Revue d.
bibliothèques 22. 1912. S. 56—61 m. 2 Taf. [1460
Gulyás, Paul. Aus dem Wanderbuch eines ungarischen Buchbinder-
gesellen. (1660—62.) Zentralblatt 29. 1912. S. 122—123. [1461
Lange, H. O. Nogle traek af bogbindets historie. Haandbog i Bibliotekskundskab 1912. S. 262—264. [1462
Loubier, Jean. Bucheinbände der K. K. Hofbibliothek in Wien. Kunst
und Kunsthandwerk 15. 1912. S. 51—62 m. 10 Abb. [1463

Loubier, Jean. Johann Richenbachs Bucheinbände. Zentralblatt 29.
1912. S. 19—25. [1464

Martell, Paul. Zur Geschichte der Frankfurter Buchbinderzunft. Archiv
f. Buchgewerbe 49. 1912. S. 52—53. [1465

De Roos, S. H. Joh. B. Smits. (Künstler-Einbände.) O. O. u. J. (Amsterdam: L. J. Veen 1912.) 24 S. m. 22 Abb., 3 Taf. 4⁰. Aus: Onze
Kunst. [1466

Schinnerer, J. Einige Bucheinbände des 18. Jahrhunderts aus der
Sammlung Becher. Archiv f. Buchgewerbe 49. 1912. S. 57—59
m. 4 Abb. [1467

Schinnerer, J. Englische Bucheinbände des 17. und 18. Jahrhunderts
aus der Sammlung Becher. Archiv f. Buchgewerbe 49. 1912.
S. 252—255 m. 2 Abb. [1468

Schottenloher, Karl. Jörg Wirffel s. 1358.

Sonntag, Carl. Livres dans de riches reliures des quinzième, seizième,
dix-septième, dix-huitième et dix-neuvième siècles. [A. T.] Kostbare Bucheinbände des XV. bis XIX. Jahrhunderts. Leipzig: C. G.
Boerner. O. J. XVI, 107 S., 52 Taf. 4⁰. 20 M. [1469

VI.

Buchhandel.

Allgemeines.

Bourchard, Gustave. La cote des estampes des différentes écoles
anciennes et modernes. Prix atteints dans les ventes publiques en
France et à l'étranger de 1900 à 1912. Paris: Morgand 1912.
XXI, 919 S. 4⁰ (8⁰). [1470

Burger, C. P. Catalogus-Indeeling naar de Uitgevers en Drukkers.
Congrès de Bruxelles 1910. Actes 1912. S. 51—53. [1471

Enschedé, J. W. Inrichtung van Antiquariats- en Veiling Catalogussen.
Congrés de Bruxelles 1910. Actes 1912. S. 46—47. [1472

Grolig, M. Bücher, die nicht gesucht werden. Zeitschr. d. Oesterr.
Vereines f. Bibliothekswesen 3. 1912. S. 69—76. [1473

Index librorum prohibitorum Leonis XIII sum. pont. auctoritate,
recognitus ss. d. n. Pii X iussu editus. Praemittuntur constitutiones
apostolicae de examine et prohibitione librorum. Rom: F. Pustet
1911. XXIII, 319 S. 4 M. [1474

Leicht, P. S. I prezzi delle edizioni aldine al principio del '500· Il
Libro e la Stampa N. S. 6. 1912. S. 77—84. [1475

Repertoire international de la librairie. Internationales Buchhändler-
Adreſsbuch. International Directory of the Book-Trade. (1.) 1912.

Bern: Internationaler Verleger-Kongrefs 1912. 470, 244 S., 10 Beil.
Geb. 8 M. [1476

Shaylor, Joseph. The fascination of books. With other papers on
books a. bookselling. London: Simpkin Marshall . . . 1912. XII,
356 S., 1·Portr. 6 Sh. [1477

La Statistique internationale de la production intellectuelle. Revue
décennale 1901 à 1910. Droit d'Auteur 24. 1911. S. 157—172. [1478

Walter, Frank Keller. Abbreviations and technical terms used in
book catalogs and in bibliographies. Boston: Boston Book Co. 1912.
XI, 167 S. [1479

In einzelnen Ländern und Städten.

Deutsches Reich. Offizielles Adrefsbuch des Deutschen Buchhandels.
(Begründet von O. A. Schulz.) I. A. des Vorstandes bearb. von der
Geschäftsstelle des Börsenvereins der Deutschen Buchhändler zu
Leipzig. Jg. 75. 1913. Leipzig: Börsenverein 1912. Getr. Pag.,
1 Portr. Geb. 16 M., für Mitglieder 10 M., in 2 Bde geb. 20,
bez. 13 M. [1480

— Börsenblatt für den Deutschen Buchhandel. Eigentum des Börsenvereins der Deutschen Buchhändler zu Leipzig. Verantw. Redakteur:
Emil Thomas. Jg. 79. 1912. Nr 1. Leipzig: Börsenverein 1912.
4⁰. Jährlich für Mitglieder 10 M., für Nichtmitglieder 20 M., bei
Zusendung unter Kreuzband (aufser dem Porto) 25 M. [1481

— Goldfriedrich, J. Statistische Uebersicht der im Gebiete des Deutschen
Buchhandels erschienenen Bücher und Zeitschriften des Jahres 1908.
Hrsg. i. A. d. Vorstandes d. Börsenvereins d. Deutschen Buchhändler.
Leipzig: Börsenverein 1912. VII, 224 S. Geb. 10 M. [1482

— Jentzsch, Rudolf. Der deutsch-lateinische Büchermarkt nach den
Leipziger Ostermefs-Katalogen von 1740, 1770 und 1800 in seiner
Gliederung und Wandlung. Leipzig: R. Voigtländer 1912. XI,
404 S., 3 Tab. 12 M. = Beiträge zur Kultur- und Universalgeschichte H. 22. [1483

— Jordan, Paul. Der Zentralisations- und Konzentrationsprozefs im
Kommissionsbuchhandel. Jena: G. Fischer 1911. VIII, 200 S.
5 M. [1484

— Korrespondenzblatt des Akademischen Schutzvereins. I. A. des
Vereins hrsg. vom geschäftsführenden Ausschufs. Jg. 6. 1912. Nr 1
(vom 31. Januar). Leipzig: Schutzverein 1912. Jg. (10 Nrn) 4 M.,
f. Mitglieder kostenfrei. [1485

— Oppenheimer, Fritz. Die Pflichten des Verlegers nach dem Gesetz
über das Verlagsrecht vom 19. Juli 1901. München: Eug. Rentsch
1912. VIII, 77 S. 2 M. [1486

— Paschke, Max, und Philipp Rath. Lehrbuch des Deutschen Buchhandels. Dritte verm. u. verbess. Aufl. Bd 1. 2. Leipzig: Börsenverein 1912. XVI, 495; VIII, 433 S. [1487

— Die Reformbewegung im deutschen Buchhandel 1878—1889. Hrsg.
vom Vorstand des Börsenvereins der deutschen Buchhändler. Bd 3.

1888/89. Leipzig: Börsenverein der deutschen Buchhändler 1912.
XVI, 612 S. 10 M., für Mitglieder 6 M. = Publikationen des
Börsenvereins 13. [1488

Deutsches Reich. Westheim, Paul. Vom Buchhandel der Biedermeier-
Zeit. Börsenblatt 1912. S. 11—13. [1489

Nürnberg. Schottenloher, Karl. Vom ältesten Buchhandel in Nürnberg. Fränkischer Kurier 1912. Unterhaltungsblatt Nr 74 vom
15. September. [1490

Oesterreich-Ungarn. Adrefsbuch für den Buch-, Kunst-, Musikalien-
handel und verwandte Geschäftszweige der österreichisch-ungarischen
Monarchie. M. e. Anhang: Oesterr.-ungar. Zeitungs-Adrefsbuch. Hrsg.
v. Mor. Perles. Jahrg. 46. 1911/12. Wien: M. Perles 1911. XV,
472 S., 1 Portr. Geb. 8 K. [1491

— Oesterreichisch-ungarische Buchhändler-Correspondenz. Organ des
Vereines der österreichisch-ungarischen Buchhändler. Jg. 53. 1912.
Nr 1. Wien: Buchhändlerverein 1912. 4⁰. Jg. (52 Nrn) 16 M. [1492

Dänemark. Adressebog for den danske Bog- og Papirhandel og hermed
beslaegtede fag 1912. 20. Jargang af Adressebog for den nordiske
Boghandel. Udg. af Boghandler-Medhjaelper-Foreningens pensionsforening. København: Schønberg 1912. 128 S., 1 Portr. Gebd.
2 Kr. [1493

Frankreich. Annuaire de la librairie française. (Ann. 19.) Supplément pour 1912, contenant les additions, suppressions et changements survenus pendant L'année 1911, 1⁰ par ordre alphabétique
de noms de libraires; 2⁰ par ordre alphabétique de noms de villes.
Paris: Le Soudier 1912. 29 S. [1494

— Cercle de la librairie. Assemblée générale annuelle du 23 Février
1912. Bibliographie de la France 1912. Chronique. S. 37—52. [1495

— Crémieux, Albert. La Censure en 1820 et 1821. Étude sur la
presse politique et la résistance libérale. Paris: E. Cornély 1912.
III, 195 S. 4,50 Fr. (Bibliothèque d'histoire moderne 14.) [1496

Grofsbritannien. Book-Auction Records edited by Frank Karslake.
A priced and annotated record of London, Dublin, Edinburg and
Glasgow book-auctions. Vol. 9. P. 1. September to December 1911.
London: Karslake. 1912. Vol. (4 Teile) 1 ₤ 1 Sh. [1497

— Book-Prices Current. A Record of the prices at which books
have been sold at auction, from October, 1911, to August, 1912,
being the season 1911—1912. Vol. 26. London: Elliot Stock 1912.
IX, 835 S., 1 Taf. 27 Sh. 6 d. [1498

— Bowker, R. R. Copyright. Its history and its law. London:
Constable 1912. 21 Sh. [1499

— Kelly's Directory of stationers, printers, booksellers, publishers,
paper makers etc. 1912. London: Kelly's Directories 1912.
25 Sh. [1500

— Gualterus Dumblanensis. Notes on the exhibition of books, broad-
sides, proclamations, autographs, etc., illustrative of the history and
progress of bookselling in England, 1477—1800, held at Stationers'

Hall, 25—29 June, 1912.' Book-Auction Records (Karslake) 9.
1912. P. 4. S. I—VIII, 1 Abb.   ·   [1501
Grofsbritannien. Oldfield, L. C. F.   The Law of copyright including
the copyright act, 1911, the unrepealed sections of the fine arts
copyright act, 1862, the musical (summary proceedings) copyright
act, 1902, the musical copyright act, 1906 and the United States
of America copyright act, 1909, and the Berlin and Berne conventions . . . London: Butterworth 1912. XXXIV, 269, 22 S.
12 Sh. 6 d.   [1502
— Plomer, Henry R.   Some early booksellers and their customers.
Library 3. Ser. 3. 1912. S. 412—418.   [1503
Cambridge. Bowes, Robert.   Cambridge bookshops and booksellers,
1846—1858. Publishers' Circular 97. 1912. S. 7 ff. 127 ff. [1504
Rufsland.   Adrianov, V. (Russ.) Materialien zur Geschichte der Bücherpreise im alten Rufsland d. 16.—18. Jahrh. (Sanktpeterburg): 1912.
VI, 162 S.   4⁰ (8⁰) = Pamjatniki drevnej piśmennosti i
iskusstva 178.   [1505
— Korsov, A. (Russ.) Bericht zur Ordnung der Eröffnung des II. All-
russischen Kongresses der Buchhändler und Verleger. Moskva 1912:
Tip. Lomonosov. 8 S.   [1506
— Korsov, A. (Russ.) Bericht zu den Artikeln des Reglements: Regeln
des Verkaufs von Druckerzeugnissen. Moskva 1912: Tip. Lomonosov. 8 S.   [1507
— Resolutionen (Russ.: Rezoljucii) des zweiten allrussischen Kongresses der Verleger u. Buchhändler. Moskva 1912: Sytin. 11 S. [1508
Spanien. Romo, Enrique.   Anuario de la Libreria Española, Portu-
guesa e Hispano-Americana para 1912. Madrid: A. Romo 1912.
566 S. 10 Pes.   [1509
Vereinigte Staaten.   American Book-prices current.   A record of
books, manuscripts, and autographs sold at auction in New York,
Boston, and Philadelphia, from September 1, 1910, to September 1,
1911, with the prices realized. Compiled from the auctioneers'
catalogues under the editorial direction of Luther S. Livingston.
London: Stevens, New York: Dodd a. Livingston 1911.   XIX,
893 S. 34 Sh.   [1510
— The twelfth annual Convention of the American Booksellers'
Association. Publishers' Weekly 81. 1912. S. 1600—1671 m.
1 Abb. u. 1 Taf.   [1511
— Spring Lines of the publishers and some of the men who will
show them. Publishers' Weekly 1912. Vol. 1. S. 615—649 m.
27 Portr.   [1512
— The Publishers' Trade list annual 40. 1912. New York: Publ.
Weekly 1912. Getr. Pag. 4⁰. 2,50 $.   [1513

Einzelne Buchhandlungen. Beziehungen einzelner Personen zum Buchhandel.

Cotta. Corwegh, Robert. Johannes Cotta. Zum 50. Geburtstag. Xenien 5.
1912. S. 387—388.   [1514

Dryden. Wheatly, Henry B. Dryden's publishers. Transactions of the Bibliographical Society 11. 1909/11 (1912). S. 17—38. [1515

Endter. Oldenbourg, Friedrich. Die Endter. Eine Nürnberger Buchhändlerfamilie (1590—1740). Monograph. Studie. München und Berlin: Oldenbourg 1911. 116 S., 8 Portr. [1516

Engelmann. Taeuber, Rud. Hundert Jahre des Verlagshauses Wilhelm Engelmann in Leipzig. Allgemeine Buchhändlerzeitung 19. 1912. S. 13—14. [1517

Harper. Harper, J. Henry. The house of Harper. A century of publishing in Franklin Square. With portraits. New York a. London: Harper 1912. 689 S., 16 Portr. 12 Sh. 6 d. [1518

Hartknoch. Stammler, Wolfgang. Vier Briefe an den Verleger Hartknoch. Archiv f. d. Studium d. neueren Sprachen u. Literaturen 127. 1911. S. 336—370. [1519

Nicolai. Aner, Karl. Der Aufklärer Friedrich Nicolai. Giefsen: A. Töpelmann 1912. 196 S. 6 M. Studien z. Gesch. d. neueren Protestantismus H. 6. [1520

Putnam. George Palmer Putnam. Publishers' Weekly 82. 1912. S. 1245—1249. [1521

Steiger. Ernst Steiger. Publishers' Weekly 82. 1912. S. 133 —136. [1522

Tauchnitz. Bernhard Tauchnitz in Leipzig 1837—1911. Börsenblatt 1912. S. 1377—1380. [1523

Taylor. Giles, P. William Lawrence Taylor. Aberdeen University Library Bulletin. Vol. 1. Nr 3. April 1912. S. 263—266 mit 1 Portr. [1524

Völcker. Scholz, Wilhelm. Aus bestaubten Winkeln. (Völkers Antiquariat in Frankfurt a. M.) Börsenblatt 1912. S. 6465—67. [1525

VII.

Zeitungen und Zeitschriftenwesen.

Allgemeines.

Bücher, Karl. Das Zeitungswesen. Die Kultur der Gegenwart. 2. verb. u. verm. Aufl. T. 1. Abt. 1. 1912. S. 512—555. [1526

Diels, Hermann. Zeitschriften, Buch und Buchhandel. Die Kultur der Gegenwart. 2. verb. u. verm. Aufl. T. 1. Abt. 1. 1912. S. 686—690. [1527

Garr, Max. Die wirtschaftlichen Gründlagen des modernen Zeitungswesens. Wien u. Leipzig: Deuticke 1912. 79 S. = Wiener staatswiss. Studien Bd. 10. H. 3. [1528

Le Musée international de la Presse. Recueil publié par l'Association auxiliaire du Musée international de la Presse. Ann. 1. 1912. Nos 1 et 2, Janvier-Février. Bruxelles: Musée 1912. Jg. 10 Fr. [1529 Zeitschriftenadressen. Im März uns bekannte 132 student. Zeitschriften. (M.-Gladbach: Sekr. soz. Studentenarbeit 1912.) 18 S. [1530

Deutsches Sprachgebiet.

Bonjour, Félix. Presse suisse et politique étrangère. (Lausanne: Impr. réunies) 1912. II, 16 S. Aus: Bibliothèque universelle ann. 117. [1531
Czygan, Paul. Zur Geschichte der Tagesliteratur während der Freiheitskriege. 2 Bde in 3 Abt. Leipzig: Duncker u. Humblot 1911. XV, 463; XVI, 384; XV, 475 S. 30 M. [1532
d'Ester, Karl. Kapitel aus der Geschichte der westfälischen Presse von 1813 bis zur Gegenwart. 1. Im Rausche der Prefsfreiheit. Westfälisches Magazin N. F. 3. 1911/12. S. 95—99. 131—135. [1533
d'Ester, Karl. Die deutschen Zeitungen in den preufsischen Provinzen am Niederrhein. Ein Beitrag zur Geschichte der Rheinischen Presse unter der französischen Herrschaft. Forschungen z. Brandenb. u. Preufs. Geschichte 25. 1912. S. 211—234. [1534
Hedemann-Heespen, Paul von. Die Schleswig-Holsteinischen Anzeigen 1750—1800 als Geschichtsquelle. Zeitschrift der Gesellschaft für Schleswig-Holsteinische Geschichte 41. 1911. S. 293—302. [1535
Jahrbuch der Schweizer Presse und Politik 1912. Hrsg. unter dem Patronat und der Mithilfe des Vereines der schweizerischen Presse, des Vereines Basler Presse, des bundesstädtischen Prefsvereines, des Vereines Genfer Presse, des Vereines Waadtländischer Presse, des Vereines Zürcher Presse . . . von J. Grünberg. Jg. 3. (Auch mit franz. Tit. Annuaire . . .) Genf: Schweizer Argus der Presse 1912. 664 S. Geb. 5 Fr. [1536
Deutscher Journal-Katalog f. 1913. Zusammenstellung von ca. 3700 Titeln deutscher Zeitschriften und periodischen Erscheinungen, systemat. in 42 Rubriken geordnet. Jg 49. Leipzig: Schulze & Co. 1912. 173 S. 2,40 M. [1537
Aus der Jugendzeit der katholischen Presse. Historisch - politische Blätter für das kathol. Deutschland. 150. 1912. S. 149—158. [1538
Oesterreichische Post-Zeitungsliste I (Interner Dienst), II (Internat. Dienst) f. d. J. 1912. Bearb. vom k. k. Post-Zeitungsamte I in Wien. Wien: R. v. Waldheim, Jos. Eberle 1912. 160; VIII, 360 S. 4⁰. [1539
Preisliste der durch das Kaiserliche Postzeitungsamt in Berlin und die Kaiserlichen Postanstalten des Reichs-Postgebiets i. J. 1912 zu beziehenden Zeitungen, Zeitschriften usw. Berlin: Reichsdruckerei. 4⁰ (2⁰). [1540
Augsburg. Ein Presseprozefs aus dem Jahre 1648. (Augsburger Zeitung betr.) Von R. Bayerland 23. 1912. S. 193—194. [1541
Berlin. Sevensma, T. P. Jets over l'Observateur hollandois. (Angeblich Leiden, in der Tat Berlin, 1744.) Het Boek 1. 1912. S. 171 —176. [1542

Berlin. Klaar, Alfred. Ludwig Pietsch. (Geb. d. 25. Dez. 1824
— gest. d. 27. Nov. 1911.) Nord und Süd 1912. 1. Januarheft
S. 67—72. [1543
— Mischke, Karl. Die augenblickliche Phase des Berliner Zeitungs-
marktes. Deutscher Buch- u. Steindrucker 18. 1911/12. S. 353
— 357 m. 1 Abb. [1544
Frankfurt a. M. Mori, Gustav. Die Entwicklung des Zeitungswesens
in Frankfurt a. M. I—IV. Archiv f. Buchgewerbe 49. 1912.
S. 147—151. 166—170. 203—206. 234—239 m. 9 Abb. [1545
— Geschichte der Frankfurter Zeitung. Volksausgabe. Hrsg. vom
Verlag der Frankfurter Zeitung. Frankfurt a. M.: Societäts-Druck.
1911. XVI, 1143 S. 1 Bildn. Geb. 3 M. [1546
Kassel. Kaulfuſs, Walter. Aus der Geschichte des Zeitungswesens
in der Residenzstadt Kassel. Hessenland 25. 1911. S. 324—326.
335—336. [1547
Koblenz. Gruner, J. von, und P. S(chwenke). Ein Zeitungskuriosum
aus dem Anfang des vorigen Jahrhunderts. (Rheinischer Merkur.)
Zentralblatt 29. 1912. S. 454—459. [1548
Köln. Kemmerling, Friedrich. Studien zur Geschichte des älteren
Kölner Zeitungswesens. Bonn 1911: Hauptmann. 93 S. (Bonn,
Philos. Inaug.-Diss.) [1549
Magdeburg. Hartung, Wilhelm. Abriſs einer Geschichte des Magde-
burgischen Zeitungswesens nebst einer vollständigen Bibliographie.
Geschichtsblätter f. Stadt u. Land Magdeburg 47. 1912. S. 92
— 168. [1550
Mainz. Diehl, Anton. Zur Geschichte der katholischen Bewegung
im 19. Jahrhundert. Das „Mainzer Journal" im Jahre 1848. Mainz:
Kirchheim 1911. 47 S. 0,60 M. [1551
Neuwied. d'Ester, Karl. Aus der Preſsgeschichte einer kleinen west-
deutschen Residénz in guter alter Zeit. Nach handschriftlichen
Quellen (Neuwied). Westfälisches Magazin N. F. 4. 1912/13. S. 41
— 44. (Wird fortges.) [1552
Rostock. Kohfeldt, G. Aus der 200jährigen Geschichte der „Rostocker
Zeitung". Rostock: Stiller 1911. 70 S. 1,50 M. [1553

Andere Gebiete.

Abrahams, H. P. De pers in Zeeland. 1758—1900. Beschrijving
van in Zeeland uitgegeven dag- en weekbladen en periodieke ge-
schriften van 1758 tot ultimo December 1900. Met portret en
een facsim. 's Gravenhage: M. Nijhoff 1912. XII, 405 S. 6 Fl. [1554
Les Almanachs Angevins (1690—1802). L'Anjou historique 12.
1911/12. S. 568—580. [1555
Annuaire de la presse française et étrangère et du monde politique.
Édition de 1912. Dir.: Paul Bluysen. Ann. 3. Paris: Bureau
1912. CLXXXIII, 1303 S. m. Abb. Geb. 12 Fr. [1556
American Newspaper Annual. Philadelphia: N. W Ayer (1912). 1414 S.
4°. 5 Doll. [1557

Barwick, G. F. The Magazines of the nineteenth century. Transactions of the Bibliographical Society 11. 1909/11 (1912). S. 237–249. [1558

Belisle, Alexandre. Histoire de la presse franco-américaine (et des Canadiens-Français aux États Unis). Avec une préf. per J. G. Le Boutillier. Worcester, Mass. 1911: Opinion publique. 434 S. ‐ [1559

Journalisternas Bok. 1912. Utg. af svenska journalistföreningen vid dess 10-årsjubileum som riksorganisation af verkställande utskottet genom Gustaf Berg. Stockholm: Skoglund 1912. 187 S. 2,50 Kr. [1560

Capek, Tomáš. (Tschechisch.) 50 Jahre čechische Presse in Amerika. Vom Erscheinen d. „Amerikan. Slaven" in Racine, 1. Jan. 1860—1. Jan. 1910. Mit Nachtr. bis zu Anfang 1911. · New York: Bank of Europe 1911. VIII, 273 S. [1561

Funck, Antoine. Le Journalisme au Luxembourg. Pages rétrospectives. Les Marches de l'Est 3. 1911/12. S. 594—608 m. 2 Abb. [1562

Jarkowski, St. J. (Poln.) Literatur über die polnische Presse. Kritisch-bibliograph. Notizen. Warschau: Selbstverlag 1911. 100 S. Aus: Przegląd narodowy. [1563

The Newspaper Press directory 1912. London: C. Mitchell 1912. 2 Sh. [1564

Die südslavische Presse (serbisch: Jugoslovenska Stampa). Referate und Bibliographie. Hrsg. vom serbischen Journalistenvereine. Belgrad 1911: Držawna štamp. 292 S. (10. Slav. Journalistenkongreſs, Belgrad 1911.) [1565

Angers. La Presse Bonapartiste à Angers sous la 3ᵉ République. L'Anjou historique 12. 1911/12. S. 661—664. [1566

Antwerpen. Poffé, Edw. Een onbekend Antwerpsch Nieuwsblad uit de 18e Eeuw. Het Boek 1. 1912. S. 238—242. [1567

Brüssel. Fiebelman, René. L'évolution de la presse bruxelloise. Expansion belge 1911. Nr 9. S. 495—505. [1568

London. Dickens, Charles. Charles Dickens as editor: being letters written by him to William Henry Wills, his subeditor. Select and and ed. by R. H. Lehmann. (Daily News, Household Words etc.) New York: Sturgis 1912. XVI, 404 S. 3,25 $. [1569

Paris. Annuaire des journaux, revues et publications périodiques parus à Paris jusqu'en novembre 1911, cont. les titres complets par ordre alphabétique, le nom des rédacteurs, le format, la tomaison, la date d'origine, le nombre de pages, planches ou feuilles de chaque numéro, son poids, le prix des numéros vendus séparément . . . p. p. Henri Le Soudier. Ann. 32. Paris: H. le Soudier 1912. 504 S. [1570

— Cinquantenaire de deux revues françaises 1863—1912. Revue bleue. Revue scientifique. Paris 1912: Davy. 39 S. Aus: Revue politique et littéraire 1912. Juni 10. [1571

St. Petersburg. Behrmann, Max Th. S. Sſuworin. (Leiter der Nowoje Wremja.) Tägliche Rundschau 1912. Nr 404 v. 29. August. [1572

Turin. Carraroli, D. Il giornalismo a Torino intorno al 1860—61. Nuova Antologia 1912. Sept. 16. S. 254—265. [1573

VIII.

Allgemeine und Nationalbibliographie.

1. Allgemeine Bibliographie.

(Zeitschriften s. a. I und II, 4.)

Axon, William E. A. The statistics of the printed literature of the world, and the need for an official record of British publications. Libr. Assoc. Record 14. 1912. S. 509—512.   [1574

Internationale Bibliographie der Zeitschriftenliteratur mit Einschlufs von Sammelwerken und Zeitungen. Abt. B. Bibliographie der fremdsprachl. Zeitschriftenliteratur. Bd 2. 3 . . . Hrsg. v. F. Dietrich. Gautzsch: F. Dietrich 1912. Je 30 M., Subskr.-Pr. 25 M.   [1575

Courtney, William Prideaux. A register of national bibliography with a selection of the chief bibliographical books and articles printed in other countries. Vol. 3. London: Constable 1912. 15 Sh.   [1576

Dahl, Svend. Bibliografiske hjaelpemidler. Haandbog i Biblioteks-kundskab 1912. S. 307—334.   [1577

Hottinger, Chr. G. Ein Bücher-Zettel-Katalog und ein Bio-Ikono-Bibliographisches Sammelwerk. Neuaufl. seines Rundschreibens Bio-Icono-Bibliographia universalis (Berlin 7. Mai 1897.) Südende-Berlin: (Hottinger) 1911. 3 Bl.   [1578

Josephson, Aksel S. Bibliographies of bibliographies. Second edition. (Forts.) Bulletin of the Bibliographical Society of America 4. 1912. S. 23—27.   [1579

Parsons, R. W. An introduction to elementary bibliography. Librarian 3. 1912/13. Nr 2. 3.   [1580

Peddie, Robert Alexander. National bibliographies: a descriptive catalogue of the works which register the books published in each country. London: Grafton 1912. VI, 34 S. 5 Sh.   [1581

Special Report of the committee on survey of bibliographical litera-ture. Bulletin of the Bibliographical Society of America 3. 1911. S. 27—34.   [1582

Strohl, J. Wesen und Wert des Dezimalsystems in der Bibliographie. Ein Beitrag zur biologischen Methodik. Annotationes Concilii Biblio-graphici 6. 1910. S. 9—18.   [1583

Tedder, Henry R. The place of bibliography in education. Libr. Assoc. Record 14. 1912. S. 497—508.   [1584

Walter, Frank Keller. Abbreviations and technical terms used in book catalogues and in bibliographies. Boston: Boston Book Co. 1912. XVII, 167 S. 1,35 $.   [1585

2. Nationalbibliographie.

Deutsches Sprachgebiet.

Bibliographie der deutschen Zeitschriften-Literatur mit Einschluſs von
Sammelwerken. (Internationale Bibliographie der Zeitschriften-
Literatur . . . Abt. A.) Bd 28 A. III. Ergänzungs-Bd 1893—95,
m. Nachtr. auch aus späteren Jahren. Mit Autoren-Reg. Bd 29.
1911. Juli - Dezember. Bd 30. 1912. Januar-Juni. Gautzsch:
F. Dietrich 1911—12. Bd (je 5 Lief.) je 25 M.   .   [1586
·Bibliographie der deutschen Zeitschriften-Literatur mit Einschluſs von
Sammelwerken und Zeitungsbeilagen. Suppl.-Bd: Bibliographie der
deutschen Rezensionen . . . Mit Rezensenten-Verzeichnis und Sachregister. Unter besónd. Mitwirk. von E. Roth für den medizinisch-
naturwiss. Teil hrsg. von F. Dietrich. Bd 13. 14. 1911. Gautzsch
b. Leipzig: F. Dietrich 1912. Bd (je 5 Lief.) je 35 M.   [1587
Brockhaus allgemeine Bibliographie. Monatliches Verzeichnis der
wichtigeren neuen Erscheinungen. (Verantwortl. Redakteur: Paul
Schumann.) Leipzig: Brockhaus u. Pehrsson 1912. Jg. 2 M. [1588
Christian Glob. Kayers vollständiges Bücher-Lexikon. Ein Verzeichnis
der seit dem Jahre 1750 im deutschen Buchhandel erschienenen
Bücher und Landkarten. Ganze Reihe Bd 35 u. 36. 1907—1910.
Mit Nachtr. u. Bericht. zu den früheren Bänden. Bearb. v. Heinr.
Conrad. Lief. 1—17. Leipzig: Tauchnitz 1911/12 = Bd 35. 36.
1335 u. 584 S. Lief. Je 28 M.   .   [1589
Hinrichs' Halbjahrs-Katalog der im deutschen Buchhandel erschienenen
· Bücher, Zeitschriften, Landkarten usw. Mit Registern . . . 227
u. 228. Forts. 1911. Halbj. 2. 1912. Halbj. 1. Leipzig: J. C. Hinrichs
1912. 579, 216; 614 u. 217 S. Je 10,50 M.   [1590
Hayn, Hugo, u. Alfr. N. Gotendorf. Bibliotheca Germanorum erotica
et curiosa. Verzeichnis der gesamten deutschen erotischen Literatur
mit Einschluſs der Uebersetzungen, nebst Beifügung der Originale.
Zugleich 3., ungemein verm. Aufl. von Hugo Hayns „Bibliotheca
Germanorum erotica". (In 4 Bdn) Bd 1. 2. A—C. D—G. München:
Georg Müller 1912/13. 716, 715 S. Je 15 M., geb. 18,50 M.;
Luxusausg. 40 M.   [1591
Holzmann, Michael, u. Hanns Bohatta. Deutsches Anonymen-Lexikon:
Bd 6. 1501—1910. Nachträge u. Berichtigungen. Weimar: Ge-
sellschaft der Bibliophilen 1911. VI, 335 S.   [1592
Jahresverzeichnis der an den deutschen Schulanstalten erschienenen
Abhandlungen. XXIII. 1911. Berlin: Behrend 1912. III, 72 S.
Einseit. bedr. 1,20 M., seinseit. u. zweiseit. bedr. zus. 2 M. [1593
Jahresverzeichnis der an den deutschen Universitäten erschienenen
Schriften. XXVI. 15. August 1910 bis 14. August 1911. Berlin:
Behrend 1912. V, 919 S. Einseitig und zweiseitig bedruckt je
5 M., Zettelausgabe (Subskription für sämtliche Zettel oder Subskr.
nach Fakultäten) 1 Pf. für den Zettel.   [1594

Jahresverzeichnis der schweizerischen Hochschulschriften. Catalogue des écrits académiques suisses. Basel: Schwabe 1911. III, 144 S. 2,20 M.   [1595
Loewe, Victor. Kritische Bücherkunde der deutschen Bildung. T. 1. Geisteswissenschaften. Weimar: A. Duncker 1912. 205 S. 2,50 M.   [1596
Monatliche Uebersicht der bedeutenderen Erscheinungen des deutschen Buchhandels. Jg. 47. 1912. Nr 1. Leipzig: J. C. Hinrichs 1912. Jg. (13 Nrn) 1,50 M.   [1597
Verzeichnis der in den Programmen der österreichischen Gymnasien, Realgymnasien und Realschulen über das Schuljahr 1910/11 veröffentlichten Abhandlungen. Verordnungsblatt des K. K. Ministeriums f. Kultus u. Unterricht 1911. Stück XXIV, Beilage.   [1598
Wöchentliches Verzeichnis der erschienenen und der vorbereiteten Neuigkeiten des deutschen Buchhandels. Nach den Wissenschaften geordnet. Nebst 12 Monatsregistern. Jg. 71. 1912. Nr 1. Leipzig: J. C. Hinrichs 1912. Jg. (52 Nrn) 10 M.   [1599
Verzeichnis der Programme, welche im Jahre 1912 von den höheren Schulen Dentschlands (ausschl. Bayerns) veröffentlicht werden. Leipzig: Teubner 1912. 26 S. 4⁰.   [1600
Vierteljahrs-Katalog der Neuigkeiten des deutschen Buchhandels. Nach den Wissenschaften geordnet. Mit alphabet. Register. Jg. 67. 1912. Leipzig: Hinrichs 1912. 324 S. 2,80 M.   [1601

Frankreich.

Bibliographie de la France. Journal général de l'imprimerie et de la librairie. Publié sur les documents fournis par le Ministère de l'Intérieur. Paraissant tout les vendredis. (Directeur-Gérant: L. Prunières.) (I. Bibliographie. II. Chronique. III. Feuilleton.) Ann. 101, 2ᵉ série. 1912. Nr 1 (Janv. 5). Paris: Cercle de la Librairie 1912. Jg. 20 Fr., Ausland 24 Fr.   [1602
Catalogue général de la librairie française. Continuation de l'ouvrage d'Otto Lorenz. (Période de 1906—1909.) Réd. p. D. Jordell. T. 22. Fasc. 2. Monad-Zyromski. Paris: Nilsson 1911. S. 241—626. [1603
Leith, W. Forbes. Bibliographie des livres publiés à Paris et à Lyon par les savants écossais réfugiés en France au XVI. siècle. Revue des bibliothèques 21. 1911. S. 241—268.   [1604

Grofsbritannien und Kolonien.

The English Catalogue of Books. Giving in one alphabet under author and title, the size, price, month ot publication, and publisher of books issued in the United Kingdom . . . 75th year for 1911. London: Publishers' Circular, Sampson Low 1912. 336 S. 6 Sh. [1605
The English Catalogue of Books. (Including the original „London" and „British" Catalogues.) Giving in one alphabet, under author, title an subject, the size, price, month and year of publication and publisher of books issued in the United Kingdom of Great Britain

and Ireland. Vol. 8. January 1906 to December 1910. London
Publ. Circular 1911. 1495 S. 84 Sh. [1606
The Publishers' Circular and Booksellers' Record. Established by the
publishers of London in 1837. N. S. Vol. 46. 47. (Vol. 96. 97.)
1912. Nr 2375 v. 6. Januar. London: Publ. Circular 1912. Jg.
10 Sh. 6 d., Ausland 13 Sh. 6 d. [1607
Corns, A. R. Bibliotheca imperfecta. Book-Auction Records (Karslake) 9. 1912. S. I—XXIX. [1608
Faxon, Frederik Winthrop. Literary annuals and gift-books. A bibliography with a descriptive introduction. Boston, Mass.: Boston Book
Co. 1912. XXIX, 140 S. [1609
Foxcroft, A. B. The Australian Catalogue. A reference index to the
books and periodicals published and still current in the Common-
wealth of Australia. With pref. note by Walter Mordoch. Mel-
bourne: Whitcombe 1911. Getr. Pag. 10 Sh. [1610
O'Donoghue, D. J. The poets of Ireland. A biographical and biblio-
graphical dictionary of Irish writers of English verse. Dublin:
H. Figgis, London: H. Frowde 1912. IV, 504 S. 21 Sh. [1611
Steele, Robert. Notes on English books printed abroad, 1525—48.
Transactions of the Bibliographical Society 11. 1909/11 (1912).
S. 189—236 m. 51 Faks. [1612

Italien. Spanien. Rumänien.

Bianu, Joan, si Nerva Hodoş. Bibliografia românească veche 1508
—1830. Edițiunea Academiei, române. T. 2, 6. (1806—1808.)
Bucureşti: Socéc 1910. S. 481—570. 4°. 5 Lei. [1613
Bibliografia Española. Organo oficial de la asociación de la libreria
de España. Año 12. 1912. Nr 1. Madrid: Asociación 1912.
Jg. (24 Nrn) 10 Pes., Ausland 12 Pes. [1614
Catalogo generale della libreria italiana dall' anno 1900 a tutto il
1910 compilato d. Attilio Pagliaini. Suppl. 1. Vol. I. Fasc. 2—7.
Milano: Assoz. tipograf.-libr. italiana 1912. 4°. Je 3 L. [1615
Giornale della libreria, della tipografia e delle arti ed industrie affini.
Organo ufficiale dell' associazione tipografico-libraria italiana. Anno
25. 1912. Nr 1. Milano: Assoziazione 1912. Jg. (50 Nrn)
Italien 6 L., Ausland 10 Fr. [1616

Niederlande und Belgien.

Ministère des sciences et des arts. Bibliothèque royale. Bibliographie
de Belgique. Ann. 38. 1912. Nos 1/2. P. 1. Livres, périodiques
nouveaux, estampes, artes et plans. (P. 2. Bulletin des sommaires
des périodiques.) Bruxelles: G. van Oest 1912. Jg. 7,50 Fr., Ausland 10 Fr. Ausgabe von P. 1 sur fiches, je 1 cent. (P. 3. Liste
des périodiques erscheint alle zwei Jahre.) [1617
Nederlandsche Bibliographie. Lijst van nieuw versehenen boeken,
kaarten enz. Uitgave van A. W. Sijthoff's Uitg. Mij. Leiden. 1912.
Nr 1, Januari. 's Gravenhage: M. Nijhoff 1912. Jährl. 12 Nrn. [1618

Nijhoff, Wouter. Nederlandsche Bibliographie van 1500—1540. A. Het Boek 1. 1912. S. 281 ff. [1619
Nijhoff, Wouter. Nederlandsche Bibliographie van 1500—1540. Alphab. reg. Afl. 1. 's Gravenhage: Nijhoff 1912. Aus: Het Boek. [1620
Bibliotheca belgica. Bibliographie générale des Pays-Bas, publ. par Ferdinand van der Haeghen et R. Van den Berghe avec la collaboration de Victor van der Haeghen et Alph. Roersch. Livr. 187 et 188. Gand: C. Vyt 1911. Je 2 Fr. [1621
Brinkman's Catalogus der boeken, plaat- en kaartwerken, die sedert 1901 tot en met 1910 in Nederland zijn uitgegeven en herdrukt, benevens aanvullingen van voorafgaande jaren ... gerangschickt ... door R. van der Meulen. Afl. 16—19. (S. 1121—1350, VII S., 190 S. Reg.) Leiden: A. W. Sijthoff 1912. Afl. je 5,10 M. [1622

Nordische Staaten.

Aarskatalog over norsk literatur 1911. Utg. av den norske boghandlerforening. Forsynet med henvisninger og systematisk register og tidsskriftfortegnelse av Chr. Dybwad. Kristiania: J. Dybwad 1912. 102 S. 1 Kr. [1623
Almquist, Joh. Ax. Sveriges bibliografiska litteratur. D. 2. Arkiv-och Biblioteksväsen. H. 3. 4. D. 3. Typografi och bokhandtverk. Bokhandel. Samt Suppl. till föregående delar. Stockholm: Norstedt 1910—11—12. S. 259—362; 363—493; 152 S. [1624
Dansk Bogfortegnelse. Udgivet og forlagt af G. E. C. Gad-København. Aarg. 62. 1912. Nr 1. København: Gad 1912. Jahrg. 2,50 Kr. [1625
Islandsk Bogfortegnelse for 1910. Meddelt af Th. Melsteđ. Nordisk Boghandlertidende 46. 1912. Nr 45—47. [1626
Nordisk Boghandlertidende. (Boghandlertidendes otte og halvtredsindstyvende Aargang.) (Red.: J. L. Lybecker.) Aarg. 46. 1912. Nr 1. (København: Boghandlerforening 1912.) 4⁰. Jg. (52 Nrn) 5 Kr. [1627
Norsk Bokfortegnelse 1901—1910. Samlet og utarb. av H. J. Haffner. Kristiania: Norske Boghandlerforen. Forlag 1912. 600 S. p. c. 25 Kr. [1628
Norsk Bokfortegnelse for 1911. Utgit av Universitets-Biblioteket. Kristiania: (H. Aschehoug) 1912. 154 S. 2 Kr. [1629
Katalog öfver den svenska litteraturen i Finland samt arbeten på främmande språk af finländske författare eller utgifna i Finland 1901—1905. Helsingfors 1912: (Aktiebol. Tryck.) 368 S. = Skrifter utgivna av Svenska Litteratursällskapet i Finland 104. [1630

Slavische Sprachen.

Dolenský, Antonin. Slovnik pseudonymů v české a slovenské literatuře. 2. Vyd. V Praze: Plaček 1910. 32 S. = Knihovna Přehledu Revuí Sv. 5. [1631
Estreicher, K. Bibliografia polska. T. 24. Lit. P—Pom. Kraków: Druk. Univers. Jagiellońsk. 1912. 20 M. [1632

Systematischer Index (Russ.: ukazatel') der Literatur für das Jahr 1911.
Nach dem Dezimalsystem klassifiziert unter d. Redaktion von J. V.
Vladislavlev. (Bibliographische Jahresschrift.) Heft I. I—III. Biblio-
graphie der russischen Bücher, Zeitschriftenartikel und Rezensionen.
IV. Bibliographie der ausländischen Literatur über Rufsland. V. Kon-
fiszierte Bücher des Jahres. VI. Nachrichten über die periodische
Presse. Moskva 1912: Kn-stvo Nauka. XXXII, 207 S. 60 Kop. [1633
Kersopouloff, Jean G. Essai de bibliographie Franco-Bulgare (1613
—1910). Revue des bibliothèques 21. 1911. 269—335. [1634
Knižnaja Lětopis. (Russ.) Bücher-Jahrbuch der Hauptverwaltung in
Angelegenheiten der Presse. Erscheint wöchentlich unter der
Redaktion von A. D. Torpov. Jg. 6. 1912. Nr 1. St. Petersburg:
Redaktion des Regierungsboten 1912. Jg. 4 Rub. [1635
Przewodnik bibliograficzny. (Monatsblatt für Verleger, Buchhändler,
Antiquare, ebenso für Leser und Käufer. Redakteur J. Czubek.)
Jg. 35. 1912. Nr 1. Krakau: Gebethner 1912. Jg. 4 M. [1636
Tobolka, Zdeněk V. Česká Bibliografie za rok 1909. v Praze: Selbst-
verlag. 1912. 212 S. 10 K. [1637

Vereinigte Staaten.

The cumulative Book index. Annual cumulation 14th. Author, title,
and subject catalog in one alphabet of books published during
1911. Compiled by Emma L. Teich. Minneapolis: H. W. Wilson
1912. 624 S. 3 $. [1638
Annual Magazine subject-index 1911. A Subject-index to a selected
List of American and English periodicals and society publications
not elsewhere indexed; ed. by F. Winthop Faxon; compiled with the
co-operation of librarians. Boston: Boston Book Co. 1912. 250 S.
5,50 $. [1639
The Publishers' Weekly. The American Book Trade Journal with
which is incorporated the American Literary Gazette and Publishers'
Circular. 1912. Vol. 81, Nr 1. New York: Publication Office 1912.
Jg. (2 Vols.) 4 $, Ausland 5 $. [1640

Andere Staaten.

Bibliothèque hongroise. Contributions au I. vol. de l'ancienne bibliothèque hongroise de Ch. Szabó. Magyar Könyvszemle N. S. 20.
1912. S. 55—58. 152—157 m. 1 Taf. [1641
Petrik, Géza. Bibliographia Hungarica. Magyar Könyvészet. Verzeichnis der 1886—1900 erschienenen ungarischen Bücher, Zeitungen
und Zeitschriften, Atlanten und Karten. H. 8. (= Sachregister
H. 1.) Aba Sámuel-Ifjusági Iratok. Budapest: Eggenberger 1912.
160 S. 5 K. [1642
Silva, Relávila. Letter addressed to the chairman and the secretary
of the Bibliographical Society of America. (Estado de la bibliografia en Chile.) Bulletin of the Bibliographical Society of America
4. 1912. S. 11—14. [1643

IX.
Fachbibliographie.
(Nach dem sachlichen Stichworte geordnet.)

Erziehung.

Burnham, William H. Bibliographies on experimental pedagogy. Worcester, Mass.: Clark Univ. Press 1912. 49 S. = Publications of the Clark University Library Vol. 3. Nr 3.   [1644

Freytag, E. Richard. Zur Bibliographie der Geschichte des sächsischen Seminars. Beiträge z. Geschichte d. sächs. Schulwesens 2. 1912. S. 49—57. (Wird fortges.)   [1645

Wiegandt, Ernst. Bibliographie der Hochschulpädagogik. Ein Versuch zugleich als Grundlegung. Leipzig: E. Wiegandt 1912. 43 S. [1646

Freimaurer.

Fesch, Paul, Joseph Denais, René Lay. Bibliographie de la Francmaçonnerie et des sociétés secrètes. Imprimés et manuscrits (langue française et langue latine). Fasc. 1. A—Cremone. Paris: Société bibliographique 1912. 272 S. p. c. 30 Fr.   [1647

Wolfstieg, August. Bibliographie der freimaurerischen Literatur. Hrsg. i. A. des Vereins deutscher Freimaurer. Bd 2. Burg: Aug. Hopfer 1912. XVI, 1041 S. 32 M., Subskr.-Pr. 25 M.   [1648

Geschichte und Hilfswissenschaften. Geographie.
Landeskunde.

Allossery, P. Geschiedkundige boekenschouw over het huidige West-Vlaanderen in t' algemeen en zijne gemeenten in t' bijzonder. D. 1. Brugge 1912: De Plancke. VII, 520 S. 15 Fr. = Société d'Emulation de Bruges. Mélanges 6.   [1649

Arnold, Robert F. Deutsche Territorialgeschichte. Ein bibliographischer Versuch. Deutsche Geschitsblätter 13. 1912. S. 239 —261.   [1650

Auboyneau, G., et A. Fevret. Essai de bibliographie pour servir à l'histoire de l'empire ottoman. Livres turcs. Livres imprimés à Constantinople. Livres étrangers à la Turquie: mais pouvant servir à son histoire. Fasc. 1. Religion, moeurs et coutumes. Paris: E. Leroux 1911. 91 S.   [1651

Bibliographie der schweizerischen Landeskunde. Unter Mitwirkung
. . . hrsg. von der Zentralkommission für schweizerische Landeskunde. Fasc. V, 9 f. Boos-Jegher, Ed. Gewerbe u. Industrie. H. 4.
1911. XI, 312 S. Fasc. V, 10, e α. Vuilleumier, Th. Bibliographie
d. evangel.-reform. Kirche in der Schweiz. H. 2. 1911. X, 78 S.
Fasc. V, 10 f. Anderegg, Ernst u. Hans, Armenwesen u. Wohltätigkeit. H. 3. 4. 1911/12. IX, 925—1518; XI, 1519—2010 S. Bern:
K. J. Wyss 1911—1912. [1652
Calvi, Em. Bibliografia di Roma nel risorgimento. Vol. I (1789
—1846). Roma: E. Loescher 1912. XI, 159 S. 14 L. = Bibliografia generale di Roma. Vol. 5 [1653
Caron, Pierre. Bibliographie des travaux publiés de 1866 à 1897
sur l'histoire de la France depuis 1789. Fasc. 5. Paris: E. Cor-
nély 1912. S. 641—800. 7,50 Fr. [1654
Caron, Pierre. Manuel pratique pour l'étude de la revolution française.
Préf. p. A. Aulard. Paris: A. Picard 1912· XV, 294 S. Manuels
de bibliographie historique V. [1655
Cordier, Henri. Bibliotheca indosinica. Birmanie, Assam, Siam, Laos.
Dictionnaire bibliographique des ouvrages relatifs à la péninsule
indochinoise. Vol. 1. Paris: E. Leroux 1912. VIII S., 1104 Sp.
= Publications de l'école française d'Etrême-Orient. Vol. 15. [1656
Dahlmann-Waitz. Quellenkunde der deutschen Geschichte. Unter
Mitw. von . . . hrsg. von Paul Herre. 8. Aufl. Leipzig: K. F. Köhler
1912. XX, 1290 S. 28 M. [1657
Davois, Gustave. Bibliographie napoléonienne française jusqu'en 1908.
T. 3. N—Z. Paris: L'Edition bibliographique 1911. 249 S. [1658
Fischer-Benzon, R. von. Verzeichnis der Zeitschriften und Kalender
der Schleswig-Holsteinischen Geschichte. Zeitschrift der Gesellschaft
für Schleswig-Holstein. Geschichte 41. 1911. S. 369—385. [1659
Gessler, Jan. Bibliographie der algemeene en Limburgsche plaats-
naamkunde. Hasselt 1911: St. Quintinus-Drukk. 31 S. 1 Fr. Aus:
Limburgsche Bijdragen 1909/10. [1660
Gouda Quint, P. Grondslagen voor de bibliographie van Gelderland.
Vervolg 2. Gelre 15. 1912. S. 619—665. [1661
Hauser, Henri. Les sources de l'histoire de France. XVIᵉ sièele (1494
—1610). III. Les guerres de religion. (1559—1589.) Paris:
A. Picard 1912. XIII, 327 S. Manuels de bibliographie histo-
rique III. [1662
Joucla, Edmond. Bibliographie de l'Afrique occidentale française.
Paris: E. Sansot 1912. 275 S. 6 Fr. [1663
Kircheisen, Friedr. M. Bibliographie des Napoleonischen Zeitalters
einschliefslich der Vereinigten Staaten von Nordamerika. Bd 2.
T. 1. Napoleon I. und seine Familie. Memoiren, Briefwechsel, Bio-
graphien. Berlin: Mittler 1912. III, 208 S. 8 M. [1664
Lasteyrie, Robert de, et Alexandre Vidier. Bibliographie générale des
travaux historiques et archéologiques publiés par les sociétés

savantes de la France. T. 5. Livr. 4. (Nos 100818 à 106781.)
Paris: Impr. nat. 1911. S. 601—831. 4⁰. 4 Fr.   [1665
Linnebach, Karl. ιDenkwürdigkeiten der Befreiungskriege. Berlin-
Zehlendorf: B. Behr 1912. VIII S., 643 Sp. 36 M. = Veröffent-
lichungen der deutschen bibliographischen Gesellschaft. Biblio-
graphisches Repertorium Bd 6.   [1666
Mondolfo, Anita. Bibliografia del Campanile di s. Marco dal crollo
alla compiuta ricostruzione (14 luglio 1902 — 31 dicembre 1911).
Venezia 1912: C. Ferrari. 89 S. 4⁰. Aus: Il Campanile di s. Marco
riedificato.   [1667
Montagnier, Henry F. A Bibliography of the ascents of Mont Blanc
from 1786 to 1853. Alpine Journal 1911. S. 608—640. [1668
Moore, Margaret F. Two select bibliographies of mediaeval historical
study. 1. A classified list of works relat. to the study of English
palaeography and diplomatic. 2. A classified list of works relat.
to English manorial and agrarian history . . . With a pref. by
Hubert Halland and a description of the mediaeval historical classes
at the London School of Economics. London: Constable 1912.
185 S. (Studies in economics and political science. Ser. of bibliographies Nr 2.)   [1669
Ryan, Daniel J. The civil war literature of Ohio. A bibliography
with explanat. and hist. notes. Cleveland, Ohio: Burrows Brothers
1911. IX, 518 S., 4⁰ (8⁰). 6 $.   [1670
Sanson, Victor. Répertoire bibliographique pour la période dite „revo-
lutionnaire" 1789—1801, en Seine-Inférieure. T. 2. 3. Rouen. Le
Havre; Les Communes. Paris Champion 1911. S. 284—473. 474
—796.   [1671
Simar, Th. Bibliographie congolaise de 1895 à 1910. Bruxelles:
Vromant 1912. 61 S. (Nicht im Buchhandel.)   [1672
Tedder, H. R. The projected bibliography of national history. Libr.
Assoc. Record 14. 1912. S. 209—215.   [1673
Wentzke, Paul. Kritische Bibliographie der Flugschriften zur deutschen
Verfassungsfrage 1848—1851. Halle a. S.: Niemeyer 1911. XXI,
313 S. 10 M.   [1674

Kunst.

Ceci, G. Saggi di una bibliografia per la storia delle arti figurative
nell' Italia Meridionale. Bari: G. Laterza 1912. VII, 322 S.
4⁰. 8 L.   [1675
Jacob, Georg. Die Erwähnungen des Schattentheaters und der Zauber-
laternen bis zum Jahre 1700. Ein bibliographischer Nachweis.
Berlin: Mayer u. Müller 1912. 18 S.   [1676
Levis, Howard C. A descriptive bibliography of the most important
books in the English language relating to the art a. history of
engraving and the collecting of prints. London: Ellis 1912. XIX,
571 S. 4⁰.   [1677

Sepp, Hermann. Bibliographie der bayerischen Kunstgeschichte bis Ende 1905. (Nebst) Nachtr. f. 1906—1910. Straßburg: Heitz 1906—12. Studien z. Deutschen Kunstgeschichte H. 67. 155. [1678

Tourneux, Maurice. Salons et expositions d'art à Paris (1801—1900). Essai bibliographique. (Suite.) Bibliographe moderne 15. 1911. (1912.) S. 32—63. (Wird fortges.) [1679

Mathematik.

Sommerville, Duncan M. Y. Bibliography of Non-Euclidean Geometry. includ. the theory of parallels, the foundations of geometry, and space of n dimensions. London: Harrison, St. Andrews: University 1911. XII, 403 S. 10 Sh. [1680

Medizin und Naturwissenschaften.

Bentivoglio, Tito. Bibliografia geo-mineralogica e paleontologica del Modenese e Reggiano, 1906—1910. Modena 1912: G. T. Vincenzi. 31 S. Aus: Atti della società dei naturalisti e matematici. [1681

Bibliographia Coleopterologica. Berlin: W. Junk 1912. XIV, 132 S. Geb. 1,20 M. [1682

Boffito, G., e P. Niccolari. Bibliografia dell' aria. Saggio di un repertorio bibliografico italiano di meteorologia e di magnetismo terrestre. Bibliofilia 14. 1912/13. S. 228—238. [1683

Dannemann, Friedrich. Naturwissenschaften. Weimar: A. Duncker 1913. VIII, 176 S. 3 M. = Kritische Bücherkunde der deutschen Bildung. T. 2. [1684

Elenco alfabetico degli autori che si occuparono della Libia sotto l'aspetto botanico ed agrario . . . compilato a cura del direttore del r. orto botanico . . . di Palermo. Roma 1912: Bertero. 32 S. (Monografie e rapporti coloniali Nr 9.) [1685

Gocht, Herm. Die Röntgen-Literatur. T. 2. Sachregister. I. A. der deutschen Röntgenges. u. unter Mitarb. des Literatur-Sonder-Ausschusses hrsg. Stuttgart: F. Enke 1912. XVI, 508 S. 15 M., geb. 16,40 M. [1686

Hess, Frank L. und Hess, Eva. Bibliography of the geology and mineralogy of tin. Washington: Smithsonian Inst. 1912. V, 408 S. Smithsonian Miscellaneous Collections Vol. 58, Nr 2. [1687

Holden, W. Bibliography relating to the flora of Germany, embracing botanical section O of the Lloyd Library . . . Cincinnati, O.: Lloyd Libr. 1912. 262 S. [1688

(Hulme, E. Wyndham, und Kinzbrunner, Chas.) Class Catalogue of current serials, digests and indexes of pure and applied science, exhibited at the Liverpool meeting of the Library Association September 2—6, 1912. (London): Libr. Assoc. (1912). 38 S. [1689

Geologische Literatur Deutschlands. R. Litteratur über einzelne Gebiete. Hrsg. von den Deutschen Geologischen Landesanstalten. Schulze,

Erwin. Repertorium der Geologischen Literatur über das Harz-
gebirge. Berlin: Preuſs. Geolog. Landesanstalt 1912. VIII, 601 S.
4⁰ (8⁰). 10 M.   [1690
Martinez Sánchez, José. Bibliografia de la Odontologia Española.
para formar un catálogo razonado de' las obras impressas en castel-
lano que tratan sobe el „Arte del dentista“. Madrid 1911: Odonto-
logia. 63 S. 5 Pes.   [1691
Traverso, G. B. Supplemento II all' Elenco bibliografico della mico-
logia italiana. Roċca S. Casciano 1912: Cappelli. 51 S.   [1692
Wang, C. Y. Bibliography of the mineral wealth and geology of
China. London: C. Griffin 1912. 3 Sh.   [1693
Wickersheimer, Ernst. Une Erreur des bibliographies médicaux.
Nicolaus Salernitanus. Revue des bibliothèques 21. 1911 (1912).
S. 378—385.   [1694

Musik.

Ernst Challier's groſser Lieder-Katalog. Nachtr. 14, enth. die neuen
Erscheinungen vom Juli 1910 bis zum Juli 1912 sowie e. Anzahl
älterer bisher noch nicht aufgenomm. Lieder. Gieſsen: Challier
1912. S. 2243—2330. 7,40 M.   [1695
Letzer, J. H. Muzikaal Nederland 1850—1910. Bio-bibliographisch
woordenboek van de nederlandsche toonkunstenaars en tookunste-
naressen, alsmede van schrijvers en schrijfsters op muziek-literarisch
gebied. Utrecht: Beijers 1911. XV, 201 S.   [1696
(Mare, A. J. de.) Nederlandsche liedboeken. Lijst der in Nederland
tot het jaar 1800 uitgegeven liedboeken. Samengest. onder leiding
van W. F. Scheuerleer. Uitgave van het Fred. Muller-Fonds. 's Gravenhage: M. Nijhoff 1912. XII, 321 S. 5 Fl.   [1697
Miscellanea musicae bio-bibliographica. Musikgeschichtliche Quellen-
nachweise als Nachträge und Verbesserungen zu Eitners Quellen-
lexikon. In Verbindung mit der Bibliographischen Kommission der
Internationalen Musikgesellschaft hrsg. von Hermann Springer, Max
Schneider, Werner Wolffheim. Jg. 1. H. 1. Leipzig: Breitkopf u.
Härtel in Komm. 1912. Einseit. u. zweiseit. bedruckt.   [1698
Vereins-Katalog. (Begonnen 1870.) Die von dem Referenten-Kol-
legium des „Allgemeinen Cäcilien-Vereins“ in den „Vereins-Katalog“
aufgenommenen kirchenmusikal. oder auf Kirchenmusik bezügl. Werke
enthaltend. Eine selbständige Beilage zum Cäcilienvereinsorgan
(Fliegende Blätter f. kath. Kirchen-Musik). H. 20. Nr 3827—3932.
Regensburg: Pustet 1912. Bd 6. S. 1—56. 0,70 M.   [1699

Ökonomie. Technologie.

A Catalogue of an exhibition of angling books, together with a number
of manuscripts, angling book-plates, prints, medals, etc. From the
collection of a member of the Grolier Club. New York: Grolier
Club (1911). VIII, 59 S.   [1700

Latterer von Lintenburg, Franz Ritter. Die Militär-Fachperiodica
Oesterreich-Ungarns. Wien: L. W. Seidel 1912. 38 S. Aus:
Streffleurs Militärische Zeitschrift 1912. Bd 1. H. 5. [1701
Nitzsche, H. Literaturquellen-Verzeichnis über Beton- u. Eisenbetonbau.
Geordnét nach den Hauptgruppen Theorie, Baustoff, Versuche, Vor-
schriften, Ausführungen u. fortführbar durch organisch angegliederte
Nachträge. Berlin: Thonindustrie-Ztg. 1911. 192 S. Geb. 4 M. [1702
Peddie, R. A. Engineering and metallurgical books 1907—1911 . . .
. London: Grafton 1912. IX, 205 S. [1703
Railway economics. A collective catalogue of books in fourteen
American libraries. Prep. by the Bureau of Railway Economics,
Washington. Chicago (1912): Univ. of Chic. Press. 455 S. [1704
Primo Saggio di una bibliografia economica sulla Tripolitana e Cire-
naica dal 1902 a 1912 . . . Roma 1912: Bertero. 32 S. [1705

Rechts- und Staatswissenschaften.

Bibliographie der Arbeitsvermittlung. Hrsg. vom Verband deutscher
Arbeitsnachweise. Berlin: G. Reimer 1912. 64 S. 0,80 M. [1706
Hafter, E. Bibliographie und Kritische Materialien zum Vorentwurf
eines Schweizerischen Strafgesetzbuches. I. A. d. eidgenöss. Justiz-
und Polizeidepartementes ausgearbeitet. 1898—1907. 1908—1911.
Bern 1908. 1912: Stämpfli. 220 u. 110 S. [1707
Overzicht van de nederlandsche literatur over het boekhouden in de
laatste 10 jaren (1901 t/m 1910). De Boekzaal 6. 1912. S. 196
—215. [1708
Association internationale pour la lutte contre le chômage. Session
du Comité international à Zurich 6—7 septembre 1912. Rapport
sur la matière de la bibliographie du chômage par E. Szabó,
L. Varlez. Gand 1912: Volksdrukkerij. 16 S. [1709
Répertoire des thèses de droit soutenues dans les Facultés françaises.
Période 1911—1920. Fasc. 1. Ann. scolaire 1910—1911. Paris:
Libr. centrale des Facultés 1912. 30, XVI S. 2 Fr. [1710
Sassenbach, Joh. Verzeichnis der in deutscher Sprache vorhandenen
gewerkschaftlichen Literatur. I. A. d. Generalkommission der Ge-
werkschaften Deutschlands zusammengestellt. Nachtr. z. 4. Ausg.,
August 1910. Erschienen im Oktober 1912. Berlin: Vorwärts
1912. X, 201—327 S. 40 Pf. [1711
Suligowski, Adolf (Poln.), Polnische Rechtsbibliographie des XIX. und
XX. Jahrh., mit einer Einleitung und Ueberblick über das Schrift-
tum der polnischen Rechtsgelehrten im Laufe des XIX. und des
ersten Dezenniums des XX. Jahrh. Warzawa 1911: Arct. XCV,
538 S. 10 Rub. [1712

Sprachen und Literaturen.

Adam, Z. Esperanta-Pola, kaj Esperanta-Litova. Bibliografio. 1887
—1912. Varšava 1912: Boguslavskij. 64, 4 S. 1 Fr. [1713

Arnold, Robert F.　Fremde Literaturgeschichten.　Ein bibliograph.
Versuch.　Zeitschr. f. d. deutsch. Unterricht 26. 1912. S. 449
—458.　[1714

Clapp, John M.　A bibliography of English fiction in the eighteenth
century.　Bibliographical Soc. of America.　Papers 6.　1911 (1912).
S. 37—56.　[1715

Gauchat, Louis, et Jeanjaquet, Jules.　Bibliographie linguistique de la
Suisse romande.　Glossaire des patois de la Suisse romande.　T. 1.
Extension du français et question des langues en Suisse.　Littérature patoise.　Neuchâtel: Attinger 1912.　X, 291 S., 1 Karte, 7 Faks.
7,50 Fr.　[1716

Goedeke, Karl.　Grundrifs zur Geschichte der deutschen Dichtung . . .
3. neu bearb. Aufl. hrsg. von Edm. Goetze.　Bd 4.　H. 3.　Bog. 28
—40 (bearb. von Karl Kipka).　Dresden: Ehlermann 1912.　S. 433
—640.　5,60 M.　Dass. 2. Aufl.　H. 28.　Bog. 1—10.　Bearb. von
Alfred Rosenbaum.　S. 1—160.　4,20 M.　[1717

Kołodziejczyk, Edmund. (Poln.) Bibliographie der polnischen Slavistik.
Krakau: Akademie 1911.　XX, 303 S.　4⁰.　8 Kr.　[1718

Lanson, Gustave.　Manuel bibliographique de la littérature française
moderne 1500—1900.　I. Seizième siècle.　2ᵉ éd.　Paris: Hachette
1911.　XVI, 271 S.　4 Fr.　[1719

Northup, Clark S.　The present bibliographical status of modern
philology.　With a summary of letters from representatives of
modern language studies by W. N. C. Carlton, preceded of a survey
of periodical bibliography by J. Christian Bay.　Publ. for the Bibliographical Society of America.　Chicago: University of Chicago Press
(1911).　42 S.　[1720

Rasi, Luigi.　Catalogo generale della raccolta drammatica italiana.
Firenze: Arte della stampa 1912.　360 S.　[1721

Wood, G. W.　Literature in the Manx language to the middle of
the nineteenth century.　Libr. Assoc. Record 13.　1911.　S. 343
—353.　[1722

Theologie.

Alazard, Ildefonse.　Essai de bibliographie picpusienne.　Missions de
l'Océanie orientale.　Iles Marquises, Tahiti, Tuamotu, Iles Cook,
Iles Sandwich.　Evreux 1912: Impr. de l'Eure.　23 S.　Aus: Annales
des Sacrés-Coeurs.　[1723

Marcel, L.　Les livres liturgiques du diocèse de Langres.　Étude bibliographique.　(Suppl. 2.)　Paris: A. Picard, Langres: Martin-Berret
1912.　XI, 107 S.　3 Fr.　(Hauptwerk erschien 1892, Suppl. 1.
1899.)　[1724

Rivière, Ernest M.　Corrections ad additions à la Bibliothèque de la
Compagnie de Jésus.　Supplément au „De Backer-Sommervogel".
Fasc. 1.　Toulouse: Selbstverlag 1911.　38 Sp.　[1725

X.
Lokale Bibliographie.
(Nach Gebieten bezw. Orten geordnet.)

Albanien. Legrand, Emile. Bibliographie albanaise. Description raisonnée des ouvrages publiés en albanais ou relatifs à l'Albanie, du XVᵉ siècle à l'année 1900. Oeuvre posthume, complétée et publiée par Henri Gûys. Paris: H. Welter 1912. VIII, 228 S., 1 Faksim., 1 Portr. 10 Fr. [1727

Cuba. Trelles, Carlos M. Bibliografia Cubana del siglo XIX. T. 1. 2. (1800—1825. 1826—1840.) Seguida de una relación de periódicas publicados en Cuba en el siglo XX por . . . Francisco Llaca y unas noticias curiosas referentes á escritores de los siglos XVII y XVIII por Manuel Perez Beato. New York: Stechert 1911. Matanzas: (Selbstverlag) 1912. VII, 327; II, 339 S. [1728

Franche-Comté. Perrod, Maurice. Répertoire bibliographique des ouvrages franc-comtois imprimés antér. à 1790. Paris: H.Champion 1912. 382 S. [1729

Irland. Brown, Stephan J. A guide to books on Ireland. Dublin: Hodges 1912. XVII, 371 S. 6 Sh. [1730

Kärnten. Strastil von Strafsenheim, Theod. Bibliographie der im Herzogtum Kärnten bis 1910 erschienenen Druckschriften. Klagenfurt: v. Kleinmayr 1912. 116 S. 3,50 M. [1731

Le Havre. Lechevalier, A. Bibliographie méthodique de l'arrondissement du Havre. Le Havre 1911: Micaux. 247 S. (Société havraise d'études diverses.) [1732

London. Huck, Thomas Wm. The Bibliography of London. Library 3. Ser. 3. 1912. S. 38—54. [1733

Lyonnais. Audin, Marius. Bibliographie iconographique du Lyonnais. T. 3. Partie 3. Vues particulières. Fasc. 1. 2. Lyon 1911. 1912: A. Rey. 100 S. (Bibliothèques de la Ville de Lyon. Collection de travaux de bibliographie.) [1734

Nivelles. Willame, Georges. Essai de bibliographie nivelloise. Nivelles: Société archéol. 1911. XI, 440 S. Aus: Annales de la Société archeol. de l'arrondiss. de Nivelles T. 10. (Nicht im Buchhandel.) [1735

Oxford. Madan, Falconer. Oxford books. A bibliography of printed works relating to the University and City of Oxford or printed or published there, with appendices, annals and illustrations. Vol. 2. Oxford literature 1450—1640, and 1641—1650. Oxford: Clarendon Press 1912. XV1, 712 S. Gebd. 25 Sh. [1736

Tirol. Margreiter, Hans. Beiträge zu einem tirolischen Anonymen-
und Pseudonymen-Lexikon mit Register der Autoren und Mono-
gramme. Innsbruck 1912: Wagner. S. 291—480. Aus: Zeitschr.
d. Ferdinandeums, III. Folge, H. 56.   [1737
Verviers. Weber, Armand. Essai de bibliographie verviétoise. Journaux
et publications periodiques. Verviers 1912: Féguenne. 213 S. Aus:
Bulletin de la Société verviétoise d'archéologie et d'histoire. [1738
Wales. The National Library of Wales. Bibliotheca Celtica. A register
of publications relating to Wales and the Celtic peoples & languages
2. for the year 1910. Aberystwyth: 1912. 234 S. 2 Sh. 6 d. [1739

XI.

Personale Bibliographie.

(Nach den Personen geordnet.)

Aeschylus. Isnard, Albert. Catalogue des ouvrages d'Eschyle conservés au département des imprimés de la Bibliothèque nationale
1912. Paris: Impr. nat. 1912. 38 Sp. Aus: Catalogue général
des livres imprimés de la Bibl. nat. T. 48.   [1740
Aesop. Ledos, E. G. Catalogue des ouvrages d'Esope de Phrygie
cons. au département des imprimés de la Bibliothèque nationale
1912. Paris: Impr. nat. 1912. 60 Sp. Aus: Catalogue général
des livres imprimés de la Bibl. nat. T. 48.   [1741
Bĕlinskij. Fedorov, Iv. (Russ.) Versuch einer chronologischen Dispo-
sition zur Biographie V. G. Bĕlinskij's Mit bibliographischem Index
1811—1911. Smolensk 1911. 45 S.   [1742
Bosboom-Toussaint. Anna Louisa Geertruida Bosboom-Toussaint, 1812
— 16. September 1912. Tentoonstelling door Johs. Dyserinck. Catalogus door G. A. Evers. Utrecht 1912: Van Boekhoven. 62 S. [1743
Brentano. Steinle, Alphons M. Verloren gegangene Brentano-Hand-
schriften. Zeitschr. f. Bücherfreunde N. F. 3. 1911/12. S. 330
— 332.   [1744
Cousin. Pidoux, A. Bibliographie historique des oeuvres de Gilbert
Cousin. Bibliographe moderne 15. 1911 (1912). S. 132—171. [1745
Erasmus. Catalogue des ouvrages d'Erasme conservés à la Bibliothèque nationale. Paris: Impr. nat. 1912. 136 Sp. Aus: Catalogue
général des livres imprimés T. 47.   [1746
Estienne. Dacier, E. Catalogue des ouvrages d'Henri Estienne cons.
au département des imprimés de la Bibliothèque nationale 1912.
Paris: Impr. nat. 1912. 50 Sp. Aus: Catalogue général des livres
imprimés de a Bibl. nat. T. 48.   [1747

Euripides. Isnard, Albert. Catalogue des ouvrages d'Euripide cons.
au département des imprimés de la Bibliothèque nationale 1912.
Paris: impr. nat. 1912. 66 Sp. Aus: Catalogue général des livres
imprimés de la Bibl. nat. T. 48. [1748
Gloger. D_emby, Stefan. (Polnisch.) Bibliographie der Schriften Zyg-
munt Glogers. Warschau: Tow. Krajoznawcze 1911. 66 S. [1749
Goethe. Bibliographie. (1. Schriften. 2. Biographisches. 3. Verschie-
denes.) Goethe-Jahrbuch 33. 1912. S. 239—261. [1750
Harnack. Christlieb, Max. Harnack-Bibliographie. Zum 60. Geburts-
tage Adolf Harnacks zusammengestellt. Mit 3 Anh. u. Registern.
Leipzig: Hinrichs 1912. VII, 94 S. 3 M. [1751
Haupt. Ember, A. Preliminiary Bibliography of Paul Paupt, W. W.
Spence Professor of the Semitic Languages and Director of the
Oriental Seminary of the Johns Hopkins University. Johns Hopkins
Circular 1911, Dezember. S. 1—29. [1752
Justi. Willers, Heinrich. Verzeichnis der bis zum 2. 8. 1912 erschie-
nenen Schriften Carl Justis. Carl Justi zum 80. Geburtstage dar-
gebracht von Rektor u. Senat der rhein. Friedrich-Wilhelms-Univer-
sität zu Bonn. Bonn: C. Georgi. 1912. 32 S. 1,50 M. [1753
Karl V. Laiglesia, Francisco de. Bibliografia de Carlos V. Catálogo
de las obras que posee . . . Fr. de Laiglesia y ha cedido à la
Academia de la historia. Madrid 1911: Asilo de huérfanos de
Jesús. 51 S. [1754
Lafontaine. Rochambeau, Comte de. Bibliographie des oeuvres de La
Fontaine. Paris: A. Rouquette 1911. XIII, 669 S. 25 Fr. [1755
Paracelsus. Proksch, J. K. Paracelsus als medizinischer Schriftsteller.
Eine Studie. Wien u. Leipzig: Šafář 1911. 86 S. 2,50 M. [1756
Pascal. Maire, Albert. L'Oeuvre scientifique de Blaise Pascal. Biblio-
graphie critique et analyse de tous les travaux qui s'y rapportent.
Préface p. Pierre Duhem. Paris: A. Hermann 1912. XXVIII,
184 S. 15 Fr. [1757
Pope. Heinzelmann, J. H. A Bibliography of German translations
of Pope in the eighteenth century. Bulletin of the Bibliographical
Society of America 4. 1912. S. 3—11. [1758
Puschkin. Die Handschriften Puschkins. I. Die Autographen des
Puschkin-Museums des kais. Alexandrov-Lyceums. Heft I. S.-Peter-
burg 1911: Golike i Vilborg. 16 Beilagen. 8 S. [1759
— Zelinskij, V. (Russ.) Die russische kritische Literatur über die
Werke A. S. Puškin's. Chronologische Sammlung kritisch-biblio-
graphischer Aufsätze. T. I. Moskva 1911. 4. Aufl. XLIV, 192,
4 S. 1 Rub. [1760
Schiller. Correzioni ed aggiunte alla bibliografia Schilleriana. (Von
L. M.) Rivista de letteratura tedesca 5. 1911. S. 225—240. [1761
Shakespeare. Daffis, Hans. Shakespeare-Bibliographie 1911. Mit
Nachträgen zur Bibliographie früherer Bände des Jahrbuchs der
Deutschen Shakespeare-Gesellschaft. Jahrbuch der Deutsch. Shake-
speare-Gesellschaft. 48. 1912. S. 355—400. [1762

Thackeray. Catalogue of an exhibition commemorating the hundredth anniversary of the birth of William Makepeace Thackeray (1811 —1863). Held at the Grolier Club ... Jan. 25 — March. 16: 1912. New York: Grolier Club 1912. VIII, 105 S. [1763

Tolstoi. Bodnarskij, B. S. (Russ.) Bibliographie der Werke L. N. Tolstojs. Versuch e. systematischen Verzeichnisses. Moskva: Trud 1910. 26 S. 4°. [1764

Trenck. Gugitz, Gustav, u. Max v. Portheim. Friedrich Freiherr von der Trenck. Ein bibliographischer u. iconographischer Versuch. Wien: Rud. Ludwig 1912. 54 S., 1 Bildn. 4,20 M. [1765

Tscherning. Verzeichnis der Ausgaben und Einzeldrucke Tschernings bis zu seinem Tode. In: H. H. Borcherdt, Andreas Tscherning, München-Leipzig 1912. S. 337—365. [1766

Vasari. Churchill, Sidney J. A. Bibliografia vasariana. Firenze: 1912. 45 S. 4°. [1767

Verlaine. Tournoux, Georges A. Bibliographie verlainienne, contribution crit. à l'étude des littératures étrangères et comparées. Préf. de F. Piquet. Leipzig: Rowohlt 1912. XVI, 172 S. = Collection bibliographique pour servir à l'histoire du mouvement littéraire contemporain T. 1. [1768

Wagner. Frankenstein, Ludw. Bibliographie der auf Richard Wagner bezüglichen Buch-, Zeitungs- u. Zeitschriften-Literatur f. d. J. 1907 —1911. Berlin-Wilmersdorf: H. Schnippel 1912. 80 S. 1 M. Aus: Richard Wagner-Jahrbuch 4. 1912. [1769

Wallace. Speidel, Theodor. Wallacebibliographie. (Sir William Wallace, Schottlands Nationalheld, 1270?—1305.) Bayreuth 1911: Mühl. 45 S. Beil. z. Programm d. Gymnas. Bayreuth. [1770

XII.
Bibliophilie.

1. Allgemeines.

(Zeitschriften siehe unter I, Gesellschaften unter II, 4.)

Bogeng, G. A. E. Umrifs einer Fachkunde für Büchersammler. Mit Beitr. von Ed. Grisebach †, Ch. Hottinger, J. Loubier, F. v. Zobeltitz. Berlin: Harrwitz 1911. VII, III, 139, III, 180, 160 S., 3 Taf. 16 M. Aus: Jahrbuch für Bücherkunde u. -liebhaberei 1—3. [1771

Burcev, A. E. (Russ.) Memoiren eines Bibliophilen. Künstlerisch-bibliographische Sammlung. Heft 1—15. S.-Peterburg 1911: Vejerman. Getr. Pag. [1772

Cohen, Henri. Guide de l'amateur de livres à gravures du XVIIIe siècle. Rev., corr. . . . par Seymour de Ricci. 6. éd. P. 1. 2. Paris: Rouquette 1911. XXVI S., 1248 Sp. m. Illustr. [1773

Grabowsky, Norbert. Privatbibliotheken volkstümlicher Werke philosophischer Erkenntnis und die aufserordentliche Bedeutung solcher Bibliotheken für den Geistesfortschritt der Menschheit. Leipzig: Spohr 1911. 35 S. 0,50 M. [1774

Grangerising. Aesthetisches. Historisches. Technisches. Jahrbuch für Bücher-Kunde u. -Liebhaberei 4. 1912. S. 81—100. [1775

Die Handhabung der Bücher. Allerlei Zweckmäfsiges. Jahrbuch für Bücher-Kunde u. -Liebhaberei 4. 1912. S. 73—79. [1776

Hesse, Hermann, u. Paul Ernst. Ueber Bücher und Bücherlesen. Zwei Aufsätze. Dazu Aussprüche und Gedanken von Denkern und Dichtern aus Vergangenheit und Gegenwart. Eingeleitet von Walter Hofmann. Volksbildungsarchiv 2. 1911. S. 425—442. [1777

Leonard, R. M. The book-lovers' anthology. Oxford: H. Frowde 1911. XXXII, 408 S. 2 Sh. [1778

Löffler, Klemens. Bücherfälschungen. Hochland 9. 1911/12. S. 725 —733. [1779

Nodier, Charles. Le Bibliomane. Jahrbuch f. Bücher-Kunde und -Liebhaberei 4. 1912. S. 1—24. [1780

Richard de Bury. Philobiblon, das ist der Traktat über die Liebe zu Büchern. Erstmalig aus dem Lateinischen in das Deutsche übertr. u. eingel. v. Franz Blei. (Leipzig: Inselverlag) 1912. XII, 104, XXIX S. [1781

Ueber das Sammeln moderner Bücher. Jahrbuch für Bücher-Kunde und -Liebhaberei 4. 1912. S. 101—139. [1782

Schiller, F. Von Büchern, Büchersammlern, Büchernarren, Bücherfälschern und dergleichen. Illustrierter Oesterreich. Volkskalender für 1912. [1783

Schlotke, Otto. Dichter als Bibliophilen. Börsenblatt 1912. S. 9093 —9094. [1784

Die Vente Fortsas. Jahrbuch für Bücher-Kunde und -Liebhaberei 4. 1912. S. 25—41. [1785

2. Einzelne Bibliophilen.

Belsunce. Dujarric-Descombes, A. Belsunce, littérateur et bibliophile. Bulletin de la société hist. et archéol du Périgord 39. 1912. S. 180—185. m. 2 Taf. [1786

Grolier. Le Roux de Liney, A. J. V. Researches concerning Jean Grolier, his life and his library. With a partial catalogue of his books. Ed. by Baron Roger Portalis. Transl. a. revis. by Carolyn Shipman. New York: Grolier Club 1907. XLV, 386 S., 12 Taf. 4⁰. [1787

Joly. Fleury, Bernard. Un moine bibliophile au XVme sièele: Le P. Jean Joly, cordelier de Fribourg. Zeitschrift für schweizerische Kirchengeschichte 6. 1912. S. 27—33. [1788

Lisowskij. Das Jubiläum (Russ.: jubilej) N. M. Lisowskij's. Bibliotekař
3. 1912. S. 48—50. [1789
— Wolter, E. Nicolai Michailovitsch Lissowski. Ein russischer
Büchersammler und Bibliograph. Jahrbuch für Bücher-Kunde und
-Liebhaberei 4. 1912. S. 43—46 m. 2 Taf. [1790
Ochsenbach. Löffler, Karl. Eine schwäbische Bibliophilenfamilie aus
dem XVII. Jahrhundert und ihie Sammlung. (Ochsenbach.) Zeitschr.
f. Bücherfreunde N. F. 4. 1912/13. S. 69—75. [1791

3. Privatbibliotheken.

Bégis. Catalogue de la Bibliothèque de feu M. Alfred Bégis. P. 1—3.
Paris: Paul et Guillemin 1909—10. [1792
Brincourt. Catalogue de la Bibliothèque de feu M. J.-B. Brincourt de
Sedan. P. 1. Auteurs ardennais. P. 2. Documents, manuscrits et
lettres autographes. Paris: Paul et Guillemin 1909—10. [1793
Brunetière. Catalogue de la Bibliothèque de feu M. Brunetière. Préf.
de M. le Vicomte E.-Melchior de Vogüé. P. 1. 2. Paris: Paul et
Guillemin 1908. [1794
Carvalho s. 1344.
Chapelain. Catalogue de tous les livres de feu M. Chapelain (Biblio-
thèque nationale, fonds français, nouv. acq. No 318). Ed. by Colbert
Searles . . . With two plates. Stanford Univ.: University 1912.
119 S. (Leland Stanford Junior University publications. University
Series.) [1795
Crawford. Axon, William E. A. An appreciation of the „Bibliotheca
Lindesiana". Libr. Assoc. Record 14. 1912. S. 4—13. [1796
Davidov. Katalogo de la biblioteko (1888—1911) de Georg Davidov-
Saratov. Wolfenbüttel: Heckner 1911. VIII, 129 S., 1 Portr. 2 M.
. = Eldonajoj de la Germano Akademia Esperantista Ligo 1. Biblio-
grafio 1. [1797
Delessert. Vente du 22 au 25 Janvier 1912. (Hôtel Drouot.) Cata-
logue des livres rares et précieux composant le cabinet de feu
M. Benjamin Delessert. Paris: Paul 1912. 172 S., 1 Portr.
4⁰ (8⁰). [1798
Fortescue, J. B. s. 1224.
Freiligrath. Unpublished autograph letters and books of English and
American authors with association interest from the Estate of Fer-
dinand Freiligrath 1810—1876 . . . New York: Anderson Auction
Co: 1911. 52 S. = Auct. Cat. Nr 915. [1799
Friedrich der Grofse. Krieger, Bogdan. Lektüre und Bibliotheken
Friedrichs des Grofsen. I. (Am Schlusse: Gesamtkatalog der Biblio-
theken Friedrichs des Grofsen.) Hohenzollern-Jahrbuch 15. 1911.
S. 168—216 m. 9 Abb. u. 1 Taf. [1800
Gelli. Catalogue de la collection d'ouvrages sur l'escrime de Mr. le
Comm. Jacopo Gelli. Rom: Dario G. Rossi 1912. 76 S. [1801

Goethe. Meyer, Richard M. In Goethes Bibliothek. Zeitschr. f. Bücherfreunde N. F. 3. 1911—12. S. 281—292 m. 7 Abb. [1802

Hoe. Catalogue of the Library of Robert Hoe of New York. Illuminated manuscripts, incunabula, historical bindings . . . P. 3. 4. To
be be sold by auction . . . by the Anderson Auction Co. New York:
1912. VII, 238 S., 18 Taf.; S. 241—471, 11 Taf.; 249 S., 1 Taf.,
S. 251—541, 1 Taf. [1803

Huth. Catalogue of the famous library of printed books, illuminated
manuscripts, autograph letters and engravings collected by Henry
Huth and since maintained and augmented by his son Alfred
H. Huth. The printed books and illuminated manuscripts. Portion 1.
. . . Auction 15. Nov., ss. London: Sotheby 1911. 340 S.,
31 Taf. 5 Sh. [1804

Lormier. Catalogue de la Bibliothèque de feu M. Charles Lormier
de Rouen. P. 4. Manuscrits avec miniatures. 1904. P. 5. Histoire
de la Normandie 1905. P. 6. Livres anciens et modernes dans
tous les genres. 1907. (P. 1—3 u. Album ersch. 1901/03.) Paris:
Paul et Guillemin 1904—1907. [1805

Luther. Albrecht, Otto. Ein Buch aus Luthers Bibliothek. Zeitschr.
d. Vereins f. Kirchengeschichte in der Provinz Sachsen 9. 1912.
S. 51—56. [1806

Massenbach. Rose, Carl von. Katalog der Bibliothek des Freiherrn
Christian von Massenbach zu Bialokosch (Kr. Birnbaum), Prov. Posen.
Nebst Einleit.: Lebensgeschichte des Fhrn. von Massenbach. Als
Manuskript gedr. 1912. 87 S. [1807

Morgan s. 1233. 1279.

Morici. Catalogo della Biblioteca del fu Signor Gregorio Morici di
Fermo. Roma: Dario G. Rossi 1912. 229 S. [1808

Morstin, Graf. s. 1234.

Nodier. Guillois, A. Les livres de Charles Nodier. Bulletin du
bibliophile. 1912. S. 461—478. [1809

Olschki s. 1236. 1248.

Ormonde, Marquess, s. 1237.

Paris. Barrau-Dihigo, L. Catalogue de la bibliothèque Gaston Paris.
Livr. 1. Paris: H. Champion 1911. 240 Sp. = Bibliothèque de
l'École des hautes études. Sc. hist. et philol. Fasc. 200. [1810

Rosenberg, Max s. 1240. 1241.

Rothschild. Catalogue des livres composant la Bibliothèque de feu
M. le baron James de Rothschild. T. 4. Paris: E. Rahir 1912.
653 S. [1811

Sabinus. Schillmann, Fritz. Die juristische Bibliothek des Georgius
Sabinus. Zentralblatt 28. 1911. S. 487—495. [1812

Squarceti. Avena, Antonio. I libri del notaio veronese Bartolomeo
Squarceti da Cavajon (1420). Bibliofilia 13. 1911/12. Disp.
7—9. [1813

Stroehlin. Catalogue de la bibliothèque de feu M. Ernest Stroehlin,
Prof. hon. à l'Université de Genève. P. 1—3. Paris: E. Paul
1910—1912. 100; VIII, 264 S., 23 Taf.; IV, 259 S. [1814

Thompson, Henry Yates s. 1264.
Ugo d'Inghilterra s. 1244.
Ugolino. Bombe, Walter. Hausinventar und Bibliothek Ugolinos da
Montecatini. (1428.) Mit Anmerk. von Karl Sudhoff. Archiv für
Geschichte d. Medizin 5. 1911. S. 225—239. [1815
Valabrègue. Hildenfinger, Paul. La Bibliothèque de Bernard de
Valabrègue. († 1779.) Bulletin du bibliophile 1911. S. 421
—432. [1816

XIII.
Ex Libris.

Svensk Exlibris-Tidskrift. (Meddelanden for exlibrissamlare och bok-
vännér) utg. af Arthur Sjögren. Arg. 2. 1912. Nr 1. Jan. (Stockholm 1912: Lagerström) 4⁰. Jg. 10 Kr. [1817
Oesterreichische Exlibris - Gesellschaft. Jahrbuch 9. 1911. Wien:
Gesellschaft (1912). 129 S., 76 Abb. i. T., 14 Taf. 4⁰. 10 K. [1818

Anderle, Jaromir. Alte Bucheignerzeichen Trients und seiner Um-
gebung. Oesterr. Exlibris-Gesellschaft. Jahrbuch 9. 1911 (1912).
S. 31—37 m. 3. Abb., 1 Tab. [1819
Bayros, Franz von. Ex-libris. N. F. Wien: Artur Wolf 1912. II S.,
11 Taf. 25 M. [1820
Bouland, L. L'Ex-libris de J. F. Parguez prêtre familier. (Geb. 1733.)
Bulletin du bibliophile 1912. S. 276—279 m. 2 Abb. [1821
Bonland, L. Livre aux armes du Cardinal J.-J.-X. D'Isoard. Bulletin
du bibliophile 1912. S. 184—187 m. 2 Abb. [1822
Bouland, L. Livre aux armes de Joseph de Malarmey. Bulletin du
bibliophile 1912. S. 387—391 m. 1 Abb. [1823
Bouland, L. Livres aux armes de monseigneur de Saunhac-Belcastel.
Bulletin du bibliophile 1912. S. 49—51 m. 2 Abb. [1824
Braungart, Richard. Fidus. (Ex-Libris.) Exlibris, Buchkunst und
angewandte Graphik 21. 1911. S. 171—176 m. 7 Abb. [1825
Bréton, O. Ex-Libris Quatrefages. Rivista del collegio araldico 9.
1911. S. 747—748 m. 1 Abb. [1826
Bücher-Zettel. Jahrbuch fhr Bücher-Kunde u. -Liebhaberei 4. 1912.
S. 145—147, Taf. 3—16. [1827
Chatelain, Emile. Les Reliures armoriées de la Bibliothèque de l'Uni-
versité. (Article 1.) Revue des bibliothèques 21. 1911 (1912).
S. 349—377. [1828
Corwegh, Robert. Hanns Bastanier. (Exlibris.) Xenien 5. 1912. S. 71
—75 m. 7 Exlibris. [1829

Dujarric-Descombes, A. L'Ex-libris du Comte de Jumilhac. Bullétin histor. et archéol. du Périgord 38. 1911. S. 429—431, 1 Taf. [1830

Evers, G. A. Fotografische exlibris. De Boekzal 6. 1912. S. 21 —26 m. 11 Abb. [1831

Un Ex-Libris autographe de Bossuet. L'Amateur d'Autographes 45. 1912. S. 285 m. Faksim. [1832

Ex libris der Paulusbibliothek (zu Worms) s. 625.

Faustino, Curlo. L'Ex-dono (Ex-Libris) di un prode. Torino: G. Schoder 1912. 4 S., 1 Taf. 4⁰. 1,50 L. Aus: Annuario della società fra gli amatori di Ex-libris. [1833

Gorst, Bertha (d. i. J. G. Aiken). Gothic book-plates; being certain passages from „The nature of Gothic" by J. Ruskin, and certain book-plates by Bertha Gorst. Kansas City, Mo.: H. A. Fowler 1912. 1,50 $. [1834

Gottlieb, Theodor. Drei alte Bücherzeichen. (Aus der Wiener Hof-bibliothek: Hieronymus Winckelhofer aus Ehingen † 1538; Bischof Georg Slatkonia 1503—1513, Nikolaus von Haunoldt † 1612.) Oesterreich. Exlibris-Gesellschaft. Jahrbuch 9. 1911 (1912). S. 38 —59 m. 9 Abb., 1 Taf. [1835

Grosso, Alb. Gli ex-libris fotografici. Torino: Off. Subalpina 1912. 5 S., 1 Taf. 4⁰. Aus: Annuario della società fra gli amatori di Ex-Libris. [1836

Hennezel d'Ormois, Vᵗᵉ de. Quelques bibliophiles du pays laonnois et leurs ex-libris. Saint-Quentin: 1910. 42 S. m. Abb. Aus: Bulletin de la Société académique de Laon. 1910. [1837

Höfken, R. v., Moritz von Weittenhiller †. Oesterreich. Exlibris-Gesell-schaft. Jahrbuch 9. 1911 (1912). S. 1—9, 1 Taf. [1838

Krahl, E. Weittenhiller als Künstler. Oesterreich. Exlibris-Gesell-schaft. Jahrbuch 9. 1911 (1912). S. 10—16 m. 15 Abb. [1839

Labò, Mario. Ex-libris di G. A. Sartorio. Torino: Off. Subalpina 1212. 4 S., 5 Taf. 4⁰. Aus: Annuario della società fra gli amatori di Ex-Libris. [1840

Lorenz-Meyer, Eduard. Exlibris des Senators J. V. Meyer. (1766.) Ex-libris, Buchkunst und angewandte Graphik 21. 1911. S. 157 —158 m. 1 Abb. [1841

Mitterwieser. Das Alter der Buxheimer Exlibris. Exlibris, Buchkunst und angewandte Graphik 21. 1911. S. 102—106 m. 1 Abb. [1842

Mock, Fritz. Ex Libris. 2. Folge. (Basel: Selbstverlag 1911.) IV S., 16 Taf. In Mappe 25 Fr. [1843

Paris, Louis. L'Estampille des livres. Congrès de Bruxelles 1910. Actes 1912. S. 307—316. [1844

Pasquinelli, Ferd. Gli ex-libris monastici nel secolo XVIII. Lucca: E. Guidotti (A. Amedei) 1912. 17 S. 50 cent. [1845

Patetta, Fed. Gli ex-libris di Giacomo Francesco Arpino, medico piemontese del secolo XVII. Torino: Off. Subalpina 1912. 14 S., 5 Taf. 4⁰. 2,50 M. Aus: Annuario della società fra gli amatori di Ex-Libris. [1846

Raisin, Fred. Barbarigo. Un ex-libris vénetien par un graveur
français. Torino: Off. Subalpina 1912. 5 S., 1 Taf. 4⁰. Aus:
Annuario della società fra gli amatori di Ex-Libris. [1847

Rati Opizzoni, L. A. Francesco di Bayros. Biografia e appunti biblio-
grafici. Torino: G. Schoder 1912. 10 S., 8 Taf., 1 Orig.-Exlibris.
4⁰. 5 L. [1848

Rels, Arm. Ex-Libris. Bruxelles: Havermans 1911. 65 S. [1849

Rodina, Edgardo. Gli ex-libris erotici. Torino: Off. Subalpina 1912.
5 S., 1 Taf. 4⁰. Aus: Annuario della società fra gli amatori di
Ex-Libris. [1850

Exlibris-Kunst III. 15 Exlibris-Zeichnungen von Osk. Roick. Goslar:
Loeffel 1912., 15 Bl., IV S. 2,20 M. [1851

Rudbeck, Gustaf. Några gamla svenska bokägaremärken. Svensk
Exlibris Tidskrift 2. 1912. S. 1—4 m. 4 Taf. [1852

Rudbeck, Johannes. Om biblioteksmärken. Svensk Exlibris-Tidskrift
1. 1911. S. 73—75 mit 8 Abb. [1853

Schinnerer, J. Die alten Exlibris im Buchgewerbemuseum. Archiv
f. Buchgewerbe 49. 1912. S. 182—185 m. 8 Abb. [1854

Schock, Josef. Die Supralibros des Stiftes Seitenstetten. Oesterreich.
Exlibris-Gesellschaft. Jahrbuch 9. 1911 (1912). S. 17—30
m. 6 Abb. [1855

(Sjögren, Arthur.) Nyupptäckta svenska bokägaremärken. Svensk
Exlibris-Tidskrift 2. 1912. S. 17—22 m. 8 Exlibris. [1856

Stewart, James D. Ownership stamping of books. Congrès de Bruxelles
1912. Actes 1912. S. 253—257. [1857

Waemer. Exlibris Thomas Wolphius. (1485—1490.) Exlibris, Buchkunst u. angewandte Graphik 21. 1911. S. 101—102 m. 1 Taf. [1858

Wilm, Hub. Exlibris-Monographie. Bd 4. Wien, Artur Wolf 1912.
111 S., 7 Taf. In Mappe 15 M. [1859

Zur Westen, Walter von. Berlins graphische Gelegenheitskunst. Bd 1.
Berliner Exlibris, Besuchskarten . . . Bd 2. Berliner Festkarten . . .
Berlin: O. v. Holten 1912. XIV, 200; IX, 184 S., 384 Abb., 111 Taf.
2⁰. In Leder geb. 100 M. [1860

Register.

(Die Zahlen bedeuten die laufenden Nummern.)

9*

Druck von Ehrhardt Karras, Halle a. S.

Beihefte

zum

Zentralblatt für Bibliothekswesen

XLII

Bibliographie

des

Bibliotheks- und Buchwese

Bearbeitet

von

Adalbert Hortzschansky

Neunter Jahrgang: 1912

Im Jahre 1913 erscheint vom

Zentralblatt für Bibliothekswesen

begründet von **Otto Hartwig**, herausgegeben von **Dr. Paul Schwenke**

der **30. Jahrgang.** Eine Reihe von Jahrgängen und besonders von Beiheften ist gänzlich vergriffen, so dass vollständige Exemplare fast unauffindbar sind. Ich selbst besitze ausser meinem Handexemplar noch eine einzige ganz vollständige Reihe, die ich wie folgt anbiete:

Jahrgang I—XXIX nebst Generalregister zu Band 1—20 und Beiheften 1—40 1200 Mark.

Ausserdem kann ich noch einige wenige Exemplare ohne Jahrgang I und ohne die Beihefte liefern, und zwar

Jahrgang II—XXIX nebst Generalregister zu Band 1—20 für 500 Mark.

Da die Vorräte mehrerer Jahrgänge nur ganz gering sind, so dass ich bald nur noch ganz lückenhafte Reihen liefern kann, dürfte es sich empfehlen, sich noch eines dieser Exemplare zu sichern. Wegen des fehlenden 1. Jahrganges bitte ich, sich mit mir in Verbindung zu setzen, da ich ihn eventuell anastatisch reproduzieren lassen werde, sobald Aussicht vorhanden ist, dass die Kosten gedeckt werden.

Ebenso bitte ich, sich wegen Ausfüllung etwa vorhandener Lücken an mich zu wenden. Ich werde bemüht sein, allen Wünschen nach Massgabe der Vorräte zu entsprechen.

Von den **Beiheften zum Zentralblatt für Bibliothekswesen** können nur noch folgende zum ursprünglichen Preise bezogen werden:

Heft I: Personalverzeichnis d. Pariser Universität von 1464 und die darin angeführten Handschriften- und Pergamenthändler, von Dr. Max Spirgatis. 51 Seiten m. 1 Faksimile-Tafel. M. 2.—

„ II: 1. Die Reichenauer Sängerschule. Beiträge zur Geschichte der Gelehrsamkeit und zur Kenntnis mittelalterlicher Musikhandschriften, von Wilhelm Brambach. 43 Seiten mit 1 Faksimile-Tafel. — 2. Zur Bibliographie des Henricus Hembuche de Hassia dictus de Langenstein, von F. W. E. Roth. 22 Seiten. M. 3.—

„ IV: 1. Die Buchdruckerei des Jacob Köbel und ihre Erzeugnisse (1503—1572), von F. W. E. Roth. 35 Seiten. — 2. Zwei Bücherverzeichnisse des 14. Jahrhunderts in der Admonter Stiftsbibliothek, von P. J. Wichner. 36 S. M. 2.80

„ VI: Beiträge zur Geschichte der Universitätsbibliothek Giessen, von Emil Heuser. 74 Seiten. M. 2.80

„ X: Adressbuch der Deutschen Bibliotheken, bearbeitet von Dr. Paul Schwenke. 411 Seiten. M. 10.—

„ XIII: Die Incunabeln der Königl. Universitäts-Bibliothek in Bonn, von Dr. E. Voulliéme. 262 Seiten. M. 11.—

„ XIV: Beiträge zur Incunabelnkunde, von P. G. Reichhart. Bd. I. 464 Seiten. M. 18.—

„ XVI: Beiträge zur Geschichte Georg Vallas und seiner Bibliothek, von J. L. Heiberg. 129 Seiten. M. 5.—

Verlag von Otto Harrassowitz in Leipzig.

Alle übrigen sind teils gänzlich vergriffen, teils nur noch in wenigen plaren vorhanden und nur zu entsprechend erhöhten Preisen lieferbar. itte deswegen bei mir anzufragen.